Les poulains du royaume

Ce récit est la suite du roman, *Les Chemins de Jérusalem*, publié chez le même éditeur.

JACQUES BOUINEAU   DIDIER COLUS

Les poulains
du royaume

roman

LES ÉDITIONS DU CERF
PARIS
2001

Les cartes ont été établies par Yves Delmas

© *Les Éditions du Cerf,* 2001
(29, boulevard La Tour-Maubourg
75340 Paris Cedex 07)

ISBN 2-204-06603-6

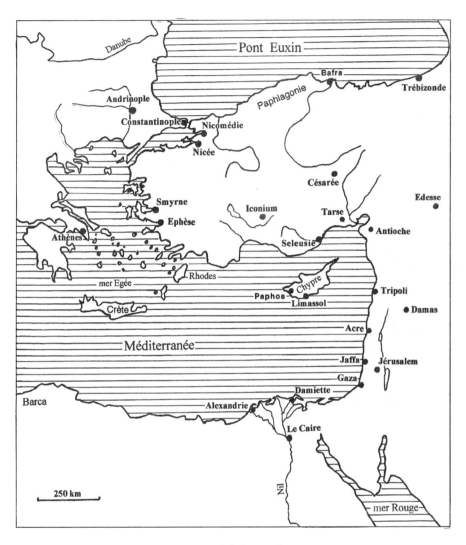

Bassin oriental de la Méditerranée

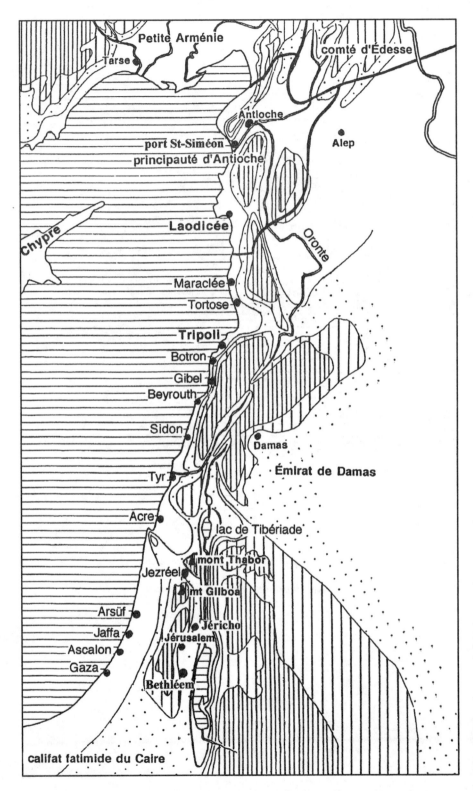

Façade méditerranéenne du Proche-Orient

I

AUJOURD'HUI, jour des ides de septembre, l'an de l'Incarnation 1099, moi, Foulques, chevalier, sire de Termes, entreprends de raconter les événements qui sont arrivés depuis deux mois que nous avons pris Jérusalem, et peut-être ceux qui suivront à compter de ce jour.

Je ne sais si j'écris afin que ceux qui viendront après nous sachent ce qui est advenu. Je ne sais si j'aurai le courage de mener à bien cette tâche qui me paraît immense et sans doute inutile.

En vérité, je ne puis garder pour moi seul les doutes qui m'envahissent l'esprit depuis que nous avons atteint le but que nous nous étions fixé, reprendre la Ville sainte aux infidèles.

Ces mots que je trace sont autant de confidents, d'indispensables compagnons, tellement je suis accablé de solitude, tellement j'ai la conviction que nous nous sommes battus en vain pour poursuivre une chimère.

Comme le jour venait, Foulques éteignit distraitement une de ses deux chandelles et retailla sa plume.

Laodicée se préparait à se réveiller provençale pour la troisième fois. Deux jours avaient suffi pour installer un ordre nouveau et précaire dans la ville conquise. Une quinzaine auparavant, accompagné du Normand Bohémond, l'archevêque Daimbert de Pise, à la tête de cent vingt navires, avait jeté l'ancre en face de la cité et avait fait connaître son intention d'aider les Provençaux à enlever la ville, ce qui avait mis Raimond dans une violente colère. Il assurait que, bien qu'envoyé par le nouveau pape Pascal, ce Daimbert de Pise n'aurait eu de religieux que le titre ; il avait, d'après lui, mené plusieurs campagnes militaires en Espagne qui lui avaient permis de faire un peu reculer les Maures et de beaucoup s'enrichir. Raimond tenait pour certain que Bohémond s'était fait acheter par cet or impur, et qu'il n'était pas le seul.

En fait, ces alliés imprévus avaient effectivement été d'un bon secours, mais Daimbert laissait paraître de singulières ambitions, puisqu'il prétendait écarter Godefroi de Bouillon pour rattacher directement Jérusalem au siège de Pierre.

« Vous voyez, avait clamé Raimond, ça continue ! Ah ! ce nouveau pape, ce Pascal, là, ce n'est pas notre Urbain, non ! Lui, au moins, il savait ce qu'il faisait et ce qu'il voulait. C'est terrible, quand même, de mettre sur tous les trônes vacants des incapables et des impies ! »

Foulques se demanda s'il fallait consigner tous ces faits connus de tous. Il reprit.

Tant qu'a duré la guerre contre l'infidèle, l'action a justifié le sens du combat, en ne laissant aucune place à l'écriture, à peine à la pensée.

Aujourd'hui tout a changé.

Lorsque j'ai pris la croix, il y a trois ans de cela, je l'ai fait dans l'allégresse : j'entrais dans la milice du Christ Roi et me battais sous les ordres de l'Église qui agissait en Son nom. Or voici que, juste avant la victoire sur les Sarrasins, mon cousin Raimond de Saint-Gilles, comte de Toulouse, m'a fait de terribles révélations.

Jamais je n'oublierai les mots affreux qu'il a prononcés : « Maintenant, tu occupes une position unique, car, de la maison de Toulouse, tu es le seul à savoir que tu descends de ce sang-là. Somme toute, je pourrais établir ta légitimité. Et tes droits sur le trône de Jérusalem pourraient se défendre, une fois écarté l'usurpateur. »

À l'heure qu'il est, je ne suis pas encore revenu de ma stupeur. Le gouffre que je vois s'ouvrir à mes pieds est sans fond. Peut-être l'écriture me sera-t-elle un baume, ou une lumière.

Comme j'aimerais que tout cela soit un rêve absurde. Comme je voudrais me réveiller et rire de ces chimères !

Il laissa errer son regard sur Renaud qui dormait, allongé nu sur une paillasse. L'existence de son ami était pareille à un fleuve roulant où il se mouvait comme un poisson. Renaud se contentait de vivre pour donner une raison d'être à la vie. Mais comment cela pouvait-il suffire ? Comment imaginer que les instants succèdent aux instants, jusqu'au dernier instant qui ferme une parenthèse ouverte par hasard ? Sa vie à lui consistait à glaner ces instants, à les rendre aussi nobles et beaux que possible ; le terme lui importait peu puisqu'il était à ses yeux une vraie fin, une vraie mort.

Pour Foulques, au contraire, tout n'était que symboles. Inscrite en allégorie dans une réalité allégorique, son existence perdait tout son sens si Jésus n'était qu'un homme parmi les autres hommes. À quoi servirait de suivre la route selon l'enseignement du Père, si la mort n'était pas une naissance à la vie éternelle ?

Si Renaud et lui n'avaient qu'un même cœur, une même âme, d'où venait qu'ils ne comprenaient jamais les choses de la même manière ?

Cela non plus n'était pas simple.

Renaud venait de se recroqueviller sur le côté, le front contre le mur, les bras sous la tête. Sa longue chevelure recouvrait ses épaules comme une tunique de parade. Ils avaient décidé ensemble de laisser repousser leurs cheveux parce qu'ils en avaient eu assez de singer les « Romains » de l'Empire byzantin.

« Renaud… » appela-t-il doucement.

Le garçon poussa un grognement.

« Renaud, réveille-toi, insista Foulques.

– Quoi ? Qu'est-ce qu'il y a ? C'est déjà le matin ?

– Tu passes ton temps à dormir. Le soleil est déjà haut…

– Eh bien ! tant pis pour lui, laisse-moi dormir, que veux-tu faire d'autre ?

– Je voudrais te dire quelque chose… quelque chose d'important.

– Je dors, fiche-moi la paix.

– Je suis en train d'écrire une chronique. Je voudrais bien en parler avec toi. »

Renaud se redressa vivement.

« Une chronique ? Comme Raimond d'Aguilers ? Mais à quoi ça peut bien servir, une chronique ?

– C'est lourd, pour moi, de porter seul les révélations de mon cousin. Tout me paraît inutile ; je ne comprends même plus ce que croire signifie. *Vanité des vanités et tout est vanité…* Je n'aurais jamais imaginé que l'essence de la pauvre humanité pouvait se définir en si peu de mots. »

À droite, par-dessus le mur du jardin, dépassant à peine les murailles qui surplombaient la ville, le ciel avait pâli.

« Le soleil est déjà haut ? s'indigna Renaud. On n'est même pas à l'aurore !

– Depuis que nous sommes en Orient, je comprends pourquoi Homère disait *"l'aurore aux doigts de rose"*. Mais cet Orient ressemble à une fille malade qui attire, qui charme, qui inocule le mal. Notre guerre de Troie à nous durera bien plus de dix ans. Et pour y chercher, pour y fonder quoi ? On dit que les Francs descendent des Troyens ; Godefroi de Bouillon le répète tous les jours à ses hommes qui s'en prévalent avec morgue dès qu'une querelle les oppose aux nôtres.

– Qu'ils descendent d'où ils veulent, quelle importance, grogna Renaud en se recouchant.

– Je me demande ce que signifient toutes ces histoires d'origine… Quelle est la part de la légende, celle de la croyance ? Quelles preuves les uns et les autres apportent-ils ? L'Église, elle, s'appuie sur les Évangiles, sur les écrits inspirés des Pères, sur mille ans d'autorité indiscutée…

– Raimond t'a sûrement raconté des sornettes, oublie donc cela. Ce qui compte c'est de vivre, pas de descendre de l'un ou de l'autre, laissa échapper Renaud avec un soupir.

– Le ventre de tout, c'est l'Orient. D'ici que tout provient, ici que tout finira. C'est ici qu'Ève a croqué la pomme, ici qu'Adam a pleuré ; c'est ici que paraîtront les chevaliers de l'Apocalypse que nous sommes peut-être ; ici que nous rencontrerons notre Armaguédon. Nous sommes dans le nombril des siècles, avalés par les entrailles d'une monstrueuse baleine où les temps se confondent et où les valeurs s'annulent et s'entremêlent. Mais cette baleine-là ne nous rejettera pas dans une vomissure. Nous ne serons pas les Jonas des temps modernes. Une fois broyés, décervelés, maudits d'avoir violé des arcanes qui sont les secrets de Dieu, nous disparaîtrons à jamais dans des gouffres d'ombre sans nom. Et personne n'entendra plus parler de nous.

– Ouh là ! là ! que c'est fatigant ! Tu ferais mieux de dormir. »

Foulques se renfrogna. Il doutait de tout, de ce qu'on lui disait, de ce qu'il savait. Il se sentait comme un arbre dont on aurait coupé toutes les racines, encore debout, mais que la moindre brise pourrait jeter à terre, encore vert en apparence mais dépérissant d'inanition. On pouvait donc ne croire à rien ?

Renaud était comme le gui de Saintonge accroché aux branches. Une plante magique, dotée d'un pouvoir surnaturel, mais qui ne peut vivre sans l'arbre qui la porte vers le ciel.

Comment Renaud ne comprenait-il pas qu'une fois coupées les racines de l'arbre, c'étaient leurs deux vies qui étaient menacées ?

Peut-être restait-il, quelque part, un lien ténu qui le rattachait encore à ce qu'il avait été. Si tel était le cas, il lui fallait le découvrir, l'entourer de soins et le faire prospérer. Sur cette base nouvelle, il se sentait capable de tout reconstruire et de lancer de nouvelles pousses, plus vivaces peut-être que les précédentes. Mais subsistait-il en lui quelque chose de l'ancien ordre, et tout n'était-il pas mort ?

*

Le ciel était bien rose à présent et les bruits de la vie parvenaient jusqu'à la pièce.

Renaud se préparait à sortir après avoir assuré que le crissement de la plume l'empêchait de se rendormir.

« Je m'en vais, puisque tu aimes mieux parler à ton papyrus qu'à moi, clama-t-il en atteignant la porte.

– Les mots que j'écris ne sont pas tes rivaux, tu sais, même si j'écris en latin. »

Foulques l'écouta descendre au galop l'escalier. Était-ce parce qu'il ignorait la langue des Anciens que Renaud trouvait inutile le dialogue avec soi-même, dans un champ clos où l'on n'est confronté qu'à ses propres interrogations ?

*

Sitôt la cité conquise, le comte de Toulouse avait attribué à chacun une demeure dont les propriétaires avaient été chassés par droit du plus fort. Foulques avait opté pour la plus humble.

Raimond avait montré de l'agacement. Ses barons devaient occuper ce qu'il y avait de plus considérable, il y allait du prestige de l'Occident.

Persuadé que, huit jours après, peut-être, les Provençaux seraient à leur tour chassés de leur conquête, Foulques avait choisi pour Morphia et ses femmes une grande bâtisse de marchands qui rappelait celle de ses parents à Antioche, et s'était contenté pour Renaud et lui d'une modeste annexe de quatre pièces. En bas, avec Guilhem et Éric, quelques hommes d'armes veillaient à l'ombre d'un large figuier.

Foulques ne comprenait que maintenant à quel point son aïeul avait voulu faire de lui un exemple ; mais sa grande vision d'alliance par le mariage des peuples latins et orientaux n'avait guère fait d'émules, et Foulques était un des seuls à se retrouver marié, même si beaucoup avaient pris pour un temps une compagne de hasard.

*

« Eh bien ! tu vois, s'exclama Foulques à la sortie du premier conseil que tenait à Laodicée le comte de Toulouse, la conquête de la Ville sainte n'a rien changé aux comportements des uns et des autres. Duperies, mensonges, trahisons, double jeu. Les prétextes sont nobles et religieux, mais les arrière-pensées grouillent comme une vermine. »

Renaud hocha pensivement la tête :

« Partout, les Sarrasins sont très proches des positions chrétiennes ; la situation est tellement fragile que, s'ils se liguaient tous contre nous, nous ne tiendrions pas deux jours. Et en ce cas, je doute fort que le bon Dieu nous vienne encore une fois en aide, après tout ce qu'Il a entendu à propos de Son fils, et tout ce qu'Il continue à voir, chaque jour qu'Il fait !

– Je ne comprends pas ce que veut Raimond. Je crois qu'il nous cache ses véritables intentions. »

Renaud se mit à rire en donnant un coup de botte à un caillou qui dégringola la pente dans une traînée de poussière.

« Il ne nous cache pas ses intentions, il nous ment. »

*

Laodicée, treizième des calendes d'octobre.
Dimanche dernier, troisième des ides de septembre, la ville de Laodicée où j'écris aujourd'hui a été enlevée aux infidèles. Le siège a été bref

(quelques jours seulement), l'assaut violent et la curée sanglante. Rien de nouveau ; à combien de semblables combats ai-je participé depuis les premières escarmouches en Dalmatie, il y a près de trois ans de cela ! Quelle différence, cependant, entre ces années où Dieu éprouvait notre vaillance et notre foi, et ce qui se passe aujourd'hui... Jusqu'à la conquête du Saint-Sépulcre, le Seigneur ferraillait à nos côtés. À présent, c'est nous qui combattons aux côtés de nos princes pour leur permettre d'assouvir leur soif de gloire et de pouvoir.

Comme Cordouan battu par les tempêtes au milieu de la Gironde, Jérusalem est un îlot perdu au milieu d'un flot tumultueux d'infidèles. Il a fallu bien peu de temps pour mesurer l'épouvantable réalité : le nouveau peuple élu n'a aucune chance de conserver la Ville tant que la Terre sainte tout entière n'aura pas été libérée.

On est bien loin de cela ! Dès le lendemain de la victoire, nos princes ont laissé éclater leurs ambitions et les conflits qui couvaient depuis si longtemps. Nos ennemis doivent se réjouir de trouver en nous leurs meilleurs alliés.

Foulques resta un long moment la plume en l'air. Renaud était parti rejoindre Guilhem et Éric dans les bordels du port. Les cris de Michel perçaient le silence du jardin. Il devait chasser les derniers papillons. Foulques se dit qu'il le confierait dès le lendemain aux femmes de Morphia. Il était trop petit encore pour demeurer avec les hommes.

Laodicée était parfumée, ce soir-là, comme tout l'Orient. Ces senteurs, inconnues pour la plupart, lui rappelaient constamment combien la Saintonge était loin.

De plus en plus souvent, il avait la nostalgie de ce temps heureux de l'enfance. Il repoussait avec humeur ces faiblesses indignes d'un chevalier. Mais elles revenaient toujours, portées sur l'aile d'un effluve, d'un chant d'oiseau, d'un tintement d'enclume.

Il devait se répéter sans cesse qu'Henri était son aïeul, qu'il avait à défendre l'honneur d'un héritage qui le rattachait à une souche, à des origines.

Il regrettait que Dieu ne lui eût pas octroyé la grâce de savoir chanter l'épopée comme les poètes de Toulouse, et se disait que l'ermite de Barrachois avait fait éclore en lui une étrange fleur. Il ne savait plus regarder les choses avec son cœur d'enfant ; elles se dédoublaient, et même si ses yeux s'en émerveillaient ou s'en indignaient encore, sa tête les décortiquait en ricanant.

Était-ce une allégorie par laquelle le Créateur lui offrait de comprendre que le corps et l'âme coexistent réellement ? Ou alors, dénaturant les réalités du monde pour y substituer des illusions, était-ce le Malin qui lui tendait un piège délétère et subtil ?

*

Laodicée, huitième des calendes d'octobre.

Qui, de l'Église ou des princes, doit commander en Terre sainte ? Voilà la question qui s'est posée d'abord, le venin dont nous risquons de périr.

Il a fallu cinq jours pour arrêter un choix. Les hommes d'Église, poussés par le chapelain du duc de Normandie, Arnoul Malecorne, penchaient pour un gouvernement ecclésiastique ; à quoi les barons ont répliqué que les clercs n'avaient pas pour attribution de combattre, ce qui m'a paru juste. Leur mission n'est-elle pas de prier et de nous guider sur la voie spirituelle ?

Bien sûr, le regretté Adhémar de Monteil, de pieuse mémoire, s'est révélé un magnifique guerrier aux moments fatidiques et a montré à tous que, malgré la robe, il n'avait pas oublié son ancien état de chevalier ; beaucoup d'autres clercs ont porté les armes et, parfois, l'on a même vu des femmes se battre aux côtés des chevaliers et des fantassins ! Les uns et les autres ont quelquefois décidé du sort du combat, mais que faut-il penser d'une telle confusion ?

Quoi qu'il en soit, les barons, parce qu'ils parlaient le plus fort, sont parvenus à tenir en lisière l'ambition des clercs. Puis ils se sont déchirés pour élire l'un d'entre eux. Un moment, on a pu croire que Raimond allait être choisi pour roi ; mais très vite, il a été évident que le comte de Toulouse, trop puissant, trop autoritaire, s'était attiré de solides inimitiés. En refusant la couronne qu'on lui offrait, il a à coup sûr fait preuve d'une grande prudence.

Sept jours après la prise de la Ville, après bien des tergiversations, conciliabules, apartés mystérieux, brouilles et coups de gueule, le duc de Lorraine, Godefroi de Bouillon, a été élu. Raimond m'a alors lancé un regard énigmatique ; sans doute voulait-il me signifier que le destin s'accomplissait : l'« héritier » recouvrait ses droits immémoriaux sur la terre de David...

D'un ton plein de componction, le duc de Lorraine a refusé le titre de roi.

« Je ne pourrais porter la couronne d'or là où le Christ a porté la couronne d'épines. » Telles ont été les premières paroles qu'il a osé prononcer. Ou bien cet homme est un saint, et nous des monstres, ou bien c'est un hypocrite de premier ordre !

Si au moins je pouvais discerner le rôle que joue l'Église dans tout ce qui se passe ! Les fils du pouvoir s'entremêlent pour moi en écheveaux inextricables.

*

Les jours vides s'étiraient dans un désœuvrement de mauvais aloi. La nuit, Renaud disparaissait de plus en plus souvent, sans doute pour courir les filles avec les écuyers.

Il revenait désormais presque au jour, et poussait un soupir de satisfaction lorsqu'il découvrait Foulques endormi, et non pas penché sur son écritoire.

Une fois, cependant, malgré le soin qu'il mettait à ne pas faire de bruit en rentrant, Foulques s'éveilla.

« C'est toi, Renaud ? Que fais-tu ? »

Renaud fourrageait dans un coffre, comme s'il n'avait pas entendu.

« Que fais-tu ? insista Foulques.

— Dors, il est tard.

— Il est tôt, tu veux dire… Que fais-tu, toutes les nuits ?

— Cette nuit… C'est un secret.

— Fais attention, ces filles ne sont pas saines. Ne va pas te mettre dans un coupe-gorge.

— Cette nuit, je n'étais pas avec les filles. J'étais avec les figues… Je suis monté dans l'arbre, et je t'ai regardé écrire pendant que les étoiles tournaient. Et puis j'ai attendu que tu t'endormes, et je suis rentré, voilà ce que j'ai fait.

— Veux-tu que je te lise ce que j'écris ? Je te le traduirai. »

La proposition parut séduire un instant Renaud, qui la refusa cependant.

« Si mon récit survit, il sera seul à porter témoignage de tout ce que nous avons vécu. Si Homère, César ou les évangélistes n'avaient pas écrit ce qui s'est passé dans leur temps, nul ne saurait rien de Troie, des Gaulois ni même de Jésus. Plus tard, on se souviendra qu'il a existé un Renaud et un Foulques qui ont reconquis le tombeau du Christ… »

Renaud gardait une mine grave.

« Comment peux-tu croire que quelqu'un, un jour, s'intéressera à cela ? Mais mon pauvre, ce que nous vivons n'a aucune importance, et tout le monde s'en fout. Crois-tu que, dans mille ans, les moines n'auront pas autre chose à faire que de chercher pourquoi Raimond de Saint-Gilles a dit merde à Alexis, merde à Bohémond et merde encore à Daimbert de Pise ? Dans mille ans, plus personne ne saura qu'il a existé un Raimond, un Alexis ou un Daimbert. Dans mille ans, l'empereur de Byzance sera peut-être un Turc et le comte de Toulouse sera peut-être un pape. Et tu veux leur parler d'un Foulques et d'un Renaud !

— Tu parles comme l'ermite de Barrachois. Dans mille ans… Il y a mille ans, c'était l'an 99… »

Dans l'air préoccupé que Renaud ne quittait guère depuis la prise de Laodicée, Foulques lisait une manière de découragement, une lassitude vide de rêves et d'espoirs qu'il ne comprenait pas. Se parler leur devenait de plus en plus difficile.

« C'est imbécile de rester à Laodicée », déclara brusquement Renaud avant de s'affaler sur la paillasse.

*

Pendant tout l'été, le comte de Toulouse, de son côté, avait paru désemparé et rempli d'amertume. À plusieurs reprises, il avait évoqué Godefroi de Bouillon avec beaucoup d'aigreur, mais ne supportait pas le moindre commentaire de la part d'autrui. Il était comme obsédé par l'idée de regagner Toulouse. Un jour, Foulques lui avait rappelé son serment de ne pas revenir dans ses États.

« Oui, mais ça c'était quand j'avais encore un idéal. Je croyais que tous ces barbares seraient touchés par la grâce de Jérusalem. Mais ils sont tous aussi veules. Moi, je suis resté pur, que veux-tu, on ne se refait pas ! Je me suis trompé de route. Je rentre chez moi. »

Foulques avait longuement essayé de le fléchir. Raimond l'écoutait, l'œil buté, marmonnant de temps à autre : « Ce qui est dit est dit, je m'en vais. »

Cependant, à cette heure, il était toujours là, laissant régulièrement entendre que cela pourrait bien ne pas durer.

Nul ne savait de quoi serait fait le lendemain. L'incertitude rongeait les cœurs. Chacun savait que si le comte regagnait Toulouse, il faudrait repartir avec lui.

La conquête de Laodicée, cependant, avait nettement modifié son humeur. Enfin il pouvait se comporter en maître, et c'était à n'en pas douter ce qui lui plaisait. De plus, la saison était riante, les caves et les greniers regorgeaient de provisions.

Foulques constatait que beaucoup des leurs ne dessaoulaient pas, que, en une semaine, les ardeurs s'étaient efféminées. Six mois de ce régime et c'en serait fait de la glorieuse armée toulousaine. Au prochain conseil des barons, il comptait évoquer l'histoire des délices de Capoue et suggérer de faire quelque chose, se battre, par exemple, puisqu'ils ne savaient faire que cela.

*

Sixième des calendes d'octobre.
Mon trouble est si grand que je voulais cesser d'écrire. Mais je dois repousser cette tentation. En toute circonstance, un chevalier doit pouvoir garder la tête haute et le regard fier. Faillir est une faiblesse intolérable. Je maintiendrai, il le faut.

J'ai raconté dans les pages qui précèdent comment notre comte avait été évincé de la tour de David, et de toute possession à Jérusalem. A-t-il jusqu'au bout espéré que l'on ferait appel à lui ?

Dehors, la chaleur semble insupportable. Je vais aller marcher pour ne pas laisser mon corps s'amollir dans cette pénombre indolente, mais auparavant, je veux quand même dire que...

« Foulques ? Foulques ? Tu es là ? Descends voir ! »

Foulques se pencha au-dehors. Michel gesticulait face à un écuyer de Raimond qui l'écoutait en souriant.

« Messire Foulques, annonça l'homme, sache que messire Raimond de Saint-Gilles sera chez toi dans quelques instants. Il me charge de t'en avertir. »

Foulques rentra précipitamment pour ranger la liasse de sa chronique. Le comte de Toulouse se déplaçant jusqu'ici, lui qui n'avait même pas convié ses barons à découvrir sa nouvelle demeure ?

Chose étrange, Raimond arriva à cheval, et sur une monture parée, alors qu'à peine mille pas séparaient le palais comtal de la demeure de Foulques. Le comte donna sa bride à un écuyer, et ordonna à sa petite garde de l'attendre.

« Tiens, mon cousin, dit-il avec jovialité, je suis bien aise de venir visiter ton installation. J'inspecte tout en ce moment, c'est le gage de la sécurité...

– Ce n'est point ici que risque de se dissimuler un danger ! plaisanta Foulques en lui offrant son meilleur siège.

– Sans doute, sans doute... Cependant, on me dit que tu écris... Je serais fort satisfait de lire cela. À moins que ce ne soient des mots doux à quelque princesse ? »

Foulques sentit un trouble le gagner.

« J'ai commencé une chronique de notre pèlerinage. Quelques feuillets... presque rien. Je te les montrerai bien volontiers, une fois que j'aurai mis cela un peu en forme. »

Pendant le court silence qui suivit, le comte observa attentivement tous les détails de la pièce.

« Ah ! tu fais concurrence à mon chapelain... N'importe, c'est grand dommage que tu ne puisses m'en montrer au moins une page, que je me fasse une idée. »

Foulques se dirigea vers le coffre et en tira son manuscrit.

« Voilà, tu vois que c'est mince ! »

Raimond saisit prestement les pages et commença à lire :

« *AUJOURD'HUI, jour des ides de septembre, l'an de l'Incarnation 1099, moi, Foulques, chevalier, sire de Termes, entreprends de raconter les événements qui sont arrivés...* Hum, oui, c'est très bien, ce doit être passionnant. Eh bien ! tu me montreras cela une fois terminé, hein ? »

Il se racla la gorge.

« Il y a autre chose, cependant, enchaîna-t-il. Je souhaite que tu rejoignes sur-le-champ ton épouse. Cela ne ressemble à rien de vivre ainsi séparés.

– La façon dont je vis ne regarde que moi ! s'indigna Foulques.

– Non, plus à présent. Les choses ont changé, ici. Ces hommes du Nord n'ont pas notre goût. Nous autres, Toulousains, nous sommes les petits-neveux de gens qui savaient cueillir les fruits de la terre. Comme disait ton grand-père, qui n'avait pas toujours tort, nous écrivions l'*Odyssée*, nous concourions à Olympie ou nous construisions les arènes de Nîmes pendant que les ancêtres des barbares du Nord couraient nus les sangliers avec une pique en bois à la main. Qu'est-ce que tu veux que ça comprenne, des gens comme ça ? Ils n'ont ni esprit, ni culture, ni histoire ; l'art, la poésie, la musique et la beauté leur sont aussi étrangers qu'à nous la mesquinerie et l'ignorance. Tiens, compare-moi, moi par exemple, à ce Godefroi ! Seulement, tu comprends, ils ont une langue, et même si c'est pour dire des stupidités, ils causent. Certains trouvent singulier que tu délaisses ton épouse pour partager ce… ce taudis avec des soldats… Je sais ce que tu vas me dire : il faut laisser aux sots leurs idées de sots. Mais ces idées-là commencent à gagner même nos rangs. J'ai surpris des sourires en coin, des commentaires obscènes. Ah oui ! comme disait ce pauvre Henri, Rome est bien morte… Quoi qu'il en soit, fais en sorte que les autres ne trouvent pas si facilement de grain à moudre pour nous enterrer avec elle, ils n'attendent que ça.

– C'est la deuxième fois qu'on veut nous désunir, Renaud et moi. Mon grand-père, déjà, m'a contraint au mariage. Tu m'interdis maintenant d'habiter sous le même toit que lui.

– Je n'interdis pas, je donne un avis.

– C'est sans doute ma faute, parce que je n'ai pas pris la mesure des changements qui ont eu lieu. Pendant trois années, nous avons été en campagne. Maintenant, il s'agit d'occuper le pays et de nous installer. Faire ce qu'ont fait nos pères, reproduire fidèlement les comportements ordinaires, voilà qui promet un ancrage durable et civilisé. Malheur désormais à celui par qui le scandale arrive ! Tant que Renaud était un compagnon d'armes, nos modèles se nommaient Oreste et Pylade, Achille et Hector. Mais Renaud est à présent mon vassal, et seulement mon vassal.

– Je te l'ai dit tout à l'heure, Foulques, les temps ont changé, c'est ainsi. Tu aurais eu raison il y a mille ans ; tu as tort aujourd'hui, parce que aujourd'hui on ne pense plus comme il y a mille ans. Et puis, j'ai suffisamment d'ennuis comme ça, tu ne crois pas, pour m'encombrer de ces questions insignifiantes. »

Foulques regarda Raimond. Reprenait-il à son compte les idées qu'il méprisait tout à l'heure ? Il triturait sa barbe d'un air buté.

« C'est comme ça, ajouta le comte. Face à ces gens-là, nous devons être irréprochables. Il faut t'y faire. »

*

Ils quittèrent le lendemain la petite maison au figuier que quelques hommes d'armes, sans famille et sans statut, investirent aussitôt. Renaud se plia sans mot dire aux ordres de Raimond qui lui avait procuré une demeure à quelques pas de là.

Foulques détestait ces lieux, la rue qui y menait et la ville tout entière. Il s'y sentait prisonnier et se demandait si ce sentiment mal connu qui le tenaillait ne ressemblait pas à la peur.

Les raisons de s'inquiéter ne manquaient certes pas. Les Sarrasins étaient aux portes, s'infiltraient sans doute, la disette menaçait car on avait gaspillé les réserves qui s'étaient révélées bien moindres qu'on ne l'avait d'abord cru, l'absence de gouvernement les berçait d'illusions. Et tout cela n'était rien. Ce qui le terrifiait, ce qui était terrifiant, c'était son incapacité à s'inscrire dans le siècle et à se conformer à ses modes.

Il en arrivait à envier les imbéciles. Dans les rues, au conseil même, il passait des heures à les contempler. Leur formidable inertie devant les choses, la merveilleuse sécurité qu'ils trouvaient dans l'Église quand, par extraordinaire, un doute germait dans leur pauvre esprit, tout cela était fascinant.

Et d'ailleurs, c'était à eux que le Christ avait promis le paradis. « *Heureux les simples d'esprit…* »

Pourquoi Dieu ne l'avait-Il pas fait comme eux ? Pourquoi lui avait-Il ôté jusqu'à la certitude de Son existence ?

II

PIERRE BARTHÉLÉMI avait marqué moins d'hésitation à entrer dans son brasier que Foulques dans la demeure de Morphia.

C'était un des plus nobles bâtiments de Laodicée. La façade ressemblait certes à beaucoup d'autres avec ses hauts murs presque aveugles et sa lourde porte de bronze. Mais, en raison même de cette austérité, elle dégageait une impression de puissance cossue et presque rassurante.

Le côté est donnait sur un grand jardin plein de fraîcheur et de fantaisie où les arbres fruitiers bourdonnaient d'abeilles parmi les roses.

Foulques s'installa à l'étage, dans deux vastes pièces dominant les branches hautes d'un prunier de Damas. Tout ici était raffiné, les pavements et les stèles de marbre, les diaprures fauves du plancher, d'une essence inconnue, blonde comme l'Orient, le plafond à caissons, les panneaux de bois couvrant les murs, ornés d'étranges peintures, de fleurs imaginaires et, au-dessus du coffre, d'un poisson qui semblait se noyer. Que signifiait tout cela ?

On le traitait en maître des lieux, et lui se voyait comme au jour de ses noces. De nouveau, celui qui vivait sous son identité était un certain Foulques, chevalier, sire de Termes, baron du comte de Toulouse.

La première éclaircie vint d'un ciel où il ne l'attendait pas, de Morphia elle-même. Les moments pénibles qui avaient suivi leur mariage lui avaient forgé d'elle une image détestable. Comme il ne pouvait ni accepter sa présence ni se séparer d'elle, il avait choisi de l'ignorer. Sa grossesse était venue à point pour le tenir à distance.

Le soir où, par devoir, il la rejoignit dans sa chambre, il constata à l'instant qu'elle n'était plus la même. Ce qu'elle avait jusque-là conservé d'enfantin avait disparu ; il était en face d'une femme.

Était-ce à son intention ? Elle s'était habillée avec soin, du bliaut jusqu'aux chausses. Rien ne rappelait l'Orientale qu'elle était ; il crut voir une fille de Toulouse.

« Je veux cesser d'être une étrangère pour toi, maintenant que je suis la mère de ta fille », dit-elle en remarquant son trouble.

Depuis, Foulques se sentait affreusement gêné. Il avait le sentiment de la trahir lorsque, avec toutes les apparences de l'amour, il se représentait le visage et le corps d'Anne, lorsqu'il approchait son enfant, lorsqu'il était avec Renaud, et même en étant tel qu'il était. Et pourtant, hors sa protection et son respect, que pouvait-il lui offrir ?

Il se disait que, même en en restant là, les choses seraient déjà bien compliquées. Mais, un autre soir où il était allé s'acquitter des obligations du mariage, elle lui dévoila d'elle tout un pan inconnu.

La nuit était tombée depuis longtemps, mais comme il faisait encore doux, Morphia s'était levée pour humer l'air à la fenêtre. Foulques était resté allongé sur le lit, songeant que l'avent, période durant laquelle la chasteté passe pour une vertu, était à moins de deux mois.

Soudain Morphia se mit à chanter. Surpris par cette voix claire qu'il n'avait jamais entendue, il pensait à l'Isèle aux cheveux d'or chantant au-dessus des fontaines de Saintonge.

« Ta voix est belle et pleine de douceur, murmura-t-il sans chercher à dissimuler son émotion.

– À Antioche, je chantais souvent. C'était une tradition chez nous. Ma mère m'accompagnait à la harpe… J'ai envie de chanter pour toi, parce que nous sommes des compagnons de misère, et puis aussi parce que j'ai une petite fille que j'aime. »

Jamais Foulques ne s'était senti aussi écartelé qu'à ce moment-là. Il aurait voulu pouvoir se diviser en trois : un Foulques qui serait demeuré près de sa femme, un autre qui aurait rejoint Renaud, et un troisième que les Enfers auraient happé, comme Orphée, pour lui redonner Anne.

À la pâle lueur de la lune, Morphia n'avait pas dû s'apercevoir de son embarras.

« Tu es malheureux que Renaud ne soit pas près de toi ? dit-elle. Chez nous, dans certains milieux lettrés, il est possible de vivre ainsi. Je crois que ce n'est pas pareil pour vous. »

Vivement ému, Foulques la regarda sans mot dire. Comment pouvait-elle avoir compris ce qui lui tenait le plus à cœur, elle qui semblait avoir si peu d'intelligence des choses ?

Il sourit, lui caressa les cheveux et passa le reste de la nuit auprès d'elle.

*

Le jour de la Saint-Michel, plein d'espoir, Foulques se rendit à l'église pour y entendre la messe avec ce qui restait des barons de Toulouse. On disait que saint Michel avait offert à saint Jean le don de connaître l'avenir. Peut-être, parce qu'il avait recueilli un petit Michel, attendait-il naïvement une révélation sur ce dont demain serait fait.

« Que la paix et la grâce vous soient données par Celui qui est, qui était et qui viendra, et par les sept esprits qui sont en face de Son trône... »

Pendant que le chapelain du comte, Raimond d'Aguilers, rappelait les paroles de l'apôtre, bénissait l'encens, élevait le ciboire, Foulques tentait de retrouver son regard d'autrefois. Mais il avait beau faire, le drame liturgique qui se déroulait sous ses yeux ressemblait bien davantage à un drame qu'à une liturgie.

Il entendit avec horreur le chapelain vanter les mérites d'Arnoul Malecorne que Godefroi de Bouillon venait de placer sur le siège patriarcal de Jérusalem devenu fort à propos vacant.

« N'est-il pas extraordinaire d'entendre chanter les louanges de ce personnage odieux ? dit-il à Raimond à la sortie de l'office.

– C'est un moindre mal. Malecorne est au duc de Normandie. Les ambitions de Godefroi et de son entourage s'en trouveront limitées. J'ai soutenu sa candidature.

– Mais pourquoi, alors, ne pas avoir essayé de faire élire un Provençal ? »

Le comte de Toulouse eut une geste d'impatience.

« Comme Pierre de Narbonne, ce traître ? »

Foulques se remémora ce moment humiliant où, sous la pression des princes, Raimond avait été obligé de se dessaisir de la tour de David, qu'il tenait depuis plus d'une semaine que la ville était prise. Pour sauver la face, il avait imaginé de la confier à un fidèle, l'évêque d'Albara, Pierre de Narbonne, lequel, l'après-midi même, en avait remis les clés à Godefroi de Bouillon.

« Je ne peux faire confiance à personne, aux miens pas plus qu'aux autres, insista le comte. Alors autant mettre en place un adversaire, du moins on sait à quoi s'attendre ! D'ailleurs, maintenant qu'Urbain est mort, il faut être prudent. Je ne le connais pas, moi, ce nouveau pape, ce Pascal, et de toute façon une chose est sûre : quand on accède au pouvoir, il faut rejeter tout ce que le prédécesseur avait privilégié. Et ce bon Urbain nous aimait tellement, nous autres ! Tu peux en être certain, il n'y en aura plus maintenant que pour ceux du Nord.

– Pourtant, ce Malecorne est un fils de prêtre, tout le contraire d'un exemple et d'un modèle. Et puis il a un accent épouvantable. La Terre sainte devient une colonie de Francs. Et nous, alors ? Notre langue romane ne sera bientôt plus parlée que par les garçons d'écurie ! »

Raimond de Saint-Gilles lança à son baron un regard chargé d'interrogations.

« Il faut voir plus loin que cela, dit-il. Pour le moment, la main est aux Lorrains et aux Normands, mais j'ai un vaste projet que je ne peux encore vous révéler. »

Appuyé à une colonne du portail, Foulques regarda s'éloigner le comte. Avec des chefs pareils, comment la confusion ne régnerait-elle pas ? Après avoir libéré Jérusalem, ils avaient mis les Sarrasins en fuite à Ybelin, ils avaient pris Ascalon, puis ils s'étaient quasiment entre-tués à Arsûf. Dans quel but ? Nul n'en savait rien. L'espérance se limitait à tenter d'instaurer la paix entre soi. Belle ambition pour l'ost qui depuis trois ans se vidait de son sang avec pour unique rêve la délivrance du Saint-Sépulcre !

Tout était là : commander, commander, commander… Commander n'importe quoi, à n'importe qui, sous n'importe quel prétexte, mais commander, commander, commander.

Le cœur lourd d'amertume, Foulques regagna sa demeure et se remit à sa chronique.

La veille des ides d'août, toutes armées réunies, nous avons fondu sur Ascalon. En face de nous, une racaille de quasi-sauvages composée de Sarrasins, de Levantins, de Turcs, d'Éthiopiens. Cette vermine a été écrabouillée sous les remparts de la ville qu'elle avait mission de défendre, et nous sommes devenus maîtres de la cité. Comme d'habitude, le butin a été considérable ; on ne s'en lasse pas : soies chamarrées, pierres aux noms chatoyants – jaspe, saphir, calcédoine, chrysoprase, améthyste –, bijoux d'or et d'argent, épices précieuses, chevaux aux jambes de fer, et même un chameau blanc digne, paraît-il, d'un émir.

Au milieu de ces trésors, je jubilais : Ascalon est un port important. J'avais sous les yeux l'ébauche d'un vrai royaume qui, du Jourdain à la mer, constituerait une île de paix et de prospérité.

J'ai vite déchanté. Les hommes de troupe se sont étripés pour les joyaux. Toulousains contre Francs, Normands de Sicile contre Normands de Normandie, mais aussi, Francs contre Francs, Siciliens contre Siciliens ! Les Provençaux eux-mêmes se sont rués les uns sur les autres et il a fallu les séparer à coups de fouet.

Et les choses n'en sont pas restées là. Une fois l'ennemi définitivement écrasé, l'ordre rétabli, ce sont les barons eux-mêmes qui sont entrés en lice, encore une fois pour savoir qui serait maître de la cité. Beau modèle pour le peuple, qui n'ignore évidemment rien des querelles de ses chefs.

La haine est si violente qu'il a été impossible de trouver un terrain d'entente. Alors les troupes ont décidé de rebrousser chemin. En ordre dispersé, nous avons abandonné la cité et repris le chemin de Jérusalem, chacun surveillant l'autre, au cas où quelque prince aurait soudain décidé de revenir sur ses pas pour s'approprier Ascalon…

Et moi, je me récitais les lamentations de David :

> *Comment sont tombés les héros ?*
> *Ne l'annoncez pas dans les rues d'Ascalon.*
> *Filles d'Israël, pleurez sur Saül*
> *Qui vous revêtait d'écarlate et de lin fin,*
> *Qui accrochait des joyaux d'or à vos habits.*
> *Jonathan, par ta mort, je suis blessé,*
> *J'ai le cœur serré à cause de toi, Jonathan, mon frère,*
> *Tu m'étais délicieusement cher,*
> *Ton amitié m'était plus merveilleuse*
> *Que l'amour des femmes.*

En bas, des cris d'enfant retentissaient. Michel devait encore jouer à poursuivre des chats. Foulques posa sa plume et se leva pour aller de la terrasse contempler la mer.

*

Les premiers jours d'octobre, le comte de Toulouse se montra de fort méchante humeur. Il semblait ruminer les étapes du calvaire qui, depuis plus de deux mois maintenant, l'excluait progressivement de toute décision importante. Le sixième jour du mois, sans motif précis, comme pour exhaler sa colère, il réunit abruptement le conseil.

« Laodicée m'ennuie, commença-t-il sans même donner à ses barons le temps de prendre place. Nous sommes là depuis maintenant plus de trois semaines, et que se passe-t-il, je vous le demande ? Rien, il ne se passe rien. Et pourquoi ne se passe-t-il rien ? Parce que rien ne peut se passer dans ce cul-de-basse-fosse. Nous sommes trop loin de Jérusalem, trop près d'Antioche. Me voilà comme un lion dans une caisse de bois !

– Il faudrrrait nous étendrrre verrrs le sud, concéda Gaston de Béarn.

– Je n'ai en tête que l'intérêt des chrétiens, tout le monde sait cela. Mais je suis bien le seul ! D'un côté cet ogre de Bohémond, de l'autre ce pauvre Godefroi qui est bien mal entouré. Tous se taillent des fiefs, tous placent les leurs, et nous, les Provençaux, les plus civilisés des Latins, nous allons nous retrouver sans terres et sans pouvoir, soumis au bon vouloir des Francs. Si je n'agis pas, c'en est terminé de notre belle civilisation romane.

– Qu'envisages-tu ? demanda Guilhem de Sabran.

– Supposons, je dis bien supposons, qu'il existe un jour un grand royaume latin en Terre sainte. Il y faudrait trois piliers : Jérusalem, bien sûr, Jaffa et Ascalon, pour la côte sud, Beyrouth et Tripoli pour la côte nord. Voilà ce qu'il faudrait. Si nous étions plus au sud, vous voyez que nous ne serions pas mal placés, le moment venu. »

Il portait ce soir-là une sorte de surplis brodé, probablement emprunté à la garde-robe de son hôte forcé, le plus gros marchand de Laodicée. On aurait cru un quelconque revendeur d'épices, tant étaient éclatantes l'ostentation et la trivialité de ces vêtements, pourtant probablement destinés à travestir en grand seigneur le médiocre bourgeois qui les avait fait confectionner.

Comme Foulques laissait errer son regard sur la ceinture en cuir rehaussée de gemmes, les souliers trop pointus, la fine étoffe blanche débordant par l'échancrure damassée du surplis, Raimond s'exclama brusquement :

« C'est ma parure que tu convoites ? À moins que tu ne la trouves ridicule ? Nul ne sait plus ce que c'est que le goût. »

Dans le silence gêné qui suivit, il saisit une bougie et la posa dans l'embrasure de la fenêtre, sur le petit banc de pierre d'où l'on pouvait contempler la ville.

« Nous verrons plus tard ces détails vestimentaires, grogna-t-il en se massant la poitrine à petits coups répétés. Le seul point qui importe est celui-ci : quels sont les projets de Godefroi ?

— À ce que je comprrrends, notrrre ami l'avoué est forrrt ambitieux, tonna Gaston de Béarn. Aprrrès Jérrrusalem, il va tenter de conquérr-rirrr toute la rrrégion, il va chasser les Sarrrasins, il va chasser les Juifs, et puis, ensuite, il nous chasserrra à notrrre tourrr…

— Mais non, le coupa Raimond, non, ce n'est pas ainsi…

— Il faut voir, pourtant, comment il nous traite, depuis l'affaire d'Ascalon ! intervint Isoard de Gap. Baudouin de Boulogne, son frère, tient Édesse. À eux deux, ils peuvent avancer vers la mer comme un crabe gigantesque en broyant tout dans leurs pinces.

— Pas nous ! trancha Raimond. Nous, ils ne nous broieront pas, je peux vous l'assurer.

— Et s'ils tentaient cela, les Fatimides d'Égypte n'auraient plus qu'à se baisser pour rafler la mise, osa dire Renaud avec un aplomb qui laissa le conseil sidéré.

— Oui… oui… ça, c'est ce qu'on dit, mais moi, je prétends que ce sont des faux bruits colportés par les créatures de Godefroi pour effrayer tout le monde. Ils savent très bien, les Fatimides, et tous les autres sauvages d'ailleurs, qu'à présent les Lombards nous aideront sans réserve. Tous ces Vénitiens, ces Génois, ces Pisans, cupides comme des Juifs, sont bien trop contents de pouvoir s'établir ici. C'est tout profit : à eux le gain du commerce, à nous le danger des armes. Mais s'il le faut, pour sauver leur boutique, ils mettront la main à la bourse, et même peut-être à l'épée. Voilà pourquoi il faut nous emparer de quelques bonnes places entre ici et Acre, et, après, conclure une alliance avec le doge, pourquoi pas. D'ailleurs, ces Italiens sont presque des Toulou-

sains, après tout. Ce sont nos cousins, pas comme les barbares du
Nord. »

*

Sixième des nones d'octobre.
*Nous sortons du conseil des barons. Notre comte a toujours de grands
projets, mais nul ne semble savoir dans quelle direction faire porter l'effort.
Tout à l'heure, Isoard a évoqué notre errance de cet été et les avanies que
nous avons subies de la part de Godefroi de Bouillon devant Arsûf. Mais
Raimond semble avoir oublié tout cela. Ces jours-là, il a pourtant assuré à
plusieurs reprises aux comtes de Flandre et de Normandie qu'il allait
repartir avec eux en Occident. Quel sera l'avenir ?*

*

Foulques avait écrit une grande partie de la nuit. Comme il l'avait
demandé à Morphia, nul ne l'avait dérangé depuis le retour du conseil.
Renaud n'était pas là et, à part lui, il n'avait envie de voir personne.

Il se demandait jusqu'à quand cette situation allait durer. Les jours
monotones s'étiraient et débouchaient sur du vide. Qui avait un plan ?
Qu'allaient-ils faire de Laodicée ?

Tout se passait comme s'ils devaient croupir ici jusqu'à ce qu'un
prince ambitieux, un Sarrasin vindicatif ou le feu du Ciel les en chasse.
Le comte lui-même savait-il ce qu'il attendait ? Avait-il réellement
envie de conserver la ville ? Pourquoi évoquait-il si souvent un départ
imminent, pour l'oublier aussitôt ? Pourquoi parlait-il de temps à autre
d'aller à Constantinople, seul, ou avec eux ?

Pour sa part, Foulques souhaitait chaque chose et son contraire.
Partir lui semblait souvent préférable ; ce serait retrouver la vie d'avant,
d'avant la prise de Jérusalem, la vie de l'aventure, la vie illusoire,
comme disait Isoard. Celle où il vivait près de Renaud.

Depuis que Raimond avait ordonné leur séparation, Renaud se cla-
quemurait. En vain, Foulques avait plusieurs fois envoyé Éric le chercher. Il avait renoncé à y aller lui-même, tant il se sentait surveillé par
la malveillance. À l'issue du conseil, Renaud s'était éclipsé sans lui
adresser un seul mot.

Pourquoi ne pas partir ? Il suffirait de mettre au point avec Renaud
un plan de fuite.

Mais, justement, ce serait une fuite et Renaud refuserait ; et lui aussi,
d'ailleurs, parce que c'était une attitude lâche et qu'il ne se sentait pas
le droit d'abandonner Morphia et sa fille.

Restait donc à attendre.

Par intermittence, il en arrivait à aimer cette attente faite d'incertitude, agaçante, exaltante, où l'on devinait que le lendemain, huit jours après, le mois suivant, rien ne serait plus pareil.

Autre chose l'intriguait. La veille, dans une niche murale dissimulée par un panneau de bois sculpté, il avait découvert un monceau d'écrits, sur papyrus pour la plupart, mais aussi sur parchemin, en grec, latin, arabe et d'autres langues inconnues. Certains étaient entièrement décorés de dessins d'oiseaux, d'hommes, de mains.

Il avait passé la soirée à lire les rouleaux écrits en latin. Il y avait de tout, des comptes, des contrats de transport maritime, Tite-Live par petits bouts, des fragments d'Évangiles, des passages d'apparence religieuse, mais au contenu singulier. Il espérait découvrir dans les autres des trésors pleins de mystère.

Jusque-là, il s'était borné à faire des tas. Sur le coffre de cèdre, derrière lui, il avait fait trois piles d'écrits grecs qu'il demanderait à Morphia de traduire. Par terre, il avait rassemblé ce qui lui semblait en arabe. Tout le reste était entassé sous le pupitre, attendant un impossible tri.

Dans cette somptueuse demeure volée à des inconnus, Foulques se sentait entouré de symboles aux arcanes indéchiffrables.

*

Le jour parut. Foulques reposa sa plume. Ses paupières brûlantes roulaient des grains de sable. La fatigue, sans doute.

À moins que… L'image de son aïeul devenu presque aveugle bouscula sa mémoire. À la fin, le vieil homme parvenait à peine à déchiffrer quelques lignes au moyen d'un verre grossissant. Il tenait le parchemin à bout de bras, comme pour trouver un peu de lumière. Puis, navré, il laissait retomber sa main.

Les tempes battantes, Foulques se dit que sa vue faiblissait, que demain, peut-être, il ne distinguerait plus que des formes vagues, après-demain seulement des lueurs…

« C'est parce que lui, il était vieux, pensa-t-il. Mais moi ? Il n'y a sûrement pas beaucoup plus de vingt ans que je suis né… »

Est-ce qu'à vingt ans, les sens, déjà, pouvaient trahir ?

Certains enfants, comme l'aîné de Béatrix de Sabran, devaient pour y voir clair plisser fortement les paupières. L'âge ne faisait rien à l'affaire.

Ou alors, était-ce parce qu'il avait trop lu, comme Renaud le lui reprochait si souvent ? Lire pouvait-il user les yeux ?

Il saisit la première feuille de la pile de papyrus posés sur la table.

Aujourd'hui, jour des ides de septembre, l'an de l'Incarnation 1099, moi, Foulques, chevalier, sire de Termes, entreprends…

Les lignes ondulaient.

Pouvait-on devenir aveugle de trop écrire ou de trop lire ? Plus on se servait de son corps, mieux il fonctionnait, plus il se fortifiait. Ce devait être pareil pour la vue.

Il leva le regard vers le plafond à caissons. Il louchait, à présent ! Il louchait, c'était certain.

« Je le fais exprès, se dit-il, c'est pour me faire peur que je louche ; dès que je le veux, j'arrête. »

Avec effort, il parvint à écarter l'enivrante sensation de dédoublement qui lui tournait l'estomac.

« Tu vois que tu le fais exprès ! » marmonna-t-il.

Mais, aussitôt, le plafond reprit son aspect incompréhensible. Des arabesques ondulaient, tantôt à portée de main, tantôt à des distances infinies.

Il baissa la tête. Les signes noirs dansaient maintenant sur la feuille jaune.

Alors seulement il s'aperçut que sa main tremblante agitait le papyrus en tous sens.

Un grand soulagement l'envahit. Il repensa à son angoisse lorsque, à Dorylée, il avait déjà rencontré les limites de son corps, mais ce n'était pas vraiment la même chose. Il savait alors que bientôt sa force reviendrait, si l'on pouvait éviter l'amputation.

L'amputation…

Il crispa les doigts sur le bord du papyrus.

En menaçant sa jambe autrefois, en égarant sa vue aujourd'hui, quel but poursuivait donc le destin ?

Il songea que naguère encore il aurait pensé que Dieu, dans Sa colère, le châtiait par là de quelque faute, d'un oubli, d'une pensée mauvaise. En vérité, Dieu se moquait bien de cela ! Et le destin sans doute agissait sans projet.

Il dut s'avouer que cette glaise qui le constituait lui était précieuse, que l'important était de retarder le moment où l'argile perdrait ses formes plaisantes pour redevenir poussière.

« Foulques ? »

Morphia avait murmuré son nom à travers le battant de chêne. Il savait qu'elle ne le répéterait pas. Elle attendrait, comme elle attendait autrefois devant la porte de son père qu'il s'arrache à l'étude.

Foulques reposa ses feuillets et alla ouvrir.

Dans le grand vestibule sombre réchauffé de tapis de soie, Morphia souriait. Sa longue tunique de lin d'Égypte ne parvenait pas à la grandir. Elle tenait à la main un mince papyrus plié en deux.

« Tiens, dit-elle en le lui tendant, on vient de l'apporter. C'est Renaud. Je croyais que vous vous étiez vus, hier soir, au conseil.

– Renaud ? »

Foulques avait envie d'arracher le papyrus et en même temps de différer. Ne pas lire, ne pas voir.

« Merci. Qui est venu l'apporter ?

– Michel.

– Ah !… Michel, oui, bien sûr. »

Foulques lissait la pliure, impatient de découvrir le message.

« J'ai trouvé des textes grecs dans l'armoire, là, dit-il en désignant un tas de parchemins. Pourras-tu me les traduire en latin ? »

Morphia alla jeter un rapide coup d'œil aux manuscrits, murmura trois mots sans suite, puis quitta son époux avec aux lèvres un sourire inexplicable.

*

Sur le papyrus, d'une écriture ferme et droite, deux mots seulement étaient tracés : « Viens donc. »

« Viens donc », répéta Foulques à mi-voix.

Il passa une main sur ses yeux. Une légère ivresse tourbillonnait dans sa tête. Il était trop tôt. Ne serait-ce pas mieux à l'approche du soir, à l'heure où l'on se sent moins bête de dire ses chagrins ou son espérance ?

« Viens donc. »

Après un coup d'œil amusé aux longues ombres du jardin, il réunit ses feuillets et les glissa sous son bliaut.

« Je vais lui montrer ça », murmura-t-il.

III

Octobre 1099. – Port-Saint-Siméon.

UNE SENSATION de vide le tenait depuis qu'ils avaient atteint le port, comme l'absence d'un être attendu. Soudain, il comprit : le navire à hauts bords qui avait amené son grand-père... C'était la *Stella Maris*. Il s'en souvenait à présent, d'elle et de son capitaine, Giaccomo Gardinella. Henri trônant sous la pluie... Il pleuvait. Oui, il s'en souvenait. L'odeur de chien mouillé. Il sentait mauvais. Giaccomo Gardinella avait même offert le bain. Il avait eu honte. C'était bien comme cela. Il s'en souvenait exactement.

« C'est cela, Foulques, le temps qui passe. »

Isoard laissait errer son regard sur les embarcations d'où l'on déchargeait des marchandises banales ; les temps étaient durs, rien de précieux ni de surprenant ne se transportait plus.

« Que veux-tu dire ? demanda Foulques. Toi aussi, tu penses à la *Stella Maris* ? »

Isoard sourit. La cicatrice qui coupait en biais le menton et les lèvres s'était creusée. Un peu plus longue, elle aurait croisé la ligne du nasal. « Croix disloquée, pensa Foulques, comme la foi, et comme nous. »

« Tu es vraiment décidé à repartir ?

– Bien sûr. Je n'ai jamais eu l'intention de me fixer ici. Je dois reprendre en main la direction de mon domaine... si j'ai toujours un domaine.

– Tu crains que quelqu'un ait profité de ton absence pour te dépouiller ? Tu sais bien que nos terres sont sous la protection de l'Église !

– Oui, bien sûr... Mais j'ai appris ici à connaître les chacals et les vautours ! Ils n'auront rien tenté au début, sans doute ; notre auréole était intacte et les menaces du pape résonnaient encore. Mais à présent, il y a si longtemps que nous sommes partis ! Qui leur dit que nous ne sommes pas morts depuis des mois, ou que nous n'avons pas pour toujours abandonné nos droits ? Quand tu pars, tu n'as pas vraiment d'ennemis, mais quand tu es parti, il s'en découvre dont les dents allongent… J'ai laissé l'ensemble de mes propriétés aux mains d'un viguier. Je crois que je peux avoir confiance en lui. Mais je le croirai encore plus quand je le verrai. Trois ans, c'est long, ça change les hommes, tu ne crois pas ?

— Nous, oui, ça nous a changés… Crois-tu que le temps modifie tout, détruit tout ? Par exemple, crois-tu que, toi parti, c'en sera terminé de notre amitié ?

— Évidemment que c'en sera terminé ! Une fois revenu là-bas, tu pourras toujours me revoir, et si le destin le veut ainsi, nous nous retrouverons à peu de chose près comme aujourd'hui ; mais tant que nous serons séparés, c'en sera terminé. Tu auras ta vie, moi la mienne. Les souvenirs s'estomperont. As-tu d'ailleurs une idée de ce que tu vas faire, maintenant ? »

La petite troupe du comte de Toulouse s'arrêta à hauteur d'un gros bateau génois. Raimond n'avait pas voulu confier à l'un de ses hommes la tâche, pourtant subalterne, de trouver une embarcation libre en partance pour l'Occident. De plus en plus, il entendait s'occuper de tout. Du projet stratégique le plus capital au dernier détail domestique, c'était lui et lui seul qui décidait. Ainsi l'avait-on vu en cours de route houspiller vivement un chevalier qui avait osé changer la selle de son cheval sans lui demander son avis. Quand il avait dit, sur un ton martial tout à fait incongru : « Je vais moi-même m'occuper de cette affaire de bateau, puisqu'on ne peut faire confiance à personne », plusieurs avaient haussé les épaules.

Raimond enjamba la coupée et se dirigea vers ce qui pouvait être le capitaine.

« Qu'est-ce que c'est que ce caprice, de se comporter en valet ? dit Foulques à mi-voix.

— C'est un caprice de vieux, marmonna Renaud.

— De vieux ?

— Ne parlez pas ainsi, intervint Isoard. Vous ne trouvez pas qu'il y a assez de gens pour le dire sans qu'on s'y mette aussi ?

— Mais je n'ai jamais pensé ça ! reprit Foulques avec indignation.

— Ça ne m'étonne pas, dit Renaud. Pourtant, Isoard a raison : tout le monde commence à le dire à voix basse, et même, de temps en temps, à voix haute. »

Vieux, Raimond ? Foulques prit soudain conscience qu'en effet le temps passait pour le comte comme pour les autres. Mais de là à dire qu'il était vieux ! Puissant, oui, donc moins jeune que les autres ; mais vieux ? Henri, lui, était vieux, parce qu'il avait toujours été vieux.

Mais avec l'âge, c'étaient aussi les forces, la mémoire, le jugement qui s'amenuisaient ; on ne devait alors de conserver sa puissance qu'au prestige accumulé, au souvenir d'anciennes splendeurs sous lesquelles se dissimulaient quelque temps les faiblesses nouvelles... Et si Henri n'avait décidé la folle traversée de la Méditerranée que par caprice sénile ?

Un frisson désagréable le parcourut et se transmit à son cheval qui renifla bruyamment.

Raimond n'était-il pas un peu affaissé ? Pourtant, en chaque occasion, il montrait une vaillance au combat inchangée, il comprenait avant les autres ; comme autrefois, il trouvait le premier les bonnes solutions et les mots qu'il fallait pour les imposer aux conseils. Et puis Elvire ne paraissait-elle pas heureuse, ne venait-elle pas de mettre au monde un nouvel enfant ?

Certains détails, pourtant... la paupière un peu alourdie, le crâne de plus en plus dégarni, ces petites taches brunâtres qui apparaissaient dans des replis de peau amollie. Foulques avait vu cela sans le remarquer.

L'homme au bateau semblait regarder le comte de Toulouse d'un peu trop haut. « Il le trouve vieux, lui aussi, pensa Foulques, il ne reconnaît pas le grand Raimond de Saint-Gilles. Il se moque de ce vieillard qui ne lui fait pas peur... »

*

Raimond revint, l'œil sombre.

« Le chien !

– Que se passe-t-il ? demanda Pierre de Castillon.

– Rien ! » laissa tomber Raimond après avoir dévisagé son interlocuteur sans paraître l'identifier.

Devant l'air accablé du comte, Pierre de Castillon eut un geste fataliste et détourna le regard vers des mouettes qui piaillaient.

Foulques poussa son cheval un peu à l'écart, jusqu'à l'angle de l'humble jetée. La mer y clapotait à petits bruits. Une jarre d'huile avait dû se renverser car l'eau avait des reflets moirés où des arcs-en-ciel ondulaient mollement. Un bout de liège indécis tentait de se poser en équilibre sur une pierre qui dépassait du môle, mais les vaguelettes le reprenaient toujours et il poursuivait sa danse d'ours indifférente. C'était captivant et terriblement ennuyeux.

À l'initiative d'on ne savait qui, les Provençaux étaient venus ici rejoindre les Francs et les Normands afin d'organiser le départ de tous ceux qui souhaitaient regagner les pays latins. Dans toutes les armées, ils étaient bien plus nombreux que ceux qui voulaient rester.

Port-Saint-Siméon demeurait le seul havre véritablement contrôlé. Même Jaffa n'était pas sûr ; et les Latins ne tenaient rien d'autre sur la mer.

Foulques s'était réjoui de pouvoir revenir sur une partie du chemin parcouru et plus encore d'avoir la possibilité d'accompagner Isoard le plus loin possible avant son départ définitif.

Mais à présent qu'il était là, il ne ressentait rien de l'enthousiasme de naguère, quand il rêvait encore de batailles, de conquêtes et de Jérusalem. Il aspirait désormais à cet idéal des anciens Romains, cet *otium* que lui avait longuement vanté son aïeul, fait de loisir studieux à l'abri du besoin, d'un raffinement et d'un art de vivre absolument étrangers aux passions du monde. « Cet *otium*, mon petit, je l'ai cherché toujours et l'ai trouvé parfois, avait précisé Henri. Je te souhaite d'y avoir accès, tant il est vrai que, pour des âmes comme les nôtres, c'est la seule manière idoine de vivre. Sois patient, cependant : il m'a fallu plus de trois quarts de siècle pour avoir le sentiment d'atteindre au but... »

Non, la guerre ne l'intéressait plus.

Que pouvait-on y trouver à redire ? N'était-il pas parti délivrer les Lieux saints ? En se battant sans répit tant qu'il l'avait fallu, ne s'était-il pas montré digne du sang de sa maison ? Et d'ailleurs, que pouvait-il entreprendre d'autre, même si Raimond avait évoqué de monstrueuses espérances au sujet de ses « droits sur le royaume de Jérusalem » dont il pourrait « faire valoir la légitimité »... ?

Grâce aux libéralités de son aïeul, il pourrait toute son existence se consacrer à l'étude. C'était une bonne chose puisqu'il n'avait jamais eu la vocation de devenir moine, et d'autant moins aujourd'hui où l'Église était entachée d'abominables suspicions.

Et puis il y avait les secrets de cette étrange demeure de Laodicée, il y avait Morphia, il y avait...

Foulques observait maintenant un pêcheur qui ravaudait son filet. On l'aurait dit mû par une machinerie, comme les statues de Constantinople. Ses doigts filaient à toute allure entre les mailles humides.

« Foulques ! »

Raimond était écarlate.

« Ah ! tout de même ! Tu es devenu sourd ? »

Foulques leva la tête. Toute la troupe avait disparu.

« Non, mon cousin, je t'entends. As-tu remarqué l'habileté de cet homme ?

– Ça m'est complètement égal, figure-toi ! Je cherche des bateaux pour les Provençaux qui veulent revenir chez eux. Je n'ai pas le temps de contempler le travail des hommes du peuple... Tu es bien comme ton grand-père, ajouta-t-il après un instant d'hésitation.

– Et tu as trouvé quelque chose ?

– Non, il paraît qu'il n'y a rien ! Il va encore falloir passer par les Lombards. Ils me ruineront.

– À part eux et les Byzantins, qui veux-tu trouver d'autre ?

« – On a bien vu des Anglais ! Et puis proposer à un Lombard qui repart de prendre des hommes à son bord, ce n'est pas du tout la même chose que de prier un Lombard qui n'a pas l'intention de repartir de transporter des gens qui veulent absolument rentrer chez eux ! »

Raimond éclata de rire.

« N'en parlons plus… Guilhem, dit-il en se tournant vers le sire de Sabran, c'est toi qui avais raison, un émissaire quelconque aurait mieux que nous négocié le passage ! »

La petite troupe du comte de Toulouse remonta la rampe pavée pour rejoindre le campement des chrétiens, installé à l'extérieur des remparts.

*

« C'est vrai, Isoard, que tu t'en vas pour te marier ? » demanda soudain Michel.

L'enfant se tenait un peu à l'écart du groupe des hommes assis à même le sol autour d'un feu de bois. Le soir était piquant. Le froid était venu d'un coup, par surprise. Maintenant qu'il était là, des rumeurs couraient : il ne fallait pas prendre la mer à la mauvaise saison, on n'arriverait jamais en Occident, c'était défier Dieu qui disait clairement Sa volonté…

On hésitait, on changeait d'avis avec des repentirs. On ne savait plus que penser.

Foulques jeta à l'enfant un regard amusé. En définitive, il ne regrettait pas de l'avoir emmené, malgré les objections de Morphia.

« Je ne m'en vais pas pour ça, mais il n'est pas impossible, en effet, que je me remarie.

– Que tu te remaries ? Je ne savais pas que tu avais été marié, s'étonna Renaud.

– Il y a plusieurs années que ma femme est morte. Mon père m'avait marié très jeune : il était âgé, je n'avais que des sœurs, il fallait une descendance pour assurer notre lignée à Gap. On est allé chercher une fille de la famille de Forcalquier. Elle était un peu sotte, mais jolie. Ma mère la trouvait à son goût parce qu'elle portait le joli nom de Garsinde et que sa voix était superbe. Et c'est vrai que moi-même j'aimais bien l'entendre chanter. »

Isoard se leva, fit un geste vague en direction du foyer, comme s'il cherchait à remonter une bûche, mais ne toucha à rien et reprit son récit.

« Je crois qu'elle m'aimait réellement. Elle chantait souvent, le soir, en hiver, le premier hiver de notre mariage, notre seul hiver, en vérité. Elle me regardait avec une tendresse béate, ce qui me gênait parce que je n'éprouvais pour elle rien de comparable. Très vite, elle a attendu un enfant. Du fond de son siège, qu'il ne quittait presque plus, mon père répétait inlassablement : "Les sires de Gap ne sont pas près de s'éteindre, notre famille demeurera puissante… Les sires de Gap ne sont pas près de s'éteindre…" Il me semble l'entendre encore. Je crois qu'il n'y avait pas d'orgueil dans ses propos. Il était heureux d'un bonheur simple de vieillard assuré que sa race ne périra pas avec lui. C'était un homme très bon…

« Peu après le début du carême, au plein cœur de l'hiver, Garsinde a été saisie par la fièvre. On a fait venir un premier médecin, un deuxième, puis un autre. L'un d'eux m'a dit que ce n'était pas une fièvre ordinaire… L'enfant était mort en elle, il était en train de l'empoisonner.

« Trois sages-femmes s'y sont mises. Elles ont fini par extirper une toute petite chose affreusement déformée. Garsinde avait supporté cet enfantement monstrueux avec courage. Mais dans la nuit qui a suivi, elle s'est éteinte en une heure.

« Mon père est mort au matin, en apprenant la nouvelle. On les a enterrés le même jour.

« Il a fallu que je m'occupe de marier mes sœurs, que je veille sur ma mère, que j'administre nos terres. Je songeais à chercher une autre épouse, quand j'ai appris la prédication du pèlerinage. J'ai pensé que mon devoir était de me rendre d'abord aux ordres de l'Église. Peu après, ma mère est morte à son tour. J'ai failli renoncer. Puis je me suis convaincu qu'il me fallait rester fidèle à mon engagement, d'autant que rien ne me retenait plus à Gap. »

Le silence se fit. Les garçons fixaient le feu. Alentour, beaucoup, déjà, s'étaient endormis. Le froid pinçait.

Le regard perdu au milieu des flammes, Isoard semblait être encore ici et déjà ailleurs, hors du temps et des contingences, proche d'eux pourtant et du reste de la troupe, si rayonnant de vie qu'on ne pouvait envisager d'avoir demain à se priver de lui.

Au fil des années de route et de combats, il était devenu beaucoup plus qu'un compagnon de pèlerinage. Pourtant ils allaient se séparer. Il le fallait. Isoard venait de l'expliquer. Nul n'en était triste, parce qu'on ne s'oppose pas aux projets de Dieu ou aux hasards du destin, mais chacun était meurtri. Sans lui, le monde ne serait plus tout à fait comme avant, il emporterait en partant tant de souvenirs partagés de gloire ou de chagrin ; sans son amitié, comment se croire encore invulnérable ?

Renaud fourragea le feu qui protesta par un chuintement de fumée.

Foulques imaginait sa mère Philippa. Elle était assise en ce moment même devant son foyer, pelotonnée dans son bliaut, le chat sur les genoux. Dehors, il pleuvait peut-être. En tout cas le vent soufflait ; pas le même qu'ici. Là-bas, il était plus humide, infiltrait son haleine glacée jusque dans la salle…

« Crois-tu qu'il faille à tout prix se marier ? » demanda Renaud.

Ensemble, avec le même temps de retard, comme si leur compréhension engourdie ne parvenait plus à réagir, Isoard et Foulques tournèrent la tête vers lui.

Isoard ne répondait pas.

« Pourquoi veux-tu te marier ? dit Foulques que l'oppression du silence gagnait.

— Je n'ai pas dit que je voulais ; j'ai demandé s'il le fallait.

— Pour toi, dit Isoard, ce serait le meilleur moyen de te pousser encore. On doit pouvoir te trouver une cadette de bonne famille ; tu n'as pas grand-chose à lui offrir, certes, mais tu es grandi par le prestige du pèlerinage… Peut-être Raimond ferait-il un geste à l'occasion de tes noces : une terre arrangerait bien tes affaires.

— Je ne veux pas quitter Foulques. »

Foulques leva le regard vers les étoiles. Renaud ressentait-il combien leurs routes divergeaient depuis la prise des Lieux saints ? Tels des navires dépassant bord à bord la jetée et paraissant faire route ensemble, ils allaient chacun son chemin, chacun vers son but, et la distance qui les séparait s'accroissait avec une inexorable régularité. À tout prendre, ne valait-il pas mieux un brusque changement de cap s'il devenait impossible de demeurer vraiment côte à côte ? Il faillit hurler « Je ne veux pas, moi non plus, je ne veux pas ! » Pourquoi faire semblant, toujours, se battre au nom de principes qui n'étaient qu'illusion ou entêtement ?

« Merci », dit-il simplement.

Isoard émit un « oui » dubitatif qui semblait résumer sa sagesse.

« … Et puis j'ai de quoi nous faire vivre tous, avec ce que mon grand-père m'a laissé.

— Si tu récupères tes terres…

— Elles sont sous la sauvegarde du vicomte de Carcassonne. Tu veux dire…

— Je ne veux rien dire… Je me méfie… J'espère que je retrouverai les miennes, j'espère que tu retrouveras les tiennes. »

Foulques frémit en songeant à la façon dont son frère Guillaume l'avait chassé de son héritage. En serait-il de Termes comme de Châtenet ?

« Eh bien ! on pourra toujours revenir ici, murmura Renaud.

— Revenir ? Recommencer ça ? s'écria Foulques. Ah non ! Tu ne vois pas ce que c'est, ici ? On n'y aura jamais de place. Il y a trop de monde, des Sarrasins, des Juifs, les Francs, le pape qui s'en moque, les Lombards qui grignotent tout, les Turcs qui piaffent d'impatience, Byzance qui agonise… Quelle place y a-t-il pour nous ? Que veux-tu construire, que veux-tu espérer ? Tu vois bien à quoi se limite notre utilité : expédier en enfer la racaille infidèle, d'ailleurs à peine moins pieuse que nous, et nous entre-tuer ensuite. Remplir une vie avec ça ? Non ! Si Dieu est le capitaine de nos existences, Il ne peut pas nous diriger vers un tel port !

— Et que veux-tu faire d'autre ? Que penses-tu pouvoir faire ailleurs ? À Gap, aucun été ne passait sans un petit différend à régler, un petit coup de main à donner contre l'exaltation d'un ambitieux, une menace à écarter… et Gap est une terre sans histoires ! Penses-tu arriver à Termes sous les acclamations, réclamer tranquillement ton bien, te le voir remettre sans compensation, t'installer benoîtement au milieu d'une montagne de livres ? Si c'est cela que tu te figures, alors tu risques fort de tomber de haut !

— Oui, c'est cela que j'imaginais, dit Foulques, parce que je crois que si mon grand-père a confié son bien au vicomte de Carcassonne, c'est qu'il avait confiance en lui, ou alors c'est qu'il était beaucoup plus puissant que lui et qu'il n'avait rien à en redouter…

— Henri était plus puissant que lui, pas toi… Dis-toi bien qu'un droit ne devient indiscutable que lorsque l'épée l'a bien fait entrer dans la tête des autres ou à défaut dans leur peau.

— On restera tous les deux, murmura Foulques en regardant Renaud.

— C'est effectivement la seule chose solide de votre vie, à tous les deux. »

Depuis un moment, des hurlements parvenaient jusqu'au camp, mais aucun fauve n'oserait attaquer la petite troupe car les hommes de garde entretenaient plusieurs foyers.

« Je ne veux plus jamais vivre ce que j'ai vu à Jérusalem, dit encore Foulques.

— Moi non plus, ajouta Renaud.

— Pourtant, en choisissant de rester ici encore un moment, vous n'avez pas fini…

— Alors, pour y survivre, il faudra en faire un poème. J'ai commencé à écrire ce qui s'est passé après le siège, mais je me suis arrêté et je pense que je ne continuerai pas. Pour qui dire tout cela ? Vous, vous avez vécu les mêmes choses que moi, les autres s'en moquent… Si je savais jouer du luth, je pourrais ce soir déverser mon cœur comme les jongleurs de la Mahomerie… Avec eux, l'horreur devient glorieuse ; l'ennui et le chagrin se transforment en épopées de demi-dieux ; il n'y a plus de monstres, seulement des héros… »

Le bois crépitait sans chauffer et lançait vers les zones obscures d'inutiles lueurs.

« À Jérusalem, le sang a tant et tant coulé que les rues étaient devenues des fleuves... La vallée du Cédron et le mont des Oliviers, le Saint-Sépulcre, le Temple et les mosquées inondés d'un sang noir chargé de haines entremêlées. Des sangs ennemis, versés en holocauste à des dieux inconnus, à des dieux absents ou cruels. Le sang des Sarrasins a giclé quand le sire de Bouillon a ouvert la muraille. Il a crevé les entrailles de la ville, répandant ses viscères, frappant sans discernement tous ceux que le Seigneur n'avait pas marqués de Son signe. Mais le signe était invisible. Emporté par sa colère et sourd à la pitié, Godefroi aurait pu répandre dans les mosquées et les églises le sang des pharisiens et des élus. Godefroi a tout tué. Même la cause qu'il voulait défendre. Le duc de Lorraine est venu ici animé d'étranges intentions tandis qu'éclate sa concupiscence pour cette terre. "Elle est mienne, pense-t-il. Elle me vient de David, elle me vient de Jessé." Il profane tous les Lieux saints, macule les noms sacrés qui ont jeté sur les routes des milliers de pèlerins.

« À son exemple, tous les Francs ont immolé ceux qu'ils appellent les Infidèles. Jusque sur les marches du Saint-Sépulcre, ils ont fouillé leurs entrailles fumantes pour y découvrir les pièces d'or qu'ils avaient cru protéger en les avalant. Des Juifs aux Azopars, des Sarrasins aux Éthiopiens et combien de chrétiens avec ou sans la croix imprimée sur le front. Qui les a tués, ceux-là ? L'invincible Tancrède, l'orgueilleux Bohémond, le cruel Godefroi... C'est peut-être moi, mon frère, enivré de sang et de haine.

« Et juste avant la ruée à l'assaut des murailles, le Ciel m'a envoyé une fille. Cruelle désillusion ! Ironie du sort ! Une fille, dans un torrent de sang sous les murs de la Ville trois fois sainte ! Vous avez pris sans moi la cité de Dieu. En ricanant, je vous ai regardée faire de loin. Une fourmilière en folie ! Et puis, par rage, pour oublier l'enfant et la mère, je me suis mêlé à vous. J'ai combattu, beuglé, massacré avec vous tous, comme les autres, peut-être un peu plus fort, un peu plus souvent... En braillant "Dieu le veut !", j'ai arrêté net la pauvre fuite de vieillards, pitoyables et sans défense. En braillant "Dieu le veut !", j'ai égorgé des femmes qui hurlaient leur désespoir et leur détresse. En braillant "Dieu le veut !" j'ai plongé l'épée et le poing dans des ventres à l'agonie. J'ai décapité des enfants, coupé leurs mains crispées sur des toupies et des poupées... Et quand leur corps roulait à terre, quand leur tête ronde dévalait la pente, je braillais encore "Dieu le veut ! Dieu le veut ! Dieu le veut !"

« Et cela a duré longtemps, longtemps...

« Quand je me suis arrêté, il faisait presque sombre. L'odeur m'a saisi à la gorge. Elle montait des caves, s'échappait des temples, planait dans les rues, empoisonnait la ville. Demeures saccagées et fumantes aux fenêtres éventrées aveuglées de lambeaux de tentures. Devant moi, dans un étang de sang, des fruits perdus, intacts, épouvantables de vie et de fraîcheur, des fruits vivants. Vivants ! Je n'entendais rien d'autre que mon cœur dans mes tempes.

« Des exhalaisons brûlantes faisaient trembloter les ruelles. Alors j'ai vu un homme caché dans l'angle sombre qui me faisait face. Sans doute attendait-il de me voir m'éloigner pour aller se faire massacrer ailleurs. Quand j'ai levé mon épée, il n'a pas sourcillé. Il a simplement tendu ses poings vers le ciel où il cherchait son dieu.

« Lentement, j'ai abaissé le bras. Je lui ai fait signe de partir, et j'ai crié une dernière fois "Dieu le veut !"

« Au moment d'implorer ma pitié, cet homme-là appelait encore un dieu qui l'avait abandonné. Lequel était-ce ? Il y a tant de dieux à Jérusalem. C'était peut-être le même que le mien.

« J'ai atteint par hasard le Saint-Sépulcre. Une voix hurlait en moi : voilà le tombeau de ton ancêtre Jésus ; c'est ici ce que l'on appelle son tombeau. C'est là l'objet de tant de haine, de tant de crimes, de tant de sang, le cénotaphe d'une imposture !

« Alors j'ai pleuré. J'aurais voulu qu'on me rende Jésus, mon Dieu d'enfant auquel il était si commode de croire. Mais même pour demander cela, je ne savais plus prier. Entre Dieu et moi gisaient trop de cadavres ; et ces charognes qui jonchaient les rues et déshonoraient les autels avaient été des hommes tendant vers Dieu leurs mains ouvertes ; pour eux Jérusalem *était* la Ville sainte, comme pour moi, autant que pour moi.

« Puis les mots me sont revenus et j'ai fait quatre prières, une à notre Dieu, une à Allah, une à Jéhovah et la dernière à tous les autres dieux que je ne connais pas.

« Déjà le tumulte s'apaisait. Au milieu des gémissements, des chrétiens agenouillés psalmodiaient des chants de grâce. Des marchands, des paysans. Des gens simples et croyants, auxquels mon bras avait permis de se recueillir ici.

« Et si c'était cela que Dieu avait voulu ? S'Il avait voulu que nous soyons, vous et moi, des instruments de guerre pour que règne Sa paix ? S'Il avait ôté de nos âmes la faculté de penser, s'Il avait fait de nous des soldats imbéciles, s'Il avait réservé aux esprits simples la grâce de croire et de comprendre ?…

– Et si Dieu se moquait de nous ? coupa Isoard. Arrête là, Foulques, tu pourrais continuer ainsi toute la nuit. Pour rien. Surtout si tu oublies de dire que finalement, au lieu de participer aux massacres, Godefroi est allé seul prier au mont des Oliviers, et que Raimond a fait l'impossible pour sauver ceux qui avaient survécu. Nous aussi, nous avons pris Jérusalem, et les horreurs que tu évoques sont gravées dans toutes les mémoires. Elles étaient inéluctables, tu le sais bien. Si tu veux chanter, embellis, transcris, transmute la laideur en beauté. Personne ne veut d'un sang sordide, d'un sang de guerre, d'un sang de victime, mais tous se délectent du sang du sacrifice et du sang des héros. Il n'y a eu ni crimes, ni fange, ni terreur, ni dégoût ; ce que tu as vu se dérouler sous tes yeux sera demain une épopée faite de foi, de soleil, et d'enthousiasme. Et cette épopée ne t'appartient pas ; elle est à chacun de nous, elle est à Dieu, pour Dieu et avec Dieu car Dieu le voulait ainsi. Si tu veux chanter, sois Homère ou tais-toi.

– Mais toi tu n'es pas le petit-fils de Jésus-Christ ! hurla presque Foulques.

– Chut… protesta Renaud, les autres dorment. »

Isoard leva vers Foulques un regard interrogateur.

« Deviens-tu fou ? »

Comme dans un songe, Foulques aurait aimé pouvoir reprendre ses paroles, les effacer ou les remplacer par d'autres, croire qu'elles n'avaient jamais existé.

Isoard le fixait. Foulques restait bouche bée, les doigts tremblants légèrement écartés. Et s'il laissait Renaud répondre à sa place ? Renaud avait souvent de bien meilleures idées. Et puis Renaud était un autre, tellement moins fragile que lui, comme tous les autres… Être un autre, devenir un autre…

« Foulques, reprit Isoard avec douceur, que veux-tu dire ?

– Je me suis laissé emporter, pardonne-moi, je te prie. C'est un horrible secret qui me dévore… Jures-tu de ne rien révéler ? Jures-tu que tu ne me penseras pas fou ? »

Renaud manifesta son impatience. Que de questions inutiles !

« Mais tout le monde s'en fout, de savoir si Jésus est ou non le fils de Dieu ! Tout le monde, comprends-tu, sauf les curés et toi. À force de t'imaginer que tu en es le descendant, tu finiras par te prendre pour lui, et alors, là…

– Pourquoi serais-tu le descendant de Jésus ? insista Isoard.

– Raimond m'a dit… mais non, il faudrait trop longtemps, la honte m'étouffe…

– Tu veux parler de ces histoires qui traînent partout ? Godefroi, issu comme beaucoup d'autres de Jésus et de Marie-Madeleine ?

– Tu sais ?…

– Boh ! je sais ce que tout le monde sait… Personne ne sait, et comme dit Renaud, tout le monde s'en fout. L'important est d'accéder à la transcendance. S'il te faut pour cela interpréter à ta manière l'histoire du Christ, c'est tant mieux. C'est ce que l'Église essaie de faire, et elle a raison. Si elle ne parvient pas à élever les âmes des hommes, ils se rouleront bientôt tous aux pieds d'un autre veau d'or. C'est pour cela que je la soutiens, que je me bats pour elle, pour cela qu'elle est indispensable. A-t-elle raison sur le fond ? Je ne sais pas. Mais le fond importe peu ; seule compte la manière, sa capacité à faire germer des croyances. Même si ce n'est pas pure affabulation, ce qu'on dit sur Godefroi ne remet rien en cause : il reste deux Christ, l'homme et l'envoyé du Ciel. Un homme et une âme comme en chaque créature humaine. Le Christ est une allégorie des êtres et des temps. Intéresse-toi à ce Jésus-là, l'envoyé du Ciel, et délaisse l'autre, qui devait te ressembler singulièrement... Comment en descendrais-tu, toi ?

— Par mon aïeule Douce de Barcelone.

— Ah oui ? Eh bien, moi, ça remonte à quatre ou cinq générations, du côté du Razès.

— Toi aussi ?

— Mais quelle importance ? Tu sais bien que chez nous, d'innombrables familles se disent issues de patriciens romains, et quelques-unes de Marc-Aurèle ou d'Auguste ! Il s'est même trouvé un évêque de Gap qui se prétendait le rejeton de Priam et d'Hécube... »

Renaud jubilait. Il se leva avec précaution, rassembla le foyer, vérifia que le trépied qui l'enjambait était bien stable et demanda :

« Voulez-vous que j'aille chercher le reste de bouillon et que je le fasse réchauffer ?

— Ah oui ! reprit Isoard, j'ai faim. Pas toi, Foulques ?

— Ben si... si vous mangez, moi aussi.

— Je reviens », dit Renaud en s'éloignant.

Isoard posa la main sur l'épaule de Foulques :

« Tu es déçu ?

— Non, ce n'est pas cela, mais je crois qu'à nouveau je ne sais plus où j'en suis. J'ai pourtant eu l'impression de franchir des quantités de degrés depuis Toulouse et Vaux, de mieux comprendre les choses, et il me semble me retrouver sans cesse en bas, avoir sans cesse à recommencer. »

Isoard sourit.

« Tu marches sur un terrain semé d'accidents, comme tout homme qui cherche. Mais, contrairement à ce que tu sembles croire, ton chemin n'est pas tracé au milieu d'un désert plat dont il faudrait sans cesse franchir les épuisants et inutiles obstacles. Non, ton chemin s'accroche au flanc d'une montagne escarpée dont nul n'a jamais vu le sommet ; les obstacles que tu y rencontres ne sont pas des traverses ordinaires mais des épreuves pleines de promesses. À chaque fois que tu parviens à franchir un éboulis, à enjamber une crevasse, à vaincre une paroi abrupte, tu découvres de nouvelles difficultés, et souvent le découragement s'abat sur toi. Songe pourtant qu'à chaque halte, à chaque étape, à chaque victoire, tu te retrouves un peu plus haut, un peu plus grand. Quelquefois, tu découvres une terrasse, un rebord un peu large, et tu rêves d'y reposer ton âme endolorie. Tu t'y étends pour un moment, et quelquefois tu t'y endors. Mais, dans l'inconscience de ton sommeil, tu glisses lentement vers l'abîme. Alors tu t'éveilles, et tu comprends qu'il faut reprendre le chemin, monter, monter encore, monter vers ce sommet que nul n'a jamais vu, dont nul ne sait même s'il existe. Il faut monter parce que tu es un homme, parce que Dieu ne t'a pas fait blaireau tournant en rond dans son trou, ou fougère accrochée à sa glèbe... »

Renaud revenait avec un petit chaudron.

« Je l'avais caché sous mon manteau, à cause des chiens », dit-il en l'accrochant au trépied.

Un moment, ce fut comme si la guerre n'existait plus, ni le froid, ni le départ d'Isoard.

« Si tu ne devais pas partir, je te montrerais ce que j'ai trouvé dans ma maison, à Laodicée. Certains feuillets disent presque les mêmes choses que toi. Ce sont de curieux parchemins, des papyrus aussi. Beaucoup sont dans des langues que je ne comprends pas. J'ai demandé à Morphia de me traduire ce qui est en grec. Certains textes latins expliquent que le Christ avait en fait deux natures : l'une charnelle, issue de Marie, l'autre divine, issue du Père, et que ces deux natures étaient unies pour former un tout.

— Alors ce sont des textes nestoriens.

— Nestoriens ?

— Eh bien ! la doctrine de Nestorius. Il y a longtemps. Il a été condamné comme hérétique. Moi je ne l'ai jamais lu, mais je sais ce qui s'en dit, et ce qui s'en dit c'est exactement cela.

— Et tu y crois ?

— Qu'est-ce que ça veut dire, y croire ? Je te dis que je ne l'ai jamais lu. Je ne connais pas de nestoriens et ça ne m'intéresse pas. L'Église a suffisamment de mal à se faire respecter, sans qu'on aille semer le trouble dans les esprits. C'est beaucoup trop difficile à faire comprendre... Déjà, peux-tu me dire qui entend quelque chose à l'Incarnation ou à la Trinité ? Va donc expliquer qu'un des éléments de cette Trinité était une sorte de Janus ! La pensée de Nestorius était dangereuse, il fallait la condamner ; ils l'ont condamnée, ils ont bien fait.

— Mais, s'il avait eu raison ?

— Et alors, qu'est-ce que ça changerait ? Marie ne serait pas une sainte ? Elle aurait quand même été choisie par Dieu... Oh ! et puis personne n'aura jamais de preuve irréfutable... Il n'est pas encore chaud, ce bouillon ? Ça fume. »

Ensemble, les trois garçons avancèrent le nez au-dessus du chaudron. Un reste de bouillon de viandes mélangées. C'était nourrissant et encore chaud. Il aurait fallu y tremper une soupe, mais la boule de pain avait été terminée au dîner.

Renaud plongea une grande cuiller de bois et remua le bouillon.

« Non, ça fume, mais c'est froid… Tu te souviens, Foulques, quand on a fui de Châtenet ? Quand ton frère t'avait chassé. Tu étais passé me prendre à la Billette, et on était partis. On s'était arrêtés à Thaims, chez Pierre. C'était juste après Toussaint. Il faisait froid, il y avait des châtaignes.

– Oui, je me souviens. Mon père venait d'être tué. Ça fait longtemps…

– Oh ! là, là !… »

Foulques se représenta le Foulques de ce temps-là, un garçon presque inconnu qu'il pourrait peut-être rencontrer s'il retournait là-bas ; un Foulques qui ignorait tout de la guerre et des hommes, qui ne connaissait ni le doute, ni Nestorius.

Alors, ce fut comme un embrasement. Il se rappela qu'à cette époque-là, déjà, il rêvait d'être un autre. Peut-être même aurait-il rêvé, le Foulques de Châtenet, d'être le Foulques de Port-Saint-Siméon qui attendait, ce soir, qu'une marmite chauffe, en se demandant de quoi demain serait fait. Pour la première fois, il était capable de se voir comme un autre. Le plus jeune, celui de là-bas, c'était un autre… Mais le Foulques d'aujourd'hui pouvait voir à travers les yeux du Foulques d'autrefois rêvant à ce que pourrait être demain… Ces deux Foulques-là étaient comme le Christ d'Isoard ou celui de Nestorius, deux corps en un seul, les pointillés d'une longue chaîne de temps, reliés par un même esprit, un même souffle, celui de la mémoire et de la vie.

IV

Novembre-décembre 1099. – Laodicée-Antioche.

Dans un crachotement de fumée blanche, la flamme faiblit puis s'éteignit une fois de plus. Le bois était décidément trop vert. Éric, lui, savait allumer n'importe quel feu, même sur l'eau. Il avait expliqué que dans son pays d'eau et de glace, c'était cela ou mourir. À l'idée de le voir discrètement ricaner, Foulques décida qu'il ne ferait appel à personne. Il devait bien être encore capable de se débrouiller seul, quand même !

Un mois maintenant qu'ils avaient investi Laodicée. Pour l'heure, personne ne semblait vouloir disputer aux Provençaux la mainmise sur la ville. Comme les autres, Foulques se laissait progressivement aller à l'illusion de paix.

Pourtant, depuis la veille, courait une étrange rumeur : Daimbert et ses Pisans ayant sans cause connue déplacé leur campement, on parlait dans les rues de manœuvre d'encerclement, de désertion ; certains conjecturaient même un affrontement imminent.

« Ah ! quand même ! »

Une branche moins humide que les autres venait enfin de s'enflammer. Dans un concert de chuintements, le tas de bois protesta, bavant de toutes ses extrémités un mélange brun de sève et d'eau mousseuse. La demeure ne possédait qu'une très petite resserre à bois ; celle de Renaud en était dépourvue. Sans doute la guerre avait-elle empêché les propriétaires de constituer des réserves. Mais, cette année, le froid avait été si précoce, qu'il fallait se résoudre à des flambées presque permanentes. Aujourd'hui, pour économiser ses maigres provisions, Foulques avait tenu toute la matinée sans feu.

Engourdi des orteils au bout du nez, il demeura un moment à contempler le foyer. Ennoblies par les flammes, les branches difformes revêtaient pour quelques instants les soieries tourbillonnantes dont resplendissaient les danseuses impériales, s'enivraient d'ondulations voluptueuses, puis tombaient sans grâce. D'autres fleurs de feu s'élevaient alors, attisant de reflets leur splendeur déchue qui charbonnait déjà avant de se réduire en cendres.

Soudain, dans un sifflement d'hiver, le vent s'engouffra par la cheminée, balaya les flammes en refoulant une fumée âcre et tiède. Foulques toussa, s'essuya les yeux. Les flammes reprirent bientôt, plus hésitantes, comme indignées de crainte.

Le garçon se releva. Au-dehors la pluie tombait en rafales et crépitait sur les braises lorsqu'elle parvenait à atteindre l'âtre. Les dernières roses du jardin ne survivraient pas à la bourrasque. Une fois de plus, l'hiver serait sordide.

« Qu'est-ce que je donnerai à manger à Morphia, songea Foulques, si tout vient à manquer ? Elle est si faible, comment pourra-t-elle survivre ? »

Son cœur se serra. Il faudrait trouver une solution. Il en trouverait une, sans doute.

Déjà, on ne mangeait plus qu'une fois par jour. Peu à peu, les chats disparaissaient des rues. Comme toujours, ils faisaient les premiers les frais de la disette. Après, on passerait aux chiens. Puis viendrait le moment où il faudrait se contenter de pire que cela… C'était à chaque fois pareil.

Il se retourna, écarta d'une main lasse les parchemins qui encombraient la tablette, les rassembla de nouveau, fit un début de pile.

On frappa à la porte. Foulques reconnut la discrétion des coups.

« Anna pleure de faim et je n'ai rien à lui donner, murmura Morphia.

– Je sais bien, mais que veux-tu que je te dise ? »

Foulques pivota sur ses talons et fixa le foyer. Pourquoi sa femme prononçait-elle toujours le nom de leur fille en faisant sonner les « A » ? Ne comprenait-elle pas que cela l'agaçait ? Et ne comprenait-elle pas non plus qu'il ne savait pas multiplier les pains ?

« Ne te fâche pas. Je sais que tu as supporté bien des misères, autant et plus que moi, mais notre petite a faim… il faut faire quelque chose. »

Foulques contracta les mâchoires et fit craquer ses doigts.

« J'ai peut-être trouvé une solution », poursuivit Morphia avec calme.

Il baissa la tête vers le triste sourire qui assombrissait son regard. Elle aussi était lasse. Plusieurs fois, elle avait avoué sa honte d'avoir si peu de lait.

« Quelle solution ? Si tu veux parler d'une nourrice, tu sais bien qu'il n'y en a pas ; j'ai cherché, je n'ai rien trouvé. »

Morphia hésita, le front tourmenté :

« Non, ce n'est pas cela… Je sais que tu as fait ce que tu pouvais.

– Quelle solution, Morphia ? répéta Foulques d'une voix plus douce.

– Ce n'est pas un endroit pour un si petit enfant, ici… Nous sommes entourés d'ennemis, Anna risque de mourir de faim, de se faire tuer. J'ai peur, Foulques. »

Il aperçut une larme hésitant à la base des cils, ce qui le mit mal à l'aise.

« … Je… je pensais que peut-être… peut-être que tu pourrais nous emmener à Antioche, chez mes parents.

– Antioche ? Mais tu es folle ! C'est bientôt l'hiver, les chemins sont détrempés, semés d'embûches et de dangers, la mer sera mauvaise. D'ailleurs, crois-tu que tu serais davantage en sécurité, à Antioche ? »

Morphia pleurait vraiment, maintenant.

« Pardonne-moi. Je voudrais revoir mes parents. Mon père connaît tout le monde, là-bas. Il trouverait facilement une nourrice.

– Tu es complètement folle ! »

Foulques ouvrit la porte et hurla :

« Guilhem ! Guilhem ! »

Michel accourut, trempé.

« Mais d'où sors-tu dans cet état ?

– Ben, de dehors, pardi !

– C'est bien le moment, avec ce temps pourri ! Où est Guilhem ?

– Il est pas là. Y'a qu'Éric. »

À l'appel de son nom, le Nordique accourut.

« Éric, fais ce qu'il faut, mais débrouille-toi pour me trouver une nourrice, et n'hésite pas à la brusquer un peu, si elle refuse.

– Une nourrice ? Qu'est-ce que c'est ?

– Une femme avec un bébé qui lui donne son lait à boire. »

Foulques dessinait dans l'espace une effrayante poitrine.

« Tu la ramènes ici, avec son bébé. Et vite ! Tu as compris ?

– Oui, j'as. Mais tu le cherchas déjà sans ne le trouvas, le lait de la nourrice.

– Je sais, je sais, mais essaie quand même, tu seras peut-être plus heureux que moi. »

Assis devant le foyer, Michel grelottait.

« Ai faim, soupira-t-il.

– Tout le monde a faim ! débrouille-toi, trouve un chat… Morphia, ajouta-t-il, laisse-moi réfléchir à ce que tu m'as dit. Essaie de calmer Anna. »

*

Renaud dormait quand Foulques entra.

« Réveille-toi, j'ai besoin de ton avis. »

Renaud s'étira lentement en se retournant vers son ami.

« J'ai besoin de ton avis, répéta Foulques. Morphia est très inquiète, elle n'a plus de lait. Elle a peur aussi que la situation tourne mal et je crois qu'elle ne supporte plus la précarité dans laquelle nous vivons. Elle voudrait retourner à Antioche pour y retrouver ses parents. »

Renaud s'assit sur sa couche, se gratta la tête à deux mains en s'emmêlant les cheveux.

« Retourner à Antioche ? Oh ! là, là ! mais c'est dangereux, ça, à la saison où on est... murmura-t-il d'un ton absent.

— C'est ce que je lui ai dit.

— Et puis, qui dit que c'est bien calme, à Antioche ?

— Je le lui ai dit aussi.

— Et puis, ça ne plairait pas du tout à Raimond.

— Pourquoi ?

— Il a pas mal de difficultés, en ce moment, non ? Si tu partais avec Morphia, je vous accompagnerais ; il nous faudrait une escorte et, depuis le départ des nôtres, le mois dernier, chaque bras compte.

— Moui... On pourrait peut-être demander à Isoard et à Gaston de Béarn de revenir de Jérusalem pour renforcer nos troupes, suggéra Foulques.

— Difficile ! S'ils sont là-bas, ce n'est sûrement pas pour leur plaisir... Raimond leur a donné mission de le représenter, il a besoin d'eux à Jérusalem, pas ici.

— Tu as raison. D'autant qu'ils y sont pour espionner, en fait.

— C'est ce que je te dis, ils le représentent. C'est bien pour ça du reste qu'il a passé tant de temps à les convaincre de rester encore un peu ; à part eux, il ne fait plus confiance à personne.

— Si, à nous, quand même !

— Tu crois ? Eh bien, pas moi ! Non, le comte de Toulouse n'a plus confiance en toi, Foulques. Quant à moi...

— Hein ? Raimond, se méfier de nous ? Tu es fou !

— Pas tant que tu crois. Réfléchis : il t'a confié un de ses principaux secrets, et il croit que tu descends de qui on sait, contrairement à lui ; tu es de sa famille et tu représentes donc un possible danger ; nous sommes toi et moi comme les doigts de la main, et cela doit l'agacer, lui qui calcule tout et qui se défie de tout le monde ; nous sommes jeunes et il est vieux... Tu veux d'autres motifs ?

— Non. Mais si tu as raison, il devrait être enchanté de nous voir quitter Laodicée.

— Oui, sauf si ça l'inquiète de nous perdre de vue... En tout cas, il n'est pas question de partir sans lui en demander l'autorisation. »

Foulques baissa la tête et pensa aux mille marcs d'argent, pactole aussi lourd qu'un mulet, dormant dans un des murs de sa chambre. Ce trésor caché dans un coffre d'airain permettrait-il d'acquérir son indépendance ? Sûrement, puisque l'argent permettait tout. Que pesaient face à lui la force des armes, la qualité de la naissance, l'ampleur de la foi ou de la culture ? L'argent achetait des villes et des consciences, laissait espérer toutes les trahisons, payait l'amour des plus belles femmes et le lait des nourrices récalcitrantes ; l'argent apaisait les scrupules des plus grands princes chrétiens, transformait le fier Tancrède en mercenaire et modifiait les intentions du basileus lui-même. L'argent pouvait tout...

Foulques se revit, tendant au tailleur de Royan la pièce qui réglerait sa tunique, offrant à Adhémar les sous des redevances pour payer la barque sur la Charente. Il revit son oncle, exaspéré d'avoir toujours à mettre la main à la bourse dans les rues de Saintes, lui expliquant que la modestie de son abbaye ne devait rien à l'humilité spirituelle et tout au dénuement matériel ; il revit les pauvres bijoux de Philippa et la cape rouge d'Hélie de Didonne... Avec mille marcs d'argent, combien de douzaines de colliers d'or, combien de milliers de capes rouges pouvait-on s'offrir, combien de dizaines de barques pouvait-on affréter, combien d'hommes de troupe pouvait-on solder ?

Mais avec mille marcs, pouvait-on acheter son indépendance afin d'aller où l'on voulait ?

« À quoi penses-tu ?

– Je me dis que j'ai de l'argent, et que mille marcs, c'est une belle somme. Te rends-tu compte de ce qu'on peut faire avec mille marcs ?

– Beaucoup de choses, sans doute. Mais ils ne seront pas éternels, tes mille marcs, va. Ne te mets pas martel en tête. C'est vrai que Raimond doit se méfier de nous, mais il ne nous empêchera sûrement pas de partir. »

*

Le comte de Toulouse avait établi ses quartiers dans une très vaste demeure ouvrant sur une place lumineuse. Comme il ne les avait jamais invités à partager sa table ou sa conversation privée, Foulques et Renaud ne s'y étaient jusque-là rendus que pour assister aux conseils. Pour eux, l'endroit ne représentait que le siège du gouvernement latin à Laodicée.

« Je sais ce que vous venez me dire. Daimbert s'agite. Eh bien ! qu'il s'agite ! On verra bien qui est le plus fort ! S'il s'imagine que je vais le laisser s'incruster dans les parages jusqu'à venir me narguer sous les murs de ma ville, il se trompe lourdement... Et vous aussi, si vous vous figurez que je vais baisser les bras ! »

Foulques amorça un geste de dénégation.

« ... Ah ! c'est pire que ça ! continua Raimond. Vous vous êtes dit que j'ignorais tout cela et vous êtes charitablement venus avertir le vieux chef décrépit... C'est trop de courtoisie, vraiment ! Mais pensez-vous que j'attende après des freluquets tels que vous pour être informé ?

Oh ! tu peux prendre cet air ingénu qui trompe si bien les autres, Foulques, sire de Termes ! Ainsi, nos succès ont fini par te tourner la tête. Mais oublies-tu que ce triomphe, c'est le mien et uniquement le mien, que tu me dois tout, comme les autres ? »

Raimond avait nettement grossi. Son œil se perdait dans les replis graisseux, et son souffle devenait plus court. Il toussa, puis s'affala sur un siège de bois en se massant la poitrine.

« … Vous me fatiguez ! Qu'est-ce que vous voulez encore ? »

Interloqués, les deux garçons échangèrent un bref coup d'œil.

« Nous ne sommes pas venus pour te parler des Pisans, mon cousin, dit Foulques sur un ton glacé, même s'il est vrai que tu avais raison de soupçonner ce Daimbert. Tout le monde se demande quel mauvais coup il médite. »

Raimond ne paraissait plus intéressé par ce qui se disait. Il laissa glisser un regard vide sur les garçons, la fenêtre, les dalles de pierre qui recouvraient le sol. À plusieurs reprises, il se passa la langue sur les lèvres.

« J'ai soif. N'avez pas soif, vous ?… J'ai soif et j'ai faim. Ménélas ! Ménélas, viens là, nom de Dieu ! »

Habillé à l'orientale, le nouveau serviteur devait être grec, ou alors Raimond l'avait rebaptisé. Chacun savait qu'ayant jugé habile de se lier avec l'empereur, il s'entourait à présent de Grecs. On murmurait qu'il vivait désormais selon leurs mœurs et qu'inévitablement viendrait un jour où l'on ne pourrait plus lui faire confiance tant il leur ressemblerait.

Ménélas était petit et brun, un peu replet.

« Ménélas, porte-nous à boire, j'ai soif. Eux aussi. Vous avez soif ?

— Ben…

— Ils ont soif. Donne n'importe quoi, même de l'eau. Il ne reste pas un peu de vin ?

— Si, maître, on en a encore beaucoup dans la cave.

— Oui, bon, il doit rester un flacon ou deux… Allez, allez, va vite. »

Raimond retomba dans sa prostration, comme s'il écoutait vaguement décroître les pas de Ménélas. Les deux garçons n'osaient pas prononcer un mot tant il était évident que leur hôte avait oublié leur présence. Il n'y avait même pas de feu dans la cheminée pour intéresser le regard à quelque chose. Renaud se balançait lentement d'un pied sur l'autre. Dans le coin de son œil brillait cette lueur de malice qui se terminait généralement par un éclat de rire.

« Ah ! mon bon Ménélas, enfin ! Puisqu'on ne bouffe pas, qu'on boive au moins ! Allez, donne ces petits gobelets… remplis… oui, bien. Pour eux aussi. Mes enfants, je bois à la ruine de l'archevêque de Pise.

Alors, en fin de compte, au lieu de me raconter des sornettes, dites franchement ce que vous voulez.

– Ton avis. Morphia voudrait aller à Antioche pour…

– Aller à Antioche ? Elle n'est pas bien ici ? Qu'est-ce qu'elle veut foutre à Antioche ? Retrouver les ossements de ses chers parents ? Tous pareils, ces Grecs, ça larmoie, ça se plaint, ça vous émeut et après, ça vous trahit ! Eh bien ! mon petit Foulques, ton épouse fait là une belle manœuvre de diversion, c'est moi qui te le dis. Elle a sûrement un plan… Évidemment, elle t'a seulement dit qu'on crevait de faim ici, que ta fille allait mourir et qu'Antioche était la seule planche de salut ?

– Comment le sais-tu ? »

Raimond fixa sur Foulques un fin sourire, puis, s'adressant à Renaud :

« Mon cher filleul, toi qui as le sens des réalités de ce pauvre monde, il te reste beaucoup à lui apprendre. Voilà que maintenant, il se laisse abuser par sa propre femme !

– Je crois que Morphia ne pense qu'à sauver la petite, répondit Renaud.

– C'est bien possible, en effet… Une mère, c'est pire qu'une louve. Mais qu'est-ce que j'y peux, moi, si les hommes se sont comportés comme des veaux ? L'expérience ne leur apprend rien ; ils ont tout dévoré, pas un n'a fait de réserves, et les revoilà qui courent après les chiens et les rats ! Moi, j'ai pris la précaution de faire saler et fumer de la viande, et sécher des fruits. J'en sortirai un peu si la situation devient vraiment désespérée. C'est trop tôt. Et puis pour toi, c'est du lait qu'il faut. »

Raimond se resservit un plein gobelet de vin.

« Elle n'en a pas, de lait, ta Morphia ?

– Elle dit que non. »

Le comte de Toulouse leva les sourcils et balaya l'air d'un geste d'impuissance.

« Tu crois qu'elle ment ? murmura Foulques.

– Sais pas. M'en fous. Fais ce que tu veux. Va à Antioche, à Constantinople ou au diable. Allez, allez, allez-vous-en… »

Foulques et Renaud se regardèrent et se dirigèrent vers la porte.

« Attendez un peu, se ravisa le comte, si c'est une question de lait, Elvire a une nourrice. Elle pourrait peut-être faire plus. Elle a une poitrine, mes enfants, à abreuver une troupe entière… Mais ce n'est sûrement pas qu'une question de lait… Allez, soyez prudents, et si vous apprenez des choses intéressantes en cours de route, dites-les-moi au retour. »

*

Après une marche pénible de plus de vingt lieues, par des chemins défoncés, mais sans avoir fait de mauvaise rencontre, le petit groupe des Provençaux atteignit enfin les murailles d'Antioche. À n'en pas douter, l'accueil de Bohémond ne serait pas chaleureux, tant les liens entre Toulousains et Normands de Sicile s'étaient encore refroidis. Pour parlementer avec les gardes, Foulques envoya Éric dont un certain nombre d'hommes du prince d'Antioche comprenaient la langue.

La troupe s'était abritée de son mieux du vent mordant qui cinglait la plaine. Heureusement, il ne pleuvait pas.

« Je crois que ce bandit de Bohémond est bien capable de nous garder en otages, dit Renaud tandis qu'avec Foulques ils inspectaient l'installation du bivouac. Ça l'aiderait, dans ses tractations avec notre comte…

— Je me le suis dit aussi, mais tout compte fait, ça m'étonnerait. Le noble prince de Tarente est l'allié de Daimbert qui gesticule en ce moment sous les murs de Laodicée pour nous intimider. Je ne crois pas que Bohémond prendrait le risque de nous capturer, il sait bien que Raimond n'attend qu'un prétexte pour attaquer l'archevêque en bonne et due forme. »

*

Il fallut attendre jusqu'au soir le retour d'Éric, qui se présenta encadré d'une solide escorte. Renaud reconnut celui qui conduisait la troupe : un des proches du Normand, le seul avec qui l'on pouvait autrefois échanger quelques mots. Ce chevalier se détacha et dans une langue romane terriblement heurtée s'adressa à Foulques sans mettre pied à terre.

« Mon maître, le puissant seigneur d'Antioche, te souhaite la bienvenue dans sa ville. Il a dû renoncer à t'accueillir en personne car aujourd'hui, premier dimanche de l'avent, il se recueille dans l'église Saint-Pierre. »

Foulques se dit que le Normand n'avait même pas pris la peine de chercher un prétexte vraisemblable et que cela augurait mal de la suite des événements. Il fallait quand même que Bohémond eût du culot pour mettre en avant sa piété !

« Je comprends et salue la dévotion du sire de Tarente, répondit-il. Pour notre part, nous n'avons pas pu assister à l'office en ce jour, car nous étions en chemin.

— Le seigneur d'Antioche te fera savoir quand il pourra te recevoir, continua l'émissaire. Il m'a chargé de te conduire dans une maison qu'il vous destine.

— Que dit-il ? » interrogea Morphia qui comprenait encore très mal la langue romane.

Foulques traduisit.

« Mais, protesta-t-elle, nous n'avons pas besoin de maison. Celle de mes parents est assez grande pour nous tous, et les hommes d'armes pourront dormir dans les écuries qui sont bien confortables. »

Sans doute l'émissaire comprenait-il aussi le latin, puisqu'il s'assombrit et laissa paraître un mouvement d'impatience.

« Les ordres du prince d'Antioche sont précis et formels. Je les transmets tels qu'ils m'ont été donnés », acheva-t-il d'un ton sec.

Morphia leva vers Foulques un regard inquiet.

« C'est bien, dit celui-ci, nous te suivons et nous nous réjouissons de la puissance du seigneur de Tarente qui peut se permettre d'offrir une si généreuse hospitalité dans une cité qui appartient à l'empereur. »

L'autre tourna bride sans un mot, mais Foulques le rappela.

« Puisque je risque de ne pas avoir l'occasion de le lui dire moi-même d'ici un certain temps, précise à ton maître qu'il peut désormais se rendre sans risque à Jérusalem. Nous tenons solidement Laodicée, et la route est sûre. Lui qui a assuré nos arrières au nord pendant que nous donnions l'assaut, il sera bien payé de son audacieuse témérité, et sa piété trouvera sur les Lieux saints de quoi s'exercer sans réserve.

– Le prince d'Antioche déplore en effet chaque jour de n'avoir pu se rendre plus tôt sur les lieux de la Passion de Notre-Seigneur. Les assurances que tu apportes l'empliront de joie, puisque seule la crainte de vous voir attaqués à Laodicée le retenait ici. S'il n'a plus à se tenir prêt à vous porter secours, il passera la Noël dans la Ville sainte, comme il l'a depuis longtemps annoncé. »

Foulques esquissa un sourire en considérant les ecchymoses brunes que faisaient sur la poussière quelques gouttes d'eau.

« Je vous prie maintenant de nous suivre. La pluie menace et la nuit tombe, poursuivit l'émissaire. Votre demeure se trouve tout près de la porte de la Mer, ce ne sera pas long. »

À la lueur de torches que tenaient à l'avant les hommes de Bohémond, la troupe se mit en marche.

« Je me demande si tu as raison de le prendre sur ce ton, dit Renaud à Foulques qui chevauchait à ses côtés. À force de dire "le seigneur de Tarente", tu vas nous mettre à dos toute la garnison normande.

– Raimond n'aurait pas fait autrement. Mesures-tu l'insolence de Bohémond ? Le voilà qui se comporte en émir tout-puissant, au mépris de ses serments à l'empereur…

– C'est vrai, mais le comte de Toulouse et le sire de Termes ne peuvent pas se permettre exactement la même chose, tu ne crois pas ? C'est assez cocasse, quand même… Raimond est le seul à avoir refusé de prêter serment au basileus et le voilà maintenant seul à exiger que nos conquêtes lui soient remises !

– Le "sire de Termes", comme tu dis, parle et agit au nom de son seigneur, le puissant Raimond de Saint-Gilles, comte de Toulouse.

– Eh bien ! je crois, moi, que si le puissant Raimond de Saint-Gilles était aujourd'hui prince d'Antioche, duc d'Ascalon ou roi de Jérusalem, sa loyauté envers Alexis en serait pas mal écornée… Il s'est allié avec les Grecs par dépit, pas par droiture.

– Tu as sûrement raison, murmura Foulques, mais ce n'est pas à nous de le dire, ni de le laisser dire. »

*

Le logis était modeste, sans caractère particulier. Les murs chaulés dégoulinaient par endroits de traînées sombres. Pas de tapis, pas de fourrures. Outre la table encombrée de vivres et les deux bancs traditionnels, un coffre banal constituait tout l'ameublement de la grande salle. Le représentant de Bohémond insista pour fournir à l'escorte un gîte convenable, proposition que Foulques refusa fermement tant elle lui semblait empester le guet-apens. Il remercia le Normand de sa sollicitude, mais assura que ses hommes seraient parfaitement bien installés dans la remise du jardin attenant.

Après le repas, Foulques rejoignit Morphia dans la pièce fort exiguë qu'elle avait choisie. Elle était étendue sur une paillasse jetée contre une cloison lépreuse.

Elle pleurait doucement.

« Viens », dit-elle.

Il s'étendit à ses côtés et la prit dans ses bras. Anna venait de s'endormir à l'autre bout du galetas.

« Je suis sûre que mes parents ont disparu. Mon père était un homme puissant. S'il était encore ici, il serait venu nous accueillir.

– Je suis inquiet, moi aussi, répondit Foulques en caressant le front de Morphia. Bohémond ne tentera sûrement rien contre nous, pourtant, mais cette façon humiliante de nous recevoir ne me dit rien qui vaille. »

Au-dehors, drossée par un vent de tempête, la pluie tambourinait sur le toit. La pluie d'Antioche… Foulques se remémora les interminables mois passés dans cette ville sous les nuages gras qui transformaient tout en boue. Sa rencontre avec Morphia. Leur hostilité glacée.

« Quelle famille as-tu à Antioche ? reprit-il.

– Vassilika, une tante de mon père, qui est très âgée… Père était enfant unique, et Vassi ne s'est jamais mariée.

– Et du côté de ta mère ?

– Là, c'est plus difficile. Maman est née à Ramallah, près de Jérusalem. Je n'ai jamais connu mon grand-père et je n'ai vu que trois fois ma grand-mère. Il était juif et elle, arabe… C'est compliqué. Père n'aimait pas trop qu'on en parle.

– Quand mon aïeul m'a parlé de toi, la première fois, il m'a dit cela. Je n'ai pas trop compris… Ton grand-père juif a épousé une musulmane ?

– Non, non ! Elle était arabe, mais chrétienne. »

Foulques se prit la tête entre les mains.

« Tu vois, murmura Morphia, je te l'avais dit, c'est compliqué. Mais c'est comme ça dans beaucoup de familles, ici.

– Et il ne te reste personne d'autre ?

– Si, le frère de maman… Il s'est marié à une Arménienne chrétienne, mais il s'est converti au christianisme orthodoxe ; ils ont trois enfants… Maman avait aussi une sœur qui est partie s'installer à Palerme avec son mari et ses enfants. Elle, elle a voulu conserver la religion de son père et épouser un Juif…

– Nous chercherons tout le monde demain. Se tourmenter ne sert à rien, pour l'instant. Peut-être tes parents n'ont-ils tout simplement pas été avertis de notre arrivée.

– Je me sens étrangère dans ma propre ville… Heureusement que tu es là. »

Foulques l'embrassa.

« Laisse-moi poser les coussins par terre, on va renverser Anna ! » dit-elle en souriant.

En s'unissant à elle, il eut la sensation de lui transmettre un peu de sa force. Mais Morphia ne semblait désirer qu'être possédée et protégée.

*

« Il faut que je te dise quelque chose, murmura Foulques alors que Morphia, apaisée, s'assoupissait. Avant qu'on nous marie, j'ai aimé une fille… Elle était venue avec nous depuis Toulouse… Pour moi. Nous nous étions trouvés juste avant le départ. Elle était délicate et presque transparente. Elle comprenait tout, elle savait beaucoup de choses. Elle parlait grec…

– Toi aussi, tu parles au passé.

– Elle a disparu à Rodosto, quand nous avons été attaqués. »

Foulques caressait du bout des doigts la peau satinée de Morphia. Il ferma les yeux. Une douceur amère fécondait ses souvenirs. N'était-ce pas Anne, là, étendue à ses côtés, qui l'écoutait évoquer une autre fille qui se serait appelée Anne, aussi…

« Comment s'appelait-elle ? »

Foulques rouvrit les paupières. Ce n'était pas Anne qui lui souriait ; bien sûr, ce n'était pas Anne…

Il s'étonna d'en éprouver si peu de surprise et de chagrin.

« Anne », dit-il, la gorge nouée.

Morphia jeta un rapide regard à l'enfant endormie dans les coussins.

« Oui, c'est pour ça que j'ai voulu l'appeler Anna… J'ai eu beaucoup de peine quand on m'a dit que ma Anne était morte. Je pense encore souvent à elle.

– Tu l'aimes toujours ?

– Je crois que non.

– Si tu ne fais que le croire, c'est que tu l'aimes encore… Je te remercie de m'avoir parlé. Tu sais, Foulques, ce n'est pas parce qu'on nous a contraints à nous marier que j'ai le droit de t'en vouloir. Peut-être, si tu veux, pourrons-nous essayer tous les deux de faire des efforts. Maintenant qu'il y a le bébé, ce sera plus facile.

– Tu es généreuse, Morphia. Tu mériterais que je t'aime un peu. J'ai honte de n'éprouver pour toi que du respect, mais même cela, je ne m'y attendais pas. Je ne comprends pas bien ce qui se passe.

– Les hommes de ton pays cueillent à pleins bras les fruits qu'ils dévorent, et bientôt le verger est dévasté et les arbres deviennent stériles. Chez nous, chaque fleur est une promesse qu'on entoure de mille soins. Il faut la protéger de la pluie, du soleil, des insectes sournois. Le fruit qui viendra peut-être n'est ni une évidence ni un dû, mais la récompense d'une lutte opiniâtre. Veux-tu que nous essayions de mener ensemble cette lutte-là ? L'union est un combat. Nous sommes forts, déjà, parce que nous sommes partis de rien.

– Morphia, Morphia… murmura Foulques éperdu de surprise.

– Laisse, Foulques, dit doucement Morphia ; désormais, Anne vit dans trois mémoires, la tienne, celle de Renaud, la mienne. Je suis sûre qu'elle est heureuse de nous aider. »

*

Foulques avait insisté pour donner une escorte à sa femme, mais elle avait refusé d'être accompagnée et il avait compris son désir de retrouver seule les lieux de son enfance. Très lasse, elle revint fort tard dans la matinée et se laissa tomber sur un banc, sans un regard pour ceux qui l'attendaient avec inquiétude.

« Alors ? demanda Foulques.

– Je n'ai retrouvé personne.

– Personne ? Où sont tes parents ?

– Qui sait ! Pas à Antioche en tout cas. Notre maison est occupée par des étrangers, des Normands de Bohémond, je suppose.

– Et ta tante ? ton oncle ?

– Disparus.

– Que t'ont dit les voisins ?

– Rien. Ils ont même paru ennuyés de me reconnaître, et leur silence était terrible. Je ne sais pas s'ils redoutaient de parler ou s'ils savent des choses tellement affreuses qu'ils ont eu peur de me les avouer.

– Nous aurions dû nous en douter, murmura Foulques, nous n'avons jamais fait autrement. Les plus belles demeures ont été réquisitionnées et l'ordre du prince règne sur la ville. Reste à savoir ce qu'il a fait des propriétaires. »

Foulques jeta un regard à Renaud qui se taisait, comme Guilhem, Éric et même Michel. Comprenaient-ils ce qui se passait ? Pourquoi Bohémond aurait-il fait une exception ? La famille de Morphia avait bel et bien été anéantie ; au mieux, on pouvait espérer l'exil, mais l'attitude des Grecs épargnés ne présageait rien de bon.

Morphia avait repris un masque grave et digne. Elle ne pleurait pas, ne s'emportait pas, ne s'affolait pas. Elle réfléchissait. Elle se dirigea vers Anna, la prit dans ses bras, et la berça longuement en caressant ses cheveux fins.

« Je crois que j'ai une idée, dit-elle enfin. Mon père avait un collègue en qui il mettait beaucoup de confiance. Peut-être est-il encore ici, car il n'était pas riche et sa maison était modeste. C'était un homme courageux ; lui ne craindra pas les représailles de ces barbares. Il me parlera. »

Elle reposa le bébé dans la petite caisse de bois que Guilhem avait confectionnée et sortit.

*

Théophylacte Tarchaneiôtès, le grammairien adjoint de Nicéphore Théophilitzès, la reçut sur-le-champ et se lança dans d'interminables explications dont Morphia parvint à extraire l'essentiel : le consul des philosophes et Mme Théophilitzès étaient morts tous deux, emportés par la peste. La maison avait été réquisitionnée, comme toutes celles de quelque condition, et il conseillait vivement de ne pas tenter de la récupérer. C'était le fait de la guerre et l'ennemi était maître de la place.

Toute fortune n'était pas perdue pour autant : Vassilika Théophilitzès, grand-tante de Morphia, et Théodore Sgouros son oncle avaient eu le temps de fuir vers Constantinople.

« Il va de soi, ajouta le grammairien en baissant la voix, que, cela ne me regardant en rien, seules d'extraordinaires circonstances ont fait que j'ai pu apprendre, par une conjonction d'éléments dont il me faut malheureusement taire la majeure et meilleure partie, que j'ai pu apprendre, donc, et ce n'est pas la moindre des consolations qui me permettent d'affronter, avec une longanimité et une constance dont je m'honore, les temps infâmes aux hasards desquels sont suspendus les fils ténus et précaires de nos humbles existences, que donc il m'a été possible de légitimement penser qu'ils n'ont pas quitté ces rivages dans un état de dénuement qui eût été la marque imméritée de l'abandon de Dieu. C'est pourquoi j'affirme qu'ils ont pu emporter beaucoup d'argent, tout l'or qu'ils possédaient, et la plus grande partie de leurs objets précieux.

– As-tu quelque chose qui puisse me dire où ils sont ?

– Ton honorable grand-tante Vassilika a toujours été une femme prévoyante et habile. Ce n'est pas pour rien si notre vénéré consul, Dieu lui donne une place à sa droite, était son neveu. À tout hasard, dans sa sagesse de femme prudente et qui sut toujours se prémunir des passions de la chair et de toutes celles qui égarent l'âme des hommes ordinaires, estimant qu'il n'était pas hors de probabilité que tu aies le désir et l'occasion de revenir céans, et, quoique les circonstances ne plaidassent pas alors en ce sens, lequel sens, disons-le sans ambages est merveilleusement inespéré encore que providentiel, elle a laissé pour toi un message dont, à mon corps défendant et nonobstant les...

– Donne, je te prie », dit Morphia calmement.

Sans un mot superflu, Théophylacte saisit un sous-main de cuir vert et en tira un feuillet plié, cacheté du sceau de la vieille Vassilika.

Morphia ouvrit le papyrus.

Mon enfant,

Les barbares sont entrés dans Rome et il n'est plus temps de délibérer. Nous partons sur l'heure.

Sgouros, le frère de ta mère, accepte de mettre dans ses malles la vieille bique que je suis. Nous fuyons à Constantinople. Si Dieu ne s'acharne pas contre nous, la fortune que nous transportons nous mettra à l'abri du besoin.

Tes parents sont morts, tu le sais. La peste, ma fille. J'ai récupéré ce que j'ai pu de leurs biens et me suis instituée moi-même curatrice de tes intérêts. Tout ce qu'ils avaient et tout ce que j'ai (sauf des babioles pour Sgouros et ses enfants qui s'encombrent d'un vieux paquet tel que moi) sera pour toi.

Si ton époux n'est pas trop sauvage et si tu ne crèves pas de faim, reste avec lui. Si c'est un porc, je veillerai sur toi dès que tu pourras t'échapper et me rejoindre. Ne tarde pas trop cependant, je suis une vieille souche maintenant et j'ai besoin de te parler avant de partir de l'autre côté du Styx. Nous irons habiter dans ma maison, sur la Mêsè, entre le forum du Bœuf et celui d'Arcadius.

Je confie ce petit mot à ce pauvre Théophylacte. Si les barbares venaient à l'interroger, je défie le meilleur truchement de comprendre un mot des petits secrets qu'il pourrait révéler...

*Courage, ma fille, sois une vraie femme. Une vraie Grecque. Souviens-
toi d'Électre.*

Vassi.

Morphia replia la lettre, remercia l'estimable Théophylacte Tarchaneiôtès et sortit. La pluie s'était remise à tomber. Elle releva un pan de
sa robe pour s'en couvrir la tête. Comme cela, elle devait ressembler à
ces femmes peintes sur les vases antiques que son père collectionnait.
« *Sois une vraie Grecque. Souviens-toi d'Électre…* » Oui, elle serait une
vraie Grecque, héritière de la plus vieille culture du monde et à la fois
parfaitement libre comme pouvaient l'être les Grecques depuis que
l'impératrice Zoé porphyrogénète leur avait montré ce que pouvaient
être la dignité et la puissance d'une femme.

En silence, dissimulée des bourrasques et des regards, Morphia pleurait en marchant. Ses parents étaient morts et la sauvagerie des étrangers la faisait étrangère dans sa propre ville. Elle jura qu'elle se vengerait
des barbares et des hommes, qu'elle ferait tout pour récupérer son bien
et élever sa fille. Il ne fallait surtout pas s'affoler : Vassilika était une
femme robuste malgré son grand âge, et Morphia était bien convaincue
qu'elle avait encore de longs jours devant elle. On irait à Constantinople, dès que le moment serait propice.

En pénétrant dans la maison, elle découvrit avec stupeur une femme
qui donnait le sein à Anna, encadrée de Foulques et de Renaud. Dans
un coin, sur une natte, un autre bébé babillait avec insouciance.

« Qui est-ce ? demanda-t-elle en fronçant le sourcil.

– Guilhem l'a trouvée dans la rue et traînée jusqu'ici sans lui
demander son avis. Tu lui expliqueras en grec ce qui se passe… As-tu
pu apprendre quelque chose ?

– Oui, de mauvaises nouvelles. »

Morphia poursuivit en grec à l'intention de la nourrice. Foulques
reconnut le nom de Théophilitzès qui parut rassurer la femme ; elle
hochait maintenant la tête avec un air navré et compatissant.

Morphia reprit en latin :

« Mes parents sont morts. Tout ce qui me reste de famille a pu
s'enfuir à Constantinople. La maison d'Antioche a été confisquée. Je
n'ai plus rien à faire ici, on rentre quand tu veux.

– Qu'est-ce qu'elle dit ? » demanda Renaud.

Pendant que Morphia s'entretenait en grec avec la nourrice, Foulques traduisit en langue romane.

« Ma mère m'a dit qu'un jour je comprendrais peut-être ce que c'est
que l'exil, poursuivit-il. Aujourd'hui je le comprends bien. Qu'est-ce
qu'on fait tous ici, mon pauvre Renaud ?

– Que ferait-on ailleurs ? Nous ne pouvons aller nulle part : tu as été chassé de Châtenet ; quand tu iras à Termes, si tu y vas un jour, tu n'y seras pas chez toi ; à Antioche, ta femme n'est plus chez elle ; à Laodicée c'est chez personne…

– À Saint-Palais, peut-être.

– Saint-Palais ! Te souviens-tu bien de Saint-Palais ? Pour accepter cela, il fallait bien que nous ne connaissions rien d'autre que nos forêts perdues ! T'imagines-tu, héros du pèlerinage, revenant mettre ta glorieuse épée au service du pauvre abbé d'un monastère en bois, défendant ses intérêts minuscules face à des seigneuricules ridicules ? On ne peut plus faire cela, lorsqu'on a comme toi partagé des empires et coudoyé les princes… »

Foulques sourit tristement.

« Tu as raison, on s'habitue à participer aux grandes décisions, et c'est vrai qu'à présent j'aurais sûrement là-bas l'impression d'être enterré vivant, avoua-t-il avec découragement. Mais puisque c'est comme ça, il faudra bien qu'un jour nous nous reconnaissions quelque part chez nous. »

La nourrice avait rendu Anna à Morphia. S'encourageant l'un l'autre, les deux bébés hurlaient à l'unisson. Foulques leur jeta un regard excédé et fit signe à Renaud de l'accompagner dans le jardin.

« Je refuse désormais de me laisser aller à cette contemplation du malheur qui m'a tellement nui jusqu'ici, ajouta-t-il en déchirant une feuille racornie qui pendait seule au bout d'une branche basse. Je veux réagir et me battre, et tant pis si les circonstances sont défavorables, raison de plus, au contraire. »

D'ailleurs, les circonstances étaient-elles si défavorables ? Renaud avait raison, ils ne possédaient rien à eux. Mais il allait bien falloir conquérir de nouveaux territoires pour fortifier ce que l'on avait déjà repris aux Sarrasins. Et manifestement, ils y tenaient, eux aussi, les Infidèles, à Jérusalem ! Quant à Laodicée, on ne pourrait s'y maintenir qu'en soumettant toute la contrée environnante.

« Qu'est-ce que tu veux dire ? reprit Renaud après un court silence.

– Je veux dire que je ne supporterai pas longtemps d'être à la merci des événements, soumis aux caprices de mon cousin. Tous les deux nous conquerrons une terre, qui sera à nous, et que nous saurons défendre si on venait nous chercher noise.

– Tu ne veux pas aussi être élu roi de Jérusalem ? »

Foulques haussa les épaules. Comment pouvait-on plaisanter sur un pareil sujet ?

« Ton honneur de chevalier t'impose de te comporter en modèle, dit-il.

– Chevalier... Au départ, j'ai cru que j'allais en être transformé. J'étais fier d'avoir été choisi par Henri, d'être le filleul de Raimond et de devenir ton vrai compagnon d'armes. Mais tout compte fait, je suis toujours le même, adoubé ou pas !

– Mais si, tu as changé, tu as quitté ta condition d'homme ordinaire ; tu es investi d'une dignité.

– Non, non, ça c'est toi. Moi, je ne souhaite rien d'autre que rester près de toi. Si pour cela il faut me battre, je le ferai, mais je n'ai aucune envie de m'emparer, de conquérir, de dominer ou de régner... De telles ambitions n'appartiennent qu'à ceux qui sont nés pour les assumer !

– Alors, que proposes-tu, pour que cesse cette vie de déracinés ?

– Pour être déraciné, il faut avoir eu des racines, non ? Moi, je l'ai toujours été, déraciné. Mes seules racines, comme tu dis, c'est toi. Alors, tant que tu es là, je me sens bien ancré dans le sol. Mais toi, il te faut davantage, il te faut conduire des hommes, diriger une terre. Tu veux te battre pour la conquérir, te battre pour la conserver, te battre pour l'agrandir et te battre encore pour la récupérer une fois qu'un plus orgueilleux que toi t'en aura chassé. Le seigneur du Champ-de-Boue-près-la-Porte-du-Chien-de-la-Ville-d'Antioche est dévoré de folles ambitions ! Le voilà qui veut devenir prince des Tas-de-Cailloux-sous-les-Murailles-de-Laodicée ! »

Depuis un moment, les cris d'enfant semblaient avoir cessé. Ils se dirigèrent lentement vers la porte de la demeure.

« Ce n'est pas de l'orgueil. Du moins je ne crois pas. J'éprouve seulement le besoin d'agir. Tu ne comprends pas cela ?

– Non, justement pas. Mais après tout c'est peut-être parce que tu es né pour cela, toi, le fils de Thibaud, le descendant de la maison de Toulouse.

– Ton père était bien seigneur de Riché.

– Oui, et ma mère servante ; et moi bâtard. C'est probablement d'elle que je tiens la modestie de mes prétentions... Je suis fait pour servir, sans doute, et comme tu es fait, toi, pour commander, c'est très bien, on se complète. Du reste, le bon Dieu s'est aperçu avant nous de tout cela, tu vois bien, puisqu'Il s'est arrangé pour nous réunir... »

Ils entrèrent dans la pièce d'où femmes et marmaille avaient disparu. Seul Michel jouait dans un coin.

Foulques ne s'était jamais demandé s'il était fait pour commander. Commander n'était-il donc pas naturel ? C'était peut-être bien en raison de sa naissance en effet ; comment pouvait-on imaginer ne pas avoir sous ses ordres une terre et des hommes ?

« Je t'assure que je ne veux pas être roi de Jérusalem.

– C'était pour rire, précisa Renaud en jetant à Foulques un regard éberlué, bien sûr que tu ne veux pas, puisque le bon avoué, ton cousin de Lorraine occupe déjà le trône de Jésus…

– Tu es le cousin du curé de Jérusalem qui occupe le trône de Jésus ? demanda Michel en roulant des yeux ronds.

– Mais non, Renaud dit n'importe quoi, pour se moquer de moi. Allez, va dire à Guilhem et à Éric de regrouper les hommes : nous partirons demain matin.

– Sans saluer Bohémond ? s'étonna Renaud.

– Je ne connais pas cet énergumène. »

Renaud leva les yeux au ciel.

« S'il nous flanque ses chiens aux trousses, tu le connaîtras.

– Il ne fera rien parce que nous n'avons rien à nous dire. »

*

Ils avaient effectivement quitté Antioche sans saluer le sieur de l'endroit, et le retour avait été aussi boueux et pacifique que l'aller. C'était à croire que l'on n'était plus en guerre, ou que la vigilance de Bohémond verrouillait réellement la sécurité de toute la Syrie franque, y rendant les déplacements aussi aisés que dans les États de Toulouse.

L'avent s'était poursuivi sans événement notable. La vie presque routinière avait repris à Laodicée.

La veille de Noël, Morphia introduisit un émissaire de Raimond.

« Messire Foulques, dit-il, mon maître veut te voir dans l'instant. »

C'était un matin gris de décembre où la pluie déferlait en grappes glauques et froides. Pelotonné loin de la cheminée qui, faute de combustible, ne servait qu'à conduire un air glacé, Foulques se tirait les yeux sur de mauvais parchemins tachés, détaillant dans un latin besogneux des pensées auxquelles il ne comprenait rien et qui, à la vérité, l'ennuyaient extrêmement.

« Que se passe-t-il ? demanda-t-il en levant la tête.

– Je ne sais pas, dit l'homme, mais le comte est bien triste. »

Foulques décrocha la vaste houppelande de laine qu'Éric lui avait trouvée à Antioche. Le Nordique avait assuré que cette laine-là n'était pas une laine ordinaire mais ressemblait tout à fait aux tissus précieux qui, chez lui, étaient seuls capables d'arrêter la pluie la plus pénétrante. Foulques avait souri : tout le monde savait que jamais aucune laine n'avait protégé de la pluie ; elle la concentrait au contraire et bientôt on portait sur le dos un fardeau puant et alourdi. Éric avait persisté. Oui, ce vêtement était en « *vadmall* », aucune eau ne pouvait l'infiltrer ! Et de fait, Foulques avait dû se rendre à l'évidence, il avait beau pleuvoir à pleins seaux, on ressortait du pire déluge aussi sec que d'un désert. Éric avait modestement triomphé en se demandant cependant par quel miracle une telle pelisse avait bien pu aboutir si loin des neiges scandinaves.

*

Raimond était avachi sur la cathèdre à haut dossier où Foulques l'avait déjà vu assis lors de leur précédente rencontre.

Aux bruits des pas qui s'approchaient, il ne leva pas le regard, ne salua pas. Tout le monde sachant que le comte de Toulouse avait depuis quelque temps modifié ses manières, Foulques ne s'en offusqua pas.

« J'ai été content d'apprendre que tout s'était bien passé pour vous. Tu as bien fait d'envoyer ton écuyer me le dire, bougonna Raimond.

– Je ne suis pas venu moi-même parce que…

– Aucune importance, j'ai l'habitude des garçons d'écurie… À propos de serviteurs, je te donne ma nourrice, comme ça, ton enfant vivra peut-être, elle.

– Je te remercie, mais…

– Eh bien oui ! Aymard est mort. Cette nuit. Il s'est étouffé, paraît-il. En dormant. Non mais, tu te rends compte ? Je suis un homme fini. Ah ! je les vois déjà rire, tous, le chafouin et le Normand engrecquisé. Non, non, ne me dis rien, je n'ai besoin de rien d'autre que de mon chagrin.

– Et Elvire ? » hasarda Foulques.

Relevant la tête, Raimond fixa son cousin.

« Elvire ? Quoi, Elvire ? Tu t'imagines peut-être qu'elle me considère comme un vieillard, elle aussi ? Dis tout de suite que j'ai eu tort de prendre une épouse qui pourrait être ma fille. Tu te fais le colporteur de ces ragots ? Ça me déçoit, je n'aurais pas cru cela de toi. »

Un instant Foulques crut que Raimond pleurait. Effondré sur son siège, il agitait à deux mains sa panse rebondie, tic qu'il avait acquis en grossissant, et ce qu'on pouvait d'abord prendre pour des larmes n'était que le reflet des flammes.

« Ce n'est pas ce que je voulais dire… »

Raimond semblait ne plus entendre. Tout absorbé par sa contemplation du feu, son esprit vagabondait Dieu savait où. Foulques chercha des yeux une chopine. Le comte de Toulouse avait-il bu ? Mais il n'y avait rien sur le coffre. À terre non plus.

« Elle doit être très malheureuse, Elvire », reprit Foulques avec un ton niais qui l'indisposa lui-même.

D'interminables secondes de silence s'écoulèrent. Par la fenêtre de la pièce, on devinait les grandes ombres noires des cyprès noyées dans les abats d'eau.

« Est-ce que je peux faire quelque chose ? murmura le garçon qui n'osait plus regarder le comte de Toulouse.

– Qu'est-ce qu'il t'a dit, Bohémond ?

– Il ne m'a pas reçu.

– Il ne t'a pas reçu ! Et tu m'annonces cela froidement ! Le "prince" d'Antioche ne juge pas à propos d'accueillir un de mes barons et cela t'indiffère ! Mais, mon petit ami, à travers ta pauvre personne, c'est moi qui essuie l'avanie, c'est à moi que ce goujat ferme ses portes, à moi, entends-tu ! Et bien sûr, tu n'as rien dit, rien fait ! Tu as laissé mon honneur rouler dans la boue comme une vieille bannière déchirée… On ne peut donc vraiment faire confiance à personne ! Tu es comme tous les autres, toi aussi, tu ne penses qu'à toi, et me trahir t'indiffère autant que ta dignité ! »

Une rafale rabattit dans la pièce un peu plus de fumée chaude. L'odeur lui rappela Philippa assise auprès du foyer, et ce souvenir l'apaisa au moment où une rage glacée menaçait de l'emporter. Il comprit qu'il ne fallait pas répondre à un homme malheureux dont la douleur altérait le sens de la mesure.

À présent, Raimond semblait dormir. Sur son visage affaissé se lisaient la lassitude et l'indifférence. Foulques remarqua que ses cheveux étaient de plus en plus clairsemés.

Il quitta la pièce comme Elvire s'apprêtait à y pénétrer. Il s'inclina.

« Raimond vient de m'apprendre le malheur qui vous frappe tous les deux. Je suis très peiné.

– Les choses sont ainsi faites. Raimond peut toujours compter sur son fils Bertrand pour défendre sa ville de Toulouse. En revanche ici, il n'a plus personne.

– Peut-être Dieu vous donnera-t-Il un autre enfant.

– Peut-être. »

Les yeux d'Elvire étaient à peine rougis. Le bliaut sombre sur lequel tombaient en cascade ses longs cheveux noirs soulignait la pâleur de son teint. Une telle femme pleurait-elle ? On aurait cru une image du destin ou un portrait de Perséphone.

« Je te salue, Elvire. Je crois que Raimond s'est endormi ; je ne veux pas le réveiller.

– C'est aussi bien. Je te salue, Foulques. »

*

« J'ai oublié la nourrice, se dit Foulques une fois dans la rue. Je n'en ai plus besoin maintenant, mais j'aurais dû… »

Il eut un peu honte de songer à de tels détails au moment où Raimond affrontait un pareil drame. Tout à l'heure, quand la colère avait failli l'emporter, il s'était dit que le comte ramenait décidément tout à lui, qu'il était devenu indifférent à tout le reste. Mais que faisait-il d'autre, lui qui pensait à des histoires sordides de nourrice au lieu de mêler ses larmes aux larmes des malheureux qui venaient une fois encore de perdre leur enfant ?

À vrai dire, des larmes, il n'en avait pas beaucoup vu. Elvire elle-même ne paraissait pas bouleversée… Sans doute une princesse espagnole ne devait-elle jamais quitter cette impassibilité qui l'avait toujours glacé. Avec un frisson qui lui vrilla l'estomac, il essaya de se représenter ce que pourrait être la mort de son enfant à lui. Il imagina le petit corps blême que l'on descendrait à la hâte dans un trou anonyme, le visage ravagé de Morphia, le temps qui s'immobiliserait dans un ennui de marbre. Des points lumineux passaient devant ses yeux et le sang bouillonnait à ses tempes. Il buta contre des tuiles que le vent avait précipitées à terre. Au milieu des bourrasques, il atteignit sans s'en apercevoir la maison qu'occupait Renaud.

« Tu en fais une tête ! » s'exclama celui-ci en le voyant entrer.

Assis à même le sol sous la lueur de sa fenêtre, il gravait une ceinture de gros cuir sous le regard attentif de Michel.

« Foulques, tu as vu ce qu'il fait ? s'exclama l'enfant. C'est pour moi ! Mais c'est moi qui l'ai eue. Je l'ai prise sur un macchabée au milieu de la rue. C'est mon butin de guerre. Renaud a dit qu'il me la donnerait le jour des Rois. Je sais pas s'il aura fini. »

Foulques posa son lourd *vadmall* sur un banc et s'assit à côté.

« Le fils de Raimond est mort.

– Décidément, ils n'en garderont pas un ! C'est un sale coup pour lui, à l'âge qu'il a. Qu'est-ce qui s'est passé ?

– Il s'est étouffé dans son sommeil.

– Boh ! alors ça, c'est sûrement pas vrai ! Hein, Renaud, qu'on peut pas mourir en dormant ? interrompit Michel. Il faut être tué par quelqu'un, pour mourir, quand on est petit.

– Ça arrive, si, chez les tout-petits.

– Moi, je suis trop grand ? »

Foulques passa une main dans les cheveux de l'enfant.

« Oui, tu es trop grand pour ça.

– Guilhem ! voilà Guilhem ! Qu'est-ce que tu caches dans ton dos ? cria Michel en détalant vers la porte où l'écuyer venait d'apparaître, la chevelure dégoulinant jusque sur les épaules. Dis, qu'est-ce que c'est ?

– Interdiction de regarder ! lança Guilhem. Si tu es très très sage, je peux peut-être faire un miracle. Mais, attention, seulement si tu es vraiment très gentil ! »

Michel s'immobilisa. Les deux bras le long du corps, et le cou raide mais les yeux dilatés de curiosité, il répondit en s'efforçant de prendre un ton grave :

« Je suis sage.

– Quelle main choisis-tu ?

– Gauche !

– Oh… oh… le miracle va peut-être s'accomplir. »

Avec un clin d'œil à Foulques et à Renaud, Guilhem fit mine de pencher à gauche, comme déséquilibré par un énorme fardeau. Fasciné, Michel décrivit une inclinaison comparable vers sa droite mais, se reprenant aussitôt, répéta :

« Je suis sage, tu vois. Je bouge pas.

– Bien ! Alors, en me promenant tranquillement sous la douce pluie, j'ai rencontré une fée. Une très belle, très bonne et très aimable fée. Elle m'a demandé : "N'y a-t-il pas près de toi un enfant qui a faim ?"

– Si, si, c'est moi !

– C'est ce que je lui ai dit… "Et peux-tu me jurer que cet enfant qui est près de toi est bien sage et bien gentil ?"

– Oui, oui, il est sage et gentil, toujours ! affirma Michel, haletant.

– "Alors, puisque tu m'assures qu'il est sage et gentil, pour lui, et pour ceux qui sont près de lui, je te donne…" »

Projetant vivement son bras en avant et le portant en triomphe, Guilhem exhiba un sac de toile. Michel se précipita.

« Un jambon ! hurla-t-il. Renaud, Foulques, la fée a donné un jambon !

– Où as-tu réussi à trouver ça ? s'exclama Renaud.

– C'est une fée, je te dis ! »

Avec de grands éclats de rire, ils s'assirent en rond autour de Guilhem qui se mit à détacher au couteau de larges tranches.

« Michel, va vite chercher Éric », dit Foulques.

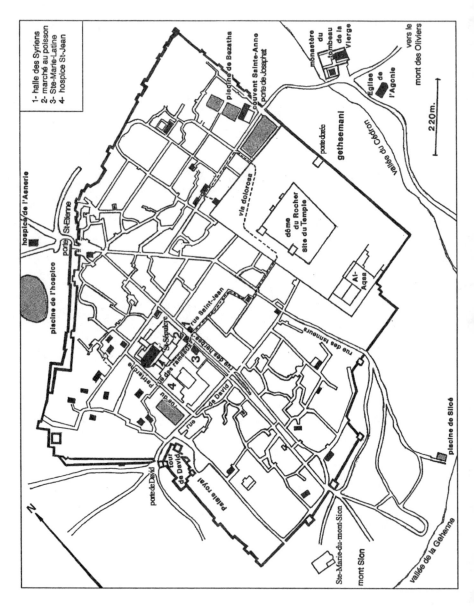

Plan de Jérusalem (XIIᵉ *siècle*)

V

« NOËL, NOËL, NOËL... » Les hommes d'Église pénétraient dans le Saint-Sépulcre, louant Dieu au plus haut des Cieux.

Tous ceux qui étaient là, debout, participaient avec une émotion visiblement intense au mystère le plus grand de tous : il y avait onze cents ans de cela, jour pour jour exactement, Dieu avait offert aux hommes un cadeau merveilleux et bien immérité. Dieu avait offert Son propre fils pour racheter les péchés du monde. Et, pour racheter les péchés du monde, ce fils était mort ici même, ici exactement d'où Foulques contemplait les mille cierges qui illuminaient la nef.

Le chœur des voix répondit aux prières des clercs. La poitrine enflée de joie, Foulques lança son chant parmi les milliers de chants qui éclataient sur la voûte. En cet instant Dieu le voyait, Dieu l'entendait. Parce qu'il était baptisé et membre du troupeau, en cet instant, Dieu miséricordieux lui tendait à nouveau la main et le reconnaissait. La lumière de Jérusalem était l'auréole de Dieu, et Foulques s'enivrait de la splendeur du Seigneur.

Il s'agenouilla avec conviction dans un élan de piété retrouvée. La parole de Jean virevoltait dans sa tête : *Au commencement était le Verbe, et le Verbe était avec Dieu, et le Verbe était Dieu...* Comment douter de la bienveillance du Père, Lui qui tendait encore une fois la main à celui qui avait péché sans remords, qui avait volé, qui avait tué, qui L'avait renié ? Qui étendait Sa main indulgente sur tous ceux-là, chantant autour de lui, qui comme lui avaient péché sans relâche.

Foulques contempla la foule agenouillée. Par endroits, des palmes dépassaient les têtes. Ceux qui les tenaient revenaient du Jourdain. Ils avaient cueilli là ce symbole de leur vaillance, ces rameaux que le Christ avait vus le jour de son entrée à Jérusalem.

Avec le pain et le vin que le prêtre allait consacrer tout à l'heure, ces fruits de la terre et du travail des hommes, les chrétiens présentaient à Dieu l'humble laurier nourri de l'eau sacrée du Jourdain. Et Dieu, voyant cela, donnerait rédemption des fautes irrémissibles, et pleine absolution pour les temps à venir.

Tandis que la foule entonnait le *Gloria*, Foulques songeait que le Christ, peut-être, allait soudain apparaître dans un éblouissement de lumière. Alors, avec les autres, il se jetterait à terre, et il L'adorerait.

Soudain, le visage de Raimond se substitua inopinément à ces images célestes... « Je pourrais faire valoir tes droits sur le trône de Jésus »... Mais le comte de Toulouse parlait avec les aigres accents de l'ermite de Barrachois : « Jésus, Jésus... Tu sais bien de quoi il retourne ! »

Foulques sentit une brusque douleur poignarder ses genoux. Le sol était glacé. Réchauffées par la promiscuité, les houppelandes trempées empestaient sans sécher. Les prêtres qui agitaient leurs encensoirs avec des courbettes lui parurent soudain des marionnettes édentées, tout comme les pèlerins, brandissant niaisement leurs branchages. Même Raimond tenait dans ses doigts un bout de palmier, juste un peu plus grand que celui des autres.

Que de simagrées au nom d'une imposture, si le comte avait dit vrai ! Mais que faisait-on ici ? Que faisait-il, lui, Foulques ? Sa carcasse endolorie n'avait aucune vocation à l'immortalité, pas plus que celle de son aïeul Jésus n'était montée dans un ciel qui s'en moquait absolument !

Il se releva vivement.

« Tu cherches vraiment à te faire remarquer, chuchota Renaud, et tu choisis bien ton moment ! Tout le monde se met à genoux, et toi tu te lèves !

— Et toi alors, tu l'es bien, debout...

— Moi, ce n'est pas pareil. »

Le spectacle de toutes ces têtes au niveau de leur ceinture donnait envie de rire. Une foule de nains, d'où émergeait çà et là quelque raide échalas et, en face, la danse étrange et ondulante des hommes de Dieu. Un des prêtres, plus animé que les autres, réprimait régulièrement un éternuement et passait le reste du temps à renifler.

Le patriarche Arnoul Malecorne prit la parole en langue du Nord pour commenter l'Écriture.

« Les salauds, grommela Foulques, même le Christ, ils se l'approprient !

— Qu'est-ce que tu dis ? chuchota Renaud.

— Tu n'entends pas ? Il parle dans son jargon de sauvage !

— Comment veux-tu qu'il parle ?

— Je sais pas, moi, en latin bien sûr !

— Il parle sa langue, la langue du vainqueur. Le latin c'est fini, maintenant, il faudra qu'on se mette tous à leur dialecte.

— Jamais ! Je parlerai latin ou roman, pas ce baragouin ! »

Renaud regarda Foulques avec étonnement.

« Bara quoi ? À Saint-Palais, tu parlais bien un peu ce bara-là, non ?

– Non !

– Comment, non ? Tu ne t'en souviens pas ?

– Non, je ne m'en souviens pas. »

L'agitation gagna les rangs des Provençaux. Un brouhaha persistant couvrait à présent la voix aigre du prédicateur. Comprenant qu'il fallait faire bref, le chapelain écourta son homélie.

*

Plusieurs jours à l'avance, Raimond avait déclaré qu'il ne participerait pas au repas qui devait clore cette belle cérémonie. Il n'obligeait aucun de ses barons à l'imiter, mais avait fait savoir qu'il se tiendrait pour personnellement offensé de se voir une fois de plus trahi par l'un des siens. D'ailleurs, qui pouvait bien avoir envie de partager la table de ce Bohémond sans parole et sans foi – un bandit de grand chemin –, ou de ce Malecorne qui ressemblait autant à un patriarche que lui à une pensionnaire de Gertrude, ou encore de ce misérable Daimbert dont, par bienséance, il préférait ne rien dire ?

Gaston de Béarn avait donc invité ce qui restait de la troupe des Provençaux, c'est-à-dire, outre Raimond lui-même, Isoard, Foulques et Renaud, avec les femmes et les écuyers.

« Ce Daimbert, quand même, tonna tout à coup le comte de Toulouse, il n'y a peut-être pas pire que lui ! Et pourtant, nous sommes, comme vous savez, cernés par la crapule. Figurez-vous que la grotesque promenade qu'il a soi-disant faite contre les musulmans d'Espagne, eh bien ! il ose la comparer à mes campagnes de reconquête à moi, à moi ! Il y aurait de quoi rire, oui, il y aurait de quoi rire !… Partager le pain d'un triste sire de cette espèce, jamais !

– On affirme qu'il a de grandes ambitions, dit Isoard.

– C'est un aventurier, comme tous les gens du Sud, euh, je veux dire comme tous les Italiens. Ça oui, il a des idées derrière la tête, et si je pouvais tout dire…

– Mange doncque trrranquillement, Rrraimond, et laisse la crrrapule s'encrrrapuler avecque la crrrapule ! » s'esclaffa Gaston en se tapant sur les cuisses.

Raimond fit un large geste d'apaisement et attaqua à pleines mains une moitié de poularde qui se trouvait à sa portée.

« Et puis il y a aussi l'autre chafouin, articula-t-il aussitôt, la bouche encore pleine. Voilà qu'il se met à distribuer des fiefs, maintenant !

– Oui, entrrre autrrres à ce brrrave garrrçon qui le mérrritait bien, puisque enfin il a serrrvi d'otage quand vous vous êtes rrrabibochés, l'avoué et toi.

– Je n'ai jamais été rrrabiboché avec cette crrréature ! hurla Raimond.

– Il est vrai que vous avez quand même fait la paix, après avoir failli
vous étriper devant Arsûf », coupa Isoard.

Raimond se taisait.

« Et aprrrès cela, ce pauvrrre Gérrrarrrd d'Avesnes a été rrredonné
comme otage à l'émirrr d'Ascalon qui l'a trrraité comme un sauvage… » insista le vicomte de Béarn.

À ce nom, Foulques tressaillit violemment et une vive rougeur
empourpra ses joues.

« Il a bien fait, l'émir ! Ces Nordiques étant des sauvages, il faut les
traiter en sauvages ! décréta Raimond.

– Je voulais dirrre que l'émirrr était un sauvage.

– Les Lorrains, les Normands et les Sarrasins sont tous des barbares !
Donner un fief quand la terre ne vous appartient pas, tu appelles ça
comment, toi, Gaston ? Eh bien moi, je dis que ce sont des manières de
faire de sauvages ! Est-ce que j'en donne, moi, des fiefs ?

– Non, mais tu n'as rien à donner, justement, fit remarquer
Foulques.

– Ah ! dis tout de suite que je suis incapable de conquérir le pays
autour de Laodicée ! Si j'avais été entouré d'autre chose que de chiffes
molles dans ton genre et de trouillards qui ont fichu le camp à Toulouse, où l'on est bien en sécurité, je posséderais aujourd'hui une principauté trois fois plus grande que celle du traître sicilien. Mais ce n'est
pas pour ça que je donnerais des fiefs !

– Allons, tu t'énerrrves, Rrraimond, et cela n'est pas bon ! Tu vois,
cette fois, c'est moi qui te la dirrrai le prrremier, cette apostrrrophe rrri-
dicule qui m'insupporrrte que ce n'est rrrien de le dirrre !

– Allez, va, tout cela m'ennuie. La seule chose que j'ai à dire, c'est
que l'avoué est un traître : s'il est avoué, ce n'est pas à lui de disposer de
la terre, c'est à l'Église. D'ailleurs, moi, j'ai toujours pensé que Jérusalem devait revenir à l'Église et tout le reste au basileus. On a une
parole ou on n'en a pas, nom de Dieu ! »

Le silence retomba.

« Pourrr fêter la nativité de Notrrre-Seigneurrr comme il convient,
j'ai fait venirrr des ménestrrrels. Ils vont nous jouer les airrrs à la mode.
L'un d'eux est arrrivé depuis un mois à peine de chez nous ; il y a des
trrrouvailles dans ce qu'il fait, je ne vous dis que ça ! »

Vêtus de couleurs vives et tenant chacun un luth à la main, trois garçons, chantant déjà, pénétrèrent dans la salle avec de bondissants entre-
chats.

Raimond se calma d'un coup. Ces voix qui arrivaient de Toulouse
apportaient avec elles les senteurs du pays. Les yeux mi-clos, le comte

se laissa bercer par les mélodies… Le lendemain arriveraient par le bateau d'autres nouvelles de là-bas. Les liaisons régulières se mettraient en place dès le mois prochain, et la navette organisée entre Narbonne et Laodicée promettait beaucoup. Elle inciterait peut-être des renforts à rejoindre l'Outremer ; elle donnerait surtout des informations sur la situation des États de Toulouse où apparemment tout n'allait pas pour le mieux. Que signifiaient ces rumeurs selon lesquelles son fils Bertrand était en sérieuse difficulté face aux ambitions de Guillaume d'Aquitaine ?

Pour l'heure, tout le monde s'émerveillait du spectacle.

Foulques se demandait pourquoi ceux de Toulouse aimaient tellement la musique. À la Mahomerie, son aïeul avait eu pour première pensée de faire venir des musiciens et des jongleurs, et, à l'instant, Raimond était devenu un autre homme dès que les premiers accords avaient retenti. Se pouvait-il qu'un peuple tout entier eût, inscrit quelque part en lui, un goût pour les arts qui avait été refusé à d'autres ? Et en ce cas, quelle avait bien pu être la volonté du Créateur ? Ou alors, c'était un luxe de civilisés… Bien sûr, en Saintonge, Guillaume l'Enjoué, duc d'Aquitaine, donnait bien quelquefois des fêtes au Capitole de Saintes. La musique était-elle une affaire de princes ?

Mais étaient-ils dignes des princes ceux qui, comme Matthieu et sa sœur Hélène, assistaient à ces fêtes ? Quelle petite sotte, cette Hélène, qui ne savait même pas qu'en comparaison de son propre grand-père, le sire de la Laurencière lui aurait paru un rustre à peine mieux dégrossi que Doigt-d'or ou Cul-de-bujour !

« Regarde le petit musicien en rouge », lui souffla Renaud à l'oreille.

Foulques sourit en hochant la tête. L'œil brillant, les doigts agiles et la voix claire, le ménestrel accompagnait d'ondulations équivoques le rythme des mélodies. Le pourpoint écarlate prenait avec une élégance presque féminine sa taille mince de très jeune homme. Souvent, aux passages nostalgiques ou sentimentaux, il tournait vers eux son visage fin, et ses lèvres frottées au jus de grenade semblaient se refermer sur un vide plein de promesses ambiguës.

La *Stella Maris*. Comment s'appelait donc ce petit esclave ?

Foulques réalisa soudain qu'à Antioche, le mois précédent, il ne s'était pas rendu sur la tombe de son aïeul, qu'il n'avait même pas eu une pensée pour lui. Comme le temps et le chagrin passaient vite ! Comme les préoccupations changeaient avec les circonstances ! Quand l'homme de Bohémond avait évoqué l'église Saint-Pierre, Foulques avait souffert uniquement de sentir son honneur mortifié ; le reste du temps, il n'avait songé qu'à sa fille et à Morphia. Il aurait quand même pu distraire quelques-uns de ses mille marcs pour faire dire des messes !

À la fin du spectacle, Raimond se leva pour applaudir en tournant la tête dans toutes les directions, comme s'il saluait lui-même son public.

« Lorsque je me serai taillé une vraie principauté, ici, je donnerai des fêtes dix fois plus belles encore que ce dont tu viens de nous régaler, Gaston.

– Cerrrtes, Rrraimond, cerrrtes. Les miennes sont ce qu'elles sont mais elles ont du moins le mérrrite d'exister ! répliqua le vicomte, manifestement piqué.

– Ce n'est pas mal ce qu'ils font, tu sais, Gaston, poursuivit le comte de Toulouse comme s'il n'avait pas entendu. Ils ont de jolies voix et leurs instruments sonnent juste... Il faut que je vous raconte, mes enfants. À Toulouse, j'avais une troupe à moi ; aux dires des connaisseurs, il n'en existait nulle part de comparable... »

Il s'écarta rapidement du sujet initial. Pour la centième fois, ses fidèles entendirent ce qu'était dans ses États un comte de Toulouse, combien il était craint, aimé et admiré, avec quelle magnanimité il avait supprimé les coutumes iniques, avec quelle vigueur rétabli l'ordre et restauré l'autorité, avec quelle habileté circonvenu les ambitions des clercs comme des laïcs, avec quelle vaillance combattu le Maure d'Espagne. Et aussi combien il avait été adoré des femmes, et combien il les adorait lui-même – on n'avait qu'à juger par celle d'à présent qui était là et qui pouvait en témoigner ; à quel point cette bourgade qu'était avant lui Toulouse était devenue une cité radieuse que l'univers entier enviait et jalousait ; quels beaux enfants Dieu lui avait donnés et lui donnerait encore pour récompenser ses mérites, et particulièrement ce noble Bertrand qui marchait dignement, dans des bottes immenses pourtant. Et encore quels hommes étaient ses amis : le roi de Castille, son beau-père qui le tenait pour un nouveau Cid, le duc d'Aquitaine, son neveu, qui prenait modèle sur lui pour se constituer un embryon de cour, le défunt pape Urbain à qui il avait su inspirer l'idée du pèlerinage, le basileus lui-même dont chacun savait qu'il ne jurait plus que par lui...

« Et il faudrait que cet homme-là consente à descendre jusqu'à discutailler avec les médiocres barbares que le hasard nous a donnés pour compagnons de route ? pérora-t-il en balayant d'un geste large l'assistance assommée. Eh bien ! je suis de votre avis, ce n'est pas concevable ! »

Depuis un moment, Foulques n'écoutait plus. Il observait l'étrange manège du petit musicien qui, par l'entrebâillement d'une porte, faisait dans leur direction des signes discrets. Il poussa Renaud du coude.

« Tu as vu ? Je me demande ce qu'il veut, dit-il.

– Eh bien ! allons le lui demander. »

Le jeune garçon ne voulait rien d'autre que leur faire entendre, à eux qui étaient jeunes, des choses nouvelles qu'il n'avait pas osé jouer tant elles étaient novatrices. Dans une pièce de l'étage, il joua et chanta une mélodie sombre qui racontait les exploits de Roland et la trahison de Ganelon. Puis, avec la même simplicité, il leur proposa son corps alors que les cloches de la ville sonnaient l'angélus.

« Tu es gentil, lui dit Foulques, et ta musique est belle. Mais d'autres plus que nous apprécieront le cadeau que tu veux nous faire. »

Puis, regardant, Renaud qui souriait, il ajouta :

« Lui et moi, tu vois, maintenant, nous sommes liés par un pacte sacré de fidélité. »

Le musicien eut une moue d'incompréhension désappointée.

« Ne sois pas déçu, ajouta Renaud en riant, tu verras, avec l'âge, on fait des choses bizarres… »

*

Dans la grande salle du bas, Raimond était à présent en grande conversation avec un homme qu'ils reconnurent immédiatement. C'était le chevalier de Bohémond qui les avait accueillis sous les remparts d'Antioche.

« Ah ! s'exclama le comte en les voyant entrer, où étiez-vous donc passés ? L'ami que voici m'apporte une nouvelle d'importance : le prince d'Antioche souhaite ma présence demain au Grand Conseil. Il s'agit de pourvoir le siège patriarcal.

— De Jérusalem ? Mais Arnoul l'occupe depuis presque six mois ! s'étonna Renaud.

— Eh bien oui ! justement, six mois, ça suffit, non ? »

*

Le lendemain, accompagné de ses quatre barons, Raimond pénétra sans réticence apparente chez Godefroi de Bouillon, dans la tour de David, mais son front se rembrunit lorsqu'il s'aperçut que tous les autres étaient déjà là.

« Nous n'attendions plus que toi, Raimond, comte de Toulouse, déclara en latin l'avoué du Saint-Sépulcre. Puisque nous sommes tous réunis, il est inutile de perdre plus de temps. Viens prendre place à mes côtés.

— Je te remercie, je resterai sur ce banc, avec mes hommes.

— Qu'est-ce qu'il dit ? demanda Renaud.

— Tu vois bien, marmonna Foulques, Raimond ne veut pas aller s'asseoir à côté de Godefroi.

— Pas étonnant, tu as vu sur quoi il trône ! C'est pire qu'Alexis avec ses lions d'or ! »

On aurait presque pu se croire en effet à Constantinople, au moment où tout était encore possible ; ou bien un de ces soirs près de Nicée, lorsque se réunissait au complet le Conseil des princes. Depuis combien de temps n'avait-on pas vu ensemble Tancrède et Bohémond, et surtout Baudouin, comte d'Édesse, assis à la droite de son frère Godefroi et le dépassant d'une tête ? Dans son souvenir, Foulques passa en revue ceux qui n'étaient plus là, et dont la mémoire estompait déjà les visages : Étienne de Blois, Hugues de Vermandois, le frère du roi de France, Robert de Normandie et Robert de Flandres, enfin, qui avaient les derniers regagné l'Occident...

« Qui est-ce, assis à côté de Daimbert ? » demanda encore Renaud.

La créature rabougrie tassée sur le siège sans accoudoir leva à ce moment la tête. Seul point encore vivant dans un visage ravagé, un regard de braise ardente balaya l'assemblée. Ils reconnurent Pierre l'Ermite.

Arnoul Malecorne se tenait à l'écart. Plus minces que jamais, ses lèvres paraissaient la fine rainure d'un coup de dague. Il regardait droit devant lui, ignorant ostensiblement le duc de Lorraine.

« Arnoul, nous t'avons convoqué ici afin que tu répondes aux graves accusations qui sont portées contre toi, commença l'avoué avec une froide componction. Ces imputations relevant des affaires de l'Église, je demanderai à Daimbert, archevêque de Pise, et depuis peu légat de notre Saint-Père le pape Pascal, de faire entendre ses griefs. Nous écouterons ta défense ensuite. »

Le port altier et le geste large, Daimbert savait jouer à merveille de sa voix ample et persuasive. On pouvait sans effort deviner derrière le prélat énergique l'homme de guerre qu'il avait été, dissimulant lui-même un homme de pouvoir qui devait être redoutable.

Il déploya sans hâte sa haute taille, prit le temps de se composer une mimique dégoûtée et enveloppa la salle d'un long regard vide.

« Voilà la nouvelle Église en chair et en os, murmura Foulques.

– Patience, patience... », grogna Raimond.

Enfin, posant négligemment la main droite sur le montant du siège de l'avoué, Daimbert éleva la voix :

« Arnoul, tu fus chapelain de notre ami Robert, duc de Normandie. Tu as suivi le pèlerinage avec détermination, même si, m'a-t-on dit, tu ne t'y illustras jamais par quelque action glorieuse que ce fût. On ne t'aurait jamais vu les armes à la main, sinon pour brandir le vieux débris rouillé que d'aucuns ont prétendu être la sainte Lance... Certes, pourras-tu nous dire, telle n'est pas la mission d'un homme d'Église. Tu sais pourtant qu'en cas d'urgence et de nécessité, Dieu comprend et pardonne l'action armée de ses ministres. Feu Adhémar de Monteil, mon glorieux prédécesseur, a su, en cas de besoin, reprendre pour un moment son état ancien de chevalier. La victoire d'Antioche fut sa victoire, et Bohémond sait bien tout ce qu'il lui doit. »

Le Normand, qui venait de se pencher vers son neveu Tancrède, n'entendit pas.

« Moi-même, continua le légat, j'ai, en Espagne, beaucoup combattu la cruauté des Infidèles, la férocité abjecte des Maures... »

L'archevêque de Pise exposa longuement ses mérites de chef de guerre, d'homme d'Église et de diplomate, écrasant Malecorne sous un tel amas de gloire que celui-ci en devenait presque sympathique.

« Mais j'en arrive, Arnoul, à ce qui nous réunit aujourd'hui : jusqu'à quand abuseras-tu de notre patience, jusqu'à quand ta fureur insensée tentera-t-elle de nous berner, jusqu'où ton audace effrénée n'ira-t-elle pas ? Toi, le fils de prêtre pétri d'un fiel libidineux, qui, par la brigue et la cautèle as su, pour t'emparer du pouvoir, séduire ce que les Francs comptent de plus noble. Toi qui, dans des conditions que l'honneur de l'Église me commande de taire, as posé ton indigne postérieur sur le siège patriarcal de la plus sainte des villes ! Toi qui t'es conduit depuis en tyranneau despotique, oublieux de la charité et de l'amour que le Christ nous a enseignés et que nous sommes venus ici réaffirmer au nom de la justice, enfin victorieuse des turpitudes musulmanes. Toi que voici, que feras-tu demain, que faisais-tu hier, quel complot ourdis-tu encore ? Ô temps, ô mœurs ! »

Un flottement agitait l'assistance. Ce que disait l'archevêque paraissait bien difficile et beaucoup se demandaient à quoi servaient de telles complications, lorsqu'il ne s'agissait en somme que de destituer l'importun fils de prêtre.

« Tout ça, glissa Foulques à Renaud, c'est une parodie ridicule de Cicéron... Ce bonhomme est un imposteur et un cuistre. »

Le procès proprement dit fut fort bref. Étourdis par cette prolixité, tous les barons, même Raimond qui s'était promis de soulever autant d'arguties que possible, abondèrent dans le sens de l'archevêque de Pise.

Arnoul fut déclaré bâtard, indigne d'avoir été élevé au patriarcat, et même d'avoir reçu la prêtrise. Il fut convaincu d'avoir usurpé des pouvoirs, pratiqué des exécutions sommaires, manqué au devoir de modestie, failli à la sainte mission qui lui avait été confiée, et, en tout état de cause, d'avoir péché gravement, continûment et constamment. On le somma de se démettre, de faire pénitence, et de disparaître.

Puis, constatant que la fonction était devenue vacante par renoncement de son titulaire, le conseil décréta que Daimbert, archevêque de Pise, était l'homme le plus digne de l'occuper.

Godefroi de Bouillon parut cependant hésiter un instant à apporter sa caution.

« Un siège possède quatre pieds, deux accoudoirs, mais un seul fondement », trancha Bohémond avec détermination.

L'avoué du Saint-Sépulcre hocha lentement la tête.

« C'est un fait, conclut-il, et sur ce fondement ne peut s'asseoir que le plus capable et le plus méritant. Que ces quatre pieds qui te supporteront soient les quatre évangélistes, Daimbert, et que mon épée et ma foi constituent tes deux accoudoirs. »

*

Un mois s'était écoulé. On avait regagné Laodicée. Depuis deux jours, la pluie tombait sans discontinuer.

À la dérobée, Raimond jeta un coup d'œil à Foulques qui lui faisait vis-à-vis. Quelle ruse sournoise couvait-il donc ? Bien sûr, en roquant, son petit-cousin pouvait manger son archer en deux coups, à moins qu'il ne déplace lui-même sa dame pour protéger le cinquième piéton, là…

« Quel temps ! grommela-t-il, ça ne cessera pas ! »

Mais Foulques ne semblait pas décidé à se laisser distraire.

« La nuit tombe, et il pleut toujours, insista Raimond en montrant la fenêtre.

— Bien sûr, mon ami, la nuit tombe et il pleut toujours, dit Elvire sans lever les yeux de la broderie qu'elle confectionnait pour l'offrir au Saint-Sépulcre.

— C'est à toi de jouer, Raimond, rappela Foulques.

— Je sais, je sais. Laisse-moi le temps de réfléchir, enfin ! Pour gagner aux échecs, il faut réfléchir, tu sauras cela.

— Je sais, mais ce que je sais aussi, c'est que tu as perdu.

— Perdu ? Moi, perdu ? Sache que, de ma vie, je n'ai jamais perdu une partie d'échecs ! »

Elvire toussota, un sourire amusé aux lèvres.

« Pourtant, insista Foulques, quoi que tu fasses, je roque et ton archer est pris en deux coups. Après, tu es condamné, parce que même en protégeant ton piéton avec ta dame…

— Ça, ce sont des coups de débutant ! J'ai mille autres solutions autrement intelligentes ! assura Raimond qui triturait nerveusement son roi.

— Messire Raimond, Jauffré est ici. »

Ménélas venait d'entrer, sans bruit comme toujours. Foulques sursauta.

Un homme robuste et encore ruisselant s'introduisit dans la pièce sur les talons du serviteur :

« Ah ! tout de même, dit Raimond en levant les bras au ciel, te voilà ! Je désespérais de te voir ; tu devais arriver le mois dernier. Que s'est-il passé ?

— Des choses graves. »

Les traits de Raimond s'alourdirent et sa main retomba brutalement sur l'échiquier qui se renversa.

« J'ai cru que je ne pourrais pas quitter Narbonne. Je suis parti de nuit, à la rame, et par gros temps... Bertrand... »

Le capitaine se tut. Elvire suspendit son geste.

« Eh bien, Bertrand... ? dit Raimond, la voix altérée.

– Ton fils Bertrand a été chassé de Toulouse.

– Chassé de Toulouse ? Mais que dis-tu ? Qui a eu l'impudence de chasser mon fils de ma ville ? Parle !

– Le duc d'Aquitaine, ton neveu.

– Guillaume ? Ah ! le traître ! Mais comment ? Pourquoi ?

– Il dit que Toulouse appartient à sa femme, la fille de ton frère aîné. Il est venu réclamer son héritage.

– Réclamer son héritage ? »

Raimond se leva, cramoisi, les mains tremblantes.

« Bertrand ne s'est pas défendu ? Il n'a trouvé personne à Toulouse pour le soutenir ?

– Bertrand a été trahi. »

Le comte de Toulouse était à présent livide. Sa mâchoire crispée gonflait étrangement sa barbe.

« Mais qui a bien pu avoir l'audace odieuse de me trahir ?

– Ceux de Saint-Sernin. Ton fils a abrogé les privilèges que tu leur avais consentis avant de partir. »

L'œil en feu, le comte de Toulouse esquissa un geste convulsif, tourna le regard vers Foulques puis vers les pièces d'échecs qui jonchaient le sol. Enfin il posa le talon sur un cavalier blanc et l'écrasa sans un mot.

« Mais que lui a-t-il pris ? Pourquoi Bertrand a-t-il fait cette erreur monstrueuse ? Quelle folie ! Il ne sait donc pas que ces curés de Saint-Sernin sont pires que le diable ? Et personne n'a levé l'épée de la vengeance ? »

Jauffré baissa la tête et murmura.

« Bertrand a mécontenté beaucoup de monde à Toulouse... c'est un maître très dur. »

Raimond s'avança vers Jauffré et le saisit aux épaules.

« Et toi, toi, tu n'as rien fait ? vociféra-t-il.

– Que pouvais-je faire ? J'ai accouru ici dès que j'ai pu sortir de Toulouse, et ce n'était pas facile ! J'ai dû tromper la vigilance des hommes du duc qui désormais contrôlent tout dans tes États.

– Il fallait écraser cette vermine. Tu es leur complice, voilà ce que tu es ! Je suis trahi par tout le monde... Ménélas, cours immédiatement chercher Renaud. Nous délibérerons sur l'heure... Elvire, ma mie, nous

allons parler de choses bien désagréables et bien ennuyeuses pour toi ;
ne voudrais-tu pas aller te promener, peut-être, dans la ville ? »

Elvire se leva, le regard glacé.

« Ta suggestion tombe très à propos, mon ami. L'heure est exquise et
le temps délicieux ; je m'en promets un complet agrément. »

*

Les trois hommes s'assirent en silence. Le visage fermé, Raimond se
pencha pour ramasser quelques pièces d'échecs dont il fit un rempart ;
il en réduisit la longueur pour doubler l'épaisseur puis balaya le tout
dans un geste rageur.

« Mes amis, commença-t-il dès que Renaud fut arrivé, tout le monde
m'a trahi, jusqu'à celui-ci... »

Désigné par un index menaçant, Jauffré détourna la tête.

« Tous ceux de Toulouse sont repartis, sauf Gaston et Isoard qui
veillent sur mes intérêts à Jérusalem. Je n'ai plus que vous deux. Si vous
voulez trahir aussi, c'est le moment.

– Tu sais bien que nous ne t'abandonnerons pas, Raimond, s'indigna
Renaud. D'après ce que m'a dit Ménélas, c'est à cause de la maladresse
de Bertrand que ceux de Saint-Sernin ont fait appel à Guillaume...

– Voilà comment se colportent les rumeurs... Jauffré dit que c'est ça.
Moi, je n'en sais rien, je n'y étais pas. Tout ce que je sais, c'est que mes
États ont été investis par un scélérat... Ménélas, Jauffré, allez ailleurs,
laissez-nous tous les trois. »

L'air accablé, les deux hommes sortirent.

« Pourquoi accuses-tu Jauffré de t'avoir trahi ? s'étonna Foulques. Il
semble tout à fait honnête, et si les événements qu'il rapporte se sont
passés comme il le dit, je ne vois pas bien ce qu'il aurait pu tenter.

– Quand on veut se battre, on peut toujours. Et puis, il y en a tellement d'autres, là-bas, qui me doivent tout ! Qu'est-ce qu'ils ont fait,
ceux-là, hein, qu'est-ce qu'ils ont fait pour résister ?

– As-tu une idée de ce que tu vas décider ? » s'enquit Renaud.

Raimond se dirigea vers la fenêtre. La nuit commençait à tomber.
Soudain, il s'exclama :

« Mais qu'est-ce qu'elle fait... qu'est-ce qu'elle fait sur la place, avec
ce qui tombe ? Elvire ! Elvire ! »

Les deux garçons s'approchèrent. Vêtue de la toge légère qu'elle portait tout à l'heure, Elvire déambulait sereinement au milieu des bourrasques et pataugeait avec indifférence dans les flaques.

Raimond ouvrit la fenêtre. Un air glacé balaya la pièce et éteignit les
chandelles.

« Elvire ! Que fais-tu, que fais-tu ? »

La jeune femme releva sa chevelure dégoulinante vers la façade sombre.

« Mais, mon ami, cela se voit, il me semble. Je me promène ! »

Raimond se précipita à la porte.

« Ménélas, hurla-t-il, va chercher la comtesse. Elle est sur la place, elle s'est perdue dans le noir ! »

Il revint vers la cheminée et, les mains croisées dans le dos, se mit à tourner en rond en marmonnant :

« Quelle femme ! Quelle femme ! »

Foulques et Renaud échangeaient des regards médusés, se demandant ce qu'il fallait dire.

« Bien, dit soudain le comte, voilà qui est arrangé. Alors, chevaliers, quel est votre conseil ?

– Il faut que tu reviennes à Toulouse pour reprendre les choses en main.

– Et toi, Foulques, tu es du même avis ?

– Oui. Je crois que Renaud dit bien. Il te suffira de paraître pour t'imposer à nouveau et réinstaller Bertrand dans ses droits…

– Et après ? Disparaître ? Passer de vie à trépas ? C'est ça ? Je vous remercie du conseil. Vous ne valez pas plus cher que le reste ! Je suis tout juste bon à placer un peu partout des minables incapables de se débrouiller seuls, puis à décamper pour ne pas leur faire d'ombre ! »

Sans réfléchir à son geste, Foulques, indigné, porta la main au pommeau de son épée.

« C'est pour nous que tu dis cela ?

– Mon pauvre jeune cousin, ce que vous pesez et rien, c'est absolument la même chose. Vos titres de "chevaliers" à l'un et à l'autre ne sont pas ce que j'appelle une place… »

D'un geste rapide de la main, Renaud fit signe à Foulques de ne pas prolonger l'entretien sur ce mode.

Raimond se retourna. Sur son visage, les flammes du foyer découpaient des reflets inquiétants.

« Eh bien ! moi, je crois autrement. Je vais, ici, en Syrie, et mieux que Bohémond, me tailler, moi aussi, une principauté. Je tiendrai tout le nord de l'Orient, entre la Terre sainte et l'empire. Je laisserai à Godefroi la sécheresse des déserts, et à Bohémond son Antioche assiégée par les Turcs. Alors la mer sera à moi. À moi, vous entendez ! Quel besoin auront alors les caravanes de la Chine, de l'Inde, de l'Arabie de poursuivre leur route jusqu'à Constantinople ? C'est sur mes terres qu'elles viendront déverser leurs trésors, dans mes ports qu'elles les déposeront, à mes navires qu'elles les confieront. Sans feu grégeois, sans mangonneaux, par la seule force des échanges, je m'approprierai la puissance et la fortune de l'empire. Elles sont là, à portée de ma main, il me suffit de conquérir la mer… Quant au beau Guillaume, le retour des pèlerins dans le comté de Toulouse constituera une menace suffisante pour lui…

– Je ne comprends pas…

– Cela ne m'étonne pas. Tu tiens de ton grand-père, qui était bon stratège surtout quand il déclamait des vers.

– Si des hommes de Guillaume l'Enjoué ont usurpé leurs droits, intervint Renaud, les pèlerins d'Outremer se battront sûrement pour récupérer leurs domaines, mais ce n'est pas pour cela qu'ils choisiront Bertrand pour comte. À Saint-Palais, les paysans se disputaient très souvent entre eux, mais quand il s'agissait de s'opposer à Foulques, on les retrouvait tous unis.

– Que vas-tu comparer des paysans à des chevaliers ? Les uns et les autres ne sont pas de même nature… Allez, vous ne comprenez rien, ni l'un ni l'autre. Je n'ai pas besoin de vos avis.

– Alors je peux t'aider autrement… Mon grand-père m'a donné mille marcs… »

Exaspéré, Renaud leva les yeux au ciel.

« Ah oui ! les mille marcs qui vont avec le domaine… C'est beaucoup pour un homme et ce n'est rien pour la guerre… Quarante mille besants d'argent, de quoi acheter trois cents chevaux… autant dire rien !

– Mais alors qui t'aidera ? Dans tout l'Orient, nous ne sommes peut-être pas plus de deux cents chevaliers à présent. Et trois sur quatre sont à Godefroi ou à Bohémond. Veux-tu recruter des troupes d'Infidèles pour combattre tes alliés ?

– Et pourquoi pas ? Les autres n'ont jamais été mes alliés. De l'or, j'en ai. Des idées aussi, Dieu merci. Allez, partez, partez… Mon seul allié ici, c'est l'empereur. Je n'ai plus besoin de vous. »

*

Le surlendemain, le comte de Toulouse accueillit en sa demeure le prince d'Antioche et le comte d'Édesse qui, revenant de la Ville sainte, regagnaient leurs États respectifs.

Raimond avait fait dresser une table splendide, comme on n'en avait pas vu depuis longtemps à Laodicée. Ébahis, Foulques et Renaud virent apparaître les réserves de viande fumée et les fruits secs que Raimond avait souvent évoqués sans jamais les produire. Ils se délectaient par avance de ces merveilles : depuis la Noël à Jérusalem, il avait fallu se remettre au bouillon clair et à la viande de chien…

« Quelle bonne idée, Raimond, de nous offrir autre chose que ces rôtis en sauce et ces pâtés dont nous sommes rassasiés ! s'exclama Baudouin d'Édesse. Le carême prend dans deux semaines et ta piété nous incite à ne pas l'oublier. »

Raimond de Saint-Gilles se frotta le bout du nez, puis le massa franchement entre le pouce et l'index.

« La caravane dans le désert se délecte des fumets de la halte », décréta Bohémond en se rengorgeant.

Elvire ébaucha une imperceptible moue qui se termina par un éternuement.

« Voici que la plus noble dame d'Orient se sera enrhumée, dit Baudouin.

– Oui, le temps est humide, ne trouvez-vous pas ? répondit Elvire en jetant un coup d'œil ironique à son époux.

– Bien, bien, ronchonna Raimond. Et alors, à Jérusalem, comment vont les affaires ?

– Mieux que pour toi à Toulouse, à ce qu'il semble », dit Baudouin.

Le comte d'Édesse ne ressemblait en rien à son frère Godefroi de Bouillon. Ses traits volontaires, la sagacité de son regard indiquaient un caractère direct et franc. On connaissait aussi la dureté sans ménagements de ses prises de position et la solidité de ses convictions. Ses adversaires savaient qu'ils n'avaient à attendre de lui aucune mansuétude, et ses alliés pouvaient en principe compter sur sa loyauté. Beaucoup pensaient que, s'il n'avait pas déjà été doté du comté d'Édesse, il aurait à la place de son frère été élu à Jérusalem. Sa voix douce, un peu haut perchée sur les finales, et son sourire fréquent étonnaient dans une pareille charpente.

« Les nouvelles vont vite, à ce que je vois.

– C'est triste pour toi, mon pauvre Raimond. Ici tu es sans fief, et...

– Pas pour longtemps. »

Le comte d'Édesse perdit son sourire.

« Mon frère ne m'a pas laissé entendre qu'il entendait te confier une terre.

– Nul ne saurait donner ce qu'il ne possède pas, en effet. Et d'ailleurs, s'il le pouvait, ton frère ne me donnerait rien, ce qui tombe on ne peut mieux, car je n'en voudrais pas.

– Malgré ton deuil, tu songes alors à reprendre le combat ? »

Foulques profita du silence pour résumer à Renaud ce qui venait d'être dit.

« Songes-tu toujours à Antioche ? interrogea Bohémond.

– Non, certes ! La ville appartient de droit au basileus et je n'entends pas la lui enlever. »

Le seigneur d'Antioche moulina l'air et finalement croisa les bras.

Elvire picorait distraitement quelques raisins secs sans prendre part aux échanges. Raimond faisait souvent signe à l'échanson de donner à boire.

Foulques suivait avec anxiété ce que disait le comte : quand il avait bu, on pouvait tout redouter, plus encore qu'à l'ordinaire. Et, unies, les deux troupes de voyageurs étaient plus nombreuses que la garnison toulousaine de Laodicée. Provoquer un conflit, se faire écraser dans sa propre ville, ce serait...

« On dit que tu as l'intention de partir pour Constantinople, Raimond, reprit enfin Baudouin.

– On dit beaucoup de choses.

– Serait-ce que tu entends à présent servir le basileus, toi qui as si longtemps mis un point d'honneur à t'opposer à lui ? s'étonna Bohémond. Je suppose qu'en me disputant Antioche, naguère, tu n'avais pas pour ambition de la lui remettre.

– Te disputer Antioche ? Je ne comprends pas ce que tu insinues, Bohémond. »

La voix devenait pâteuse, le geste lent. Foulques voulut interroger Renaud du regard pour voir s'il partageait son inquiétude. Mais Renaud était occupé à confectionner des petits bateaux avec des amandes sèches et n'écoutait rien de ce qui se disait, puisqu'on parlait latin.

Tenaillé par une barre douloureuse qui torturait ses tempes, Foulques revint à la conversation.

« Tu refuses donc absolument d'être notre allié ? disait Baudouin.

– Allié, quel mot étrange ! Est-il mon allié, Daimbert qui, pendant des jours, a croisé au large de ces murailles dans l'espoir ridicule de m'intimider ? Est-il mon allié, ton frère Godefroi qui a tout fait pour ruiner mes projets sur Ascalon ? Es-tu mon allié, toi Bohémond, qui as usurpé les droits que ma vaillance m'avait acquis sur Antioche ? Où sont-ils, mes alliés ?... Disons que je ne suis pas votre ennemi.

– Cependant, reprit Baudouin, il faudra bien que tu apportes ta pierre à la construction du futur royaume de Jérusalem... et j'espère que ce ne sera pas avec une catapulte !

– Ah ! apporter sa pierre avec une catapulte, c'est très bien, très bien ! s'exclama Bohémond en se tenant les côtes. Et des pierres, dans ce foutu pays, ce n'est pas ce qui manque !

– Ils sont deux maintenant à veiller aux destinées du "futur royaume", comme tu l'appelles, ricana Raimond. Quand les choses tourneront mal, Bohémond et toi, vous serez trop éloignés pour intervenir.

– Que veux-tu dire ?

– Rien de moins que ce que je dis, à savoir que la situation finira par tourner à l'aigre entre l'avoué du Saint-Sépulcre et le patriarche... Or toi, tu es le frère de l'avoué, et toi, Bohémond, l'allié du patriarche...

– Aucune ombre ne menace notre harmonie.

– C'est bien, c'est bien… Comptons sur la bienveillance de Dieu le Père pour que cela dure, dit le comte en se faisant apporter à boire.

– Dieu notre maître n'a jamais abandonné ses fidèles, en effet, répliqua sèchement le prince d'Antioche.

– Tu as raison, Bohémond, et c'est pourquoi je lève ma coupe à la concorde entre le trône et l'autel de la Ville sainte, entre lesquels nul ne souhaite plus que moi une paix éternelle. Mais je me souviens des leçons de mon oncle vénéré que vous avez bien connu, ce sage vieillard, ce lettré qui méditait les enseignements de l'Histoire. Il savait bien, lui, qu'il faut préparer la guerre si l'on désire la paix… Si un jour les événements viennent à tourner mal, vous pourrez compter sur mon impartialité. Je saurai, à ce moment-là, entendre les uns et les autres, et rétablir chacun dans ses droits légitimes. Quant au domaine que je vais constituer autour de Laodicée, il sera terre d'immunité pour les belligérants emportés par les passions temporelles. Comme tu pourrais dire, mon cher Bohémond, la troupe éperdue se réjouit de l'oasis dans le fracas des armes. »

Tandis que Bohémond et Baudouin échangeaient un regard interloqué, le premier rayon de soleil vint malicieusement nimber le comte de Toulouse de l'éclat doré des princes orientaux.

VI

« M ES FRÈRES, ce baptême que nous célébrons aujourd'hui cons-
titue pour nous un symbole, un précieux symbole. Pour la
première fois à Laodicée, se présente devant Dieu un fruit de l'union
prometteuse et réconciliatrice entre chrétiens d'Occident et chrétiens
d'Orient. Telle est Anna, fille de messire Foulques, seigneur de Termes,
et de Morphia, son épouse. On a pris depuis peu l'habitude de donner
à ces enfants le nom de Poulains. Qu'ils soient en effet les poulains
caracolants d'une foi renouvelée et conquérante sur cette terre marty-
risée où tout a commencé et où tout doit finir un jour… En ce jour de
Pâques, l'Évangile nous révèle le plus grand des mystères de l'humanité
et le secret de l'ordre du monde : Christ est ressuscité, Christ est
vivant… »

Foulques ferma les yeux et serra les poings. Oui, Christ vivait… En
ce moment même, il Le sentait vivre en lui, pour lui et pour tous les
autres. Le comte Raimond lui avait raconté des sornettes, des histoires
de fous à dormir debout. On en avait tant dit sur le Christ, on avait col-
porté tant de billevesées, tant d'aventuriers avaient inventé tant d'histoires seulement destinées à ruiner la cause de l'Église en assurant leur
propre gloire de visionnaires inspirés…

À l'occasion de ces pâques, il retrouverait sa foi de jadis ; comme le
Christ, il mourait à sa dimension d'homme pour renaître transfiguré.
Digne désormais de lui ouvrir le chemin des rachetés, il accompagne-
rait sa fille dans son baptême.

« … Mais l'évangile de Jean nous dit aussi, à nous, misérables
pécheurs, quelque chose de plus précieux encore. Rappelez-vous :
Marie-Madeleine annonce à Pierre et à Jean la disparition du corps du
Seigneur. Ils courent vers le tombeau. Jean arrive le premier, mais c'est
Pierre qui entre d'abord… Qu'a voulu faire le Seigneur, sinon favoriser
celui qu'Il aimait en lui offrant la primeur de la découverte ? Au nom

de l'Amour, Il lui accorde la faveur d'arriver en premier, de voir le premier… »

Renaud se laissait distraitement bercer par le flot de paroles. Il se disait que Foulques était décidément indécrottable et qu'il avait eu tort, peut-être, de lui reprocher avec tant de violence l'abstinence qu'il s'imposait pendant le carême… Mais quand même, pour qui, pour quoi se priver des rares bonnes choses de la vie ? Pourquoi Foulques croyait-il que Dieu était heureux de voir Ses créatures s'interdire des plaisirs pour lesquels elles étaient évidemment créées ? L'abstinence n'avait jamais ressuscité personne, jamais elle n'avait empêché quiconque de mourir. Pourquoi le jardin des délices ne devrait-il s'atteindre que dans un autre monde, une fois que l'on serait réduit en poussière ?… Cet autre jour de Pâques où on l'avait emmené chez le Tard, Philippa avait chantonné, en accrochant la marmite dans le foyer : « Tu es un petit renard de feu, doux comme un agneau, tu es un petit Renaud pascal. » Avait-elle donc péché en lui disant ces choses douces, et lui se damnait-il en savourant leur caresse rare et délicieuse ?

« … Or Jean n'entre pas. Celui qui entre, c'est Simon-Pierre. Simon-Pierre que le Christ a déjà appelé à Lui succéder pour paître et régir l'Église universelle. À cet instant, mes frères, s'est produite une conjonction entre les intérêts supérieurs de la communauté des hommes incarnée par l'Église, et l'amour, incarné par Jean. Cette conjonction imposait un choix. Et Christ, parce qu'Il est le fils de Dieu, a fait ce choix : en permettant à Pierre et non pas à Jean d'entrer en premier, Il a clairement indiqué pour les siècles des siècles ce qui doit primer dans le gouvernement des hommes… »

Foulques crispa les mâchoires. Ainsi donc, c'était inévitable, il fallait toujours en revenir là ! Tout devait converger vers l'obéissance du troupeau à la crosse pastorale ! Messages dénaturés et interpolés dont l'Église s'autorisait pour régner à Rome, déléguer à ses évêques, juger et condamner partout. Et pourtant, que d'indignités, de mensonges, de taches de sang souillaient la robe sans couture de l'Église universelle ! Tout le prix de la tunique du Christ ne venait-il pas de ce que Jean y avait appuyé sa tête et que Pilate l'avait déchirée ; de l'amour du disciple et de la haine des exclus ? C'était en tout cas pour cela qu'il faisait baptiser Anna en ce jour.

« … Car la communauté que nous formons exprime l'union de Christ avec Son Père, rendue perceptible pour nous par la communion des saints et l'aide que nous dispensons à nos frères affligés. »

Renaud releva la tête et considéra le prédicateur. Contrairement à tant d'autres, cet évêque-là ne se berçait pas de mots. Bien sûr, il avait les accents puissants que sa charge imposait, mais il ressentait ce qu'il disait, et Renaud comprenait tout à coup dans sa chair que l'Église était en effet une communauté unie où, en dépit des querelles et des ambitions, chacun agissait au nom de l'Amour.

« ... Recevons à présent dans notre communauté l'enfant qui se présente. »

Avec détermination, Elvire enleva Anna des bras de Morphia, ôta les vêtements minuscules et descendit les marches du baptistère.

« T'engages-tu, Elvire, comtesse de Toulouse, à conduire cette enfant sur les voies de la foi, à devenir sa mère si Dieu le voulait ainsi ?

– Je m'y engage. »

L'évêque releva la tête vers l'assemblée qui entourait la vasque.

« Et toi, Raimond, comte de Toulouse, t'y engages-tu ?

– Que cette enfant, dont nous sommes les parents en Dieu, prenne la place de celui qui nous a été ravi. Oui, je m'y engage. »

L'homme de Dieu prit à son tour l'enfant qui souriait.

« *Ego te baptiso, in nomine Patris...* », dit-il en l'immergeant une première fois dans le bassin.

Anna se congestionna, battit des bras, et, avant que le prêtre eût eu le temps de la replonger, poussa un hurlement strident qui fit sourire l'assistance.

Elvire conservait une aménité distante.

« *...et Filii... et Spiritus sancti* », récita l'évêque en précipitant le mouvement tandis que les clameurs de protestation redoublaient.

Raimond se pencha vers Foulques.

« Hé, hé, encore une qui ne s'en laissera pas conter... » lui glissa-t-il à l'oreille.

*

Au sortir de l'église, Foulques fut ébloui par la fraîche lumière d'avril qui modelait avec une délicatesse orientale ce premier jour de la dernière année du onzième siècle de l'Incarnation. Une liesse inhabituelle animait les rues.

« Veux-tu que nous marchions un peu parmi tous ces gens ? proposa Renaud.

– C'est drôle, répondit Foulques en lui emboîtant le pas, je n'arrive pas à me dire que, pour tout le monde, l'année commence aujourd'hui. La résurrection, c'est une chose, mais le plus important, c'est quand même la naissance, non ?

– Le plus important, c'est la vie, dit Renaud.

– Je ne sais pas quel est le plus grand des mystères. Il me semble bien, quand même, que c'est la nuit de Noël, où Dieu nous a envoyé Son fils. Pour moi, l'an 1100 a commencé depuis trois mois. »

Renaud eut une moue dubitative, mais ne répondit pas.

De son côté, Foulques ruminait une fois de plus les révélations de Raimond, selon lesquelles, cette nuit de décembre-là, était né à Bethléem un petit d'homme et seulement d'homme. À Pâques, en revanche, l'Homme était devenu Dieu. Quoi qu'il en fût, même si elle errait et trompait ses fidèles, l'Église délivrait un message de paix et de dépassement de soi-même, et cela à soi seul justifiait son existence. Oui, tout compte fait, Pâques était vraiment plus important que Noël... Foulques regretta de ne pas faire comme tout le monde et d'avoir pris sur le calendrier un bon trimestre d'avance.

« Comment as-tu trouvé ce qu'a dit l'évêque ? demanda enfin Renaud, comme ils atteignaient le port, suivis de leurs écuyers qui allaient d'un pas nonchalant malgré les agaceries de Michel qui se prétendait transformé en moustique-tueur.

– J'ai été touché par sa conviction. Je ne sais plus aujourd'hui si Christ était Dieu, mais ce dont je suis convaincu, c'est qu'Il était Amour. Je me dis qu'avec les paroles qu'Il nous a laissées, nous n'avons guère d'autre choix que de suivre Son enseignement. Ce partage avec le prochain auquel Il nous invite doit permettre à lui seul de nous placer très au-dessus des hommes ordinaires. Et toi ?

– C'est bizarre. En l'écoutant, je me disais que moi, que toi, nous avions quelque chose de plus que ceux qui ne sont pas chrétiens. Je ne sais pas exactement quoi... Peut-être l'impression de faire partie d'une grande famille. Bien sûr, il y a ce que t'a dit Raimond, mais je pense que ça n'a pas d'importance, finalement : Isoard a sûrement raison, ce sont de vieilles histoires qui traînent un peu partout, et de toute façon, jamais personne ne prouvera que c'est vrai ou faux. Et puis c'est quand même étrange de se sentir meilleur juste parce qu'on entend des paroles vieilles de mille ans ! Les autres vieux bonshommes dont tu parles toujours, Çacéron, Pluton, et tout ça, ils t'aident peut-être à penser, mais ils ne te rendent pas meilleur.

– Cicéron et Platon, rectifia Foulques en souriant. Non, ils ne me rendent pas meilleur, en effet, ce n'est pas comme Jésus.

– Je trouve que nous sommes tous unis pour combattre des gens comme Bohémond ou Daimbert, ou ton frère Guillaume. Ceux-là, ils sont exclus de la communauté des vrais hommes, parce qu'ils sont méchants.

– Il était méchant, ton frère Guillaume ? » interrompit Michel en se lançant, pour rire, à la poursuite d'un chat survivant qui avait gonflé l'échine à leur approche.

L'enfant rattrapa Guilhem et Éric qui rebroussaient chemin pour rejoindre la demeure du comte où était servi le repas de baptême.

« Moi, je me demande quoi en penser, de la communauté des hommes. C'est en son nom que mon grand-père, sur son lit de mort, a fait de toi mon vassal. J'aurais compris qu'il ne te donne rien, vu qu'il ne possédait pas beaucoup et qu'il a tant d'enfants. Mais ce qui lui a semblé dans l'ordre des choses, c'est de te placer sous mon autorité. Et cela uniquement parce que tu étais un bâtard et moi pas. Pas un instant il ne s'est demandé si la vie que tu avais eue jusque-là ne suffisait pas à racheter cette différence, à faire de nous de vrais égaux en Christ.

– C'est ainsi ; les choses sont ainsi, et c'est de la folie prétentieuse de croire qu'il serait légitime que ce soit autrement. Rappelle-toi les mots de ton grand-père : "Le nommé Renaud a conquis l'honneur et la dignité qui s'attachent au titre de chevalier", et je l'ai remercié d'oublier que j'étais un bâtard. En faisant de moi ton vassal, il m'a intégré dans la communauté des hommes. Il a fait ce que disait l'évêque tout à l'heure, d'autant plus qu'il m'a donné Raimond pour parrain… Tu te rends compte, nous étions déjà frères de lait et me voici à présent presque le frère de ta fille, puisque nous avons le même parrain.

– Ce n'est pas cela, le véritable amour. S'ils t'avaient aimé vraiment, tous les deux, ils auraient fait de toi un homme… un homme libre de son destin, pas soumis à moi comme ça.

– Mais je le suis, soumis à toi, parce que sans toi je serais resté à La Billette, et que Guillaume m'aurait tranquillement fait tuer au coin d'un bois. Soumis, je l'étais déjà à Thibaud, ton père, qui m'avait offert dix fois plus que ce que je pouvais espérer ; je l'étais à ton oncle l'abbé qui m'avait accepté à Saint-Palais. Tu ne pourras jamais changer cela. Mais que pouvaient-ils faire de plus ? Et en fait, c'est toi qui m'as intégré le premier dans la vraie communauté, celle des hommes qui ont une dignité.

– Tu oublies que mon grand-père a posé une condition…

– Non, bien sûr, je n'ai pas oublié… Je crois qu'il avait raison. Dans une communauté, il faut respecter les règles posées par les autres, qui sont les plus forts. C'est vrai que les hommes de Godefroi rigolent d'une amitié comme la nôtre.

– Ça m'est bien égal !

– Et tu as tort. Demain, c'est eux qui seront ici les plus nombreux et les plus forts, et ils imposeront leurs lois. Leur morale d'hommes des bois écrasera toutes les autres ; il ne faudra plus parler de notre amour, mais de notre belle amitié, et peut-être même pour nous, notre amour deviendra-t-il une belle amitié ; d'ailleurs quelle est en vérité la différence ? Question de mots.

– Tu parles comme un chevalier, chevalier Renaud !

– Moque-toi, moque-toi ! C'est pourtant bien pour cela que Henri t'a ordonné de te marier.

– Et tu trouves ça bien ?

– Bien ? Qu'est-ce que ça veut dire ? Tu sais encore où est le bien, toi ?

– Mais nom d'un chien, je suis parti pour délivrer le tombeau du Christ, pas pour servir de modèle à l'Outremer ! Je m'en fous, figure-toi, de l'alliance avec les Grecs et du rayonnement de la maison de Toulouse ! »

Dans le ciel tournaient quelques martinets. La cloche d'une église lointaine sonnait avec une insistance inutile la fin de son grand office. À Saint-Eutrope, des martinets étaient comme ici descendus du ciel. Il y avait bien longtemps.

« Je ne sais pas pourquoi, mais je sais que tu as tort de parler comme tu le fais. Appartenir à une communauté, c'est être comme la partie d'un tout, tu comprends ? Un peu comme ta jambe ou ton bras est un morceau de toi. Ton corps est un tout qui est en équilibre. Eh bien ! nous, c'est pareil, on est une espèce de chose comme ça, de…

– D'harmonie ?

– Oui, c'est ça, d'harmonie. C'est de ça que l'évêque a parlé, de l'harmonie. Tu es malheureux d'être marié à Morphia ? »

Foulques s'arrêta brusquement et regarda Renaud droit dans les yeux. Quelle singulière question !

« C'est une drôle de question, Renaud », dit-il en s'asseyant sur le muret du port.

Les yeux perdus sur le flot où se balançaient quelques barques de pêcheurs, Foulques se demanda s'il allait se répandre en lamentations. Bien sûr qu'il était malheureux d'être marié avec Morphia. Au départ, c'était facile parce qu'ils se haïssaient ; il n'était pas besoin de faire semblant, et le dualisme de cette époque-là lui semblait presque enviable. Aujourd'hui, tout avait changé. Morphia était devenue si douce, elle comprenait qu'ils étaient différents l'un de l'autre, elle acceptait la présence de Renaud. Elle allait jusqu'à consacrer des heures à traduire ces textes affreusement ésotériques qui l'ennuyaient lui-même. Et que donnait-il, lui, en échange de tout cela ?

Avait-il le droit de confier, même à Renaud, son exaspération de se retrouver chaque matin pris au piège d'une union qu'il n'avait pas voulue, son abattement lorsqu'il songeait aux temps infinis qui restaient à courir et où il faudrait la voir là, à ses côtés, pérorant et s'agitant dans un univers étranger qu'elle façonnait telle une abeille inlassable et déterminée ?

Malheureux avec Morphia… Pourquoi Renaud avait-il parlé de cela ? Pourquoi ne pouvait-on, comme sur un palimpseste, effacer en la grattant l'écriture des instants de vie inopportuns pour y substituer un autre texte ?

« Tu ne veux pas me répondre ? Alors, c'est que tu es vraiment malheureux.

– Pourquoi poses-tu des questions pareilles ? Il me semble avoir marché longtemps sur un large chemin de lumière. C'est lui qui m'a mené à Jérusalem, en t'ayant à mon côté ; c'est lui qui m'a permis de comprendre un peu moins mal le monde, de m'extraire de la lecture et de la méditation pour regarder, sentir, goûter la vie. C'était une route pleine de promesses et d'espérance. Je commençais à savoir découvrir la réalité sous l'allégorie, à préférer respirer la rose plutôt que la contempler dans une enluminure, à ouvrir mes yeux et mes bras… Et puis, progressivement, sur ces rameaux à peine éclos, le temps s'est chargé d'enter des réalités moins poétiques et plus politiques… Le temps, ou plutôt mon grand-père ; il a fait de moi un fils de la maison de Toulouse, c'est-à-dire quelqu'un qui doit se conformer aux usages et tenir haut son rang, son épée et son honneur. Dans sa sagesse admirable, il a pensé pour moi mon existence. Morphia, c'est lui, tu le sais bien… C'est une sorte de destin, comme dit Éric.

– Mais que voudrais-tu d'autre ? Être membre d'une communauté, c'est y tenir une place et un rang, non ? Toi, en plus, tu as la chance d'avoir une vraie famille.

– Je crois que Dieu a fait de chaque homme un individu différent des autres. Je crois aussi que rien n'unit entre eux ces hommes différents sinon le devoir universel de diffuser la parole de Dieu, et donc… »

Soudain, Michel déboula et leur cria du plus loin qu'il put :

« Qu'est-ce que vous faites ? Tout le monde vous attend depuis huit jours pour manger. Il fait faim ! J'ai couru partout pour vous trouver ! »

*

Lorsqu'ils franchirent la porte d'honneur de la vaste salle à manger, des domestiques sortaient de l'office, un plat monumental sur les épaules. C'était l'agneau pascal.

Elvire et Morphia lancèrent aux deux garçons un regard lourd de reproches tandis que le comte, délibérément tourné vers l'évêque et les trois diacres qu'il avait invités, s'exclamait :

« Ah ! tout de même, vous voilà !

– Pardonne-nous, je te prie, nous étions sur le port à regarder les bateaux, bredouilla Foulques.

– Très bien, très bien, ça, de regarder les petits bateaux ! ricana Raimond. Et alors, aucun n'a voulu vous emmener ? Il n'y a pas moyen d'abandonner le vieux bonhomme, hein ?

– Mon cousin, je… »

– Allez, allez, ça fait du bien de rire un peu avant de manger, rien de tel pour vous ouvrir l'appétit, n'est-ce pas, mes bons amis ? » insista le comte en clignant de l'œil vers l'évêque imperturbable.

Chacun, autour de la table, savait que, depuis la trahison de Pierre de Narbonne et les infamies de ceux de Saint-Sernin, Raimond se méfiait plus que jamais des hommes d'Église. Celui qu'il avait intronisé évêque de Laodicée, Étienne, n'était rien d'autre qu'un curé de Toulouse, arrivé dans l'hiver sur le navire de Jauffré. Aux yeux du comte, il avait pour vertus cardinales d'avoir toujours haï les moines de Saint-Sernin, et, étant arrivé bien après les batailles, de ne rien savoir ni comprendre des subtilités de la situation.

Foulques le connaissait à peine, mais d'après le sermon du matin, il semblait bien que Raimond avait fait un choix judicieux.

Tout compte fait, le comte de Toulouse paraissait de joyeuse humeur.

Au milieu du repas, il prit soudain l'air grave et préoccupé qui lui tenait lieu de préambule aux mauvaises nouvelles.

« Je dois vous faire part des dernières informations qui me sont parvenues de Jérusalem. Vous savez que beaucoup des nôtres sont déjà repartis vers notre pays dès l'automne dernier. J'avais néanmoins réussi à convaincre Isoard et Gaston de demeurer dans la Ville sainte. Aux premiers beaux jours, quand ils ont estimé qu'il y avait de bonnes chances de ne pas couler à pic dans une tempête, beaucoup de manants se sont rués sur le bateau de Jauffré qui repartait pour Narbonne. Rien à redire à cela, ce sont des vilains, ils se comportent donc en vilains. Seulement…

– Seulement ? dit Foulques la main suspendue entre ses lèvres et le plat de mouton.

– Seulement, le vicomte de Béarn est lui aussi parti.

– Gaston a quitté Jérusalem ? s'exclama Renaud.

– Oui, Gaston a quitté Jérusalem, c'est exactement ce que je veux dire. Il prétend que c'est pour aller aider Bertrand à Toulouse. Je lui en suis bien reconnaissant… oui, je lui en suis bien reconnaissant…

– Mon ami, tu sais bien que la fidélité de Gaston est celle d'un chien de garde, dit Elvire.

– Oui, un chien de garde qui mord la main de son maître ! C'est un traître, m'entendez-vous, un traître, comme les autres ! Et vous deux, qu'attendez-vous pour faire pareil ? Allez-y, allez-y, puisque tout le monde m'abandonne ! »

Foulques et Renaud échangèrent un rapide regard, tandis que l'évêque toussotait discrètement.

« Partir, alors que tu restes là ? dit enfin Renaud.

– Raimond, il ne se passe pas de mois sans que tu nous accuses de vouloir te trahir, dit Foulques d'une voix vibrante. Si nous l'avions voulu, nous aurions eu cent fois l'occasion de le faire ! Je te demande de ne pas oublier que je suis ton cousin et que tu as fait Renaud chevalier.

– Certes... Mais trahir me paraît ces temps-ci furieusement à la mode, et de tous ces traîtres, peu me devaient moins que vous. Après tout, mon vieil oncle t'a donné une terre, non ? Qu'attendez-vous pour aller l'entretenir ? Des bateaux qui partent, il y en a dans tous les ports, tenez, les Lombards, par exemple, qui vident d'or nos bourses et d'hommes nos conquêtes. Bientôt les Sarrasins n'auront qu'à se présenter pour reprendre le peu qu'on leur a ôté. Je me demande bien d'ailleurs pourquoi ce n'est pas déjà fait... ils ne doivent pas s'entendre fort, ceux-là non plus !

– Et Isoard ? demanda Renaud.

– Isoard est un vrai chevalier, fidèle à sa parole.

– Tu sais bien que nous ferons comme lui. Ce que mon grand-père m'a donné peut attendre ; ici tu as besoin de nous. Nous sommes là. »

Raimond se pinça le nez en grimaçant, cligna de la paupière et lança avec détachement :

« J'ai peur pour notre culture.

– Que veux-tu dire ? demanda Foulques.

– Ne le constatez-vous pas vous-mêmes ? C'est bien simple, pourtant ! Tous les civilisés, c'est-à-dire nous, gens de Toulouse, quittent la Syrie à pleines barques. Qui restera-t-il, bientôt, hein ? Qui, sinon les hommes du chafouin et ceux des autres barbares nordiques, sicilianisés ou non... Quand je pense que j'aurais pu faire de cette terre une seconde Toulouse ! Mais ils ont fait la coalition contre moi, tous ! Ah ! ça, on peut dire que je les gênais, parce que j'étais le plus puissant, le plus riche, le plus méritant, et... et... »

Raimond fixa le fond de la salle et partit d'un rire tonitruant. Assis à la base du mur, près de la porte de l'office, Michel dévorait à deux mains un lambeau d'échine.

« Et voilà où elle en est, la civilisation de Toulouse ! Les enfants mangent par terre, comme les chiens ! »

Dans le silence qui suivit, Michel leva les yeux vers tous ces regards maintenant tournés vers lui.

« Moi, j'avais faim et puis je voulais pas rester à la cuisine, parce que Guilhem m'a dit que le mouton serait trop petit et qu'on allait me griller à la broche. Alors... »

Des éclats de rire accueillirent les déclarations de l'enfant qui rosit.

« Lui, au moins, il s'exprime dans notre langue. Mais le pire est bien là : qui la parlera, bientôt, notre langue ? Si tous les hommes s'en retournent au pays, adieu nos espoirs de constituer un royaume ! On ne commande pas à des hommes qui ne comprennent pas ce qu'on leur dit.

— Il y a peut-être un moyen, pourtant, lança Renaud.

— Oui, bien sûr, tu penses aux truchements. Ah ! il faut voir ce que ça a donné, les truchements ! Tu te souviens d'Arnoul Malecorne, de l'affaire de Pierre Barthélémi ? Voilà à quoi on est arrivés avec les truchements !

— Je ne parle pas de cela, insista Renaud. Je crois au contraire que puisque de moins en moins d'hommes parlent notre langue, il nous faut apprendre celle des autres. Et comme ceux du Nord sont plus nombreux…

— Alors ça, jamais ! Non, mais tu me vois, à mon âge, apprendre à ânonner comme un gamin des sons qui déshonorent le gosier ? Et il faudrait demander ça au bon Godefroi, peut-être, ou à Bohémond ? Mais c'est qu'ils seraient capables de me donner des coups de férule sur les doigts. Non, non, non… Quand on a la chance de parler la langue romane, on n'a aucun besoin de se ridiculiser à en apprendre une autre. »

L'évêque Étienne se trémoussait depuis un moment sur son siège.

« Cependant, comte Raimond… intervint-il.

— Rien du tout ! trancha Raimond en vidant d'un coup le hanap que lui tendait l'échanson. Il existe trois langues, m'entendez-vous ! Trois, pas une de plus. D'abord le latin qui est le père de tous les dialectes, ensuite le grec qui est la langue de mon ami Alexis, et enfin la nôtre, la plus moderne, la plus subtile, la plus douce, notre bonne langue romane…

— Un dialecte, mon ami, un dialecte comme les autres, lança Elvire avec un rire perlé.

— C'est vrai, mon aimée, concéda Raimond, il existe aussi des langues de l'autre côté des Pyrénées. Mais ce sont pour ainsi dire des sœurs jumelles de la nôtre… Enfin bref… En tout cas, le baragouin des Normands et des autres, ça n'a rien à voir avec une langue, vous en conviendrez. C'est une espèce de façon vaguement articulée de produire des sons, quelque chose comme des grognements… »

*

Les effluves du soir tombant pénétraient par la fenêtre entrouverte. Foulques alla s'y accouder. Dans le jardin qui s'endormait, des touffes de fleurs tranchaient encore sur des masses obscures et mystérieuses. L'après-midi chez Raimond avait été long, et l'hôte, après d'interminables diatribes, avait fini par s'endormir sur son siège. On avait joué aux dés et l'évêque était reparti fort satisfait d'avoir gagné plus de sept besants… Morphia avait beaucoup parlé avec Elvire ; Foulques se demandait de quoi.

Il détourna le regard vers Renaud qui avait saisi sur la pile un parchemin couvert de signes arabes.

« C'est curieux cette volonté que tu as d'apprendre la langue du Nord, dit-il. Mais tu as peut-être raison quand tu dis que c'est le seul moyen de ne pas se laisser dominer par les autres. Pour ma part, j'ai décidé de me mettre au grec.

– Voilà qui est utile ! Tous les Grecs que tu côtoies parlent latin, à commencer par ta propre femme.

– Oui, mais Anne parlait grec, tu comprends. Retrouver sa langue d'adoption, ce sera la ressusciter un peu. Je le vois bien avec Morphia... »

Foulques s'interrompit. Anne était devant ses yeux, nimbée de lumière, diaphane de minceur. De sa voix enfantine, elle murmurait dans les cyprès de Syrie. Il lui suffisait d'avancer ses mains pour saisir ses cheveux qui flottaient au vent, et en les laissant glisser doucement vers les épaules, il caresserait sa peau de nacre, descendrait jusqu'au galbe des seins, et plus bas sur le nombril espiègle, et plus bas encore, encore...

« Quand Morphia parle grec, reprit-il, je ne vois qu'Anne. Mais je sais bien que c'est Morphia ; Anne, elle, est restée à Rodosto. Et j'en veux à Morphia... C'est injuste, mais c'est comme ça.

– Arrête donc ! Anne était une pimbêche prétentieuse qui ne t'aimait pas du tout. Parce qu'elle n'aimait qu'elle, cette fille, ses petites douleurs et ses grandes déceptions, ses ambitions de mijaurée et ses exigences maniérées. Au lieu de rabâcher des niaiseries, tu ferais mieux de faire davantage attention à Morphia. Tu ne t'aperçois donc pas qu'elle a cessé depuis longtemps de te haïr ? »

La pénombre avait maintenant gagné la pièce. Renaud n'était plus qu'une forme aux lignes indécises, une présence presque anonyme et pourtant bien connue.

« Si, mais je n'y peux rien, Renaud ; on ne se force pas à aimer. Je fais des efforts, pourtant, surtout quand je m'unis à elle... Mais à chaque fois, je m'imagine que je suis avec Anne... Peut-être qu'en apprenant le grec...

– Ce sera pire. Quand elle parlera, c'est l'autre que tu entendras ! Vraiment, tu ne changes pas ! On a traversé le monde, on a affronté mille fois la mort, on a vécu plus d'aventures en cinq ans que la plupart des hommes dans toute leur existence, et tu restes le même ; tu es là, à regarder la vie qui passe comme si tu en étais le contemplateur extérieur et indifférent ; tu transformes les plus solides réalités en rêveries désincarnées, ta foi est un rêve, comme tes combats, comme tes amours. Ce matin, tu disais que tu avais appris à respirer les roses, à ouvrir tes yeux et tes bras. Pourtant je suis certain qu'en croquant une pomme, tu rêves que tu croques une pomme, aujourd'hui comme autrefois. Tu es toujours aussi absent… »

Soudain, une lueur violente embrasa la pièce, suivie d'une détonation sourde qui fit vibrer les murs.

« Qu'est-ce que c'est ? cria Renaud.

– Ça flambe, là-bas, regarde ! »

À une distance difficile à apprécier, les nuages fuligineux s'illuminaient par-dessous de teintes mouvantes et orangées.

« L'entrepôt à vivres ! Regarde, Renaud, l'entrepôt est en feu !

– Ouh ! là, là ! On avait mis toutes nos réserves dans le même endroit ?

– Je crois bien, oui. Mais Raimond est assez rusé pour en avoir caché ailleurs. En tout cas, ce qui était là, c'est cuit. Qu'est-ce qui a pu péter comme ça ?

– L'alcool sûrement.

– Bon, j'avertis Morphia. Dis à Guilhem et à Éric qu'ils veillent sur elle. On file chez Raimond. »

*

Le comte de Toulouse arpentait la salle, le bliaut froissé, ses rares cheveux ébouriffés sur le sommet du crâne.

« Vous avez vu ça ? Eh bien voilà où on en arrive à force d'être entouré de barbares et d'absents !

– C'était quoi, Raimond ?

– D'après moi, il semblerait s'agir d'une explosion suivie d'un incendie et précédée d'une trahison… Tout cela est bien clair, non ? Un magasin à vivres ne s'enflamme pas tout seul !

– Oui, mais qui a mis le feu ?

– Question pertinente, mon cousin… Ménélas est parti se renseigner. Il devrait d'ailleurs être déjà revenu. Ce sont les Sarrasins, ou alors ceux du Nord, ou les troupes du pape, ou les Génois…

– Pourquoi les Génois t'en voudraient-ils ?

– Mais le sais-je, moi ?… Parce que tout le monde m'en veut, ou parce que les nôtres sont repartis sur des bateaux pisans ou anglais, et pas sur les leurs.

– Tu as dit qu'ils avaient pris le bateau de Jauffré…

– Ah ! Ménélas, enfin ! Alors ?

– Ce sont les Juifs qui ont fait le coup, assura le garçon.

– Impossible ! Tu ne comprends rien, bougre d'imbécile ! Retournes-y, renseigne-toi mieux… Attends ! Et pourquoi auraient-ils fait ça, les Juifs ?

– Pour que tu ne puisses plus nourrir les Sarrasins qu'ils détestent.

– Mais quel est l'ahuri qui peut croire de pareilles âneries ? Fous-moi le camp, triple crétin, et reviens avec quelque chose qui tienne debout. »

Raimond s'assit et fourragea nerveusement dans sa barbe en grommelant des choses incompréhensibles.

« Pourquoi ne serait-ce pas cela ? demanda Renaud, les Juifs sont tout à fait capables de ce genre de coup fourré.

– Les Juifs, toujours les Juifs ! Il n'y a pas un cheval qui crève ou une tuile qui tombe sans que ce soit la faute des Juifs ! Non, pas les Juifs. Pas à moi. Ils savent tous que j'ai amélioré le sort de leurs frères, à Toulouse. Jamais les Juifs ne m'enverront de flèche dans le dos, jamais !

– C'est vrai, ils ont l'air plutôt bien disposés envers nous, reprit Foulques. Quand je suis allé voir Abraham, à Jérusalem…

– Et d'ailleurs, ce n'est sûrement pas non plus un coup des Sarrasins. D'abord, ils sont incapables de mettre au point une affaire pareille, et ensuite, ils n'ont aucune raison de m'en vouloir. Aucune. Non, ça, vous voyez, ça pue les mauvais coups du chafouin… ou de Daimbert… Daimbert, pourquoi pas Daimbert ? Il faut qu'il montre son zèle à ses maîtres… Oui, c'est ça, le beau Bohémond est là-dessous, à cause des bateaux pisans, ou alors, les Anglais… »

À ce moment, on entendit Ménélas qui hurlait en grimpant l'escalier :

« Messire… messire Raimond ! Messire Raimond… On les a trouvés, on les a trouvés ! »

Il poussa violemment la porte et prit un instant pour retrouver son souffle.

« On te les amène. Ils vont arriver.

– Et… c'est qui ?

– Des Sarrasins.

– Ah ! les chiens ! Je m'en doutais, vous voyez, je vous le disais… Sarrasins, race de chiens ! Et dire que c'est ça qui s'était emparé de toutes nos bonnes terres chrétiennes, de Laodicée, de Jérusalem et tout ça ! Ah ! les voilà… »

Six individus, teint mat et cheveux frisés, furent projetés dans la salle par les hommes de la garde.

« Voilà donc les héros qui n'ont pas craint d'attaquer l'entrepôt, cette citadelle imprenable ! Quelle bravoure, quelle audace intrépide d'avoir osé défier le vieux garde que j'avais posté devant la porte ! Et votre vaillance est allée jusqu'à le trucider, je suppose. À six, plus tous ceux qui sont, j'imagine, derrière vous, on peut dire que vous n'avez pas froid aux yeux. Ça, on peut le dire… »

Le comte de Toulouse s'échauffait en parlant tandis que les hommes bruns conservaient une attitude déférente et hautaine. Un contraste

singulier s'était immédiatement établi entre les gesticulations apoplec-
tiques de l'un et la muette raideur des autres.

« Bien entendu, vous ne voulez rien dire ?

– Pas parlez langue nôtre ? articula Renaud en arabe.

– Si, c'est moi que je la parle, prononça celui qui paraissait le plus
âgé.

– Mais regarde en face quand tu parles, nom de Dieu ! hurla Raimond en lui tirant la tête en arrière par les cheveux. Montrez-les-nous,
ces regards de héros !

– On voulait pas brûler tout. Juste lui prendre à toi manger.

– Comment ça, "lui prendre à moi manger" ? Vous vouliez me
dépouiller, bande de charognes !

– On a pas beaucoup de manger.

– Quoi... quoi ? pas à manger ? J'ai fait faire des distributions à
toute la population depuis que j'ai rempli les entrepôts. »

L'homme eut une moue de dédain et balaya l'air d'un geste de la
main.

« C'est pas bon, c'est ça ? Vous trouvez que ce n'est pas bon ce que
je vous donne ? Ah ! j'aurai tout vu, tout entendu, tonitrua Raimond
en se tournant vers Foulques. Les vivres infâmes que j'ose offrir offensent la délicatesse exquise de mes commensaux !

– Tu te trompes, c'est bon, c'est comme d'habitude, pareil comme
avant. Mais tu sais, beaucoup de la famille, elle est venue ici. Ça suffit
pas pour tous, le manger de toi donné.

– Parce que vous avez fait venir les cousins du désert pour vous
empiffrer à mes dépens ? Eh bien, voilà la meilleure ! Alors écoute-moi
bien : tu vas expliquer à tes acolytes que je vais vous faire couper la
main droite, comme on fait chez vous pour les voleurs, plus la gauche,
comme...

– Non, messire, s'il te plaît, pas...

– Ah, non ! pas de jérémiades ! Qu'est-ce que vous faites, vous les
Sarrasins, dans ces cas-là, hein ? Ah, si ! vous y ajoutez des raffinements
de cruauté. Eh bien ! moi aussi, je suis cruel : voyez, au lieu de vous
faire mettre à mort, ce qui aurait supprimé des bouches à nourrir et
augmenté la part des cousins, je vous laisse la vie. Comme ça, vous
aurez tout le temps de méditer... Toi, ajouta-t-il en se tournant vers le
chef des gardes, charge-toi de l'exécution, devant l'église, et en présence
des curés pour qu'ils appellent sur ces chiens galeux la clémence de
Dieu. Et qu'on explique dans toutes les langues de Babel les motifs du
châtiment.

– Ne pourrais-tu condamner seulement l'instigateur ? suggéra
Foulques. Les autres sont sûrement de pauvres bougres et...

– Exemplaire ! Je veux qu'on sache que ma bonté et ma faiblesse compatissante ont des limites. D'ailleurs, les Sarrasins sont des fainéants invétérés qui ne font rien de leurs dix doigts, tout le monde sait cela. Alors à quoi veux-tu que ça leur serve, des mains ? » conclut en riant le comte de Toulouse.

La troupe entraîna les condamnés qui vociféraient.

« Tu comprends ce qu'ils disent, Renaud ? demanda Foulques.

– Non... Ils parlent de chiens...

– Oui, c'est ça, chiens de chrétiens, comme ils disent toujours. Ah ! ça leur va bien, s'exclama Raimond. J'en ai assez, moi, de vivre au milieu des rats dans ce cul-de-basse-fosse ! Cette fois c'est dit, je pars dans trois jours à Constantinople. »

VII

Juillet 1100. – Laodicée.

L ES PAUPIÈRES LOURDES et la tête endolorie, Foulques décida de sortir sur le chemin de ronde. La fraîcheur du petit matin le réveillerait sans doute. Conjugués aux ondulations qui passaient devant ses yeux, les crissements obsédants qui accablaient ses oreilles lui donnaient l'impression de n'être pas tout à fait là. Ses membres engourdis se déployaient d'eux-mêmes. Il repensa à la clepsydre de Constantinople. Peut-être Raimond la voyait-il, là-bas, cette étonnante statue mobile ?

Les parfums sucrés accourus des campagnes alourdissaient les effluves salins de la mer qui clapotait en bas. Laodicée dormait encore. La vie ne reviendrait que dans un moment, quand pointerait le jour, quand arriverait Renaud.

« Rien de suspect ?

– Non, messire. »

Sur le visage de l'homme se lisait la lassitude d'une nuit de veille. Foulques remarqua qu'il contractait les mâchoires à son approche.

« Lui aussi a envie de dormir, songea-t-il. On ne pourra pas continuer à cette cadence jusqu'au retour de Raimond. Et qui sait quand il reviendra ! Six semaines qu'il est parti, et rien ne change. On ne parviendra jamais à tenir cette ville à nous deux, Renaud et moi. C'est quand même autre chose qu'à Saint-Palais ! »

Comme rivé au sol, le garde oscillait légèrement d'avant en arrière.

« Tu es fatigué, dit Foulques, va dormir. Il ne se passera plus rien maintenant… et puis ton camarade vient te relever à l'aube, n'est-ce pas ?

– Oui, messire.

– Alors, c'est bon, je vais l'attendre à ta place. Si par malheur quelque chose arrivait, je crierais du haut de l'escalier… Mais il ne se passera rien, va. »

Foulques le regarda s'éloigner avec une acide sensation de vulnérabilité. Seul entre créneaux et merlons, il était peut-être bien le seul homme éveillé de Laodicée. Au pied du rempart, la mer se prélassait dans un murmure de coton.

En partant pour Constantinople, le comte de Toulouse lui avait confié à la fois la cité et son épouse Elvire, l'avait paré du titre de sénéchal et lui avait remis pleins pouvoirs. Officiellement, cette fois, Renaud se retrouvait son prévôt.

En vraie princesse, Elvire n'avait pas paru s'offusquer de ces décisions. À peine le comte parti, elle lui avait proposé son aide. Quant à Renaud, elle semblait avoir soudain découvert son existence, et, puisqu'il disait s'intéresser aux choses de l'esprit, elle avait entrepris, sans doute par désœuvrement, de lui expliquer certaines idées qu'elle avait acquises, à la cour du roi son père. Foulques trouvait que beaucoup frôlaient l'hérésie, à supposer que ce mot eût encore un sens.

Soufflée par la brise annonciatrice de l'aurore, l'odeur croustillante du pain qui cuit enrubanna le chemin de ronde et cisailla les entrailles de Foulques. Une fois de plus, il entreprit de faire le tour de la situation : somme toute, fallait-il vraiment craindre une rébellion ? Qui dans la cité y aurait intérêt ? Pas les quelques Provençaux qui, sans le bras du sénéchal, étaient à la merci de tous les autres ; pas davantage les orthodoxes, ni les maronites, puisque le comte Raimond avait pris le chemin de Constantinople afin de rencontrer le basileus, leur maître ; et les Juifs soutenaient sans défaillance l'autorité toulousaine depuis le jour où la ville avait été prise.

La révolte grondait en revanche parmi les Sarrasins, malgré la grâce que le comte de Toulouse avait au dernier moment accordée aux responsables de l'attentat ; Dieu merci, sunnites et chiites se détestaient et les Fatimides, qui étaient des chiites, détestaient les Seldjoukides, à la fois turcs et sunnites...

Tout compte fait, les plus redoutables étaient ceux qu'on aurait pu croire d'abord les plus proches, c'est-à-dire les « Lombards », qu'ils fussent pisans, génois ou vénitiens. Presque tous les Pisans étaient inféodés à Daimbert, et les rares à s'être rangés sous les ordres du comte n'étaient que de besogneux artisans. Ceux-là, tout le monde le savait parfaitement, seraient tout prêts, le moment venu, à se vendre au plus offrant, et les acheteurs ne manquaient pas, à commencer par les espions de Bohémond qui s'ingéniaient à instiller le désordre dans la cité désormais privée d'autorité réelle. Et puis il y avait cette histoire d'alliance avec Venise, une rumeur née de la mer bavarde où les bruits vont et viennent plus vite que les vagues : à Rhodes, Raimond aurait pris contact avec des émissaires de la République, aurait lié ses intérêts aux leurs. Depuis, les Génois exécraient les Vénitiens dont ils escomptaient bien contrarier autant que possible les intérêts en faisant cause commune avec la République pisane.

Qu'y avait-il de vrai dans tout cela ?

Et comment prendre exactement la mesure du risque ? Qu'un seul de ces ennemis potentiels sorte du bois, et tous les autres, furieux de voir la proie sur le point de leur échapper, se précipiteraient à sa rescousse…

Dans un souffle venu de la mer, d'imperceptibles vibrations annoncèrent le point du jour. Un coq chanta. Quelque part, des battants de bois claquèrent. Foulques frissonna. Renaud allait venir.

Enfin la relève parut. Le garde avançait sans détermination, mais, apercevant le sénéchal, il raidit son attitude, se composa un visage et attendit les ordres.

« Tout est calme, dit Foulques. Je crois que tu n'auras pas beaucoup à faire. Surveille bien la mer, cependant. Il se peut que certains des bateaux qui croisent là-bas soient vénitiens… Et je m'en méfie comme de la peste », poursuivit-il pour lui-même.

Que pouvait bien faire Renaud ? Le soleil apparaissait maintenant à travers la poussière soulevée par les pas des bouviers et de leurs troupeaux, par les artisans affairés déjà et les femmes qui allaient chercher l'eau aux fontaines.

Simultanément, un muezzin appela à la prière et la cloche d'une église tinta. Foulques aurait bien aimé voir là un symbole de paix universelle, bénie par Dieu, mais ce n'était qu'un hasard de circonstances.

Décidément, il en était convaincu, Elvire avait tort de parler à Renaud comme elle le faisait. Cherchait-elle à instruire ou à séduire ? À quelles fins s'entretenait-elle avec lui de philosophies auxquelles il ne devait rien comprendre, desquelles Dieu semblait absolument absent ? Avait-elle, elle aussi, des secrets à confier, ou bien la bâtardise créait-elle entre eux deux une étrange empathie ? S'ennuyait-elle tout simplement ?

« Ah ! te voilà. Mais où étais-tu ? J'allais commencer à m'inquiéter. »

L'œil lumineux et la tignasse en bataille, Renaud serra un peu plus son baudrier.

« J'ai assez peu dormi parce que Isabelle a passé la nuit avec moi.

— La suivante d'Elvire ?

— Elle-même.

— En voilà une qui a déjà passé la moitié de la garnison.

— Oui, je sais, mais je peux te dire que le temps passe vite avec elle !

— Le jour où tu seras bouffé de morpions, on sera bien avancés.

— Quand on voit une Isabelle partir en chasse, que veux-tu, on a assez envie d'être le gibier. Parce que, pour ce qui est des distractions, Laodicée, c'est quand même un peu…

– Eh bien ! tant mieux pour toi ! Moi, j'ai monté la garde contre le sommeil et l'ennui. Je n'ai rien vu d'inhabituel et je suis épuisé. Puisque tu es si bien, toi, je te souhaite une bonne journée. Je vais me coucher. »

*

Renaud avait espéré autre chose que cette indifférence lasse. Depuis plus d'un mois que Raimond était à Constantinople, Foulques et lui veillaient à tour de rôle sur la cité endormie, une semaine l'un, une semaine l'autre. Ils dormaient de moins en moins et leur humeur s'en ressentait. Les responsabilités écrasaient de leur poids toute disponibilité et tout échange.

Excédé, il ne trouvait plus d'apaisement qu'auprès d'Elvire qui le recevait de plus en plus souvent. Elle l'impressionnait toujours autant, mais lui disait des choses réconfortantes. D'après elle, l'homme était au centre de tout et constituait la mesure de toute chose ; elle osait même affirmer qu'il n'y avait pas davantage de vérité dans les prétendus Livres sacrés que chez les Anciens. Il se délectait de ces discours et s'enorgueillissait d'avoir su retenir l'intérêt d'une femme aussi remarquable.

Hier soir elle disait justement que l'action, le combat et même la pensée n'avaient de justification que dans le désir de partager. Le vrai partage, la vraie présence, la main tendue vers l'autre pour faire ensemble un bout de chemin, et non les mots vagues, cette présence absente, qui remplissaient les prêches.

Le soleil était maintenant haut dans le ciel et ses cheveux le brûlaient. Tout à coup, Michel déboula sur le rempart.

« Renaud, j'ai abîmé ma ceinture.

– Ah ! Qu'as-tu fabriqué, encore ? Oh ! mais dis donc, c'est plus qu'abîmé, ça, c'est déchiré…

– Je l'ai pas fait exprès.

– Manquerait plus que ça !

– Je venais te voir, et puis, en passant dans la rue là, en dessous, tu vois le jardin… j'ai entendu du bruit… oh ! c'est un cochon, regarde, Renaud, il y a un cochon dans le jardin !

– Tu parles d'une histoire !

– Eh bé, quand on passe à côté du mur, ça fait "groin, groin"… alors j'ai voulu grimper au mur, pour voir… et puis j'ai glissé un peu.

– Fais voir… Hum, tu t'es bien écorché le genou…

– Ben oui, et puis les mains un peu.

– Allez, file chez Elvire et trouve quelqu'un pour t'enlever les petits cailloux.

– Mais ça me fera mal.

– T'avais qu'à faire attention.

– Et ma ceinture, dis, tu crois qu'on pourra la réparer ? »

*

Après le départ de l'enfant, Renaud s'aperçut que trois bateaux s'étaient approchés des murailles. Vu la forme, c'était lombard.

« Dis donc, toi, dit-il au garde, envoie quelqu'un au port pour apprendre ce que transportent ces bateaux. Trouve aussi Guilhem. Qu'il ramène ici le sénéchal. »

Renaud reprit son observation. Des Lombards, à coup sûr, mais impossible de distinguer le pavillon.

*

« Que se passe-t-il ? ronchonna Foulques. Guilhem m'a tiré du lit comme un sauvage.

— Regarde.

— Ce sont des bateaux lombards.

— Évidemment, c'est pas des éléphants ! Mais pourquoi arrivent-ils ici ? S'ils viennent de Pise, c'est à Jaffa qu'ils devraient aller, pour rejoindre leur cher Daimbert.

— Oui, mais s'ils ne viennent pas de Pise, il y a tout à parier qu'ils sont des ennemis de Pise… Attends, et si c'étaient des Vénitiens, puisqu'il paraît que Raimond a fait alliance avec eux ?

— Peut-être… J'ai envoyé quelqu'un au port pour rapporter des informations. Il n'y a plus qu'à attendre. »

Le garde revint sitôt après l'accostage, accompagné d'un des hommes du comte de Toulouse.

« Messire Raimond m'a demandé de faire route avec les Vénitiens pour rapporter des nouvelles.

— Excellente idée ! Et quelles sont-elles, ces nouvelles ?

— Nous avons rencontré les Vénitiens à Paphos, dans l'île de Chypre. Ils venaient vers la Palestine pour y vendre ou y acheter des choses, je n'ai pas bien compris. Le comte de Toulouse te transmet ce message : "Les Vénitiens seront les Pisans de Laodicée."

— Oui… oui, je comprends. Vous êtes restés longtemps ensemble ?

— Non, pas beaucoup, simplement deux jours… et puis, même, le comte n'a fait que manger avec eux. Mais nous étions ensemble à Paphos.

— Hum… Tu as été bien traité, au moins, pendant le voyage jusqu'ici ?

— Oh oui ! messire, on ne m'a pas mis dans la cale avec les chevaux, mais dans le cellier à provisions.

— Et on te laissait sortir ?

— Une fois le matin et une fois le soir, après le manger.

– Bien. On va te donner une bonne viande et du vin. Si tu as envie d'aller voir les filles, après, vas-y. Tu ne prendras ton tour de garde que demain… Euh, tout allait bien pour le comte ? Pas de mauvaise rencontre entre Laodicée et Paphos, pas d'incident ?

– Tout a été très bien.

– Ah ! encore une chose. Avant de te reposer, retourne informer le commandant de la flotte vénitienne que ce soir il sera reçu par le sénéchal de Laodicée. Tu peux aller… Guilhem, occupe-toi de faire préparer un repas pour ce soir. Un bon repas avec beaucoup de vin et des filles à portée de mains.

– Eh ben, dis donc ! tu les reçois bien, les Vénitiens, remarqua Renaud.

– Je ne peux guère faire autre chose. Ce que rapporte ce garçon ne me dit rien qui vaille.

– Tu crois qu'il ment ?

– Non, mais je trouve curieux qu'on l'ait flanqué à fond de cale à côté des sacs à grains.

– Il fallait bien le mettre quelque part.

– Sans doute, mais cela ressemble à une geôle, non ? J'ai l'impression qu'on a surtout voulu l'isoler du reste des passagers. Il n'est pas dangereux de discuter avec des sacs de farine, tandis qu'on peut apprendre des choses en restant avec les autres. Tu sais, pour moi, les Vénitiens, ça ne vaut pas plus cher que les Grecs.

– D'autant plus que Raimond a dit qu'ils seraient les Pisans de Laodicée.

– Exactement. Comment tu comprends ça, toi ?

– Qu'ils seront pour nous ce que les Pisans sont pour Godefroi de Bouillon.

– C'est ce que je pense aussi. En plus, Raimond compte sans doute les lancer contre les Pisans, le moment venu…

– Possible… Alors tu comptes te les attacher en les invitant ?

– Oui… j'espère que le vin sera fort. »

Foulques posa sa main sur l'épaule de Renaud.

« Veux-tu aller prier Elvire de se joindre à nous, ce soir ? Fais-lui comprendre que sa présence est indispensable. Moi, je vais retourner dormir… Je ne tiens pas debout. »

*

La comtesse brodait près de sa fenêtre. À l'entrée de Renaud, elle fit signe à sa suivante de rester avec eux.

« M'apportes-tu, Renaud, quelque nouvelle de mon époux ?

– Il va bien. Les Vénitiens qui viennent d'arriver l'ont croisé à Chypre.

– J'ai été avertie de l'arrivée des bateaux. Les Vénitiens n'ont qu'une qualité, ce sont les ennemis des Pisans. Raimond s'est toujours méfié d'eux et il a dû vous mettre en garde. Que sais-tu de lui ?

– Pas grand-chose. L'émissaire a seulement dit que tout allait bien. »

D'un mouvement lent, Elvire lissa sa chevelure puis tourna les yeux vers la fenêtre ouverte sur le platane du jardin. Pas un de ses traits ne bougeait. Renaud constata seulement que sa paupière cligna rapidement quand elle inspira profondément.

« Tu trouves que l'absence est trop présente ? osa le garçon en souriant.

– Je n'ai pas à trouver quoi que ce soit. Je regrette que Raimond soit parti seul. Je veux dire sans moi. Il faut bien que je l'accepte puisque c'est comme cela. »

Elle alla s'accouder à la fenêtre. Sans doute lui était-il plus facile de parler sans montrer son visage, puisqu'elle choisissait de n'y rien laisser transparaître. Ce masque impassible mettait Renaud très mal à l'aise.

Sur un ton un peu plus sourd, qui faisait penser à ces poèmes psalmodiés au son du luth, elle reprit :

« La comtesse de Toulouse, fille du roi de Castille, n'a pas à éprouver quoi que ce soit. Pourtant j'aime mon époux et je crains pour lui. Je ne doute ni de sa vaillance, ni de sa force, mais après tant de temps passé avec lui, l'idée d'en être séparée m'emplit d'effroi. Raimond est à la fois le Cid conquérant et le Cid pacificateur. Il est prince chrétien à la vertu sans parité, très au-delà des qualités que la simple Église attend des hommes. Lorsqu'il n'est pas là je suis seule. »

*

Luigi Mercatore, fils du célèbre Gaetano Mercatore, marchand de peaux, d'épices et de bijoux dans la cité des doges, se présenta à la onzième heure comme l'avait souhaité Foulques. La grande salle de la forteresse étant beaucoup trop vaste pour les six convives attendus au dîner, le sénéchal avait décidé de faire asseoir à deux longues tables les plus importants des serviteurs de Mercatore et les principaux écuyers et valets provençaux ; il avait dû pour cela aller chercher des hommes de la garnison dont il ignorait jusqu'au nom.

Foulques songea que ni son aïeul ni son cousin n'auraient condamné une telle initiative. Séparées comme elles l'étaient, les tables maintenaient la distance nécessaire entre les hôtes de marque et les autres, et nul ne pourrait accuser le sénéchal de faire régner la confusion.

« Bon sang, j'ai oublié l'évêque ! »

L'idée l'assaillit au moment où Luigi Mercatore s'approchait de lui pour le saluer, le visage épanoui. Comment était-ce possible ? Pas un seul instant il n'avait songé à l'évêque Étienne. Un trouble désagréable l'alourdit ; il sentit son estomac faire la cabriole. Pour un peu il aurait pu rougir, un comble devant ce marchand italien !

« Cette soie, où comptes-tu l'acheter ? s'enquit-t-il alors qu'on apportait le premier plat de viande.

— Je vais d'abord voir ce que mes correspondants ont ici en réserve.

— Tu as des correspondants dans chaque port ?

— Dans chaque port important, oui, à Jaffa, Antioche, Tyr…

— Pourquoi es-tu venu ici, à Laodicée, plutôt qu'ailleurs ?

— Parce que mes affaires y vont bien et que nous sommes vos alliés, n'est-il pas vrai ? »

Foulques écoutait à peine les réponses de son hôte. L'évêque… Comment allait-il pouvoir justifier cet impair abominable ?

« Se souvient-on encore de la présence des Amalfitains ? demanda Elvire.

— Oui… oui, je crois bien. Le père de mon père disait qu'on racontait des histoires d'autrefois avec les Amalfitains. Mais c'est fini, ça. Aujourd'hui, c'est Venise qui est la maîtresse de la mer.

— Et les autres sont aussi suspects que des Carthaginois, c'est ce que tu penses ?

— Suspects… suspects, évidemment qu'ils sont suspects parce qu'ils mentent. Mais ce n'est pas le pire, le pire c'est qu'ils vendent de mauvais produits.

— Ça a-lors, on trouverait ici des productions de mauvaise venue ?

— Quand on n'est pas malin, oui, parce qu'on se fait rouler. Moi, je sais bien voir la qualité d'une soie, le parfum d'une épice, mais un Pisan, tiens, par exemple, confondrait peut-être bien la cannelle et la coriandre !

— Est-ce possible, mon Dieu !… Mais tu ne manges rien, sénéchal ! » s'étonna gracieusement Elvire.

L'estomac noué, les jambes molles, Foulques tendit la main vers le plat pour se donner une contenance.

« Et comptes-tu organiser des caravanes à partir d'ici, ou as-tu prévu au contraire de continuer par bateau ? demanda-t-il.

— Il faut que j'envoie du monde à Édesse. Là, on trouve des produits de bonne qualité.

— Édesse ? chez Baudouin ?

— Oui, mais ce n'est pas à cause de Baudouin, c'est parce que beaucoup de caravanes en provenance d'Orient s'y arrêtent avec leurs trésors.

— Et si tu pars en bateau plus au sud vers Jaffa ou plus au nord vers Antioche, il te faut mettre sur pied une flottille… »

Renaud cessa de chercher à comprendre. Avec l'habitude et beaucoup d'application, il saisissait des bouts de phrase en latin, mais savoir s'il fallait ou non acheter à tel endroit plutôt qu'à tel autre, il s'en moquait bien. Ce qui l'étonnait le plus, c'était de voir Foulques sembler s'intéresser à de pareilles questions. Il regarda Morphia qui ne parlait guère à son voisin, le second du prolixe négociant.

Luigi Mercatore avait réponse à toute question qu'on lui faisait. Il parlait de plus en plus fort et l'échanson lui apportait fréquemment le gobelet.

Avant le service de la deuxième viande, Foulques fit signe aux jongleurs de se mettre en place. L'intensité du brouhaha diminua un instant pour reprendre aussitôt. Le vin aidant, la tablée des Vénitiens accotée au mur gauche devint aussi bruyante que celle des Provençaux appuyée au mur droit.

Déjà quelques servantes devaient faire mine de défendre une apparence de vertu. Foulques se félicitait à présent de ne pas avoir convié l'évêque. Comment aurait-il pu lui expliquer que l'alliance des Italiens passait par ces innocentes gaudrioles ?

« … Oui, certains que nous achetons aux Arabes. Ce sont eux qui vont faire les razzias, principalement chez les Slaves mais quelquefois aussi chez d'autres. Avant Constantinople, je sais que le pèlerinage a été attaqué à plusieurs reprises ; il y a eu de grosses prises. La plus belle, ça a été Rodosto. »

Foulques tressaillit. À propos de quoi le compagnon de Luigi Mercatore qui, au bout de la table, s'entretenait avec Morphia, faisait-il allusion à cette ville honnie ?

« Ah oui ! Rodosto, on m'en a parlé… Et à qui les revendez-vous ? demandait Morphia.

– La plupart à des Maures d'Espagne, quelques-uns aussi aux émirs de Bagdad, à des gens de Constantinople. Une fois mon père est allé jusqu'en Chersonèse Taurique, comme disaient les Anciens, pour négocier des esclaves contre de l'ambre apporté par des Varègues.

– Et ça se vend cher ?

– C'est un bon commerce. L'arrivée des Francs a mis sur le marché des denrées nouvelles et bien appréciées des Sarrasins. »

Mêlés aux mots saisis au vol dans le tourbillon du vacarme, des pensées vagues tournaient dans la tête de Foulques. « Et je n'ai pas invité l'évêque, je lui dirai… » « Elle n'est peut-être pas morte. C'était un jour où il faisait chaud, ou froid… » « Je lui dirai qu'il n'y avait pas d'hommes d'Église… » « …emportée sur un cheval… » « …ou alors que c'était une ambiance propice au péché. »

Depuis un moment, Renaud s'amusait à observer les hommes de troupe provençaux et italiens. De fortes grivoiseries déclenchaient des avalanches de gros rires ponctuées de cris faussement effarouchés. À deux ou trois, appuyés sur l'épaule d'une fille, ils sortaient, d'une démarche mal assurée, beuglant des rengaines. Renaud songeait que Foulques aurait déjà dû intervenir depuis un moment. Mais Foulques semblait ne rien remarquer. Il était comme absent, le regard dans le vague.

« C'est quand même incroyable, songea Renaud exaspéré, il laisse Elvire et Morphia faire la conversation aux deux Vénitiens et il rêvasse. Je parierais qu'il est avec saint Augustin ou je ne sais qui. Ça ne lui passera donc jamais ! »

« … Un peu comme un poisson qui se noie, n'est-ce pas ? suggérait Elvire.

— Je ne comprends pas. Ça ne se noie pas, un poisson, disait Mercatore, décontenancé.

— Rarement, mais certains sont plus susceptibles que d'autres, notamment les très vieux ou ceux qui ont mal supporté le transfert de Jérusalem à Rome. Mais je plaisante, bien sûr… »

Les paroles de la comtesse de Toulouse rappelaient à Foulques la peinture murale de son cabinet de travail. Il y avait donc un sens à ce poisson qui se noie et un rapport avec Jérusalem et Rome ?

Enfin, Luigi Mercatore se leva en titubant, s'appuya au passage sur un garçon svelte qui pouvait être le mousse, et quitta l'assistance dans cet équipage.

*

Le lendemain, dès l'aube, Renaud découvrit Foulques absorbé dans la contemplation de son mur au poisson.

« Bonjour. »

Le ton était aigre.

« Tu as commencé tes exercices méditatifs bien tôt, poursuivit Renaud. Il semble en effet que tu aies des choses à revoir.

— Tu as pensé, toi aussi, que j'avais oublié d'inviter l'évêque ?

— Inviter l'évêque ? Ah non ! je pensais que tu l'avais fait exprès. Pourquoi l'aurais-tu invité ? En revanche, tu aurais dû faire plus attention à la tenue des hommes. Tu as vu comment ils se comportaient ?

— Non. Ils ont fait quelque chose de mal ?

— Eh bien, c'est de pire en pire ! On voit bien que tu sors de ton trou ! On n'est pas à Châtenet, ici ! Tu représentes le comte de Toulouse. Elle doit être contente de sa soirée, Elvire !

— Mais qu'y a-t-il eu, bon sang ?

— Tu n'as pas vu l'orgie ? Tu n'as pas vu que pour un peu ils auraient pris tes soi-disant servantes et même tes jongleurs en plein milieu de la salle ?

– Décidément, j'ai l'impression que j'ai raté pas mal de choses… Tu sais, l'autre Italien, à côté de Morphia, il a parlé d'un commerce d'esclaves, de Rodosto…

– Arrête donc avec ça ; elle est morte et bien morte, c'est tout.

– Oui, bien sûr… Je vais aller demander à Elvire si elle a constaté les mêmes choses que toi. Et puis, elle a parlé d'une histoire de poisson…

– C'est ça, va parler de poisson avec la comtesse de Toulouse. Moi, je vais chez l'évêque. »

Ils se regardèrent, également interloqués. Poisson ? Évêque ?

*

« Je suis venu parce que je crains que tu aies été choquée du comportement des hommes, hier soir, dit Foulques.

– Sans l'autorité d'un Raimond, ces bêtes retrouvent rapidement leur état naturel, fit Elvire avec un geste désinvolte. Il n'est pas là, l'ordre s'en ressent, c'est inévitable.

– Tu… tu penses que je ne suis pas digne de la responsabilité qu'il m'a confiée ?

– Non, bien sûr. Tu es trop jeune. Ton titre de sénéchal est de circonstance. Et puis on ne remplace pas le comte, on peut tout au mieux préserver ses intérêts et lui rendre intactes ses affaires.

– … Je voulais aussi te parler du poisson…

– Le poisson ?

– Hier, tu as parlé d'un poisson qui se noie. C'est ce qui est peint sur un des murs de la maison que j'occupe. »

La fille du roi de Castille fixa Foulques sans complaisance.

« Je ne pense pas que tu puisses comprendre cela, affirma-t-elle d'un ton glacé. Tu es à la fois très content de toi, fragile et dévot. Autant d'aspects qui ne me plaisent guère, sache-le. Mais tu es loyal envers Raimond et cela fait à mes yeux tout ton prix… Quant au poisson, j'en parlerai peut-être un jour à Renaud, ton prévôt… J'aime assez son côté homme des bois. »

*

« Comment faut-il s'y prendre pour faire dire une messe ? s'enquit Renaud.

– Voilà une bien bonne idée, mon fils. Tu cherches sans doute le pardon pour vos péchés d'hier soir ?

– Quels péchés ? Celui d'avoir oublié de t'inviter ? À ce sujet…

– Cela n'est pas un péché, c'est une faute ; nous aurons peut-être l'occasion d'en reparler. Je pense à la luxure et à la gourmandise, à l'ivresse, à vos païenneries.

– …

– Nous étions hier un jour très saint, celui des martyrs Jean et Paul. Aucun de vous n'est venu à l'office que j'ai célébré le matin. Pas même le sénéchal. C'est une honte ! La femme du comte est une hérétique, tout le monde le sait et je n'ai même pas remarqué son absence. Mais vous avez fait pire que cela : le soir vous vous êtes enivrés et livrés à des débauches qui offensent le nom de chrétien.

– Qui c'est ça, Pierre et Paul ?

– Jean et Paul ! Prévôt, ta qualité de chevalier t'impose le respect de certaines règles et l'obéissance aux lois de l'Église. Jean et Paul étaient frères et serviteurs du fils du pieux empereur Constantin ; ils ont été martyrisés par l'infâme Julien l'Apostat lequel, semble-t-il, vous tient lieu de modèle. L'Église et moi-même sommes aujourd'hui comme Jean et Paul.

– Mais justement, je veux faire dire une messe pour la mémoire de messire Henri de Toulouse.

– L'oncle du comte Raimond ?

– Et le grand-père du sénéchal, et celui qui a permis que je devienne chevalier.

– Et pourquoi cette idée te prend-elle d'un coup ?

– Parce qu'il est mort le quatrième jour des calendes de juillet et que le quatrième jour des calendes de juillet, c'est demain.

– Imagines-tu que j'attends les désirs du prévôt du sénéchal du comte de Toulouse absent pour dédier mes messes ?

– Je croyais que les messes étaient à tout le monde.

– Assez de ton insolence ! La messe de demain sera dite pour les succès du comte de Toulouse à Constantinople. Il n'y a plus de place pour d'autres !

– Eh ben ! ces autres-là doivent en dire de belles, à Jésus, en te voyant.

– Un mot de plus et je t'excommunie ! Comment un être aussi indigne que toi ose-t-il me demander une messe ? Quant à ta qualité de chevalier, ne la mets pas trop en avant, tu l'as usurpée par des voies suspectes et hypocrites qui révulsent l'Église. Tu es à l'image de la plupart des Provençaux, impie, blasphémateur, pourri de vices et de passions honteuses. Dehors ! »

*

Sitôt averti, Foulques fit savoir à l'évêque Étienne son mécontentement par une lettre dont il ne chercha pas à atténuer la sécheresse. Il reprochait au prélat un sectarisme et une intransigeance d'autant plus équivoques qu'ils ne s'étaient révélés qu'une fois le comte de Toulouse parti. Il rappelait qu'en l'absence du maître, l'autorité à Laodicée résidait entre ses mains, qu'à Jérusalem même c'était un prince et non un homme d'Église qui gouvernait, et que Pierre de Narbonne, évêque d'Albara, était un pasteur infiniment plus avisé que lui-même.

La réponse lui parvint le jour des ides de juillet :

À Foulques, chevalier, sénéchal de Laodicée,
lieutenant du comte de Toulouse, salut.

C'est par un zèle insensé et une impudence extrême que tes propos haineux sont venus blesser mon regard. Tu sembles oublier que le Saint-Père nous a délégué l'autorité, qu'il tient du Christ au nom de Son Père, de lier et de délier sur terre ce que nous voulons voir lié et délié dans le Ciel.

Tu oses dire que l'autorité à Laodicée t'appartient. Oublies-tu, présomptueux et fat, que toute chose ici-bas est à l'intérieur de l'Église ? Rien ne peut être s'il n'est pas voulu par le Père. Or le Père a voulu que son Église soit, donc tout demeure au sein de cette commune et bienveillante Mère. Comment pourrais-tu, toi qui ne disposes que d'un pouvoir temporaire, délégué par un prince chrétien, te soustraire aux lois de l'Église, ou pire, t'y croire supérieur ?

Tu oses évoquer le nom de Godefroi, le bien-aimé duc de Lorraine. Ton ignorance t'égare et te pousse à confondre réalité et apparence. Godefroi commande il est vrai, mais il n'est pas roi. Ce pieux héros a refusé, et sous quel noble prétexte, tu t'en souviens peut-être, de s'installer au milieu de la pourpre dans un lieu de douleur. Ne sais-tu pas qu'il est avoué ? Mais tu ignores sans doute qu'un avoué administre des terres d'Église. Préférer être avoué plutôt que roi dit assez qu'il considère Jérusalem comme patrimoine de saint Pierre. Une fois encore, l'Église triomphe.

Tu oses me comparer au traître Pierre de Narbonne. Qui te permet de prétendre pouvoir envisager seulement d'émettre un jugement sur un homme d'Église ? Nul, parmi les princes, ne se livrerait à pareille audace. Et voilà que toi, misérable serviteur d'un prince absent, tu trahis ses intérêts en outrepassant tes droits. Tu t'arroges une indépendance dont le comte frémirait lui-même, car elle menace ses intérêts.

Je considère que tu as perdu la raison et qu'une inspiration satanique pervertit ton esprit. Le diable seul, en effet, ayant envahi ton cœur, peut instiller un semblable venin. Ainsi, en raison des multiples péchés que tu as commis, des attaques répétées que tu perpétues contre l'Église, et pour sauvegarder le règne de Dieu à Laodicée, je t'excommunierai le troisième jour, seizième des calendes d'août, à la neuvième heure, et t'ordonne de te trouver dans la cathédrale.

« Tu peux sortir, dit Foulques au messager, je n'ai aucune réponse à lui faire. »

*

Le garçon considéra un moment le poisson en train de se noyer sur son mur. Voilà ce qu'Elvire avait voulu dire ; le christianisme n'avait pas de sens, parce que Jésus n'était pas le fils de Dieu, mais un simple et habile bonimenteur.

D'où venait alors la violente oppression qu'il ressentait ? Trop de choses arrivaient en même temps. Cette maison d'hérétiques, qui dénonçait sur ses murs mêmes l'imposture de l'Église, sa solitude à la tête de cette ville, le condamnant à n'en référer qu'à Dieu, l'excommunication à présent. Maintenant, il sentait croître en lui la douleur que cette nouvelle blessure lui infligeait.

Qu'importait cependant d'être exclu de l'Église si l'Église n'était que mystification ? Seules au fond étaient à redouter les immenses conséquences politiques, personne n'obéissant à un excommunié. Ce qu'Étienne venait d'oser là, le pape Grégoire l'avait fait contre l'empereur Henri IV. Son oncle Adhémar lui avait souvent raconté cette histoire, assurant qu'elle avait ébranlé toute la chrétienté.

« Ce sera la révolte dans Laodicée. Que ferait Isoard à ma place… ? Que ferait-il… ? Et Raimond ?

Les deux mains posées à plat sur la tablette de citronnier, il demeura ainsi un moment le corps penché en avant et s'entendit prononcer :

« Même si l'Église est une imposture, je suis ici responsable de l'ordre et de la bonne marche des affaires. Même si être chevalier peut ne pas vouloir dire se battre pour Jésus, cela signifie néanmoins rester fidèle à son honneur de soldat. Si Étienne veut l'affrontement, il l'aura et je ferai triompher l'honneur et la vertu.

– Tu parles tout seul, maintenant ?

– Michel ? Qu'est-ce que tu fais là, toi ?

– C'était qui, ce bonhomme qui est venu te voir ?

– Quelqu'un qui m'a apporté une nouvelle qui va faire beaucoup de bruit. Je suis excommunié.

– Ho ! c'est difficile. Qu'est-ce que ça veut dire ?

– Je t'expliquerai plus tard. Pour l'instant, va dire à Renaud de venir ici tout de suite. »

*

Le garçon arriva haletant.

« Qu'est-ce que c'est que cette histoire ? Michel me dit que tu es excommunié ?

– Exactement.

– Je pensais avoir mal compris, parce qu'il m'a dit "escoumié". C'est le résultat de ta missive ?

– Évidemment. J'ai dû manquer d'habileté.

– Tu aurais dû m'écouter. Il fallait attendre le retour de Raimond. Au reste, c'est toi qui as fait la première erreur en ne l'invitant pas avec les Vénitiens. Tu ferais mieux de calmer le jeu au lieu de t'entêter.

– Aller à Canossa ? Jamais.

– Aller où ?

– À Canossa. C'est une façon de parler. C'est là que l'empereur Henri a dû venir s'agenouiller devant le pape Grégoire, il y a bien longtemps, on n'était pas nés.

– Il faut pourtant bien trouver une solution.

– J'ai pensé ne pas me rendre à la cérémonie, mais finalement j'irai.

– Si Isoard était là, il nous conseillerait.

– Oui… je crois que j'ai un peu peur. Tu as raison, envoie un messager à Jérusalem. Je vais tâcher de rassembler mes idées. »

*

Vraisemblablement communiquée par l'évêque, la nouvelle se répandit immédiatement. On n'eut à signaler le jour même aucun incident notable. Le rythme de la vie se déroula comme à l'accoutumée.

Pendant la journée du lendemain, Foulques mit ses affaires en ordre, tout comme s'il allait mourir. Dès son réveil, il s'assit à sa table de travail et rédigea son testament.

« Au nom du Père et du Fils et du Saint-Esprit, ainsi soit-il. Moi, Foulques, chevalier, sire de Termes, sénéchal du comte de Toulouse et gouverneur de Laodicée, parfaitement sain de mon corps et aussi tout à fait sain dans mon esprit, dans mon âme et dans ma raison, écris aujourd'hui mon testament parce que l'évêque Étienne de Laodicée, en l'absence du comte de Toulouse qui en est le prince, et sans aucune autre raison que sa méchanceté inique va m'excommunier demain et me faire ainsi mourir à la communauté des chrétiens.

Si l'excommunication n'est pas levée avant le jour de mon trépas, je demande à mon prévôt, Renaud, chevalier, de tenter d'obtenir du pape Pascal ou de son successeur, la réhabilitation de ma mémoire. Je veux être enterré chrétiennement, car je me considère comme chrétien et fils de l'Église… »

Foulques suspendit sa plume. *« Fils de l'Église »*… Voulait-il vraiment écrire cela ? *« Église »* voulait dire quelque chose comme *« ensemble »*, *« communauté »*. Pouvait-il se réclamer d'une communauté représentée par un homme qui l'en excluait ? S'il était plus puissant, si Laodicée était sa ville au lieu d'être celle du comte Raimond, il destituerait cet Étienne arrogant et nommerait un nouvel évêque. L'empereur Henri avait agi de la sorte avec le pape.

À présent, Foulques comprenait le sens des paroles d'Isoard à Port-Saint-Siméon ; c'étaient les mêmes que celles du comte de Toulouse, un jour, pendant le pèlerinage : quelles que soient les erreurs de l'Église, quoi que l'on raconte sur le Christ, il fallait demeurer chrétien et agir en chrétien.

Il se dit qu'il serait bon, plus tard, à Termes, de posséder une terre à lui pour y faire selon sa volonté. Comme son père, qui avait seul choisi le père Jean, et comme Raimond qui avait nommé cet Étienne de malheur dans cette ville.

« Je veux que mon épouse Morphia se rende dans le comté de Toulouse accompagnée de ma fille Anna, et que mon prévôt, Renaud, fasse tout ce qui sera en son pouvoir pour qu'elles jouissent paisiblement de la terre de Termes qui m'a été donnée par mon aïeul Henri et que Bernard Aton, le vicomte de Carcassonne, administre en ce moment. Je demande aussi au chevalier Renaud de prendre soin de l'enfant Michel qui nous accompagne, de veiller à son éducation et, le moment venu, de prélever une partie des revenus de ma seigneurie de Termes pour assurer sa subsistance.

Fait à Laodicée, dans ma demeure, le dix-septième jour des calendes d'août, veille de mon excommunication et année MMMMMC de la création du monde. »

Puisque l'Église le rejetait, il daterait du Père et non du Fils ; on voulait en faire un hérétique, eh bien il se comporterait en hérétique !

Avant de sortir pour qu'on le voie dans les rues et que l'on ne croie pas qu'il se cachait comme un fautif, il voulut embrasser sa fille.

Tout emmaillotée de bandelettes, Anna dormait auprès de sa nourrice. Foulques la prit dans ses bras et la serra fortement contre son cœur. Elle s'éveilla et se mit à babiller.

« Je te défendrai, ma fille, je te défendrai contre tout le monde. Et si moi je ne peux plus le faire, Renaud le fera pour moi, et Michel, et ta mère. Tu ne seras jamais toute seule. »

Il passait ses mains sur le petit bonnet de coton. Anna le regarda, tordit ses doigts, lui agrippa le bout du nez, et dans un rire, lança :

« Ayeuh ! »

*

Durant tout le jour, Foulques fut animé de la même volonté de mettre en ordre tout ce dont il se sentait responsable.

Ainsi décida-t-il qu'il fallait apprendre à lire et à écrire à Michel. Il demanda à Renaud de trouver quelqu'un qui accepterait d'instruire l'enfant.

« Tu lui diras qu'il aura un salaire régulier, qu'il sera logé et nourri dans la maison et que, s'il le souhaite, il pourra venir avec nous quand nous quitterons Laodicée. »

Après s'être assuré que Morphia n'était pas malheureuse d'être mariée à un homme qui serait excommunié le lendemain, il se rendit chez Elvire.

« Je regrette profondément ce qui arrive, dit-il. Par son attitude, l'évêque va perturber l'ordre et la paix de Laodicée.

— Dis plutôt que tes erreurs risquent d'avoir les plus fâcheuses conséquences.

— Tu me penses responsable de ce qui arrive ?

— C'est devant le comte de Toulouse qu'il faudra t'expliquer. Il me semble qu'un meilleur discernement t'aurait évité de mécontenter un évêque auquel Raimond a jugé à propos de confier la conduite spirituelle de sa cité.

— Mon cousin a lui-même été excommunié, il comprendra ce qui se passe.

— Au lieu de veiller sur ses intérêts, tu t'ingénies à ruiner sa cause et son autorité. Je doute qu'il en soit satisfait. »

Foulques poursuivit quelque temps l'entretien avec la comtesse de Toulouse sur un ton poli et glacial, puis la quitta un peu cérémonieusement et s'en trouva ridicule.

Pour l'heure, la ville était calme.

Foulques pensait à son aïeul organisant au seuil de la mort l'avenir de son petit-fils. À présent, il faisait comme lui, parce que, comme alors, les circonstances étaient graves et qu'on ne pouvait laisser les événements aller d'eux-mêmes. Mais, aujourd'hui, il décidait seul de tout cela.

*

Enfin le troisième jour arriva.

Bâtie par la mère de Constantin à son retour de Jérusalem où elle venait de découvrir la vraie Croix – la première vraie Croix –, la vieille cathédrale rappelait celle de Saintes.

Renaud balaya la foule du regard en se demandant où étaient les augustes reliques que Raimond avait évoquées en racontant l'histoire de l'impératrice Hélène.

Impassible, toute vêtue de noir, Elvire était agenouillée près de Morphia, debout, le visage dur, le regard projeté devant elle, très loin, bien au-delà de l'autel.

Derrière, des douzaines de visages, d'inconnus pour la plupart, parfois recueillis, hilares le plus souvent, bruyants et agités. Renaud savait bien que le peuple était incapable de suivre silencieusement un office, et que les injonctions répétées des hommes d'Église le calmaient rarement.

Seul au milieu de la nef, devant l'autel, tête nue et sans armes, Foulques se tenait debout. Renaud ayant réussi à le dissuader de s'habiller en pénitent, il était revêtu d'une longue robe rouge, retenue à la taille par la ceinture que Michel avait absolument tenu à lui faire mettre « pour le protéger ».

Aux accords d'un chant funèbre, précédé d'une douzaine d'enfants de chœur tenant chacun un cierge, embrumé de vapeurs d'encens, escorté de deux diacres portant l'un le Livre à bout de bras, l'autre un énorme cierge, Étienne avançait aux côtés d'un sous-diacre qui tenait sa crosse.

Renaud crispa les mâchoires et glissa à l'oreille de Michel :

« Ils sont bien plus ridicules que tes poupées de chiffons !

– Ils vont pas lui faire du mal, hein ?

– Ne t'inquiète pas, on est là… Et puis, il a ta ceinture. »

On encensa la foule et l'autel, puis l'on s'encensa soi-même et l'on continua vers la foule en évitant soigneusement le sénéchal.

« Au nom de la paix du Christ, que ton impudence offense, au nom du martyre souffert par Jésus pour des fils aussi indignes que toi, au nom de l'autorité que notre Saint-Père m'a déléguée, et en raison des grands péchés et arrogances, blasphèmes et outrages, rébellion et outrecuidance, impiété et…

– Mais qu'est-ce qu'il dit ? Je comprends rien !

– Il dit que Foulques est méchant.

– Ah ben ! alors là, il exagère !

– … Moi, Étienne, évêque de Laodicée et pasteur des brebis de Notre-Seigneur, t'excommunie et rejette hors de la communauté des chrétiens. »

Comme Urbain l'avait fait pour le sire de Châtelaillon, l'évêque saisit le gros cierge et le lança aux pieds de Foulques où il s'écrasa, éclaboussant de mouchetures le pavement.

« Et je délie de leur parole tous ceux qui te sont liés par serment. Qu'ils reprennent leur liberté et conservent leur pureté en rompant tout contact avec toi. Hors d'ici, fils indigne ! »

D'un doigt tremblant d'indignation, l'évêque désigna la porte. Par vagues successives, le vacarme s'estompa. Alors, d'une voix forte et grave, Foulques lança :

« Ta fureur aveuglée de sottise et de malignité te fait perdre la raison, Étienne ! Que Dieu te pardonne puisque tu ne sais pas ce que tu fais. Le démon te possède, évêque impie et, à travers moi, te fait condamner le comte de Toulouse auquel tu dois ta crosse. Tu n'es pas le représentant du Saint-Père, mais seulement le valet de Raimond de Saint-Gilles auquel tu devras rendre des comptes, demain ! »

Sans s'incliner devant l'autel, Foulques se retourna lentement. La tête haute et les poings fermés, il se dirigea vers le fond de la nef tandis que la foule s'écartait devant lui en se signant.

Renaud lança un grand coup de pied dans les débris du cierge. Guilhem et Éric crachèrent aux pieds de l'évêque et Michel lui tira la langue.

*

Il y eut quelques mouvements dans la ville.

Le messager envoyé à Isoard revint de Jérusalem.

Godefroi de Bouillon était mort.

VIII

Été 1100. – Laodicée.

« LÀ, ÉRIC… Attrape-le… Attention, derrière ! Guilhem, dis à Renaud de les prendre à revers, par la rue droite. Dépêche-toi, nom de Dieu ! Les chiens !… Éric, devant toi… »

Pour la troisième fois depuis l'excommunication, les Pisans soulevaient la ville. La veille, des hommes de Bohémond, se dirigeant, à ce que l'on disait, vers Jérusalem, avaient établi un campement sous les remparts de Laodicée. Immédiatement prévenus par les Sarrasins, les Pisans avaient fait pénétrer les Normands dans la cité et, ce matin-là, dès l'aurore, l'émeute s'était propagée du quartier italien aux quartiers pauvres. Les Sarrasins s'étaient jetés sur les Juifs, les Pisans sur les Vénitiens, les Normands s'étaient joints à la mêlée, avides de pillage. L'évêque avait même tenté de séduire les maronites qui, pour toute réponse, avaient occis son porte-parole.

Tout à coup, les troupes se débandèrent. Les Normands refluèrent en masse. Les Sarrasins s'en prirent les uns aux autres, et Foulques dut lancer ses hommes pour les départager. À la sixième heure, le calme régnait à nouveau dans les rues. Comme chaque fois après la bataille, le sénéchal et son prévôt, en compagnie de leurs deux écuyers, se réunirent dans la salle la plus close de la citadelle.

« On ne peut pas continuer comme ça ! hurla Foulques en entrant.

– Ho ! hé ! arrête un peu de crier, veux-tu ! Si quelqu'un doit faire régner l'ordre ici, c'est toi.

– Tu vois bien que je n'y arrive pas. C'est la troisième révolte en neuf jours ! Une tous les trois jours. La prochaine fois, je vous l'annonce, c'est pour le quatrième des calendes d'août.

– Ce sera un dimanche, dit avec détachement Guilhem.

– Et alors ? Dimanche ou pas, ça va faire encore de belles échauffourées. Quand je pense que l'évêque ose susciter des troubles même pendant des jours où l'Église interdit de se battre ! Quelle ordure !

— Tous les évêques mentent, et celui-ci un peu plus que les autres, constata Renaud.

— Éric, essaie de te faufiler parmi les Normands restés sous les remparts et de comprendre leurs intentions. Vois surtout s'ils comptent partir. Toi, Guilhem, trouve-moi une fille qui ne fasse pas trop putain, et amène-la-moi.

— À mon avis, ajouta Renaud, Onfroy devrait aller flâner dans les rues, lui aussi ; il apprendrait peut-être quelque chose en écoutant les Normands, parce que Éric ne parle pas vraiment le normand.

— Oui, si tu veux, mais c'est une goutte d'eau. Onfroy parle la langue d'oïl, mais pas le pisan. On ne peut quand même pas avoir un truchement pour toutes les langues. Allez, vas-y, Guilhem, et toi aussi, Éric.

— Tu crois que tu en viendras à bout ? » demanda Renaud quand les deux écuyers furent sortis.

Foulques leva vers lui un visage épuisé.

« J'en ai assez, assez ! Toutes ces nuits sans sommeil, cette garce de chaleur, et Elvire qui peut être attaquée d'un moment à l'autre… Trop, c'est trop !

— Qu'est-ce que tu veux faire de cette fille que tu as demandée ?

— Les choses sont simples : nous avons avec nous les Vénitiens et les Juifs ; Étienne est soutenu par les Normands de Bohémond, les Pisans et les Sarrasins. Je vais flanquer la putain dans les jambes de l'évêque avec l'espoir que ça tourne au scandale.

— Et tu espères diviser le camp adverse avec ça ? Tu parles que les Sarrasins s'en foutent pas mal que l'évêque se paye une putain ! Eux, ils font ça avec leurs chèvres ! Ça les fera rire, c'est tout, et les autres pareil.

— Ce n'est pas eux que je vise, mais plutôt tous les mous qui penchent toujours du côté du vent… Et puis les maronites et les orthodoxes. Leurs consciences de chrétiens seront choquées.

— Après tout, tu ne risques rien à essayer. Pourtant, à ta place, j'achèterais une troupe avec de l'or, puisque tu en as, et je concéderais des avantages aux Pisans.

— Tu sais bien quelle confiance on peut mettre dans une troupe mercenaire. Et je ne peux pas faire risette aux Pisans, puisque nous sommes alliés aux Vénitiens, leurs ennemis mortels. Je trahirais les uns sans tirer aucun avantage des autres.

— Je t'ai déjà dit qu'à mon avis, il fallait donner les mêmes privilèges aux deux.

— Non et non ! D'abord il y a aussi quelques Grecs qui font du commerce à Laodicée, et pas mal de Juifs, et puis surtout, une fois que tu as donné à ces Italiens, tu ne peux plus te débarrasser d'eux. Tu sais bien qu'Alexis lui-même était complètement paralysé avec ça, dans Constantinople même.

– Alors la seule solution, c'est que Raimond revienne.

– Évidemment, que c'est la seule solution ! Mais comment savoir ce qu'il compte faire ? Je me dis aussi qu'à partir du moment où il y aura un nouveau roi à Jérusalem, les Normands se calmeront.

– Oui, ça aussi, ça promet. Trouver un autre roi ! »

*

Guilhem revint avec une fille dont les traits trahissaient une vie déjà bien entamée. Cependant, la peau était encore souple et la poitrine ferme. Plissant les yeux, elle adressa aux garçons un large sourire factice qui découvrit des dents acérées.

« Est-ce que tu parles latin ? grogna Foulques, agacé par cette apparition.

– Mais oui, messire. C'est bien la langue de l'amour, n'est-ce pas ? minauda-t-elle. Je me trouve ici au milieu de fort beaux chevaliers… Auquel d'entre eux puis-je être agréable ?

– Ce n'est pas pour l'un de nous.

– Ah ! je vois, vous me voulez tous à la fois… Exquis, exquis… et tellement original ! gloussa la fille.

– Non, tu te méprends. Je te dis que ce n'est pas pour nous… Si tu es habile et discrète, surtout discrète, tu seras mieux payée que tu ne l'as jamais été. Est-ce entendu ?

– Habile, je te propose d'en juger à l'instant, si tu le souhaites. Discrète, c'est la première règle de ma profession. Je serai donc correctement payée… Et à qui destines-tu un cadeau tel que moi, s'il te plaît ?

– C'est pour l'évêque. »

Une lueur brilla dans le regard alourdi de khôl.

« Ouh… que je suis contente ! J'adore les hommes importants.

– Essaie d'avoir un peu moins l'air de ce que tu es. Est-ce que tu sais jouer les vierges modestes ?

– Vierge… ? Que c'est drôle ! Oui, j'ai du métier, je saurai paraître ce qu'il faudra. »

Aussitôt, disparurent les déhanchements vulgaires et la moue obscène des lèvres. Sous le regard médusé de son public, la fille à soldats se transforma en courtisane, puis en femme élégante. De ridiculement affectés, ses gestes s'étaient faits délicats, d'enjôleur, le regard était devenu frais et rieur, l'arrogante poitrine jusque-là pointée comme une proue de navire semblait elle-même empreinte d'une réserve distinguée.

« C'est mieux… beaucoup mieux, mais n'en fais pas trop tout de même. Voilà ta mission : trouve un moyen pour te glisser dans la couche d'Étienne, fais-toi surprendre au bon moment… et après, accroche-toi. Il faudrait qu'il en arrive à te proposer de rester toujours avec lui.

— M'épouser ?

— Il ne peut pas, c'est un évêque… mais quelque chose comme ça, oui. Tu seras bien payée. C'est Onfroy qui te rencontrera ; nous ne nous reverrons plus.

— C'est dommage, beau chevalier…

— Guilhem, va chercher Onfroy, coupa Foulques en se frottant le bout du nez d'un geste agacé. À propos, comment te nommes-tu ?

— Armorica.

— Armorica ? Quel drôle de nom !

— Ma mère m'a eue d'un beau gars qui venait d'Armorique, paraît-il. »

Armorica dévisagea en professionnelle le garçon qui venait d'entrer : épaules larges, taille fine soulignée par une ceinture de cuir souple, sandales découpées aux pieds, visage volontaire.

« Garde tes charmes pour l'évêque, dit Foulques gêné par le regard de maquignon qu'il venait de surprendre. C'est Onfroy, notre truchement. Il parle l'oc, l'oïl, le latin et même l'arabe.

— Ouh… quel homme ! Ce doit être terriblement excitant de dire les petites choses de l'amour dans toutes les langues.

— Onfroy va t'emmener chez l'évêque. Il dira qu'il vient de la part de Bohémond… Tu parleras latin avec l'accent du Nord, précisa-t-il en se tournant vers Onfroy. Il dira que Bohémond t'envoie comme danseuse. Tu sais danser au moins ?

— Bien sûr, messire, et même des danses très suggestives. Veux-tu juger… ?

— Et tu crois que l'évêque va prendre chez lui une danseuse ? intervint Renaud. Les curés et les danseuses, ça ne fait pas bon ménage…

— Celui-là aime les danseuses, c'est son point faible, et il a deux musiciens tout dévoués, qui savent accompagner les danses.

— Et comment sais-tu ça ?

— Je le sais… À vous de jouer, maintenant. Onfroy va t'accompagner chez l'évêque. Arrangez-vous pour vous retrouver de temps à autre. Toi, Onfroy, tu recueilleras les nouvelles et tu paieras notre princesse selon ses résultats. »

*

Comme après chaque émeute, accompagné de son prévôt et d'une troupe de gardes, Foulques voulut ensuite parcourir la ville pour en constater l'état.

« C'est inutile, je t'assure, assura Renaud, comme ils atteignaient la rue Droite. Je te l'ai déjà dit l'autre fois, tu vois bien que ça n'a pas empêché que ça recommence. Et puis j'ai horreur de parader ainsi dans les rues.

– Il faut que je me montre à la foule. Elle doit comprendre que je n'ai pas peur et que nous maîtrisons la situation.

– Ah ! alors, si c'est pour qu'elle voie à quel point nous maîtrisons la situation, il n'y a plus rien à dire… »

La vie reprenait son flux avec une étourdissante inconscience. Les marchands avaient réassorti leurs éventaires ; en bavardant, hommes et femmes vaquaient à leurs occupations ; couleurs éclatantes des couffins de fruits, parfums, babillages d'enfants jouant avec les chiens, échoppes d'artisans bourdonnant des éclats rassurants du labeur. On mordait dans la vie avec d'autant plus d'appétit qu'on avait eu très peur.

Le soleil qui dardait sur les rues pavées et les ruelles poussiéreuses achevait de sécher les flaques de sang. Tout était en ordre.

*

Puis il y eut deux jours de calme durant lesquels Renaud put poursuivre l'apprentissage de la langue d'oïl avec Onfroy, Foulques celui du grec avec Morphia ; tous deux inspectèrent, matin et soir, Laodicée. Et le quatrième jour des calendes d'août, comme Foulques l'avait prévu, une moitié de la ville se souleva effectivement contre l'autre ; comme à chaque fois, le sénéchal sortit victorieux de la mêlée, avec d'autant plus de facilité que les Normands de Bohémond avaient repris leur chemin vers Jérusalem, diminuant d'autant les effectifs de l'évêque.

Ce fut la dernière rébellion.

En effet, le plan de Foulques réussit au-delà de toute espérance. Étienne trouva la danseuse fort séduisante et se mit à jouer les jeunes gens, avec des airs enamourés qui faisaient rire de plus en plus ouvertement. Il délaissait son office, confiait les messes aux diacres et l'assistance des pauvres aux sous-diacres. Il déclarait se consacrer désormais à la culture de l'esprit qui, assurait-il, élève seule l'âme vers Dieu.

Une chanson parcourut bientôt les rues de Laodicée : *Étienne est notre évêque / qui marche à la quéquette / À sa tâche divine / il consacre sa pinne ! / Armorica, Armorica / d'Étienne la maîtresse / demande au Ciel ingrat / d'oublier nos faiblesses / de racheter nos fesses / ô toi, notre évêquesse.*

*

Renaud quitta des yeux les voiles qui tachaient l'horizon.

« Qu'est-ce que tu as ? On dirait que ça ne te fait pas plaisir.

– Si, bien sûr, mais je ne suis pas certain que ce soit lui. Je vais envoyer Michel nous chercher Ménélas chez Elvire.

– Michel travaille avec Onfroy, tu sais bien.

– Oui, et l'après-midi, c'est toi. Ça ne te rappelle pas quand on était chez mon grand-père, à Toulouse ?

– Je trouve que tu parles beaucoup du passé, depuis que tu es excommunié. »

Bientôt, toute la ville put reconnaître, hissée au mât du navire central, la bannière du comte de Toulouse.

Presque trois mois qu'il était parti ! Du quai, on l'entendit hurler avant même de le voir, puis il apparut au bastingage, et clama avec jovialité :

« Quel bonheur de vous revoir, tous. Allez, vite, une planche, que je puisse fouler le sol de ma cité. Ah ! comme c'est bon de revenir sur sa terre. »

Il parvint à descendre la pente assez abrupte avec une certaine emphase, bras largement ouverts comme s'il allait embrasser l'ensemble du peuple de Laodicée, venu se masser là pour l'accueillir et déferlant de toutes les ruelles.

« Avant toute chose, je veux serrer contre moi ma fidèle épouse dont l'absence a ôté tout soleil à cet exil. »

Elvire retrouva un sourire disparu avec la voile qui avait naguère emporté son époux :

« Trois mois, Raimond, trois affreux mois que tu es parti ! »

Raimond enveloppa de ses vastes bras les épaules de son épouse et déposa un baiser sur son front.

« Je ne vois pas ce bon Étienne. Ne l'aurait-on pas averti de mon arrivée ? »

Dans la foule, la rengaine flotta sur les lèvres au milieu des murmures. Enhardies, quelques voix la reprirent un ton plus haut.

« *À la tâche divine, il consacre sa pinne ?* Est-ce bien ce que j'entends ? s'étonna Raimond en tournant la tête de tous côtés.

– L'évêque m'a excommunié, avoua Foulques.

– Toi ? Excommunié ? Ah ! ça, par exemple ! Mais qu'as-tu donc fait ?

– Je t'expliquerai… Mais sois sûr qu'il a été prévenu de ton arrivée. Seulement, hélas ! il est nicolaïte et ne trouve plus de temps pour autre chose.

– Il concubine ? Vieil imbécile, il concubine ! Mais il a mon âge ! Je suis sûr qu'il s'est entiché d'une jeunesse.

– Elle est plus jeune que lui, c'est un fait, mais surtout, elle n'est guère recommandable. Cette chanson, justement… Bref, c'est une putain.

– Et tu as laissé faire ça ? Ah ! il est beau, le clergé de Toulouse ! Tous pareils ! Ce vieux lubrique se jette sur une gourgandine, comme le parvenu d'Albara fait le beau devant le duc de Lorraine…

– Godefroi de Bouillon est mort.

– Quoi ? Et Alexis ne m'a rien dit ?

– Il ne devait pas le savoir. Quand es-tu parti ?

– Le onzième ou le dixième jour des calendes.

– Godefroi est mort cinq jours avant le quinzième des calendes ; le temps que la nouvelle parvienne à Constantinople, tu étais déjà en mer.

– Possible, possible… Mais ça change tout, cela. Allez, réunion immédiate du conseil des barons ! Et sans l'évêque concubinaire et apostat. »

*

La jubilation du comte de Toulouse regonflait les courages. Quand les hommes rejoignirent la citadelle, Elvire détourna les yeux vers le bateau ; elle rencontra le regard de Morphia, brillant du même éclat terni que la coque, s'y accrocha quelques instants, puis poursuivit sa dérive.

« Mes enfants, vous avez en face de vous le futur prince de Galilée.

– Tu veux éliminer Tancrède ? s'étonna Foulques.

– Tancrède est un principicule, un avorton convulsif. Je ne parle pas de lui.

– C'est l'empereur qui…

– Laisse-moi parler. Alexis promet beaucoup, mais au fond, je n'attends pas grand-chose des Grecs… oui, ton grand-père l'aurait dit : *Timeo Danaos, etc.* On ne peut se fier à Alexis, mais en ce moment, il a besoin de moi, et je le comprends d'ailleurs. Je n'ai jamais compté sur personne d'autre que sur moi-même. Si le chafouin n'est plus là, le beau Bohémond peut préparer ses coffres et ranger sa bannière ! C'est moi qui vais réaliser le grand royaume dont nous avons tous besoin. Pour assurer nos positions, il nous faut des ports. C'est pourquoi nous allons commencer par prendre Tortose.

– Tortose ? Mais avec quelles troupes, mon cousin ? Nous avons à peine de quoi maintenir l'ordre dans Laodicée.

– Toi, tu as besoin d'hommes pour maintenir l'ordre. Moi, il suffit que je sois là… C'est sur les Juifs qu'il faut miser ; ils nous trouveront les troupes nécessaires.

– Pourquoi ne pas faire appel plutôt aux Vénitiens puisqu'ils détestent les Pisans ? demanda Renaud.

– Ils les détestent aujourd'hui, mais ils les adoreront demain. Tout ça, c'est racaille et compagnie. Je les ai vus à l'œuvre à Constantinople, il ne faut rien en attendre. S'ils pouvaient, ils dépèceraient l'empire lui-même. Mais ce n'est pas parce que je ne m'appuierai pas sur les Vénitiens que je vais me priver du plaisir de titiller les Pisans.

– Ah ! ça, ils m'en ont fait voir !

– Oui, mais ce n'est pas après ceux d'ici que j'en ai. C'est après ce bon Daimbert… Je vais envoyer quelqu'un à Isoard pour qu'il fasse sur place le nécessaire.

– Qui ?

– Je ne peux rien vous dire, mes enfants. C'est un secret. Mais, quitte à vous surprendre encore, je peux vous dire que je vais favoriser les Pisans d'ici, pour que ceux de Jérusalem les jalousent abominablement. Eh… eh… Alors ce vieux singe t'a excommunié pour ce que tu m'as dit en venant. C'est très grave, tu sais, l'excommunication… Très grave ! »

Raimond avait l'œil rond, et le doigt qu'il pointait vers le plafond le faisait paraître un peu plus élancé. Debout au centre de cette petite salle, si obscure qu'il fallait toujours s'y éclairer, même en plein jour, il prenait une allure diabolique. L'ombre projetée de son bras ornait le mur d'arabesques singulières.

Il éclata de rire.

« J'ai déjà été excommunié deux fois. Ou peut-être bien trois, je ne me rappelle plus. Urbain a arrangé tout ça. Pauvre Urbain… »

Raimond de Saint-Gilles se tourna vers la meurtrière d'où l'on apercevait la mer. En contraste avec la pénombre ambiante, le rai de lumière lui blessait le regard et le contraignait à plisser la paupière.

« Je vais écrire au pape.

– Tu as eu des renseignements sur ce Pascal ? demanda Renaud.

– Oui, c'est un Lombard de Ravenne, de Cluny, comme Urbain.

– Alors il va poursuivre sa politique, assura Foulques.

– Oui, mais je ne le connais pas, tu comprends, alors il faut que lui me connaisse. Je vais lui demander d'abord qu'il me nomme un évêque pour Laodicée ; ça lui fera plaisir et moi ça m'indiffère.

– Mais Étienne ?

– Étienne est un traître indigne, je le destitue dès aujourd'hui.

– Tu vas faire une cérémonie solennelle ?

– Sûrement pas ! Je vais envoyer Ménélas lui signifier sa destitution.

– Et je suis toujours excommunié, moi ?

– Excommunié ? Comment ça, excommunié ? Qui a dit que tu étais excommunié ?

– Tout de même, estima Renaud, il faudrait peut-être qu'un homme d'Église fasse quelque chose ; tout le monde se souvient de l'affaire.

– Oui, tout le monde s'en souvient, mais personne ne comprend ce que cela veut dire ni ne trouvera étrange que, l'évêque parti, Foulques revienne à la messe.

– Et que veux-tu lui demander d'autre, au pape ? insista Renaud.

– Qu'il fasse venir Guillaume d'Aquitaine ici, en pèlerinage.

– Parce que tu préfères l'attaquer en Syrie plutôt qu'à Toulouse ?

« – Oh non ! je ne veux certes pas l'attaquer ! Mais il sera mieux ici que sur le dos de Bertrand, non ? Quant à ce Pascal, personne ne lui demande rien, jusqu'à présent. C'est le pape, maintenant, après tout… Que je sois le premier à lui demander de l'aide nous l'attachera… parce que c'est seul aussi, un pape, et ça a besoin d'être flatté, comme les autres, il faut bien comprendre cela.

– Sans doute Étienne lui a-t-il fait part de mon excommunication, dit Foulques.

– Étienne, écrire au pape ? Parce que tu t'imagines que le Saint-Père a entendu parler de cet Étienne ? Cela étant, cette affaire ne te grandit pas… Quand on se fait excommunier, mon petit ami, il faut que ce soit avec fracas et solennité, pour une grande et magnifique cause, pas parce qu'on a oublié d'inviter l'évêque à manger ! »

*

Depuis le retour du comte, n'ayant plus de sénéchal que le titre, Foulques avait repris avec jubilation l'étude du grec.

« Messire Raimond veut te voir, vint un soir l'avertir Ménélas. Il faut que tu amènes Renaud et Onfroy. »

Sur un large fauteuil sculpté recouvert de tapisserie, le comte de Toulouse trônait en émir au centre de la pièce principale de sa demeure. Des volutes de jasmin ondulaient, comme portés sur le chantonnement des fontaines qu'on entendait par la porte ouverte sur le jardin. D'un signe de la main, Raimond invita ses hôtes au silence, le temps d'écouter sonner l'angélus à la cathédrale.

« Quelle musique, cela ! C'est vrai comme une femme, s'exclamat-il… Mes enfants, vous allez avoir la surprise de votre vie. Pour un peu je croirais que Jésus intercède pour nous, c'est colossal… Ménélas, va nous le chercher. »

Le serviteur revint accompagné d'un individu large d'épaules, à la tignasse grisonnante tombant en boucles sur des yeux de chien battu.

« Je vous présente le sieur Morel, secrétaire du patriarche de Pise et Jérusalem réunis, le traître Daimbert. »

Pointant le menton en l'air comme pour se grandir de quelques pouces, le secrétaire articula quelque chose.

« Qu'est-ce qu'il vient de dire ? interrogea Raimond en se tournant vers Onfroy qui avait rosi.

– Tu veux vraiment que je te traduise ?

– Je m'en régale par avance.

– Il a dit : "Cause toujours, trou du cul, je ne comprends rien."

– Il a dit "trou du cul" ?

– Il l'a dit.

– Extraordinaire ! Traite-le dans son dialecte de rat pestiféré. »

Comprenant qu'Onfroy était un truchement, Morel se décida à parler en latin.

« Ce que tu fais, comte de Toulouse, prince de Laodicée, est de la dernière gravité. Tu t'ingères dans les affaires du patriarcat de Jérusalem, c'est-à-dire dans les causes de l'Église et tu devras en rendre compte au Saint-Père.

– Écoutez-moi ce gnome, s'extasia Raimond en langue romane, il se prend pour le Mercure de Rome ! Sache bien, continua-t-il en latin, que je suis au mieux avec notre Saint-Père, le pape Pascal. Le bateau qui assure notre liaison régulière avec Narbonne transporte en ce moment même un courrier que mon fidèle Jauffré laissera à Rome en passant. C'est ma réponse à son offre d'alliance. Tu pourras répéter ça à ton Pisan d'archevêque, et lui préciser que je ne donnerais pas cher de sa peau. »

Raimond saisit sur une table basse un parchemin dont le sceau avait été brisé.

« Tiens, Onfroy, traduis-nous donc ce machin qu'on a trouvé sur le distingué personnage ici présent. C'est un message du bon patriarche au Normand sicilien d'Antioche, ça je l'ai compris, mais c'est tout. Ces malins ont prudemment écrit en langue du Nord. Ils s'améliorent, ils s'améliorent. Allez, que dit-il ? »

En silence, Onfroy parcourut quelques lignes et leva un regard interrogatif vers Raimond.

« Je traduis devant tout le monde ?

– Tu traduis devant mon conseil, un point c'est tout, allons-y. »

Onfroy prit le temps de lire à plusieurs reprises, avant de se lancer :

« Voilà ce qui est dit : *"Daimbert, archevêque et par la grâce de Dieu patriarche en Son siège de Jérusalem, à Bohémond, prince d'Antioche, salut.*

"Depuis le trépas de notre bien-aimé Godefroi, avoué du Saint-Sépulcre de Notre-Seigneur Jésus-Christ, deux… mouvements… deux partis se dessinent dans la Ville sainte. Les uns voudraient mettre sur le trône Baudouin, comte d'Édesse… Si ce choix résultait d'un respect porté au noble sang du défunt, je m'inclinerais. Mais leurs raisons d'agir sont très différentes et n'ont rien de la noblesse… et n'ont rien de noble. À peine Godefroi de Bouillon notre regretté refroidi…" Il veut dire : *"à peine, le corps refroidi"*, crut devoir préciser Onfroy. Donc *"Le corps de notre regretté Godefroi de Bouillon à peine froid, l'évêque de Ramla, traître et félon, est parti proposer le pouvoir à Baudouin, avec deux chevaliers seulement ; or ceux qui ont organisé le coup sont ses fidèles (son écuyer, son camérier), hommes simples et sans doute animés des meilleures intentions du monde, mais surtout Arnoul Malecorne qui ne manque jamais une occasion de me nuire."* »

La traduction s'interrompit brusquement. Une ride profonde creusait maintenant le front penché sur le parchemin.

« Ce qu'il dit après est plus difficile, prétendit Onfroy avec un regard de biais vers le comte.

– Va toujours, prends ton temps.

– *L'autre côté est... insignifiant.* Il écrit bien *"insignifiant"* mais il veut dire "moins important", "plus modeste"... »

Raimond eut un geste d'impatience.

« *...et prétend faire appel,* reprit Onfroy avec un soupir, *au... rapace... et... Saint-Gilles...*

– Comment cela, *"Au rapace et Saint-Gilles"* ?

– Pardonne-moi, comte Raimond, j'ai oublié un mot... Il y a écrit : *"...au rapace et... peu aimable Saint-Gilles."*

– *"Peu aimable"*... ? » s'étonna le comte.

Tous les regards convergeaient vers lui, impassible dans son fauteuil, les mains croisées sur son ventre rebondi qu'il faisait tressauter.

« C'est-à-dire que ce mot, d'habitude, ne s'emploie pas pour parler d'un homme... Moi, je ne l'ai entendu utiliser que pour des bêtes... des chevaux. Il veut dire exactement : "détestable... odieux... imprévisible". Mais on peut le comprendre aussi comme "indomptable"...

– Oui, "indomptable", c'est sûrement cela... »

Le comte de Toulouse ferma la paupière et, du petit doigt, incita le truchement à poursuivre.

« ... *Au temps de ton père Robert, vous avez déjà, vous autres, accueilli notre Saint-Père, pourchassé par la vindicte monstrueuse du roi de Germanie. Aujourd'hui c'est dans ta langue, Bohémond, que je t'adjure de me venir en aide, au nom du Christ, pour la défense de notre foi et de notre sainte Mère l'Église... Sois digne du sang qui coule dans tes veines ! Montre-toi le plus exemplaire des chevaliers, celui qui met son bras au service des États de l'Église... Protège ta Mère des brigands qui la harcèlent, non seulement parmi les Infidèles, mais en son sein même, les cruels matricides. Tu as souhaité m'installer sur le siège que j'occupe, il faut à présent que tu m'y maintiennes.*

« *Mets en garde le comte d'Édesse contre toute tentative présomptueuse et irréfléchie. Dis-lui que son frère et moi avions conclu un accord dont restent témoins de très nobles chevaliers... Et que cet accord disait que si l'avoué du Saint-Sépulcre mourait sans postérité, le gouvernement de la Ville sainte me reviendrait de plein droit. Et puisque le Seigneur a rappelé à Lui le duc de Lorraine, ma présence à la tête des affaires de la cité est ratifiée par Dieu. Si Baudouin refuse de comprendre cela, au nom de Notre-Seigneur et pour sauver la paix, je t'adjure de lui faire la guerre.*

« *Je t'envoie ma bénédiction. Fait à Jérusalem le jour des nones d'août, l'an de l'Incarnation MC et scellé de mon sceau. Adieu. »*

« Le jour des nones ? Et nous sommes la veille des ides. Presque une semaine ! Qu'as-tu fait en route ? s'exclama le comte en se tournant vers Morel.

— Je n'avais qu'une seule monture, et il me fallait veiller aux embuscades des Sarrasins.

— Et tu pensais pouvoir jouir tranquillement chez moi d'une halte d'agrément ?

— J'ai sans doute été trahi.

— En tout cas, tu n'iras pas plus loin et ta missive non plus… Raymond, appela le comte, mon brave Raymond, tu noteras dans ta chronique le traître Daimbert a envoyé un certain Morel auprès de Bohémond, porteur d'une demande d'aide qu'on a malheureusement perdue. Approche-moi ce candélabre, je te prie. »

Le chapelain Raymond d'Aguilers, rentré depuis peu de sa mission secrète d'espionnage à Jérusalem, tendit la flamme. Alors, du bout des doigts, Raimond prit le parchemin :

« Ce n'est pas moi qui le brûle, c'est le feu. »

Morel agita nerveusement sa chevelure bouclée et pinça les lèvres.

« Il me ferait presque peur, dit Raimond en souriant.

— Ménélas, emmène-moi ça à l'abri. Qu'il ne s'échappe pas.

— Tu n'as pas le droit de me retenir. Je représente les intérêts de Dieu.

— Et moi seulement les miens. Il faudra demander à un vrai clerc qui, de nous deux, est dans son bon droit. Allez, à la geôle ! »

*

« Tu connaissais cet accord entre Godefroi de Bouillon et Daimbert ? s'enquit Foulques après le départ de Ménélas et du chapelain.

— Eh non ! on ne me dit rien, à moi, tu le sais bien.

— En revanche je peux t'assurer que ce qu'il dit du parti toulousain n'est que pure invention. »

Un éclair assombrit le visage de Raimond.

« Et pourquoi, s'il te plaît ?

— C'est le messager que j'avais envoyé à Jérusalem auprès d'Isoard qui me l'a rapporté.

— Tu avais envoyé un messager, toi aussi ? Tu te comportes déjà en grand. C'est bien, tu feras un excellent seigneur, à Termes. »

Foulques sentit le sol se dérober sous ses pas.

« Mais, reprit Raimond après un bref silence, cela n'a pour l'instant aucune importance ; c'est à mon sénéchal que je m'adresse. Il y a, pour l'heure, deux urgences : écrire au comte d'Édesse et s'emparer de Tortose. Il n'est pas question de laisser cet abominable archevêque de Pise seul maître de Jérusalem. Tant que Godefroi a vécu, la présence de Daimbert était une aubaine puisqu'ils se détestaient l'un l'autre. À présent, il faut au plus vite mettre un frein à ses ambitions. Du côté de Rome, il faudra des mois pour obtenir une réponse. Ici, une alliance entre Bohémond et Daimbert me prendrait en tenailles, ce serait une catastrophe.

— Le moment est peut-être venu de faire appel à l'empereur Alexis ? suggéra Foulques.

— Il ne manquerait plus qu'il s'en mêle, celui-là ! Non, bien sûr que non… Il y aurait bien un moyen de déstabiliser le bon archevêque sur son siège, ce serait de soutenir Arnoul Malecorne qui, à ce que je sais, est encore archidiacre et surtout administrateur du Temple. Il n'a toujours pas digéré son éviction du patriarcat, et si Isoard s'y prenait bien il pourrait sans doute le convaincre de destituer Daimbert…

— Soutenir cet infâme ! s'indigna Renaud.

— Ce serait la solution du désespoir, je te l'accorde. Aussi me suis-je résolu à une autre décision. Nous allons soutenir Baudouin, et après nous regarderons agir les deux chacals mis côte à côte.

— Ce sera d'autant plus drôle, ajouta Foulques, que Garnier de Grès, qui est un des fidèles de Godefroi de Bouillon, tient en ce moment la tour de David et que Daimbert n'arrive pas à la lui faire lâcher.

— Qu'est-ce que c'est que cette histoire ? Tu es vraiment très bien renseigné, Foulques. Je me demande si je ne devrais pas t'envoyer en mission d'inspection dans la Palestine et la Judée réunies. Avec ton habileté, tu y découvrirais sans doute quantité de choses qui me seraient précieuses. Dommage que ce soit trop dangereux et surtout que tu sois excommunié. On ne peut pas obéir à un excommunié, tu le sais, mais peut-on lui faire confiance ? »

Renaud lut dans le regard du comte une crispation acerbe. Pourquoi ces remarques perfides, sinon par jalousie ? Que c'était inquiétant, ces obsessions de vieillard incapable de supporter les mérites, la jeunesse ou seulement l'existence d'autrui, comme si la vie, accrochée à son pouvoir, lui filait entre les mains… Et quelle idée détestable de faire le lit de Baudouin ! Face au comte d'Édesse, devenu tout-puissant à Jérusalem, que pèserait le seigneur de Laodicée, fût-il également comte de Toulouse en titre ?

« … Et donc, lorsque j'aurai pris Tortose — ai-je besoin de vous le préciser ? — je tiendrai un vaste territoire aboutissant sur la mer, indispensable pour le ravitaillement, je bloquerai au nord le beau Bohémond, je tiendrai en respect l'émir de Tripoli. Tenant toutes les clefs, devenu le principal baron entre Syrie septentrionale et Jérusalem, allié de l'empereur dont je placerai un représentant à la tête de Tortose une fois que nous l'aurons prise, que m'importe que le titulaire du Saint-Sépulcre soit Baudouin ou Daimbert ? C'est moi, moi seul qui régnerai… Je régnerai. D'ailleurs, mon conseil comprendra désormais un homme d'Alexis, un ambassadeur impérial… impérial, c'est le mot !

Ah ! Foulques, je me demande si tu mesures la chance qui t'échoit d'avoir pour mentor un homme de mon envergure. Et toi, Renaud, prends-en aussi de la graine, n'hésite pas à te rassasier des miettes, profite sans vergogne de ton intimité avec un des grands génies politiques de ce siècle ! »

*

Quand ils sortirent sur la placette, le crépuscule embrasait le ciel. Des mouettes criaillaient.

Foulques laissa errer un regard circulaire. Les ruelles enchevêtrées, engluées de bruits et d'odeurs, l'oppressèrent. Comme on était loin ici de la splendeur de Constantinople, des vastes horizons ouverts à l'infini sur la Corne d'Or et le Bosphore, loin même des larges perspectives d'Antioche quand, du haut de la citadelle, la vue embrassait des milles à la ronde !

« À quoi penses-tu ?

— Montons sur les remparts, la mer doit être superbe, ce soir.

— Raimond t'a vexé ?

— Oh ! je n'y pensais même plus. Ses susceptibilités m'agacent, oui. Il était à Constantinople, mais il aurait fallu qu'il sache avant nous ce qui se passait à Jérusalem, à Toulouse, à Rome, à Laodicée...

— Je pense qu'il faut nous méfier.

— De lui ?

— Oui. Tu prends trop d'importance, ça le gêne. Tu l'as entendu te menacer de t'envoyer faire un tour en Judée-Samarie, te rappeler sournoisement que tu es excommunié ?

— J'ai entendu. Ça m'amuse. J'ai besoin de prendre du recul. Nous attaquerons Tortose, puisque telle est maintenant son idée fixe, et après, si Dieu ne m'ôte pas la vie, je partirai méditer sur le mont Thabor... Au chevet de mon grand-père mourant, j'ai compris que le chemin de Jérusalem n'était pour moi que le chemin d'un homme, et aussi que la seule transfiguration que je connaîtrais au mont Thabor serait celle qui me mettrait en face de moi-même. »

Ils atteignirent le chemin de ronde. Des écharpes de feu enflammaient la mer de cristal.

« Tu ne veux quand même pas aller tout seul là-bas ?

— Non, bien sûr, il faudra une escorte, et j'aimerais bien que tu m'accompagnes.

— Crois-tu habile de quitter la place en ce moment ? Raimond n'a plus que toi. Si nous prenons Tortose, il se peut bien qu'il oublie l'empereur et te demande de la gouverner en son nom.

— Ah non, alors ! Pour l'entendre me reprocher constamment de me comporter en "seigneur de Tortose" ? Il veut un gouverneur grec, qu'il s'en prenne un ! J'en ai assez de tout ça. Je suis venu ici pour délivrer le tombeau du Christ et rencontrer Dieu. Nous avons délivré le tombeau du Christ et je n'ai pas rencontré Dieu. Et je reste croyant, malgré tout ce qu'on m'a raconté... D'après mon oncle Adhémar, les premiers monastères s'établissaient toujours dans un désert pour dialoguer avec le Créateur sans se laisser distraire par l'agitation du monde.

– Tu crois que le mont Thabor est un désert ?

– Sûrement pas ! Il doit y avoir beaucoup de monde, au contraire. Mais le désert est un symbole, chacun porte en soi son propre désert ; le mien consiste à me tenir le plus éloigné possible des chimères du pouvoir.

– Tu vas avertir Raimond ?

– Pas maintenant. Pour le moment, il ne pense à rien d'autre qu'à Tortose... Et puis je peux te dire que, demain, j'ai l'intention d'aller à la messe de l'Assomption.

– Pourquoi provoquer inutilement ?

– Ce n'est pas de la provocation. J'ai besoin de prier à un office. On verra bien ce que fera Raimond.

– C'est curieux, ce besoin d'aller à la messe, surtout à la messe de la Vierge. Si Jésus est ton aïeul, Marie...

– Je crois que j'y cherche une communication avec Dieu, Dieu le Père. Je ne parviens plus à réfléchir sur la Trinité.

– Et si tu cherchais une communication avec les hommes, plutôt ? Te souviens-tu quand tu t'es moqué de moi à propos de Platon ?

– Oui, Çacéron et Pluton... C'était drôle.

– Eh bien Platon, justement, l'as-tu lu ?

– Non. C'est Elvire qui t'a parlé de lui ?

– D'après elle, Platon dit que chaque idée que nous avons vient de l'Idée de cette idée. Je trouve ça bien plus convaincant que Dieu, et *a fortiori*, le Christ. »

Appuyé à la pile d'une bretèche, Foulques quitta des yeux l'horizon de pourpre et fixa Renaud.

« *"A fortiori"* ? Quel langage, je ne te reconnais pas !

– C'est intéressant, tu sais, ce que dit Elvire. Je crois qu'elle a raison : Dieu n'est pas autre chose que l'idée que tu t'en fais.

– Sauf si l'idée que j'en ai vient du fait que Dieu est l'Idée.

– Nous ne croyons pas à la même chose, ça ne fait rien, ce n'est pas nouveau. Mais ne m'en veux pas de savoir mieux le dire aujourd'hui qu'hier... Pour demain, tu devrais aller dans une petite église, habillé en manant ; tu pourrais y prier tranquille et éviter le scandale. »

*

Foulques demanda à Renaud de venir partager leur repas. Morphia les attendait sans doute et Michel devait piailler pour dîner. Foulques interdisait que l'on fît manger l'enfant tant qu'il n'était pas là. Ayant chargé Onfroy de l'instruire, il estimait que son éducation devait être complète. Michel avait été un peu réticent, mais il aimait bien son précepteur et, le soir à table, il continuait à lui poser des questions.

Ils étaient là tous trois lorsque entrèrent les deux chevaliers.

« Ah ! on va manger ! » se réjouit Michel en se précipitant pour embrasser Renaud qu'il n'avait pas vu de la journée.

La domestique apporta un bouillon fumant. Les repas ordinaires étaient simples : bouillon, fromage, pain à l'huile, poivrons et olives en constituaient l'essentiel. Foulques ayant dit que le vin était bon avec la viande, Morphia avait demandé qu'il y en eût au moins un jour sur deux.

Ce soir-là la cuisinière grecque qui les accompagnait depuis Antioche avait fait revenir de petits morceaux de mouton avec des olives, des poivrons et des haricots. Le plat était nouveau à chaque fois, tant le choix des épices en modifiait le goût.

Quand Foulques évoqua les projets de Raimond, Morphia s'assombrit et déclara que s'attaquer à Tortose constituerait un geste provocateur et inutile. À son avis, le comte ferait mieux d'attendre la désignation du roi de Jérusalem et de se ranger sous ses ordres.

La domestique introduisit Ménélas.

« Messire Foulques, le comte Raimond m'a mandé à toi pour t'apprendre deux nouvelles. La première est que messire Bohémond de Sicile a été fait prisonnier par les Turcs ; la seconde, qu'il a oublié de t'informer tout à l'heure que Garnier de Grès avait perdu la vie.

– Ah ! ces Turcs, murmura Morphia, ils ne nous laisseront jamais en repos. Mantzikert ne leur a pas suffi !

– Quoi ?

– Mantzikert. Une effroyable défaite où nos troupes ont été écrasées. Mon père en parlait souvent. C'était il y a assez longtemps… enfin je veux dire que je n'étais pas née.

– Si ça se trouve, ça ne fait pas plus de vingt ans, dit Renaud.

– C'est possible puisque j'en ai seize.

– Comment le sais-tu ? s'étonna Foulques.

– Je sais compter, figure-toi. Je suis née en 1084 et nous sommes en 1100.

– Et moi, je suis né quand ? dit Michel en levant le nez de l'assiette de soupe qu'il partageait avec Renaud.

– Qui sait ? Quand on t'a trouvé, à Toulouse, tu avais peut-être quatre ans. Ça t'en ferait environ huit aujourd'hui.

– Ne t'inquiète pas, le rassura Renaud, ni Foulques ni moi ne savons notre âge.

– Mais vous connaissez tout de même le jour de votre naissance ? dit Morphia.

– Ben… non. C'était en été, paraît-il, la même année… Parce que, en plus, tu sais le jour exact, toi ?

– Oui, c'était le cinquième jour des ides de mai 1084. Tous les ans, pour mon anniversaire, il y avait une fête avec toute la famille.

– Pourquoi j'en ai pas, moi, de parents ?

– Ils étaient sans doute morts ; c'est pour ça que tu n'avais personne pour s'occuper de toi.

– Ça sert à quoi, les parents ?

– À avoir des enfants, naturellement.

– Et c'est fabriqué comment, un enfant ?

– C'est Dieu qui le décide », répondit Foulques avec précipitation.

Interloqué, Renaud éclata de rire, tandis que Foulques demandait en grec à Morphia :

« Est-ce que tu peux lui expliquer, un jour ? Je ne saurais pas faire… C'est compliqué, reprit-il pour Michel en langue romane. Tu demanderas à Morphia, elle t'expliquera mieux que moi.

– Tu ne sais pas tout ?

– Oh, non !

– Eh bien ! comment t'as fait avec Morphia, pour avoir Anna, si tu sais pas comment on fait les enfants ? »

*

Par la fenêtre ouverte sur le jardin, une brise tiède apportait les parfums de la ville. Foulques les identifia un à un. Aucun désormais ne lui était plus étranger. Où étaient à présent les odeurs et les bruits qui avaient bercé son enfance ? Quels seraient un jour les bruits et les odeurs de Termes ? Violemment, il se sentit déraciné.

« Tu t'ennuies ? demanda Morphia.

– Non, dit-il en souriant. Je suis fatigué de ces luttes perpétuelles. J'aurais dû être seigneur chez moi, là-bas, en Saintonge. Je me sens étranger, ici, partout.

– Je suis à tes côtés, dit doucement Morphia. Nous sommes les nomades de la foi et les pèlerins du temps. »

*

Tard dans la soirée, Morphia rejoignit Foulques et Renaud dans la pièce de travail. Sans enthousiasme, ils compulsèrent quelques parchemins. Il faisait trop chaud.

« Et toi, Renaud, songes-tu à prendre femme ? demanda soudain Morphia.

— Isoard m'a dit que c'est ce que j'aurais de mieux à faire. J'aimerais bien avoir des enfants… Mais je n'aurais rien à offrir à une femme, je n'ai pas de fortune, pas de nom. Je suis Renaud le bâtard.

— Presque comme celui qui est devenu roi d'Angleterre, murmura Morphia.

— Tu le connais, toi aussi ?

— Bien sûr. Tout le monde le connaît, non ?

— Raimond t'a fait chevalier, intervint Foulques, et mon grand-père a dit que tu serais mon vassal. Je te donnerai une terre, quand nous serons rentrés là-bas. Essaie d'oublier Renaud le bâtard.

— Oui… eh bien ! quand je serai seigneur de la Motte-de-Terre, je prendrai pour épouse la dame de l'Orée-de-la-Lande-d'Ajoncs… Jusque-là, rien ne presse. »

*

Figé dans une tunique de bure, Foulques suait dans le fond de l'humble église du quartier nord. La tête couverte d'un capuchon, à demi dissimulé par un pilier, il tenta jusqu'à l'Élévation de retrouver l'inspiration. Pour la première fois de sa vie, il abandonna l'office avant la fin. Quitter Dieu au moment de la communion était à coup sûr gravement sacrilège… Il soupira avec un geste fataliste en pensant qu'après tout il était excommunié.

Il erra au hasard des rues, sans songer à se protéger davantage que dans les jardins d'un monastère. Depuis le retour de Raimond, la ville était absolument calme. Aucune émeute, pas le moindre incident.

« Raimond t'informe que vous partez pour Tortose demain, lui dit Morphia en le voyant arriver.

— Ah ! C'est bien.

— Ça n'a pas l'air de te faire plaisir… C'est important pour nous, les Grecs, puisqu'il doit remettre la ville à un gouverneur impérial. Je suis très impatiente d'apprendre le succès de vos armes. »

*

Sitôt connues les intentions du comte de Toulouse, l'émir de Tortose envoya une délégation offrant sa reddition. Les troupes provençales n'étaient même pas encore en vue des remparts.

On investit la place sans coup férir, et le triomphe du comte de Toulouse parut à beaucoup très déplacé. L'émir quitta sa ville avec les honneurs et une longue caravane de richesses. Le jour même, un gouverneur grec fut effectivement nommé et, le soir, Foulques annonça au comte qu'il partirait dès le lendemain avec Renaud en pèlerinage au mont Thabor.

« Tu n'y songes pas ! Ça fourmille de Sarrasins, ces coins-là ! s'indigna Raimond.

– Je suis déterminé, mon cousin. Acceptes-tu de me fournir une escorte ?

– Partir au moment où je triomphe ! On peut dire que tu laisses passer toutes les occasions, toi ! Mais as-tu réfléchi un instant que tu pourrais te retrouver demain l'égal d'un prince, si tu ne m'abandonnais pas ? Et mon conseil, alors, que va-t-il rester de mon conseil ?

– Je reviendrai vite. Pas pour être prince, mais pour toi. Il faut que je voie le lieu de la Transfiguration. Si tu penses qu'une escorte dégarnirait tes défenses, j'en solderai une moi-même. »

Avec un geste découragé, Raimond accorda six gardes et invita Foulques à ne pas se faire trucider comme un chien au coin d'un chemin creux.

IX

L E BUSTE DROIT, le turban immobile, l'homme était assis sur ses talons à l'ombre d'un pin d'Alep, le regard perdu très au loin vers le sud. Parfois, il s'inclinait lentement vers le sol, jusqu'à frapper du front le bout de son tapis, parfois il inspirait largement et chantonnait :

« *La ilaha illa Allah, la ilaha illa Allah, la ilaha illa Allah…* »

À la litanie, succédait une immobilité minérale. Seule la djellaba blanche caressait mollement les ondulations parfumées de la brise d'automne.

Longtemps, dissimulé derrière un arbre, Foulques resta à l'observer. Mystérieusement isolé, comme tombé du ciel au milieu de la Galilée, l'énorme rocher du Thabor offrait une fraîcheur délicate. Les ailes du nez palpitantes, Foulques identifiait les parfums qui montaient de la plaine, caracolant le long des pentes abruptes, escaladant jusqu'à lui les degrés de pierre de l'antique escalier de plus de deux mille marches.

« *La ilaha illa Allah…* »

Enfin, Foulques décida de sortir du couvert. À son tour, il s'agenouilla sur ses talons et entreprit de se concentrer.

L'homme au turban avait-il à produire autant d'efforts que lui pour ne pas se laisser distraire ? Comme lui, apercevait-il du coin de l'œil cette fourmi cheminant avec une détermination sans grâce, chevauchant des brindilles qui devaient lui paraître des bûches, tirant vers le nid un élytre vingt fois plus gros qu'elle ? Suivait-il du regard cette flèche bleue pépiant de branche en branche, aussi fugace et désinvolte que sa pensée ? Laissait-il la brise le caresser à pleines narines, la suivait-il du regard, lorsqu'en volutes tièdes, elle allait dénicher les ombres basses des buissons ?

Avait-il comme lui la tête pleine de mots vides de sens ?

De temps à autre, il reportait son regard sur l'Arabe. Un bref instant, il lui semblait qu'une vague de lumière et d'intelligence s'étendait jusqu'à lui, le pénétrait. Il fermait les yeux, oubliait la fourmi et l'oiseau. Un instant, l'image du turban occupait tout l'espace de sa pupille close. Puis, très vite, la fragile rémanence s'évanouissait, et avec elle la quiétude à peine entrevue.

Il rouvrait les paupières, cherchait avec amertume d'autres images au loin, dans la plaine : des bouviers nains poussaient des troupeaux miniatures à travers des nuages de poussière muette. Plus loin encore, il devinait des remparts bas, ou peut-être de simples maisons groupées autour d'un bouquet d'arbres, une vague colline... Le mont Gilboa ?

« *La ilaha illa Allah, la ilaha illa Allah, la ilaha illa Allah...* »

L'humble mélopée rappela son regard vers l'homme au turban. D'un geste léger de la main, Foulques chassa l'agacement qui le gagnait d'être incapable de concentration.

Le soleil était haut à présent sur l'horizon. L'ombrage et la modeste altitude ne suffisaient plus à masquer les prémices d'une journée étouffante.

Agenouillé depuis des heures, Foulques tenta sans se montrer de se détendre et d'apaiser sa chair endolorie.

Avec une élégance de prince, l'Arabe se leva, après s'être baissé cinq fois en direction du nuage de poussière qui retombait sur la plaine de Jezréel. Il roula son petit tapis puis remonta gravement le sentier. Foulques retint sa respiration.

Parvenu à sa hauteur, l'homme détourna la tête avec noblesse.

« Pourquoi te dissimules-tu ? dit-il en latin. Je sais que tu es là ; je sais aussi que tu ne me veux pas de mal. »

Ceint de son épée, Foulques secoua piteusement sa cape pour en faire tomber les aiguilles de pin. L'homme qui le regardait était plutôt petit, sans doute beaucoup plus âgé que lui, mais comment savoir, avec cette vaste barbe et ce turban ?

« ... Je sais aussi que tu cherches sans trouver, ajouta l'Arabe d'une voix sans timbre.

— Comment as-tu compris cela ?

— Depuis l'aube, je sens peser ton regard. Tu étais là avant moi, je t'ai vu de loin... Tu étais assis, le soleil rosissait les remparts. Tu le regardais. Et puis tu t'es caché en m'entendant arriver.

— Toi aussi tu cherches ton Dieu ?

— Mon maître Ibn Al-Wallou dit qu'il me faut prier ici jusqu'à accéder à l'*Ubûdîya*. »

D'un regard circulaire, Foulques balaya le paysage.

« C'est où ?

— Ce n'est pas un lieu. L'*Ubûdîya*, c'est... Non, je ne peux traduire... C'est se soumettre à la volonté du Seigneur. Vois les eaux du fleuve : elles se diluent dans la grande mer... Il faut comprendre cela avec son cœur.

– Tu as dit "mon maître" ; tu es un esclave ?

– Esclave, oui. Je voudrais être l'esclave de Dieu. Mais, sur terre, mon maître n'est que mon guide. Chaque soufi est guidé par un maître sur le chemin de Dieu. Je suis un soufi.

– Un soufi ?

– Même au fond de ton cœur d'infidèle palpite comme en chacun le souffle d'Allah, si transcendant que seule une longue ascèse peut permettre d'y accéder, celle du soufisme, justement. Les petits hommes ne comprennent pas cela, et vos Églises ne savent parler que d'elles-mêmes… Qui t'a envoyé ici ?

– Moi, moi tout seul… Moi aussi je cherche la même chose que toi.

– Cela fait beaucoup de "moi" et de "je"… Tu brûles les étapes, et tu ne regardes pas dans la bonne direction.

– Je ne comprends pas.

– Dieu ne se laisse voir que de ceux qui sont devenus aveugles à tout ce qui n'est pas Lui…

– Voudrais-tu m'expliquer ?

– Tu t'entretiendrais du Seigneur avec un infidèle ?

– Est-il infidèle, celui qui croit en son Dieu ? Nous sommes bien différents, toi et moi, et pourtant, nous cherchons la même chose. Peut-être nos Dieux ne sont-ils différents que parce que nous le sommes nous-mêmes… »

Le regard de l'Arabe, un puits d'ombre, se perdait à la cime des arbres. Longtemps après, il dit calmement avant de s'éloigner :

« Ton âme semble noble. Peut-être nous reverrons-nous. Si telle est la volonté d'Allah. »

*

La veille, pour atteindre le sommet du mont Thabor, on avait emprunté le petit sentier tortueux qui serpentait au milieu des cyprès et des térébinthes, puis on avait reconnu l'endroit, cherché à comprendre de quoi il s'agissait, à qui il convenait de s'adresser. À un moine qui sortait du monastère, le chef d'escorte avait demandé où l'on pouvait s'installer. Sans aucune aménité, l'autre avait désigné du menton un tas de ruines duquel s'échappaient des fumées.

Un peu surpris d'un tel accueil, la troupe s'était dirigée vers des pans de murs qui avaient dû autrefois soutenir un toit. Ils y avaient passé la nuit à la belle étoile.

« Ah ! enfin ! s'exclama Renaud en voyant Foulques revenir.

– Je méditais.

– Alors on n'a pas fini ! Tu comptes y rester longtemps, ici ?

– Je ne sais pas. Mais vous pouvez me laisser seul, ou seulement avec Éric et un ou deux hommes.

– Pour que tu te fasses égorger par ces espèces d'enturbannés ? Sûrement !

– Tu l'as vu passer ?

– Qui ?

– Cet homme au turban qui revenait du même endroit que moi.

– Il y en a un certain nombre, et tous les turbans se ressemblent. Pourquoi ?

– Je voudrais beaucoup le revoir. Il est resté très longtemps immobile. Il regardait vers le sud et de temps à autre invoquait son Dieu.

– Un fou. Apparemment, ça pullule ici.

– Ne te moque pas. Te rends-tu compte comme ce serait beau, à l'endroit même où le Christ a été transfiguré, de comprendre pourquoi nous sommes différents et pourquoi nous nous entre-tuons ?

– En attendant, les hommes sont allés ramasser du bois dans la forêt et ont construit un toit de toile. J'ai envoyé Éric et Guilhem chercher des provisions. Si tu veux prendre racine, autant essayer de survivre... Et puis je t'ai attendu.

– Finalement, on aurait dû emmener Michel, il t'aurait tenu compagnie. »

*

En vain, Foulques chercha l'homme au turban pendant tout l'après-midi et jusqu'au soir. Le lendemain, il était là, au même endroit, toujours immobile et concentré. Foulques attendit longtemps la fin de sa méditation avant de se montrer.

« Dieu a voulu que nous nous rencontrions à nouveau, dit-il.

– Je pense plutôt que c'est toi... Pourquoi me cherches-tu ?

– Il me semble que tu saurais m'expliquer ce que je ne comprends pas.

– T'expliquer ? À toi qui ne connais pas le Prophète ? Il faudrait que tu commences par te convertir.

– Tu es fou ! Je croyais que, comme moi, tu cherchais Dieu sans intermédiaire...

– C'est bien. Si je t'affirmais que, pour comprendre, il faut que tu soulèves ton cheval et le fasses passer de l'autre côté de ce haut mur de pierres sèches, le ferais-tu ?

– J'essaierais.

– Pourquoi ? Pourquoi ne me dirais-tu pas que c'est une consigne inepte ?

– Je te demande de m'aider, à toi qui es peut-être fou, ou qui, peut-être te moques de moi. Tant pis. Je te demande de m'aider, c'est tout. Si je comprends ton enseignement, peut-être comprendrai-je ensuite pourquoi ta consigne n'est pas inepte.

– La plupart des vôtres ne savent pas attendre. C'est pourquoi ils ne trouvent pas Dieu. Dieu est au fond de toi, et ne se laisse découvrir qu'avec le cœur… Mais il faut d'abord te dépouiller de tout, ce que tu crois, ce que tu as, ce que tu es. Lis-tu l'arabe ?

– Non, je ne le parle pas non plus.

– Alors quitte le monde des apparences pour entrer dans l'Unité. Je dois partir, je te reverrai demain. »

*

Durant tout le jour, Foulques se répéta les paroles de l'homme au turban. Il s'abîmait en prières, errait dans le bois puis restait assis de longs moments, tête dans les genoux, essayant d'oublier ses sens, ou déambulait sur les remparts d'où l'on apercevait, au loin, les eaux de Tibériade.

Le rire aigre de l'ermite de Barrachois résonnait dans sa tête ; ou les affreux secrets de Raimond ; ou bien c'était un frémissement de l'air, un parfum qui passait, le bruissement d'une feuille de chêne. Alors, comme des papillons volages, ses idées se dispersaient, voletaient de branche en branche, et il les suivait du regard.

*

« Je ne comprends pas comment il faut faire, dit-il le lendemain, pour quitter ce monde d'apparences et entrer dans celui de l'Unité. Je ne parviens pas à oublier que j'ai un corps.

– Tu parles en chrétien que tu es… Tu ne peux approcher le Seigneur qu'en découvrant en toi l'étincelle divine.

– Je te dis que les passions de mon corps m'en empêchent.

– Les passions du corps, comme tu dis, sont peu de chose. Il est plus malaisé de faire taire les passions de l'esprit.

– De l'esprit ? Mais sans l'esprit, comment pourrais-je trouver Dieu ?

– Se servir de l'esprit est le meilleur moyen de ne trouver que soi, c'est-à-dire le vide. Le Seigneur ne se laisse connaître que par lui-même. Hallâj a dit : *"Celui qui, désirant Dieu, prend la raison pour guide, Dieu le laisse s'égarer dans la perplexité où il se complaît."* Ton esprit ne te sert qu'à comprendre ce qui se montre à tes sens. Du reste, vos Évangiles le disent crûment : *"vous avez des yeux et vous ne voyez pas, des oreilles et vous n'entendez pas"*.

– Cela ne signifie-t-il pas qu'on utilise mal nos yeux et nos oreilles ?

– À vrai dire, vous n'êtes pas gens de grande foi, ni de grande philosophie, vous autres chrétiens. Quelle suffisance de penser le Seigneur à travers les apparences de Sa création ! Vous en êtes toujours à vos vieilles chimères des bois et des rivières. Tu es un païen.

– Mais si je ne Le vois pas, si je ne peux pas Le concevoir, comment Le comprendre ?

– En te mettant en communication avec Lui, en contemplant Sa splendeur. Descendre au fond de toi-même par la méditation, c'est t'élever en même temps vers le Ciel. L'un de nos grands maîtres, Kalâbâdhi, a dit : *"Dieu n'est pas un corps, ni le réceptacle d'un esprit, ni une forme, ni un individu, ni une substance, ni l'accident d'une substance. Il n'y a en Lui ni jonction ni séparation. Il n'est ni mobile, ni immobile. Il n'a ni parties, ni éléments, ni membres, ni organes, ni direction dans l'espace. Aucune gêne ne L'atteint. Il n'est pas soumis à la succession du temps... Aucun lieu ne Le contient, aucune durée ne s'applique à Lui. Il ne saurait être en contact avec quoi que ce soit, ni isolé de quoi que ce soit, ni inscrit en quelque endroit. Les pensées ne Le concernent point, les voiles ne Le cachent point, et pourtant les regards ne L'atteignent point."*

– Me permets-tu d'écrire ce que tu dis ?

– Pour quoi faire ? Les mots écrits dans la mémoire de celui qui cherche sont vivants. Écrits sur un parchemin, ils deviennent des préceptes figés. Seuls méritent d'être fixés par l'écriture les mots de ceux qui ont trouvé. Votre esprit, à vous autres gens de là-bas, est à l'image du soleil qui se couche ; le nôtre est à l'image du soleil qui se lève.

– Je ne connaîtrai donc jamais la révélation ?

– Qui le sait ? Cela ne m'intéresse guère... Retiens encore ceci, qui t'aidera peut-être : *"Dieu est un. C'est le Dieu à qui tous les êtres s'adressent dans leurs besoins. Il n'a point enfanté et n'a point été enfanté. Il n'a point d'égal en qui que ce soit."*

– De quel maître est-ce ?

– Du plus grand, le prophète Mohammed ; c'est la cent douzième sourate du Coran. »

Sans un mot, Foulques regarda l'homme se lever puis s'éloigner. « Païen » ?... Païen, lui qui avait passé tant de temps à ne penser qu'à Dieu ? Son Dieu à lui serait un esprit des bois, un héros de légende ?

Non, cet homme s'était amusé à l'humilier, parce que les musulmans détestent et méprisent les chrétiens. Avec quelle morgue il s'était délecté de prétendre l'esprit chrétien marchant vers les ténèbres, tandis qu'aux autres était réservé l'astre levant !

« Moi aussi, j'ai cru que la lumière paraissait d'un coup au-dessus de Jérusalem. J'ai bien l'impression que le soleil apparaît et disparaît en même temps sur toute la terre. Quelle différence y a-t-il entre un lever de soleil en Galilée et un lever de soleil en Saintonge ? Ce bonhomme est de la race des faux ermites. »

*

Ils achevaient de manger en silence. Éric dit tout à coup :
« Chez moi, là-bas, tout a l'air comme ça. »

D'un geste circulaire, il engloba les murs, le vélum et le chaudron sur son trépied.

« Chez toi ? Des murs de pierre, un toit de toile ? s'étonna Renaud.

– Toit de terre et herbe sur la terre. Quand l'été est venu, au *thing*, oui, il y a toit de toile. »

Renaud jeta un coup d'œil à Foulques pour voir s'il comprenait.

« Le *thing*, répéta Éric. Grand conseil où cela que les hommes se réunissent pour dire tout.

– Comme le conseil des barons ?

– Il n'y a baron, chez moi.

– Pas de barons ? Mais qui commande, alors ?

– Tout le monde.

– Ce n'est pas possible, il ne peut pas y avoir que des chefs !

– Non, non. Il y a riches, mais pas chefs, ni roi.

– C'est où ? C'est où, ce pays extraordinaire ? » demanda Renaud en riant.

Éric laissa errer sur ses compagnons un regard inhabituel et répondit d'une voix un peu voilée :

« L'île qui est mienne. Le berceau des hommes libres. Très loin dans le nord de la mer. Elle a la brume et l'herbe verte, et la laine touffue du mouton, et le vent gonfle les voiles. Et la nuit couve le jour pendant très longtemps. Et après, le jour couve la nuit. C'est Islande.

– Mais le soleil se lève et se couche comme partout ailleurs ? intervint Foulques.

– Non, le soleil éclaire la vie ; la nuit recouvre la mort. Un seul lever vrai, un seul coucher vrai dans toute l'année. »

Foulques demeura silencieux. Si, dans cet étrange pays, le soleil n'était pas le même qu'ici ou en Saintonge, c'est qu'il y avait plusieurs soleils. Chez l'homme au turban, le soleil était peut-être différent aussi. C'était sans doute pour cela que personne ne comprenait le Créateur de la même façon.

L'Arabe, pourtant, avait bien dit que, dans le besoin, tous les êtres s'adressent à Dieu. Dieu serait donc le même pour tous ? Mais alors pourquoi se battait-on ? Surtout en Son nom ? Au nom de Dieu… Se battait-on au nom de Dieu, ou pour le nom qu'on Lui donnait ici ou là ?

Il décida que l'homme au turban n'était peut-être pas de la race des faux ermites.

*

Le lendemain, Foulques vint comme d'habitude l'attendre avant le lever du soleil. Bientôt, une teinte rosée dora le faîte des arbres. Une pluie d'or ruissela vers le sol, dégringolant sur les aiguilles vernissées. La fraîcheur de la nuit s'évapora, et la vie, alentour, commença de s'ébrouer. Le temps passa, l'Arabe ne parut pas.

Foulques se leva, avançant au hasard parmi les arbres. Bientôt il rencontra la muraille disloquée qui cernait le mont. Nulle voix d'homme ne parvenait jusqu'à lui. La chaleur grimpait. Il atteignit une brèche du rempart qui se prolongeait par un trou du socle de roche. Le boyau était court, mais frais et abrité des regards. Il s'y blottit.

Ici, pour la dernière fois, le Christ était apparu aux apôtres... Foulques se rappela avoir confié à son aïeul qu'il comptait en ce lieu connaître sa propre transfiguration. L'Unique, Dieu, l'Ascension, les serments... Quel sens tout cela avait-il encore ?

Les heures s'écoulaient dans le vide. Par l'ouverture du trou, Foulques vit le soleil atteindre le zénith. La terre desséchée perdit tout relief, comme écrasée sous les ombres verticales. Puis il y eut un grand moment de somnolence abrutie de chaleur vibrante. Enfin l'éclat de la lumière décrut. En nappes d'ambre bleuté, le soir déposa son baume sur le sol brûlant.

Allongé nu sur le sol, le ventre torturé de faim, Foulques pleurait. « Je suis un païen, je suis un païen. Gé, mère généreuse et nourricière, renouvelle-moi ! » pensa-t-il au moment où sa semence jaillissait tristement sur la terre.

Lorsqu'il se dressa à l'entrée de la brèche, la brise du crépuscule faisait frissonner les arbres indifférents. Loin sur la Galilée, la nuit naissait dans les braises moribondes. Foulques grimpa sur un monticule et clama vers le vide de l'abîme : « Dieu, mon Père, Gé, ma Mère, où êtes-vous ? »

*

À son retour, il apprit que de nouveaux musulmans étaient arrivés dans la journée. Renaud lui assura qu'ils avaient jeté des regards menaçants sur la petite troupe chrétienne et que les hommes commençaient à redouter un guet-apens.

Au petit matin suivant, Foulques se dirigea vers la fontaine qui glougloutait sans conviction à la lisière du bois. Une fois dévêtu, il vit que les Sarrasins agglutinés à proximité ricanaient en le regardant. Il haussa les épaules et entreprit de se laver. Puis il finit par comprendre que les autres se moquaient parce qu'il n'était pas circoncis.

*

Cette fois, l'homme au turban se tenait à sa place habituelle. Foulques lui sut gré de la joie qu'il en éprouvait. La propreté de son corps lui parut promettre la virginité de son intelligence. Il se sentit prêt à bien écouter et à tout comprendre.

« Tu es venu hier, dit l'Arabe. Hier, nous étions vendredi, jour sacré.

– Je ne sais plus les jours. Je m'applique à descendre en moi, comme tu me l'as dit.

– Tu empruntes le mauvais chemin. Descendre en soi ne signifie pas regarder son nombril. Le calendrier est plus important que toi, car il est d'essence sacrée. Dieu seul peut te pénétrer et t'habiter. Par Lui seul tu découvriras la solitude. Hallâj a dit : *"Tu seras rendu esseulé en étant unifié ; que l'Être divin fasse que tu n'aies pas conscience de toi-même."*

– Mais si je ne peux me servir ni de mon intelligence ni de ma conscience, comment puis-je descendre en moi pour sentir Dieu ?

– Tu l'as dit toi-même, il faut le sentir. Une infinité de voiles te séparent de Lui.

– Je comprends cela.

– Tu crois comprendre ; cela te rappelle des choses. On t'a dit que tu devais te racheter du péché originel. C'est mal interpréter les voiles sombres qui nous séparent de l'Unique.

– Pourquoi noirs ?

– Pas noirs, sombres. La conscience vague de l'opacité appelle en toi l'idée d'obscurité, et au lieu de prendre la mesure des zones d'ombre, tu déclares "c'est noir". Tu n'y peux rien ; c'est pour cela que vous n'avez pas de métaphysique. Ils sont sombres parce qu'ils émanent de tes mauvais penchants.

– Pourquoi ne pas dire simplement des voiles ? Pourquoi prétendre en donner la couleur ?

– Ce n'est pas une teinte mais une nuance. Le noir est absence de couleur. Si je dis sombre, c'est parce que les voiles clairs t'obscurcissent tout autant le chemin.

– Les voiles clairs ?

– Oui, les vertus excessives, la monstrueuse chasteté, la continence… Le trop-plein de vertu est un vice, puisque, pour éviter le vice, on ne pense qu'à lui. »

*

Le jour de la Saint-Michel, l'homme révéla à Foulques les quarante-cinq étapes définies par Al-Qushairî pour accéder à Dieu, et lui expliqua qu'il se trouvait à la troisième. La première consistait en une profession de foi, qu'il avait faite depuis longtemps, même s'il avait confondu l'Unique et la religion chrétienne ; la deuxième était la lutte spirituelle dans laquelle il s'était débattu jusqu'à venir ici connaître la troisième que l'on nommait *khalwa wa-uzla*, la solitude ou la retraite.

« Quelle est l'étape suivante ? demanda le garçon.

– Seul ton maître pourrait te l'expliquer. Je ne suis pas ton maître. Apprends l'arabe et lis les livres. »

*

Foulques fut très étonné de trouver au campement le serviteur du comte de Toulouse.

« Le comte a perdu Tortose, expliqua Ménélas. L'ancien émir pourrait bien contre-attaquer, et la fidélité des Grecs est devenue incertaine. La situation est grave et notre chef te demande de le rejoindre au plus tôt. »

Foulques voulut saluer l'Arabe avant de quitter le mont Thabor. Il ne le trouva pas. Parvenu presque en bas du chemin escarpé, il leva le regard vers les éboulis du sommet. D'ici, les larges rouvres paraissaient des arbustes dont les branches lourdes se penchaient vers la plaine comme un dais trapu. Il sut que plus jamais il ne pourrait parler d'« infidèles ».

*

Un soleil sans vie faisait semblant de réchauffer le comte de Toulouse recroquevillé sur sa bedaine. Le teint gris, l'œil terne, Raimond avait en un mois terriblement vieilli.

Dans l'ombre, de l'autre côté du foyer, Elvire semblait veiller la lassitude de son époux. Foulques fut saisi d'un élan de compassion, tandis que s'imposait à sa mémoire l'image de son aïeul accablé d'années et de fatigue.

« Je vous l'ai toujours dit, on ne peut faire aucune confiance aux Grecs. Voilà où me conduit mon excès de loyauté.

– Le gouverneur t'a trahi ?

– Que peut-on attendre d'autre d'un peuple d'hérétiques idolâtres et schismatiques ? Alexis est un beau modèle ! Tous pareils, aussi pervers que le maître ! Il s'est entendu avec l'émir, sans aucun doute, pour mettre la cité en coupe réglée et en partager les dépouilles.

– Comment sais-tu cela ?

– Je ne le sais pas, je le comprends. Pendant que tu attends sur le Thabor que les ailes te poussent pour monter au Ciel, moi j'observe, je déduis, je conclus… Quand je pense que je leur proposais, à ces Tortosites, la plus belle paix qu'on puisse imaginer ! Je leur aurais donné autant de privilèges qu'à Toulouse. Le Tortosinien serait devenu le modèle envié de toute la Syrie franque. J'aurais pu établir une paix tortosane d'Antioche à Jérusalem…

– Tu aurais voulu conquérir tout ça ? coupa Renaud éberlué.

– Eh bien… Euh… Je n'aurais pas eu à conquérir. On serait venu m'implorer de délivrer les cités de la tyrannie et de leur accorder ma protection… Les Tortoseux m'ont trahi, dupé avec leurs douceurs perfides de Gréco-musulmans. Mais, si je ne peux pas leur accorder paci-

fiquement le bonheur, je ferai comme le grand empereur Charles, je
leur imposerai le baptême saxon. Le baptême ou la mort, voilà qui
résoudra la question. Après tout, cela fait trois cents ans que la Saxe est
convertie, non ?

— À propos de conversion, dit Foulques, je voudrais demander au
nouvel évêque de me relever de mon excommunication.

— Quel nouvel évêque ? Il n'y a pas d'évêque à Tortose.

— Je parle du nouvel évêque que tu as nommé ici, à Laodicée.

— Un nouvel évêque, ici, à Laodicée ? Et pourquoi donc aurais-je
nommé un nouvel évêque ? Étienne me convient parfaitement.

— Tu avais dit qu'il était indigne, que tu le destituerais et…

— J'ai autre chose à faire que de m'occuper de tes histoires d'excommunication, imagine-toi. L'évêque Étienne restera évêque jusqu'à ce
que le pape m'ait proposé un nom. »

*

« Je suis sûr que les choses ne se sont pas passées comme ça, dit
Renaud en sortant.

— C'est probable, il affable toujours.

— On va vers de gros ennuis, s'il persiste…

— Il ne peut quand même pas penser sérieusement à conquérir toute
la Syrie !

— Mesure-t-il encore les réalités ? Sur le Thabor, j'ai beaucoup parlé
avec Éric… Chez lui, on n'obéirait plus à Raimond.

— Raimond est le comte de Toulouse. Qui pourrait refuser de lui
obéir ? s'exclama Foulques.

— Là-bas, il n'y a pas de comte, ni de roi, ni d'empereur.

— Sans doute parce que c'est une île. À Oléron ou à Cordouan il n'y
a pas de roi non plus.

— C'est une île immense, Foulques, plus grande, peut-être bien, que
le comté de Toulouse. Tu devrais en parler avec Éric ; c'est plus important, pour le moment, que de savoir si Dieu est chrétien ou musulman.
Souvent, je croyais entendre parler Elvire.

— Elvire, Éric ? Quel attelage ! Tu es fou !

— Ils pensent tous deux que l'Église s'intéresse plus au pouvoir qu'à
Dieu.

— Hérétique !

— Elvire me dit que seul l'homme donne la mesure aux choses ; Éric
m'assure que chez lui, l'homme est la mesure des choses. Quand on voit
les barons couvrir du nom de Dieu toutes leurs infamies, on peut
s'interroger, non ?

— Moi, j'y crois.

— Toi, tu n'es pas un grand baron. Tu regardes la terre se refléter dans les nuages, et tu crois que la vraie terre se comprend en levant le nez vers le ciel. Les autres raflent d'abord tout ce qu'ils peuvent, et après, quand il y a quelqu'un pour les voir faire, ils lèvent les yeux vers le Ciel.

— Renaud, as-tu songé à ce que deviendrait l'ordre, si l'homme était centre de tout ?

— Et toi, as-tu songé quelquefois qu'il faut savoir ce qu'on veut ? »

*

En refermant sur lui la lourde porte de bronze, Foulques fut saisi par des parfums d'épices désagréablement mêlés à l'habituelle moisissure du corridor dallé. Narines retroussées, il s'arrêta pour renifler.

On approchait de la sixième heure. Morphia devait achever de se farder, bientôt Anna allait réclamer sa nourrice, Michel étudiait à l'étage auprès d'Onfroy. La vie palpitait.

Il laissa son regard errer sur l'encoignure humide de l'atrium où de tristes fleurs de Colchide s'évertuaient à dresser leurs corolles empoisonnées. Sans doute quelque sorcière les avait-elle un jour semées là. Bientôt, devenues sèches comme des glands, elles s'ouvriraient pour laisser échapper leurs fruits qui les reproduiraient à l'identique, pour quelque nouvelle Médée qui en ferait des philtres maléfiques. Comme elles, Foulques se sentait prêt à la déhiscence, un et multiple à la fois, dispersé mais entier, désarticulé par le venin du doute. Sur le Thabor, quêtant les paroles d'un maître. Et aussi au bord du Styx où il apercevait en ombres tous les êtres aimés qui avaient disparu. Et encore, chevauchant Balthazar ressuscité, filant vers Jérusalem pour y chercher le secours d'Isoard. Ou bien à Châtenet, avec Guillaume, Hélène et tous les autres, et Renaud qui agrandissait la Billette ; mais ce Foulques-là ne connaissait rien, n'avait rien vécu ; les yeux grands d'émerveillement, il écoutait le père Jean raconter les exploits des héros partis délivrer le Saint-Sépulcre. Un autre Foulques, avait avec Renaud trouvé refuge à Constantinople, et donnait comme son beau-père des leçons de philosophie...

La porte de l'office s'ouvrit.

« Ah ! Foulques, je ne t'avais pas entendu rentrer... Comme je suis contente ! Le repas est bientôt prêt. »

Foulques sut que le sire de Termes souriait. Depuis qu'il était revenu du Thabor, son épouse faisait tout son possible pour lui rendre la vie agréable.

« J'ai pensé qu'il serait bon de donner une petite fête au comte Raimond pour lui faire oublier la perte de Tortose. Ton retour vient à point pour le rassurer, mais il a besoin de se sentir aimé.

– Aimé ?… Oui. Bien sûr, sans doute… Mais il a Elvire ; de ce côté-là, il est servi.

– Ce n'est pas de cet amour-là que je parle ; c'est d'un amour de… Je ne trouve pas mes mots en roman ; en grec, on dirait *oïkos*, ou *gens* en latin. »

Par commodité, Morphia poursuivit dans cette langue.

« Nous faisons tous partie de son clan. Il est un peu notre patriarche. Et je crois que Moïse ou Abraham eux-mêmes avaient besoin d'affection. Tu ne sais pas en donner. »

Foulques la regarda, une vraie surprise dans le regard.

« Je suis un chevalier, pas une femme, dit-il en se sentant affreusement bête. Si tu penses qu'une fête peut le dérider, pourquoi pas ?

– Les caves et les greniers sont pleins. Cette fois, j'ai veillé au ravitaillement et fait des provisions ; ce ne sera pas comme l'hiver dernier. J'ai aussi trouvé des musiciens, des chanteurs et des danseurs.

– C'est bien, tu as bien fait… Mais ce sera de toute façon une toute petite fête, il n'y a personne à convier.

– J'inviterai Constantinos.

– Vu la trahison des troupes grecques, ça m'étonnerait que Raimond soit heureux de dîner avec le capitaine de la garnison.

– Et puis aussi Étienne.

– Avec l'évêquesse ? Mais tu es folle ! Rappelle-toi que je suis excommunié et que personne ne songe à revenir là-dessus.

– Justement, ce serait un moyen de l'amadouer.

– Dis plutôt de l'acheter ! Et avec des danseurs et des chanteurs, en plus ! Je m'en suis déjà servi pour essayer de ruiner sa réputation, tu vois comment ça a réussi… Il me faudrait maintenant inviter à ma table la putain devenue évêquesse que je lui ai mise dans les pattes !

– Tu es trop violent. Vous êtes tous trop violents. Aimez-vous donc à ce point la guerre, tous autant que vous êtes ? Pour cette fois, laisse-moi faire, veux-tu ? »

*

Le surlendemain, Morphia sut organiser le service, à vrai dire réduit puisqu'ils n'étaient que cinq convives, diriger le spectacle, faire valoir Raimond juste comme il convenait.

Étienne n'avait pas été invité. Elvire se taisait.

Les musiciens terminaient un intermède pimpant. Soudain, ayant frappé du plat de la main la table de bois, Raimond se racla la gorge et dit :

« J'ai à vous apprendre une nouvelle d'importance. Le comte d'Édesse est en marche vers Jérusalem où il entend, je suppose, poursuivre l'œuvre de son frère Godefroi. C'en est terminé de la domination tyrannique de Daimbert. Le cours de l'Histoire bascule, et tout, dans les événements à venir, nous porte à nouveau au premier plan. »

Morphia s'assombrit, comprenant que sa fête n'avait plus d'importance. Raimond s'enflammait peu à peu.

« Et ce n'est pas tout. Baudouin sera là demain.

— Il passe par Laodicée pour se rendre à Jérusalem ? s'étonna Foulques.

— Sache que rien, ici, ne saurait se faire sans mon accord, ou du moins ma participation. À Baudouin Jérusalem, à moi le pouvoir en Syrie.

— Et Tancrède ? hasarda Renaud.

— Ce blanc-bec doit se demander en ce moment s'il vaut mieux pour lui se soumettre ou retourner au plus vite en Sicile. »

*

Baudouin demeura trois jours à Laodicée. En même temps que le comte d'Édesse, une flotte génoise amena dans le port le nouveau légat du pape, un certain Maurice de Porto. Lorsque tout le monde repartit, le jour des calendes d'octobre, le comte Raimond n'avait rien appris parce que nul ne lui avait rien proposé.

Un mois plus tard, il convoqua en séance plénière ce qu'il s'obstinait à nommer son conseil, c'est-à-dire Foulques et Renaud, et, sans doute pour masquer la modestie de l'assemblée, demanda à Elvire d'organiser à son tour une petite fête.

La comtesse de Toulouse fit préparer un repas simple, presque frugal, et ne convia aucun artiste.

« Une fête a généralement pour objet de fêter quelque chose, dit-elle en accueillant Morphia. Or, mis à part le fait que nous soyons toujours en vie, je ne vois rien qui mérite d'être fêté. »

Le comte de Toulouse avait quant à lui recouvré l'aspect jovial des temps heureux.

« Le jour de Noël, Baudouin, pour l'heure comte d'Édesse et pour toujours frère de feu Godefroi de Bouillon, va se faire couronner roi de Jérusalem, annonça-t-il quand la table eut été dressée.

— C'est Isoard qui te l'a fait savoir ? » demanda Renaud.

Raimond se renfrogna, se massa la poitrine et s'éclaircit la voix.

« Évidemment, qui veux-tu que ce soit ? Il a envoyé un messager dès que la chose s'est sue. Ce pauvre garçon, pour un peu, serait mort comme le coureur de Marathon, pour ne pas différer de m'avertir. Il paraît qu'il a crevé trois coursiers, pas moins.

— Et Daimbert n'y trouve rien à redire ?

— Eh, eh, eh ! Eh non ! C'est à se tordre de rire. La belle alliance édesso-pisane a volé en éclats. Pfuit !

– Je n'y comprends rien, assura Foulques.

– Rien d'étonnant à cela. Pour comprendre, il faut de l'expérience. Mais je suis là pour comprendre pour vous, moi... Bref, l'illustre Baudouin est arrivé à Jérusalem et Daimbert lui a fermé sa porte au nez. L'autre s'est fâché, bien sûr. Le ton a monté... Et le bon archevêque est parti bouder sur le mont Sion !

– Et qui est patriarche, alors, maintenant ? Le légat du pape ?

– Absolument aucune importance ! Que nous chaut l'intendance quand le sort du monde bascule ?

– Foulques a raison pourtant, assura Morphia ; la suite des événements dépend à l'évidence de la personnalité du futur patriarche. »

Raimond releva lentement la tête vers la jeune femme, puis détourna le regard vers Foulques.

« Amusant... Très amusant... Te souviens-tu, Foulques, de cette impertinente petite d'Altéjas, je veux dire l'aînée, la chevalière de la joute ? Eh bien ! voilà que tu as su trouver une femme de la même trempe. Ces Amazones ne vont-elles pas bientôt nous apprendre comment diriger un État ?

– Pardonne-moi, Raimond, insista Morphia, mais, en terre d'empire, la valeur politique ne se mesure pas au sexe. D'ailleurs, nos plus grands basileus ont été Irène et la bien-aimée Zoé porphyrogénète, que Dieu les accueille.

– C'est bien en terre d'empire, pourtant, que saint Paul a écrit qu'une femme qui sait se taire est un bienfait du Ciel », dit Elvire avec détachement.

Raimond jeta un regard faussement accablé aux deux garçons et continua :

« Donc, on se moque tout à fait de savoir qui est patriarche. Le point intéressant, c'est que le superbe comte d'Édesse, devenu roi de Jérusalem, va avoir besoin de se sentir soutenu. C'est pourquoi j'irai à la cérémonie.

– Eh bien tu iras seul ! lança Foulques un peu vivement, piqué d'avoir vu Morphia rabrouée si vertement. Je suis toujours excommunié et mon vassal Renaud...

– Comment cela, excommunié ? Si tel est encore le cas, ce bon Étienne fera un geste, je n'en doute pas... Nous partirons le jour de l'avent, ce qui nous laisse quinze bons jours.

– Qui prendra le commandement de Laodicée ?

– Mais Elvire, bien sûr, que je nommerai régente.

– On peut mettre une ville en régence ? demanda Renaud, la fourchette en l'air.

– Et pourquoi non ? T'imagines-tu que le comte de Toulouse ne peut pas faire ce que fait un roi ? Est-ce cela que tu veux dire ?

— Non, mais…

— Constantinos tient fermement la garnison ; et, le cas échéant, ajouta Raimond tourné vers Foulques, Morphia, ta femme, aidera la comtesse de ses conseils, puisqu'il paraît qu'elle s'y connaît. »

L'épouse du sénéchal s'inclina légèrement jusqu'à rencontrer du regard le visage de la comtesse de Toulouse. Celle-ci eut un imperceptible mouvement de tête qui ne modifia ni la raideur de sa bouche ni l'éclat de ses yeux.

*

La demeure qu'occupait Isoard à Jérusalem était juste un peu moins somptueuse que celle de Raimond à Laodicée, et quand ce dernier l'eut constaté, il en parut manifestement soulagé.

Avec un grand malaise, ils retrouvèrent les lieux où, plus d'un an auparavant, avaient triomphé les chrétiens. Personne n'avait oublié l'effroyable carnage qui, de la capitale chrétienne avait fait un champ de douleur. Vaguement troublé d'on ne savait quelle appréhension, on alla se recueillir au Saint-Sépulcre, y compris Foulques dont l'évêque Étienne avait finalement levé l'excommunication. Mais ce fut tout.

« Moi, je veux te faire voir l'église Qsa, dit un jour Michel à Onfroy au milieu d'un repas. Je connais, moi, tu sais. Qu'est-ce qu'on leur a mis, aux autres ! Hein, Foulques ? Hein, Renaud ? Vous vous souvenez ?

— Oui, on s'en souvient, malheureusement.

— Eh bé, Foulques ! C'est nous qu'on a gagné, tu t'en souviens pas ? Faut dire "heureusement", pas "malheureusement".

— "C'est nous qui avons gagné, ne t'en souviens-tu pas ?", voilà comment il faut dire, le reprit Onfroy en fronçant un sourcil de *magister*.

— Onfroy aura beaucoup à t'apprendre, ici, soupira Foulques, et pas seulement à parler correctement. Il te parlera du pardon et de la paix. »

*

Baudouin ne manifestait aucune intention de recevoir les Provençaux. Pendant une douzaine de jours, Raimond en plaisanta, de plus en plus aigrement, jusqu'à demander à ceux qu'il rencontrait si le roi Baudouin ignorait qu'il y eût de fort beaux garçons chez les Provençaux ; puis, l'amertume le submergeant, il sombra dans un silence prostré. Il en vint à évoquer l'hypothèse d'un retour tonitruant à Laodicée, « pour veiller sur ses femmes ». Mais, personne ne lui donnant la réplique, il abandonna cette idée. Ses espions ne lui rapportaient que d'insignifiantes bribes d'informations qui traînaient dans la rue.

Le comte de Toulouse n'était pas le premier à Jérusalem.

*

Un jour, Foulques décida de se rendre chez le changeur juif qui s'était si scrupuleusement acquitté de ses obligations envers lui. Abraham le reçut avec chaleur.

« Que la paix soit sur toi, messire Foulques.

– Je te donne ma paix, Abraham. Tu sais sans doute que notre position à Laodicée est bien précaire.

– Cela se peut, mais ce que je sais surtout, c'est que le sénéchal Foulques s'est montré d'une grande générosité pour les nôtres... Nous serons tes alliés pour longtemps.

– Je n'avais pas le choix.

– À certains moments, en effet, tu n'avais pas le choix, il faut bien s'appuyer sur quelqu'un, lorsque le danger est partout. Mais à d'autres moments, tu aurais pu oublier que tu avais eu besoin de nous. À la différence de bien des chrétiens, de bien des musulmans que nous avons obligés, tu n'as pas cru devoir nous trahir, sitôt notre appui devenu superflu. Au nom de tous les miens je t'en remercie... Sans doute as-tu un service à me demander ? »

Foulques ne put réprimer un sourire satisfait.

« Je ne sais ni quand ni pour où nous quitterons Laodicée, mais je suis certain que nous partirons. Existe-t-il un moyen de ne pas emporter les mille marcs que mon aïeul m'a laissés, de les mettre en lieu sûr chez un de tes amis ?

– La chose est possible, évidemment. Elle coûte un peu d'argent. »

Abraham appela un domestique pour le thé et entreprit en silence de tisonner le feu. Foulques n'osait pas reprendre la parole.

« Tu peux, si tu le souhaites, faire établir un billet à ordre.

– Je ne sais pas ce que c'est.

– Avant de quitter Laodicée, tu confierais ta fortune à un changeur qui t'en donnerait reçu. Puis, là où tu te rendrais, tu présenterais ce reçu à notre correspondant qui te remettrait tout ou partie de ton argent, à ta convenance.

– Pourquoi disais-tu que cela coûtait de l'argent ?

– Fort peu, en vérité. C'est la commission.

– Combien ?

– Une partie pour neuf... Mais pour toi, je ferai en sorte qu'on ne demande qu'une partie pour dix. »

Foulques s'étonnait lui-même : c'était bien la première fois qu'il éprouvait un intérêt quelconque à réfléchir à de pareils sujets. Amusant, finalement...

« Même une partie pour dix, c'est beaucoup. Ne peut-on faire à moins ?

– Hélas non ! L'époque est ce qu'elle est, tu le comprends bien. D'autant que la monnaie impériale connaît ces temps-ci bien des malheurs et n'est plus ce qu'elle a été.

– Et si j'ignore où je vais ?

– C'est plus compliqué. Il faut établir un billet payable en tout lieu. Mais la commission monte à une partie pour cinq.

– Alors je saurai où je vais ! »

Les deux hommes burent leur thé à petites gorgées silencieuses. Par la fenêtre, on voyait tomber une neige lourde.

« Puis-je te confier un pli pour Moïse, le changeur de Laodicée que tu dois connaître ?

– De quoi s'agit-il ?

– De nos affaires. C'est rédigé en hébreu, malheureusement. »

Depuis un moment, Foulques sentait un petit diable l'aiguillonner, lui suggérant de plus en plus précisément de discuter. D'abord, il rejeta avec hauteur cette tentation qui ne pouvait concerner que les Juifs et les Lombards. Puis il se souvint que son aïeul ne laissait rien au hasard et marchandait comme un boutiquier, tout comme Raimond ; que Thibaud et même Adhémar comptaient sou à sou. Un chevalier pouvait donc, sans déshonneur, prendre en considération les misérables contingences matérielles...

« À une condition », dit-il.

Abraham eut un sursaut de surprise qu'il s'efforça de dissimuler en reposant son bol sur la tablette dans un lent mouvement plein de componction.

« Une condition, dis-tu ?

– Une partie pour dix, c'est trop. Fais-moi une pour douze. »

Avec un léger sourire, Abraham prit sa tête entre les mains.

« Jamais je n'ai vu un de tes compagnons chevaliers traiter l'argent avec respect. Le denier douze que tu me proposes est une hérésie qui conduirait mon peuple à la ruine si d'autres que toi se mettaient à l'exiger... Eh bien ! soit, j'accepte. Vois-y la marque de mon estime. À bien des titres, oui, à bien des titres...

– Tu le marqueras dans ta lettre ?

– C'est tout à fait indispensable. On va croire que j'ai perdu la tête... Souhaites-tu que je t'en donne une traduction en latin ?

– Non, tu as toute ma confiance. »

*

Une chape de coton estompait les angles de la cité. Comme tous les autres, Foulques s'étonnait extrêmement : Jérusalem sous la neige serait encore moins croyable que le reste, quand on le raconterait, au retour. En tournant l'angle de la via Dolorosa, il glissa et partit en titubant jusqu'à un mur au pied duquel il s'écroula. En riant, il se redressa, et tâta le parchemin d'Abraham glissé contre sa peau. Des images d'enfance tourbillonnaient dans sa tête.

Le premier hiver qu'il avait passé à Vaux, il avait neigé. Son oncle tempêtait beaucoup, mais Foulques était incapable de se rappeler pourquoi. Il s'était battu dans la cour à coups de boulets blancs avec Gérard, et frère Guillaume avait lui-même lancé des poignées de neige. Ils avaient ri. Adhémar était apparu. Frère Guillaume avait murmuré : « Je dégage l'entrée, père Adhémar... » Le lendemain, tout avait fondu.

Foulques pressa le pas. Il allait apprendre à Michel à construire un bonhomme de neige. Avec Renaud et Éric, Guilhem et Onfroy, on ferait des équipes. Éric devait connaître des tas d'histoires de neige. Il en raconterait. Peut-être Isoard voudrait-il jouer aussi.

Le nez rougi, il pénétra dans la salle où Raimond se chauffait.

« Ah quand même ! voilà quelqu'un, clama le comte.

— Où sont les autres ?

— Partis se battre à coups de boules de neige. Je te demande un peu ! Alors que tout va mal... »

Foulques sut que la bataille se ferait sans lui, qu'il allait devoir encore débattre de graves questions. Avec un geste d'impatience, il amorça un mouvement vers la sortie, puis se ravisa.

« Ah ! » dit-il.

Le silence se fit.

« Daimbert est venu à Jérusalem, lâcha enfin Raimond.

— Donc c'est lui qui couronnera Baudouin, et pas le légat.

— Et c'est tout ce que tu trouves à dire ? Daimbert est à nouveau patriarche, le comte d'Édesse va devenir roi, on parle de faire de Tancrède le régent d'Antioche, et tout cela comme si je n'existais pas ! Des traîtres partout, auprès, au loin, des traîtres, je suis cerné de traîtres. Je n'ai qu'un seul allié fidèle et sûr, l'empereur.

— C'est le seul qui soit digne de toi. »

Raimond releva le regard, cherchant à deviner la perfidie. Mais Foulques présentait un visage sans ombre.

« C'est vrai, tu as bien raison. Que vais-je m'encombrer de soutiens subalternes ?

— Si tu n'as plus besoin de moi, je vais aller retrouver les autres. Moi aussi, j'ai envie de jouer aux boules de neige. »

Raimond haussa les épaules et congédia Foulques d'un geste méprisant.

*

Une fois dehors, il chercha sans y croire la tribu que les glissades et les batailles rangées avaient dû entraîner loin de là. Il marcha au hasard, atteignit la vallée du Cédron, endormie dans un cocon. Il ne tombait plus qu'un maigre duvet entre les deux rangées de cyprès givrés qui gravissaient le mont des Oliviers. Le ciel, là-haut, s'éclaircissait. Foulques entreprit l'ascension.

Un silence absolu régnait. Bientôt, un rayon perça la nuée, fit étinceler le dôme d'or d'Al-Aqsa. Foulques atteignit l'endroit où il avait passé la nuit de l'assaut seize mois auparavant. À nouveau, pour s'y appuyer, l'olivier lui offrit son tronc noueux.

« Le soleil se lève au-dessus de Jérusalem », songea-t-il alors qu'au loin tintaient les cloches du futur royaume chrétien de Jérusalem.

A- Forum de Constantin
B- Forum de Théodose
C- Forum du Boeuf
D- Forum d'Arcadius
E- Citerne
F- Hippodrome

1- Palais impérial
2- Palais impérial des Blachernes
3- Sainte-Sophie
4- Saint-Serge et Bacchus
5- Église des Saints-Apôtres
6- Église Saint-Georges-des-Manganes
7- Église Saint-Sauveur-in-Chora
8- Monastère du Christ Pantocrator

Plan de Constantinople (XIIᵉ siècle)

X

Printemps 1101. – Constantinople.

DES VAGUES COURTES soulevaient la proue du navire qui retombait dans les creux d'eau pour rebondir aussitôt. Craquements sourds, claquements de voiles, sifflet du vent dans les haubans avaient d'abord inquiété les Provençaux, peu habitués à la haute mer. Mais les marins avaient assuré que la mer était bonne et que, le bateau allant grand train, l'on ne tarderait pas.

Glacé par l'humidité de la nuit, Foulques scrutait l'horizon. Parfois, les pâles falots des deux autres navires semblaient clignoter dans la bruine. Dans une phosphorescence vague, on distinguait leurs contours sombres, puis l'obscurité les avalait de nouveau et l'on avait l'illusion d'être absolument seul, perdu dans l'immensité.

« Tiens, vois, s'exclama soudain le pilote le doigt tendu, c'est la lanterne de l'île des Princes, l'entrée du Bosphore. Le comte Raimond a dû la voir aussi. »

Foulques fouilla en vain les ténèbres dans la direction indiquée. Les bateaux de Renaud et de Raimond avaient-ils aperçu quelque chose ? Il lui sembla qu'ils se rapprochaient.

« Alors, si tu ne te trompes pas, nous sommes arrivés, dit-il au pilote.

– Sans doute, que je ne me trompe pas ! C'est bien la lanterne de l'île des Princes, on ne peut pas confondre.

– On dirait bien que c'est elle, tu as raison, assura Foulques qui scrutait l'horizon. Crois-tu que les autres l'ont vue aussi ?

– Bien sûr. Mais maintenant, ils ne la voient pas plus que moi, parce qu'elle a disparu dans la brume. »

Foulques se renfrogna, se demandant si le marin se moquait de lui.

« J'ai dû confondre avec une étoile, murmura-t-il pour dire quelque chose.

– Les étoiles, ça clignote. Pas les lanternes, laissa tomber le marin. »

Officiellement, le basileus avait prié Raimond de prendre en charge les renforts lombards dont l'arrivée était imminente. Foulques pensait qu'il s'agissait là d'un prétexte pour éloigner le comte de Toulouse de Laodicée. Ayant les mains libres en Syrie, l'empereur pouvait préparer la reconquête d'Antioche en écartant définitivement Tancrède de la régence, puisque Bohémond était prisonnier des Turcs, sans qu'il y eût apparence de pouvoir le libérer jamais. Ce que Raimond s'obstinait à considérer comme une insigne faveur était en vérité une manière contournée de se débarrasser d'un importun, Foulques en était convaincu.

« Est-ce que nous risquons encore d'être attaqués ? demanda-t-il.

– Non. Il n'y a pas autant de pirates qu'on le dit, et les Turcs ne connaissent que leurs chevaux. Sur l'eau, ils ne valent rien. »

Le Grec paraissait avoir un effroyable accent, mais Foulques se réjouissait de comprendre presque tout ce qu'il disait. À Constantinople, il se perfectionnerait encore.

« D'où es-tu ?

– De Crète. C'est la plus belle de toutes les îles.

– Et tu comptes rester longtemps à Constantinople ?

– J'espère que non. Juste le temps de trouver quelqu'un à emmener. »

À l'est, s'amorçait une aube sale, encombrée de nuages bas. Les trois navires se rapprochèrent pour s'engager dans le Bosphore.

*

Les jours de mer avaient été intolérablement longs. Quelquefois, le vent tombait et il n'y avait alors rien d'autre à faire que de contempler la nappe presque noire de l'eau, avec l'espoir d'y voir batifoler des dauphins. Morphia lui proposait quotidiennement des thèmes, des versions. On avait joué à traduire du latin en grec, puis du grec en roman. Elle prétendait y gagner en roman autant que lui en grec. Mais Foulques trouvait ces exercices bien répétitifs.

Un jour, Éric s'était mis de la partie et avait proposé l'apprentissage du norrois. Devant l'incroyable complexité de la langue nordique, on avait rapidement renoncé. Foulques s'était étonné de ne rien retrouver de ses pauvres connaissances en langue d'oïl, et encore davantage de devoir fournir de très gros efforts pour comprendre quelque chose de nouveau. Morphia avait vexé l'Islandais en assurant qu'une semblable bouillie malsonnante ne constituait en rien ce qu'on pouvait nommer une langue.

« Pour moi, grec et latin, sont langages barbares », avait rétorqué Éric en roman avant de s'abîmer dans la contemplation de l'horizon.

Michel avait préféré monter sur le bateau de Renaud, et Foulques regrettait de ne pas pouvoir jouer avec lui.

*

Foulques sentit une main lui caresser la nuque.

« Bonjour, murmura Morphia. Tu es déjà réveillé ?

— Je n'ai pas dormi.

— Tu réfléchis trop, dit-elle en posant sa tête au creux de son cou. J'aurais bien aimé que tu passes à mes côtés cette dernière nuit à bord. »

Agacé par ce débordement de tendresse, Foulques eut envie de dénouer ses bras, d'écarter ses cheveux qui lui chatouillaient le visage. Machinalement, il lui entoura les épaules ; elle se serra contre lui.

« Tu es tout froid et tu sens bon les embruns. Serre-moi fort… Cinq ans, que je ne suis pas venue à Constantinople ! Père nous avait annoncé, avec un air de catastrophe, que l'empereur avait appelé les Latins à la rescousse.

— Pourquoi "un air de catastrophe" ?

— Question de fierté. Il était profondément blessé de nous voir contraints d'implorer l'aide des schismatiques, nous, les Grecs !

— Pour nous, c'est vous, les schismatiques.

— C'est tout de même bien le légat du pape qui a créé le schisme en excommuniant notre patriarche, Michel Cérulaire, il y a cinquante ans. »

Foulques se tut. À quoi bon discuter, puisqu'elle voulait toujours avoir raison, jusqu'à le mettre hors de lui, pour le plaisir de le cajoler ensuite avec des minauderies ?

Mais déjà, Morphia était passée à autre chose.

« Je suppose, dit-elle au pilote, que tu connais bien Constantinople. »

L'homme acquiesça d'un hochement de tête.

« Tu sais donc où se trouvent les forums d'Arcadius et du Bœuf ?

— Sur la Mêsè, près des remparts de Constantin.

— Bien. Dès que nous serons arrivés, tu t'y rendras et demanderas la demeure de Vassilika Théophilitzès afin de lui annoncer que Morphia vient d'arriver.

— Mais nous accosterons dans le port impérial. Je ne peux quitter mon navire !

— Eh bien ! envoie un de tes hommes, qu'importe, un domestique ou un autre ! Que d'embarras pour rien ! »

En voyant l'homme baisser la tête avec soumission, Foulques décida de garder pour plus tard les reproches qu'il s'apprêtait à adresser à son épouse.

*

Tel un bras de pieuvre gigantesque, le Bosphore s'étirait paresseusement entre des croupes de verdure. De très loin, on avait reconnu les murailles de Constantinople, couronnant la rive occidentale.

« Foulques, Foulques !

– On est trop loin, il ne peut pas t'entendre », dit Renaud.

Michel s'époumonait en faisant de grands gestes.

Enfin, Foulques l'aperçut et se mit à balayer l'air de moulinets, en lui faisant comprendre qu'il n'entendait rien. Morphia fit un petit salut de la main.

« Regarde, Renaud, il y a des murs partout, y a plein de toits ronds, t'as vu ?

– Les coupoles des églises, tu ne te souviens pas ?

– Bof, non. J'étais trop petit, quand on est passé… Et cette grande lampe, regarde ça !

– C'est le phare. Le grand phare de Constantinople.

– Ils ont mis le soleil, là-dedans, pour que ça fasse toute cette lumière !

– Non, un grand feu, rien qu'un grand feu, avec des miroirs qui reflètent. Mais en plein jour, il devrait être éteint. C'est curieux.

– C'est sûrement parce qu'on arrive que l'empereur le laisse allumé. Tiens, regarde, Raimond nous dit que c'est pour ça. »

*

Raimond levait en effet les bras vers les remparts et se retournait à droite et à gauche, comme pour en désigner la magnificence aux équipages des deux autres navires. À ses côtés, Elvire agitait mollement les doigts.

« Il faut que nous ayons un autre enfant, Raimond », dit-elle soudain.

Le comte de Toulouse ne chercha pas à dissimuler sa surprise.

« Dieu nous enlève tous nos enfants, ma mie… Et puis, à mon âge…

– Qu'importe. Il y va de ton honneur, tu le sais bien. »

Raimond se racla la gorge à plusieurs reprises.

« Alexis m'a assuré qu'il me considérait comme le seul à même d'organiser les renforts qui vont arriver, qui sont peut-être déjà là.

– Tu n'as que faire des appréciations de l'empereur des Grecs. Tu es le chef des Latins. Urbain le voulait ainsi. »

*

Né sur le Pont-Euxin, un vent violent s'engouffra soudain dans le détroit. Surpris, les capitaines durent affaler puis mettre en panne. On se laissa porter par le courant vers la côte d'Asie. Les marins étaient parvenus à lancer des bouts qui maintenaient presque bord à bord la modeste flotte du comte de Toulouse. De temps à autre, celui-ci levait un regard inquiet vers son oriflamme qui menaçait de se déchirer en battant furieusement contre le mât, et donnait d'inutiles conseils à l'équipage entièrement occupé à tenir les bâtiments à distance avec de longues gaffes. Bientôt, l'on vit sortir de la Corne d'Or un navire effilé comme une épée que l'on reconnut pour une des galères impériales. Les rames battaient l'eau avec une régularité astronomique. En un moment, la machine rouge et or fut à une encablure. Sur le pont avant, parut un personnage chamarré qui tenait à la main une sorte de porte-voix.

« Comte de Toulouse, clama-t-il, le drongarion Kalopritzès te parle… Sa Grâce l'empereur Alexis te fait savoir qu'un mauvais coup de vent entraîne ta flottille vers l'Orient. Sa Grâce te prie de faire mettre en travers et d'attendre que nos pilotes prennent le commandement de tes embarcations. Nous allons aborder. »

*

Les voitures impériales attendaient sur le quai. De la plus vaste, les Provençaux eurent la surprise de voir descendre l'empereur.

« Nous avons tenu à t'accueillir nous-même, vaillant et noble Raimond, notre fidèle ami, déclara-t-il, les bras tendus dans une attitude fort inhabituelle. Nous croyons qu'une collation sera la bienvenue pour toi et pour tes hommes. »

Dans la salle d'audience dominant l'hippodrome, avait été dressée une table fastueuse. On parla de tout et de rien, de la mer et du voyage, des caprices du vent et des maladresses des capitaines de commerce. On rit beaucoup. À aucun moment il ne fut question de politique.

*

Une demeure noble ouvrant sur le Bosphore fut attribuée aux Provençaux. De toutes les fenêtres, on pouvait contempler la mer.

Dès le lendemain, le comte eut avec l'empereur une longue audience dont rien ne filtra. Au retour, on lui trouva l'air soucieux. Le peu qu'il disait était plein de mystère et nul n'osa lui demander d'explications.

Le même matin, Morphia se rendit chez sa tante Vassilika. Elle retrouva le plaisir de se fondre dans la foule anonyme, redevenue citoyenne grecque au milieu de citoyens grecs, pareille à tous les autres, protégée par les inaltérables remparts de Constantinople.

Elle retrouva son chemin sans hésiter, et heurta l'huis. Le judas s'ouvrit et on l'introduisit dans l'atrium.

« Tante Vassi ! Tante Vassi ! » ne put-elle s'empêcher d'appeler.

Il y eut un remue-ménage dans les étages, tandis qu'une petite servante criait de l'intérieur :

« Maîtresse, c'est ta nièce, ta nièce Morphia qui est ici.

– Morphia ! Par Athéna et saint André, ma fille, tu es donc sauve ! »

Vassilika frappa dans ses mains. Aussitôt apparurent plusieurs serviteurs.

« Préparez un bain et dressez la table… Viens là que je te regarde. Ah ! quel bonheur de te retrouver, et comme tu es belle ! Mais entrons, il fait un froid du diable, ici, et je vais réveiller mes vieilles douleurs. »

Les deux femmes pénétrèrent dans une pièce douillette chauffée par le sol.

Vassilika n'avait pas changé. Un peu replète, très apprêtée, toujours en mouvement, elle emplissait l'espace de gestes volubiles.

« Oui, quel plaisir de te retrouver ! Je m'ennuie à mourir, ici.

– Toi ? T'ennuyer ? À Constantinople ?

– Pour une vieille bique comme moi, les spectacles et les plaisirs, c'est fini. J'ai mis des mois à redonner un peu de vie à cette bicoque inhabitée, et les enfants de ton oncle sont épouvantables… En fait, je crois que je ne supporte plus personne… Mais te voilà, ma chérie. Je commençais à craindre de ne plus te revoir.

– On ne t'a pas prévenue ? J'avais demandé qu'on envoie quelqu'un.

– Je n'ai vu personne. Et quand on m'a dit que les Latins de Laodicée étaient sur le Bosphore, crois-tu que ma pauvre vieille tête a pensé à toi ? Non, je me suis dit : "Encore ces barbares ! Avec ceux qui arrivent d'Italie, la ville va être envahie." Je ne peux pas me faire à l'idée qu'ils t'ont enlevée. »

Morphia partit d'un rire léger.

« "Enlevée" n'est pas le mot, ma tante. J'y trouve des charmes, aussi… Nous sommes là parce que le comte de Toulouse doit prendre le commandement des renforts lombards.

– Des charmes…, soupira Vassilika. Ne me dis pas, quand même, que partager la couche de l'un d'eux t'a ralliée à leur cause ! Encore un peu, et ils prendront le pouvoir à Constantinople. C'est le monde à l'envers.

– As-tu appris que j'ai un enfant ?

– Ah ! misère, mon arrière-petit-neveu est un demi-sauvage !

– C'est une fille, elle s'appelle Anna.

– C'est mieux… Nous en ferons une Grecque. »

Morphia se laissa dorloter par sa tante, s'intéressa aux potins sur l'empereur et la cour qui traînaient dans la ville. Vassilika parla de littérature. On récita des vers et Morphia chanta. En quelques heures, le souvenir de Laodicée s'évanouit. Il ne lui resta des mois affreux passés là-bas que l'impression vague d'une sorte de désert vide de sens. Ici, dans la Ville, dans l'ombilic parfumé du monde civilisé, les Latins, le comte de Toulouse, son époux lui-même n'étaient que des invités de rencontre. Et elle, elle était chez elle.

*

Foulques voulut joindre au plus vite le correspondant du correspondant d'Abraham à Laodicée, un certain David. Accompagné de Renaud et de Michel, muni de renseignements qui avaient d'abord paru précis, il se dirigea vers le port impérial puisque le changeur de Laodicée avait précisé qu'on ne pouvait se tromper, David tenant boutique derrière l'entrée auxiliaire du port.

Mais ils découvrirent rapidement que, outre celui de l'empereur où la troupe avait débarqué, Constantinople ne possédait pas moins de six havres.

Ils errèrent toute la matinée. Quand Foulques se renseignait, on lui répondait en ricanant : « Près du port. » S'il insistait, on le regardait avec curiosité : « Comment, quel port ? Le port, bien sûr. »

Michel se moquait de Foulques, et Renaud avait la tête des mauvais jours. Ils atteignirent pour la troisième fois le port impérial. Foulques se dirigea vers un garde appuyé sur sa pique.

« Je cherche David, un Juif, un changeur. Peux-tu m'indiquer où le trouver ?

— Avec les autres argentiers, sans doute, près du port, dit l'homme.

— Et où est-ce ? demanda Foulques avec patience.

— Près du port, je te l'ai dit. Il y a le port, avec deux entrées. Eh bien ! c'est à côté. Il y a les échoppes des changeurs, près de l'entrée auxiliaire. Ton David doit être là, sûrement.

— Quel port ? hurla Foulques.

— Quel port, quel port, bredouilla le garde, y en a qu'un, de port, le nouveau port, de l'autre côté de la ville. Les autres, c'est pas pareil, c'est pas des ports comme le port...

— Qu'est-ce qu'il dit ? demanda Renaud.

— Il dit que c'est derrière le port.

— Mais quel port, nom de Dieu ?

— Comment "quel port" ? Mais *le* port, évidemment », dit Foulques en éclatant de rire.

*

La maison de David, une vaste demeure de commerçant parfaitement claire et propre, donnait en effet sur le quai du nouveau port. On les introduisit dans une salle au sol et aux murs de marbre, pourvue de sièges tendus de soie. Impressionné, Michel tournait la tête en tout sens. Bientôt, la porte du fond s'ouvrit sur un petit homme sec et brun de peau qui salua d'un signe de tête et dit en latin :

« Ainsi, mon ami Moïse, de Laodicée, t'envoie. »

Puis il s'effaça pour les laisser pénétrer dans une bibliothèque éclairée d'une large fenêtre ouvrant sur le bassin. Des rouleaux de parchemin étiquetés peuplaient des étagères. Aux murs, de fines peintures en rouge et noir attirèrent l'attention de Foulques. David suivit son regard :

« Ce sont des reproductions de fresques anciennes. Mes amis se moquent de moi à ce sujet ; d'après eux, je ne suis pas au goût du jour… J'ai grandi à Daphnies, près d'Antioche. On trouve beaucoup de ruines, par là-bas. Et quand on est enfant, on court et l'on furète partout, n'est-ce pas, petit ? dit-il en roman à l'adresse de Michel. Un jour, je suis tombé dans un trou caché par les broussailles. J'en suis ressorti avec une cheville grosse comme la cuisse et des images plein les yeux… Elles avaient peut-être mille ans. Je ne les ai jamais oubliées.

— Je n'ai jamais rien vu de tel, avoua Foulques.

— L'empire abrite la mémoire du monde, chevalier. Peut-être vous, à Toulouse, à défaut de fresques antiques, détenez-vous l'avenir.

— Tu vois, il a dit qu'on furète partout, quand on est un enfant », dit Michel.

David sourit et appela un serviteur.

« Porte-nous du thé et quelques gâteaux, commanda-t-il.

— J'ai un pli pour toi. C'est la copie faite par Moïse du message d'Abraham, de Jérusalem. Il a ajouté quelque chose. C'est en hébreu. »

Pendant sa lecture, le visage de David s'éclaira d'un sourire.

« Ainsi, tu as protégé les nôtres à Laodicée, dit-il en langue romane.

— Abraham m'a dit qu'il s'agissait de vos affaires. Je ne savais pas qu'il parlait aussi de moi.

— Oui, il évoque également nos affaires… Il ajoute que tu as un billet à me remettre.

— Voilà. »

David parcourut le parchemin et leva les sourcils.

« Il s'agit d'une somme rondelette. Es-tu sûr de pouvoir la tenir bien en sécurité à Hodogetria ?

— Tu sais où l'empereur nous a logés ? s'étonna Foulques.

— Qui ne sait cela, à Constantinople ? »

Foulques jeta un regard furtif à Renaud qui avait l'air sombre.

« N'aie pas d'inquiétude, reprit David. Je puis bien sûr vous délivrer la somme sur-le-champ, mais le plus sage à mon avis serait de la laisser dans mes coffres. Je t'en donnerais reçu et tu pourrais par fractions en faire retrait, à ta convenance. Ainsi, supposons que tu désires aujourd'hui cinq mille *nomismata*…

— Des *nomismata* ? s'étonna Foulques.

— Des besants d'argent, si tu veux, ou des hyperpères. C'est pareil. Moi, je marche à l'ancienne mode, quand la monnaie valait encore quelque chose. Je préfère parler de *nomismata*… Donc, supposons que tu désires aujourd'hui cinq mille *nomismata*, il t'en resterait trente et un mille à retirer.

– Mais ça ne fait que trente-six mille au total, et j'avais quarante.

– Sans doute, mais il y a la commission pour le billet à ordre.

– Abraham avait accepté de me faire une partie pour douze et non pour dix.

– Mon ami Abraham comptait en marcs. Mais toi, tu demandes des *nomismata*, ce qui suppose une opération de change et donc des frais supplémentaires. »

Foulques ayant accepté la transaction, le changeur saisit un parchemin, écrivit à droite puis à gauche un court texte en hébreu, traça au centre une ligne de lettres verticale. Enfin, suivant le milieu de cette ligne, il découpa le manuscrit avec une paire de ciseaux d'argent et en remit la moitié à Foulques.

*

Dès qu'ils furent sortis, Renaud explosa.

« Encore un joli coup ! Qui te dit que ça vaut quelque chose, ce demi-machin ? En plus, c'est écrit en hébreu !

– Peut-être, mais la somme est traduite en latin, tu vois bien, là.

– Et il y a trente et un mille. Et en plus on ne sait même pas trente et un mille quoi !

– C'est à cause du change, tu as bien entendu.

– Mais il n'y a rien à changer ! Tu ne lui as pas remis des pièces, et les besants, il les a dans sa caisse. Tu t'es fait rouler.

– Tant pis. Si j'étais allé chez un Grec, je n'aurais rien eu.

– Mais non, pas tant pis. Si Henri t'a donné de l'argent, ce n'est pas pour engraisser les changeurs. Tu as vu ce luxe ? Il en faut des rapines, pour se payer tout ça ! Même Raimond n'a rien d'aussi beau.

– Chez nous, on est vraiment des sauvages, c'est pour ça.

– Raison de plus ! Puisqu'on est pauvres, il faut garder tout notre argent. Et puis, ce chiffre en latin, qu'est-ce qu'il y a devant ? À tous les coups, il a écrit que c'était toi qui lui devais trente et un mille besants ! »

Foulques se sentit pâlir.

« Non… il ne pourrait pas avoir fait ça !

– Et pourquoi pas ? Tu crois peut-être qu'il n'a pas vu à qui il avait affaire ? C'est incroyable de signer sans même demander une traduction !

– Il aurait pu me dire n'importe quoi… Mais j'ai un double.

– Et qui te dit qu'il y a la même chose sur les deux ?

– Je le ferai traduire. S'il m'a trompé, j'en appellerai à l'empereur.

– S'il veut pas te les redonner, dit Michel qu'ils avaient oublié, moi j'irai fureter dans sa cave, et je te les retrouverai, tes nullistata. »

Renaud haussa les épaules.

*

Vassilika avait désiré connaître « ce garçon », comme elle disait. Alors que Foulques et Morphia se préparaient pour la soirée, Michel quitta un instant la leçon d'Onfroy et poussa la porte en disant :

« Je peux venir avec vous ?

– Quel sale gamin, celui-là, s'indigna Morphia. Toujours dans nos pattes ! Bien sûr que non, tu ne peux pas venir ! Pas d'étrangers chez ma tante.

– Je te prie de ne pas lui parler sur ce ton, dit Foulques en grec. Il est avec nous depuis Toulouse. C'est presque mon fils, ou mon petit frère.

– Amusant ! s'exclama Morphia avec une moue de dégoût. Tu ne prétends pas, j'imagine, que, sous prétexte que tu es mon époux, ma tante doive faire défiler chez elle toute la garnison latine ?

– J'ai bien l'impression que Constantinople ne te vaut rien, continua Foulques en langue romane. En trois jours tu as retrouvé tout ce qu'il y avait en toi d'insupportable quand je t'ai connue. »

Onfroy entraîna Michel dans une autre partie de la demeure.

« Tiens, comme c'est curieux ! reprit Morphia en grec. C'est sans doute parce que je respire enfin, que je rencontre des gens civilisés, avec de la conversation et de l'esprit, au lieu d'ours incultes et mal léchés. J'espère bien que nous y sommes pour longtemps, à Constantinople.

– Tu auras tout le temps de t'en délecter quand je repartirai à la guerre, puisque je suppose que tu refuseras de m'y suivre.

– Tu ne fais pas plus attention à moi que si je n'existais pas. Si je te dégoûte, il faut me le dire ! Jamais un compliment sur ma toilette ou ma coiffure. Tu n'as même pas remarqué que ma tante m'avait donné des bijoux. Pour qui crois-tu que je fais tout cela ?

– Pour toi, évidemment.

– Non, pour toi, pour te séduire, mais tu t'en moques. Trois jours que nous sommes ici, et pas une sortie, pas une fête, même pas l'hippodrome ! Je mène une vie misérable auprès d'un soldat mercenaire. »

Soudain, l'expression tout à coup modifiée, elle s'approcha de lui et l'enlaça.

« Excuse-moi d'être un peu vive. C'est que je ne m'amuse guère. »

Elle se pelotonna contre lui, l'embrassa, lui passa la main dans les cheveux.

« J'ai envie, tu comprends ? Tu es beau et fort. Prends-moi, là, maintenant.

– Mais enfin, Morphia, pendant le carême ! Et n'importe qui peut entrer et...

– Ça m'est égal... Ils seront jaloux. »

Elle faisait courir sa main le long des manches de sa tunique, lui caressait la poitrine.

« Tu vois, toi aussi tu as envie !

– Allez, cesse, veux-tu, on verra ça au retour. »

*

« Voici donc ce guerrier redoutable, le père de mon adorable petite-nièce, et le séducteur de la rebelle Morphia, s'exclama Vassilika.

– Bonsoir, madame, je suis...

– Dites Vassi, mon pauvre ami, comme tout le monde ! Allez, entrez, entrez... Morphia, ma chérie, j'ai songé à inviter Kamelotis, tu sais, l'ingénieur, celui que tu embêtais toujours, petite, en lui demandant pourquoi l'aqueduc de Valens ne s'effondrait pas.

– Ah oui ! ils avaient un fils...

– Panagiotis, oui. Foulques, vous devez faire attention. C'est un superbe garçon... Mais de ce côté-là, vous ne craignez personne. »

Avec agacement, Foulques se sentit rougir.

« Et aussi très intelligent et fort cultivé, poursuivit Vassilika.

– Foulques aussi, coupa Morphia. Tu peux lui parler en grec, si tu veux.

– Parler grec n'a rien à voir avec la culture, cela signifie seulement qu'il sait parler... Mon Dieu, qu'il fait froid. Entrez, entrez vite... Allons, Kamelotis n'est pas encore arrivé, mais il y a déjà Patritzos, tu sais, le médecin, Zaccharias, le préfet, et Myrepsos, le mathématicien ; et leurs épouses, naturellement... Et aussi Sgouros, tout de même.

– Un repas mixte, et en carême ! On va finir par t'en faire reproche.

– Et qui, ma chérie ? Le gynécée, c'est fini ! Puisque nous sommes chrétiens, religion supérieure – nous le répète-t-on assez – tirons-en les conséquences. Nos malheureuses ancêtres étaient recluses au gynécée, et moi je ne me suis jamais laissée embobeliner par ces mâles arrogants, ce qui ne m'a pas empêchée, quand j'étais possible à regarder, dit-elle en se tournant vers Foulques, d'en goûter quelques-uns. Et je dois dire que je n'ai pas toujours été déçue... Foulques, c'est bien votre nom, n'est-ce pas ?

– Oui, madame.

– Oui, c'est cela. Moi, c'est Vassi, je vous l'ai déjà dit. Eh bien ! Foulques, je suis désolée pour le repas de ce soir, Maïa n'aura pas pu exprimer tout son talent... Maïa, c'est la cuisinière.

– Toujours à cause du carême ?

– Ah ! ce carême ! Avez-vous songé, Foulques, que cette histoire-là revient tous les ans ! »

Vassilika les précéda dans le triclinium.

« Pourquoi me voussoie-t-elle comme si j'étais l'empereur ? demanda Foulques à Morphia.

– Chez nous, quand on est bien élevé, et qu'on ne connaît pas les gens, on fait comme cela. C'est une marque de respect...

– Mes amis, voici l'époux de ma Morphia chérie. Foulques... Foulques... ? Comment vous appelez-vous donc, mon jeune ami ?

– Seigneur de Termes, répondit-il en traduisant le nom propre en grec.

– Termes, comme le dieu des champs ? Mon Dieu, ce garçon est un paysan tout garni de l'esprit des bois. J'espère en tout cas qu'il n'y a pas de limites à l'amour et à la dévotion que vous portez à ma nièce.

– Le sire de Termes est sans limites... Vraiment, Vassi, quel esprit délicieux », minauda une des femmes.

Foulques avait envie de rire. On n'entendait, ne voyait que les femmes. Comme elles, les hommes étaient vêtus de tuniques longues et droites, soutenues à la taille par une ceinture incrustée. *In petto*, il remercia Morphia d'avoir insisté pour qu'il revête sa robe longue rouge, la seule qu'il eût, et qui n'avait servi que pour son excommunication.

Les trois femmes arboraient de très nombreux bijoux ; l'une avait même une grosse bague au pouce, toutes avaient quelque chose dans les cheveux, des sortes de fils dorés. Un grimage identique leur conférait une surprenante ressemblance. Joues et lèvres passées au rouge et sou-lignées de blanc, yeux noircis, sourcils redessinés en parfait arc de cercle. Colliers et boucles d'oreilles, en poires, en plumes, en cercles, cascades de perles et intailles antiques, parfums variés et violents.

À côté de ces paons, les hommes semblaient presque dépouillés. Pourtant, aucune femme de Toulouse n'aurait imaginé paraître aussi parée que le moins apprêté d'entre eux. Avec ses deux bagues et son bracelet, Foulques faisait figure de cocher. Il s'amusa à l'idée que ces médiocres, jaugeant autrui sur de misérables apparences, devaient le regarder de haut, lui qui était de race noble et que l'empereur avait reçu à sa table.

En princesse de pacotille habituée à tout voir s'effacer sur son pas-sage, Sophia Kamelotis pénétra dans la salle.

« Ma chérie, dit Vassilika, voici le beau Foulques de Termes, l'époux de ma petite Morphia, qui nous arrive de l'ouest. »

Sophia Kamelotis, la tête un peu penchée, apprécia le garçon d'un regard las.

« Je vois, jeune homme, que vous vous êtes laissé séduire par cette mode affreusement barbare des cheveux longs. Une vraie blondeur de

Varègue. Mon Dieu, vous allez ravager nos cœurs ; tiens-le bien au chaud, ma pauvre Morphia. »

Dans la vaste salle à dîner, sur une mosaïque compliquée, était dressée une longue table rectangulaire recouverte d'une nappe finement brodée.

Un domestique désigna à chacun le lit sur lequel il devait s'étendre, puis Vassilika récita ce que Foulques comprit comme le *benedicite* orthodoxe.

« Installez-vous, mes amis. Puisque nous sommes en carême, il faudra nous priver de tout aliment gras, car vous comprendrez que je ne veuille pas brûler en enfer pour le seul plaisir de vos estomacs… Aussi, Poséidon fournira aujourd'hui toute notre cuisine. »

Au milieu d'un murmure de satisfaction, les domestiques présentèrent à l'assemblée de grands plats d'argent où crustacés, poissons et coquillages composaient des motifs extraordinairement élaborés. Foulques contempla ces pièces d'orfèvrerie culinaire en pensant aux pauvres huîtres de Thibaud qui passaient alors pour d'incroyables merveilles. Il reconnut des oursins, des homards et des cigales de mer. Peut-être un mérou. Tout le reste lui était inconnu. Sans réfléchir, comme étranger à de tels raffinements, il entama un gros artichaut qui tenait lieu de décoration.

*

Malgré l'heure tardive, la Mêsè était encore encombrée. À plusieurs reprises, la litière fut immobilisée. Morphia avait déjà profité de ces stations involontaires pour commenter la soirée, en insistant sur la délicatesse des Byzantins et, par comparaison, sur le peu d'aisance de son époux. Comme ils étaient coincés de nouveau à l'entrée du forum de Constantin, elle reprit :

« Tu devrais pourtant essayer de plaire à ma tante. Je ne voudrais pas qu'à cause de toi, elle me déshérite… Hier, elle m'a parlé de sa fortune. J'espère que ce n'est pas par mauvais pressentiment. »

Foulques écarta le rideau. La haute statue de l'empereur se dressait au milieu de la place.

« Sa fortune ? Ton père n'était guère fortuné, lui. Comment peut-elle être riche, alors qu'elle ne s'est même pas mariée ?

— Ce que tu peux être naïf, quand même ! Mon père ne faisait pas partie des plus riches, à Antioche, c'est vrai, mais c'est parce qu'il a passé sa vie à enseigner la philosophie, ce qui n'a jamais enrichi personne. Vassi a été plus adroite…

— Adroite ?

— Ne vois-tu pas la femme qu'elle est encore aujourd'hui, malgré son âge ? Elle a toujours su tirer parti de ses attraits. »

Une désagréable démangeaison du nez agaçait Foulques, tandis que l'image de Gertrude et son bataillon de filles folles rôdait dans sa mémoire.

« Veux-tu dire que c'est une ancienne… euh… une ancienne courtisane ? »

Morphia éclata d'un rire aigu.

« Tante Vassi, une courtisane, une hétaïre ! Est-ce assez bête ! Sache que tu as dîné ce soir avec une des femmes les plus recherchées de Constantinople. Autrefois, mille hommes étaient à ses pieds, et parmi les plus éminents.

– Eh bien ! c'est ça, une courtisane, non ?

– Une courtisane vend ses charmes. Tante Vassi a toujours été libre, élégante, cultivée, brillante. Pour obtenir ou garder son amitié, beaucoup lui ont fait de très beaux cadeaux ; plusieurs lui ont légué des biens énormes…

– Et tout ce qui en reste sera pour toi ?

– Tout. Sauf si elle a l'impression qu'un sauvage risque de mettre la main dessus. Elle m'a dit qu'il faudrait toujours ta signature. Est-ce vrai ?

– Sans doute, puisque tu es ma femme.

– C'est incroyable ! Alors que tu n'es même pas grec ! Moi qui serais si heureuse de m'occuper seule de toutes ces choses ennuyeuses… Elle propose déjà de me donner une de ses maisons, qu'en penses-tu ?

– Non.

– Ah ? Et pourquoi ?

– Parce que… parce que nous habiterons à Termes, plus tard. Mais c'est bien que tu aies un jour de l'argent. Anna sera à l'abri du besoin. »

*

Un matin, l'on apprit que l'empereur avait rejoint le palais des Blachernes, d'où il entendait surveiller au plus près l'arrivée et l'installation des renforts.

Raimond convoqua sans attendre Foulques et Renaud.

« Nous voici donc responsables de toute la partie est de la capitale impériale, c'est-à-dire des quartiers sottement concédés aux Italiens par les prédécesseurs d'Alexis. Le danger est immense, vous vous en doutez.

– Que se passe-t-il ? demanda Renaud. Faut-il se méfier des Italiens comme des Turcs, maintenant ?

– Je n'ai pas voulu vous faire part des secrets de nos plans tant que nous n'avions pas en main tous les renseignements. Maintenant que nos décisions sont prises, je peux, je dois même, ne plus rien vous celer. Sachez donc que ces "renforts" lombards ont cantonné autour d'Andrinople et de Rodosto depuis l'hiver dernier. Ils s'y sont comportés d'une manière aussi distinguée que naguère les troupes de Pierre l'Ermite, c'est-à-dire qu'ils ont ravagé le pays. Ce sont des aventuriers, plus dangereux peut-être pour notre empire que les Seldjoukides eux-mêmes.

– Tu veux dire "pour l'empire d'Alexis", dit Foulques en riant.

– Oui, c'est une façon de parler. Nos intérêts sont liés… Comme moi, l'empereur redoute des soulèvements dans ces quartiers italiens. Nous les croyons capables de s'allier avec les goujats qui arrivent pour tenter un coup de main sur le pouvoir lui-même. C'est pourquoi nous nous sommes partagé la tâche. À lui la surveillance des "renforts", à moi la mise au pas de la Ville. Je l'ai convaincu de s'installer aux Blachernes. Quant à nous, il faut nous tenir prêts à agir à tout moment.

– L'empereur sait-il que nous ne disposons même pas de dix douzaines d'hommes ? » dit Foulques.

Dans un haussement d'épaules, Raimond considéra ses deux barons avec circonspection.

« Alexis sait qu'il ne peut rien faire sans moi, désormais. Ce ne sont pas les bras qui comptent, c'est la tête. Or l'empire ne possède que deux têtes : lui et moi. Pour ce qui est des bras, il nous donnera tout ce qu'il faut. Ton Éric va trouver dans nos rangs des gens de son peuple, puisque Alexis me confie le commandement de la troisième compagnie de Varègues. Une troupe d'élite, à vrai dire… »

Raimond laissa traîner sa voix dans l'attente de questions.

« … Eh bien ! ils ont fière allure, les Varègues. Ce ne sont pas de misérables mercenaires comme les Petchenègues, eux. Ils viennent du septentrion, ils quittent leurs glaces et leur neige pour offrir à l'empereur leur inaltérable vaillance et leur force titanesque… Bon, vous ne vous intéressez à rien. Vous êtes là, au milieu de personnages dignes d'Homère et vous restez cois, aussi bêtes que des moutons !

– Moi, intervint Renaud, rien ne m'étonne plus depuis que j'ai vu Toulouse.

– Ah ! Toulouse… Tu te souviens de Toulouse, s'exclama le comte, la voix changée du tout au tout. Toulouse la douce, la pacifique. À Toulouse, point de haines ni de complots, mais la paix et le savoir. Tu as bien raison, si ce pauvre Alexis avait été comte de Toulouse, plutôt que ce qu'il est, il n'aurait jamais eu besoin de ces sauvages du Nord. »

*

Le deuxième dimanche de carême, seizième des calendes d'avril, Foulques écoutait distraitement l'office célébré en grande pompe dans Sainte-Sophie. Pour être agréable au comte de Toulouse, l'empereur avait autorisé que l'office y fût accompli selon le rite romain, au prix d'une grave fâcherie avec le patriarche, qui avait refusé de dire pour la cour la messe à Saint-Sauveur-in-Chora, comme Alexis l'en avait prié.

Foulques éprouvait une profonde joie à se trouver dans l'édifice de Justinien. Sans bien chercher à comprendre ce qu'il ressentait, il se laissait aller au bonheur simple de voir s'exprimer le rite de Rome au cœur même de la capitale de l'empire. Son oncle Adhémar lui avait expliqué qu'avant la réforme du pape Grégoire, toutes les églises avaient des rites différents. Sainte-Sophie devait donc pour la première fois résonner des accents de Rome.

Pour la première et peut-être pour la dernière fois de l'Histoire... Le cœur du garçon s'enfla d'allégresse. Ils avaient vaincu jusqu'aux Grecs. Même voulu par l'empereur, un tel honneur montrait combien le pouvoir suprême les redoutait.

Il leva les yeux vers la formidable coupole où palpitaient les mosaïques. Il savait que l'édifice s'était effondré plusieurs fois et se demanda comment une telle masse pouvait se soutenir à deux cents pieds du sol. Les bas-côtés étaient envahis de foule, comme la tribune où l'on accédait à cheval par une rampe en colimaçon.

« Qu'est-ce que c'est, ces croix rouges sur les murs ? demanda Renaud.

– Les croix de l'iconoclasme. Je t'expliquerai. »

Pendant la lecture de l'Évangile, la Transfiguration selon Matthieu, Foulques tenta de se recueillir. Mais son esprit vagabondait sur le Thabor, du campement au toit de toile qui rappelait à Éric son Islande, au soufi abîmé dans on ne savait quelle inaccessible contemplation. Il eut soudain conscience que depuis ces moments, aucune préoccupation spirituelle ne l'avait visité. Et voilà que pendant la lecture de l'Écriture, ses pensées ne s'envolaient pas vers Jésus, mais vers un musulman !

Installé au premier rang à côté du comte Raimond, il avisa soudain sur le sol un large cercle composé de marbres polychromes et se demanda comment il avait pu ne pas le remarquer lors de ses précédentes visites.

*

Sur l'Augusteon qui flanquait Sainte-Sophie, une nuée de petits marchands faisaient l'article. Entourée d'un portique semblable à celui qui courait le long de la Mêsè, la place s'accommodait d'un mélange singulier de majesté impériale et de grouillement du menu peuple. Des visiteurs éberlués levaient les yeux en tout sens, guidés par des cicérones bavards et délurés qui chassaient avec véhémence tel vendeur de babioles pour mener leur troupeau vers tel autre avec lequel ils devaient avoir conclu d'obscurs partages de bénéfices.

« Alors, les croix rouges ? demanda Renaud.

– Michel va t'expliquer.

– Toi, tu sais cela ? s'étonna Renaud en abaissant le regard vers le garçon.

– Oui, d'abord, je le sais parce que Onfroy me l'a expliqué. C'est les croix des iconoclasses.

– Des iconoclastes, rectifia Onfroy en tapotant la joue de l'enfant.

– Eh bé ! me voilà bien renseigné !

– C'étaient des méchants qui voulaient pas voir Jésus en peinture. À la place, ils ont fait des croix, débita Michel.

– C'est exactement cela, précisa Onfroy. Un mouvement de pensée qui considérait toute représentation comme idolâtre. Ils ont triomphé, à peu près à l'époque de votre Charlemagne. Les dégâts ont été monstrueux ; et notre art ne s'en est jamais tout à fait remis.

– Ça veut dire briseur d'images », ajouta Foulques.

À travers la foule colorée, ils rejoignirent Raimond qui semblait aux prises avec plusieurs petits marchands.

« Ces bandits prétendent que cette boucle dorée avec un éclat de verre est la fibule d'or et de diamant de l'impératrice Hélène. Tout à l'heure, j'ai eu droit à un clou, doré lui aussi. Un clou de la vraie Croix ! Je vous demande un peu ! Jésus crucifié avec des clous en or ! »

À voix plus basse, il précisa à son auditoire bousculé à son tour par les solliciteurs :

« Je fais semblant de marchander pour me donner le temps de réfléchir. Ménélas vient de m'avertir que les Lombards sont sous les murs. Alexis réclame ma présence et celle de mes barons. Nous y allons, et à pied, sinon nous serons encore ce soir aux portes de l'hippodrome. »

Puis, comme saisi d'une soudaine inspiration :

« Elvire, ma mie, rentre avec Morphia. Je vous laisse l'escorte. Mais avant, essaie donc quand même d'avoir ce clou pour pas trop cher. On ne sait jamais. »

*

Ils suivirent la Mêsè jusqu'au forum de Théodose, dépassèrent l'aqueduc de Valens, s'engagèrent dans des ruelles étroites que, grâce au Ciel, Ménélas connaissait bien, se retrouvèrent rapidement au milieu des champs, longèrent le puissant monastère du Christ Pantocrator juché sur sa colline, et, après une bonne marche en terrain découvert, atteignirent enfin le palais des Blachernes.

Alexis était sombre.

« Raimond, mon ami, Nous sommes heureux de ta présence… Ils sont là.

– Les Lombards viennent en alliés. Leurs débordements, en définitive, nous ont peut-être inutilement inquiétés.

– Nous redoutons les Latins, même s'ils apportent des cadeaux… Tiens, regarde donc l'allure de leur campement. »

Ils se dirigèrent vers une fenêtre qui, par-dessus les remparts de Théodose, ouvrait sur la campagne. À perte de vue, hommes et chevaux stationnaient dans la plaine.

« Tu les vois ? Il Nous a fallu les regrouper ici, tant leurs exactions en Thrace devenaient intolérables. Les premiers sont arrivés il y a trois jours. Nous avons attendu qu'ils soient tous là pour t'avertir. Nous revoilà comme il y a quatre ans, face aux bandes de Pierre l'Ermite.

– Qui les conduit ?

– L'archevêque de Milan, Anselme de Buis…

– Archevêque ? murmura Raimond. Hum… Je redoute les gens d'Église, même s'ils apportent des cadeaux.

– Celui-ci n'en propose aucun, Nous te l'assurons bien ! Il y a aussi Albert de Blanbrate, Guibert, comte de Farme, et Hugues de Montebello.

– Eh oui ! tous des Italiens. Et les as-tu rencontrés ?

– Ils se sont présentés, hier. »

Respirant à petites bouffées, Raimond regagna son siège. Par instants, il levait le regard vers le plafond, comme absorbé dans une rêverie vague.

Mains croisées derrière le dos, Alexis allait et venait. Ses traits émaciés, sa barbiche noire le faisaient ressembler à un Seldjoukide.

« J'ai tardé à t'avertir parce que je ne voulais pas t'importuner, confia-t-il en abandonnant soudain le Nous impérial. »

Raimond agita ses mains levées, en signe de molle protestation.

« Je pensais que nous étions alliés pour le meilleur et pour le pire. Je suis un peu déçu, voilà tout. Tu as certainement très bien agi.

– Non, Raimond, je n'ai pas bien agi ! J'ai voulu m'en débarrasser en les expédiant tout de suite vers Nicomédie. Ils se sont froissés. »

Le comte tapotait le bout de ses doigts les uns sur les autres, visiblement détendu. Sifflotait-il ?

« Je crois qu'ils n'ont pas oublié le massacre des troupes de Pierre l'Ermite, ajouta Alexis.

– C'est bien la même chose que tu espérais pour eux, non ? »

Le basileus darda son regard sur le comte puis sur Foulques, puis sur Renaud, interdits au milieu de la salle. Raimond observait les ongles de ses doigts repliés.

« Du thé », ordonna-t-il à un serviteur.

Foulques ne se souvenait pas l'avoir jamais entendu parler grec.

« Depuis mon entrevue avec leurs chefs, je sens bien que la révolte gronde dans leurs rangs.

– Apaise-toi, mon ami. Gouverner un empire tel que le tien, cerné d'autant d'envie et d'inimitiés, est une tâche presque impossible pour un simple mortel. Car nous ne sommes que de simples mortels, tous frères en Christ. »

Alexis reprit sa marche circulaire. Sa robe bleue ondulait comme un habit de prêtre.

« Pour moi, il faut négocier, reprit Raimond avec calme.

– Négocier ? Sous la menace ? Jamais.

– Tu n'es pas en situation de les défier. Je les connais, moi, ces Lombards, ils sont aussi perfides que…

– Des Grecs ?

– Je n'ai pas voulu dire cela. »

Foulques et Renaud échangèrent un regard amusé. Alexis et Raimond avaient fini par devenir indispensables l'un à l'autre, mais la partie était serrée.

*

Le lendemain, les Lombards donnèrent l'assaut au palais des Blachernes. La garde impériale les repoussa avec peine, et il fallut recevoir les chefs italiens, qui se trouvaient encore dans la salle des audiences quand le comte de Toulouse y pénétra avec ses barons.

« Beau travail ! dit-il en entrant comme dans son propre palais. Comment osez-vous vous en prendre à ceux qui ont fait appel à nos bras ? Personne ne vous a-t-il expliqué que notre adversaire n'est pas dans les murs de Constantinople, mais autour des murs de Constantinople, partout autour ?

– Comte de Toulouse, coupa le basileus, quel est ton conseil ?

– Je te l'ai donné hier. Négocie avec ces quelques chevaliers, ils sont seuls en mesure de calmer leur racaille. »

Alexis détourna la tête vers les Italiens. Sur leur visage, se lisait un singulier mélange de gêne et d'arrogance.

« Jamais Nous ne négocierons avec des traîtres ! Jamais !

– On m'a dit, insista Raimond, que l'essentiel de leurs forces est en fait composé d'aventuriers et de femmes. Qu'en est-il ? »

Puis, l'œil rivé sur la délégation :

« Voyons, vous, les Lombards, combien amenez-vous de chevaliers pour soutenir les causes saintes ? »

À ce moment, un serviteur vint murmurer quelque chose à l'oreille de l'empereur. Alexis leva les sourcils, une lueur dans les prunelles. Puis, d'un ton absolument neutre, il annonça :

« On Nous apprend que de nouveaux renforts sont sur le point de Nous rejoindre. Tu as raison, Raimond, le mieux est de négocier. »

*

Lorsqu'ils sortirent du palais, la première brise du printemps les enveloppa d'un souffle parfumé. Foulques aperçut, dominant les toits, l'église Saint-Sauveur-in-Chora dont on vantait la beauté des fresques. Il n'avait jamais encore eu l'occasion de la visiter. Le soir ne descendrait pas tout de suite. Peut-être restait-il assez de temps pour…

Raimond fixait le chemin, droit devant lui.

« Peux-tu nous dire ce que l'empereur t'a révélé en aparté ? demanda Renaud.

— D'après lui, ce sont des Francs qui arrivent, et conduits par le bon Étienne de Blois… Voilà les traîtres de retour !

— Étienne ? s'étonna Foulques. Il a tourné bride pendant que nous crevions à Antioche. Que vient-il faire ici ?

— Si j'avais tourné bride, comme tu dis, si j'avais abandonné mes troupes et mes serments, si j'avais méprisé mes engagements auprès du pape, renié ma foi, étalé ma lâcheté, que crois-tu qu'aurait dit la comtesse Elvire ?

— Elle t'aurait couvert de son mépris, sans aucun doute. Peut-être n'aurait-elle plus voulu de toi, assura Foulques.

— Elle aurait ri de ta couardise, aurait demandé au pape d'annuler son mariage, ajouta Renaud.

— C'est cela même, ricana Raimond. Eh bien ! figurez-vous quel accueil a dû recevoir Étienne en rentrant au pays ! Ce n'est pas Elvire qui l'a reçu, lui, c'est Adèle. Et Adèle, c'est la fille du Conquérant, la sœur de Robert de Normandie… Il paraît qu'elle n'a pas froid aux yeux et que, s'il n'y avait au palais de Blois qu'une seule paire de braies, c'est elle qui les porterait. Elle a dû tout juste lui laisser le temps de débiter ses misérables explications et de mettre sur pied une autre troupe.

— Penses-tu que l'empereur lui confiera à nouveau la direction de l'armée ? » demanda Renaud.

Le comte de Toulouse ne se détourna pas.

« Il avait été intronisé par les Latins, pas par Alexis, répondit Foulques.

— Alexis cherche à désunir les Francs et les Italiens, dit Renaud.

— Peut-être, peut-être… Nous allons bien voir ce que nous allons voir. »

Raimond partit d'un grand éclat de rire et mit son cheval au trot.

*

À l'époque du muguet, la situation n'avait guère évolué. Les retrouvailles avec le comte de Blois avaient été relativement cordiales. Pour éviter toute difficulté, l'empereur Alexis avait logé les chefs latins dans une demeure plus modeste que celle d'Hodogetria, mais située non loin d'elle, à proximité de l'église Saint-Georges-des-Manganes. Le gros de la troupe bivouaquait à l'intérieur des remparts, tout près du palais des Blachernes.

Un matin, Morphia, visage buté, pénétra dans la pièce où Foulques travaillait.

« J'ai attendu toute la journée, hier, dit-elle. J'ai même refusé d'aller dîner chez ma tante, pour être disponible pour toi.

– Ah ? Et pourquoi ? Hier, nous sommes restés chez l'empereur tout l'après-midi. Les choses ne vont pas au mieux.

– Et, bien entendu, tu as oublié qu'hier, c'était mon anniversaire ? Même pas un petit mot, rien ! »

Foulques ne parvint pas à s'empêcher de rire.

« Encore ces histoires de date ! À part celle du Christ, je ne connais aucune date de naissance, tu le sais bien.

– Le jour des ides de juillet, peut-être, quand même ?

– La prise de Jérusalem ?

– Oui, et aussi la naissance de ta fille ! »

Elle sortit en claquant la porte.

Foulques tenta de se remettre à la lecture des textes nestoriens qu'il avait apportés d'Antioche. Mais que comprendre de ces théories fumeuses en l'absence d'Isoard auquel Raimond avait imposé de demeurer à Jérusalem ?

Son regard se porta sur les feuillets de sa chronique placés en évidence sur sa table de travail. Il feuilleta, sourit. Pourquoi donc avait-il entrepris ce pensum ?

*

Il fut décidé que l'expédition partirait plein est vers la Paphlagonie pour tenter de libérer Bohémond, toujours prisonnier des Turcs. Pendant des jours et des jours, Raimond expliqua que l'on courait à la catastrophe, que, coupé de ses bases et enfoncé en terres hostiles, on serait bientôt à la merci de l'ennemi. De son côté, Étienne insistait pour rejoindre au plus vite Jérusalem par la route du sud. Rien n'y fit. Comme mû par une confiance qui confinait à la superstition, Alexis rejoignit la stupide arrogance de ses conseillers, appuya le projet et en confia le commandement au comte de Toulouse. Les Lombards et les Francs, dans leur ignorance des réalités qu'ils allaient devoir affronter, obsédés par l'unique idée de marcher d'abord vers l'est pour libérer Bohémond, acclamèrent Raimond de Saint-Gilles comme un demi-dieu, dont l'invincibilité était devenue légendaire.

Ayant constaté l'inutilité de sa résistance, à bout d'arguments, peut-être flatté de se voir traité en démiurge, le comte de Toulouse accepta de prendre la tête de la folle colonne qui s'apprêtait à marcher vers un péril sans exemple. Au milieu des cris d'enthousiasme qui s'élevaient de la foule exaltée, Foulques l'entendit murmurer, comme s'il s'était agi de conjurer le sort : « Pauvres fous, s'ils savaient ! »

*

Des bateaux passaient sur le Bosphore. De l'autre côté, quelque part, plus près ou plus loin, les Turcs guettaient, à l'affût de la proie irresponsable que leurs espions leur avaient sans doute déjà annoncée. La rumeur de la cité parvenait jusqu'au rocher d'où Foulques, Renaud et Michel regardaient passer les voiles indifférentes au drame qui se jouait.

« Notre comte nous donne un exemple merveilleux de fidélité à la parole donnée, dit Foulques.

— La parole donnée impose-t-elle de respecter des décisions imbéciles ?

— Si l'empereur accepte une telle entreprise, si Raimond fait fi de son habituelle prudence, c'est sans doute qu'il y a des choses que nous ignorons, suggéra Foulques.

— Alexis nous donne des vivres, des armes, du matériel, des Turcopoles et même quelques-uns de ses précieux Varègues, et il s'estime quitte. À nous de réaliser maintenant l'impossible.

— Raimond a traversé victorieusement tant d'épreuves, c'est un tel stratège, si subtil, si hardi, si puissant…

— Raimond a soixante ans », murmura Renaud.

Un moment, Foulques demeura silencieux, les yeux dans le vague, puis, se retournant, il posa le bras autour du cou de Michel.

« Écoute-moi, je vais te promettre quelque chose. Si je reviens de cette expédition, je t'adopterai à mon retour.

— C'est quoi ?

— Quelque chose qui fera que tu seras comme mon fils. »

L'enfant se jeta sur la poitrine de Foulques :

« Pour moi, de toute façon, tu es comme mon père », dit-il.

Agrippant Renaud de sa main demeurée libre, il le rapprocha d'eux et continua :

« Je ne veux pas que tu meures, Foulques. Je ne veux pas que tu meures, Renaud. Vous les tuerez tous, hein, les Turcs, vous les tuerez tous parce que vous êtes les plus forts. »

Puis comme, tête basse, les deux garçons restaient muets, il conclut :

« Vous avez vu ça ? J'ai pas dit "je veux pas", j'ai dit "je ne veux pas". Tu vois, Foulques, je suis devenu grand, alors tu peux tout de suite m'adopter. »

XI

Été 1101. – Pont-Euxin-Constantinople.

« Tu dors ? murmura Renaud en posant la main sur l'épaule de Foulques.

– Non, non. Je ferme les yeux… Et lui ?

– Son souffle est régulier. On dirait qu'il ne souffre plus. Ça va être difficile de le transporter jusqu'à Constantinople.

– Il faut bien, pourtant. On ne va pas l'abandonner ici.

– Qu'est-ce qui lui a pris de hurler comme ça et de gesticuler debout dans la barque ? Quasiment sous les flèches turques !

– On l'a déjà dit vingt fois, Renaud, ça ne sert à rien. On était tous heureux de retrouver la terre d'empire. Il n'a pas réfléchi, on est épuisés. »

Un gémissement s'éleva.

« Tu as encore mal ? demanda Foulques.

– J'ai soif.

– Éric est parti chercher de l'eau. Attends un peu. »

Les yeux gonflés, Guilhem tourna la tête vers lui.

« Reprenez la mer. Laissez-moi avec Éric. À nous deux, on s'en tirera.

– Ne t'épuise pas à parler. Le soleil va bientôt chauffer dur… Il faudra te transporter sous les arbres, là-bas. Garde des forces », dit Foulques en détournant le regard.

Les lueurs du levant commençaient à rosir les reliefs de la petite crique qui les abritait. On se serait cru sur le rivage syrien. Rien ici ne rappelait l'habituelle côte du Pont. L'embarcation avait été tirée sur la grève, et cinq de ses occupants s'étaient allongés sur le sable pour laisser la place à Guilhem. Les trois hommes abrutis de sommeil couchés auprès de Raimond de Saint-Gilles n'étaient même pas des Provençaux ; deux étaient à Étienne de Blois, le troisième à Conrad, le connétable de l'empereur Henri.

Le soleil émergea, illuminant d'un rayon oblique le visage du blessé.

« Veux-tu qu'on te porte à l'ombre ? » demanda Renaud.

Guilhem fit non de la tête.

« Pensez à vous, laissez-moi, dit-il. Vous êtes blessés, vous aussi.

– J'ai encore un bras valide, ça va aller », dit Renaud en faisant mine de rire.

Les cigales avaient repris leur chant qui sciait le ciel immaculé. La journée serait encore brûlante.

Comme à un signal, les hommes étendus sur la plage s'éveillèrent en même temps. Raimond se releva sans s'aider de ses mains et se dirigea vers la barque. Sous le hâle, on devinait un teint blême, des traits creusés.

« Alors, mon pauvre Guilhem ?

– Ça peut aller, répondit le garçon en s'efforçant de sourire. Je vais me lever.

– Non, dit Renaud, tu ne peux pas.

– Mais… si ! »

Appuyé sur un coude, il tenta de se redresser, la main pressée contre le ventre. Comme soudain libéré d'un barrage importun, le sang jaillit entre ses doigts écartés.

« Étends-toi, dit Foulques, tu as arraché la flèche sans faire attention… Éric a sûrement trouvé de l'eau, il va revenir. »

N'ayant rien d'autre à portée de main, il déchira un morceau de sa tunique pour tamponner la blessure.

« Pas moyen de l'arrêter. Ça pisse toujours. »

Renaud ôta le linge qui retenait son bras cassé, et le posa sur la plaie.

« Parle-nous, Guilhem, tant qu'on parle, on ne risque rien », murmura-t-il.

Le nez pincé, les orbites creuses, l'écuyer esquissa un vague sourire.

« On en a vu, des belles choses, ensemble, hein ?… Et on en verra d'autres.

– Ne parle pas, garde tes forces, l'adjura Foulques.

– Là-bas, vous direz des prières pour moi, hein, là-bas, à Jérusalem… On fera des bonshommes de… J'ai soif, soif… »

D'un geste machinal, Raimond serra le bras de Foulques. Le regard fixe, Guilhem happait l'air goulûment. Dans un effort désespéré, il tenta de s'asseoir complètement et retomba en arrière. Au même instant, Éric revenait en courant avec une outre pleine.

« C'est trop tard », dit Foulques.

Devant le corps inerte de son compagnon, l'Islandais s'agenouilla. Puis, bredouillant des mots dans sa langue, il ferma de deux doigts les paupières qui ne cillaient plus et, avec une douceur singulière, redressa la tête de Guilhem droit vers le ciel.

« Il faut un trou creuser », reprit Foulques en langue du Nord pour les trois soldats qui s'approchaient.

Éric ne bougeait pas. Des larmes silencieuses tombaient de ses yeux pâles. À deux pas de là, les vaguelettes chantaient étourdiment sur la grève. Un moment, Raimond toussota.

« Il est avec Odin, prononça enfin Éric. Dans le trou, je le porte, moi. »

En silence, il souleva le corps de Guilhem et alla l'allonger un peu plus loin sur la plage, à côté de la tombe que les trois autres creusaient à mains nues.

Raimond ne disait rien. Il s'assit sur le sable, la tête rentrée dans les épaules. Foulques voulut se relever, mais, depuis sa chute de cheval, l'avant-veille, juste avant de fuir sur cette misérable barque de pêcheur, la seule qu'il y eût dans le petit port, il avait beaucoup de mal à se tenir debout.

« Aide-moi », demanda-t-il à Renaud.

De son bras valide, celui-ci fit une canne à son ami et le conduisit jusqu'à la fosse de sable.

Les soldats allongèrent l'écuyer, croisèrent les mains sur la poitrine puis levèrent un regard interrogateur. Foulques se redressa comme il put, traça un signe de croix, et, à haute voix, commença le *Notre Père*, que, tête basse, chacun reprit dans son accent.

« Que faire, maintenant ? demanda-il, une fois la prière terminée. Nous ne pouvons pas le recouvrir déjà, il est encore chaud.

– Il faut sans attendre le confier à la terre et partir, dit Raimond. C'est ce qu'il aurait voulu.

– Non, les hommes sont épuisés, nous attendrons, décida Foulques. Éric, as-tu vu quelque chose dans les environs ?

– Rien d'habitation. Il y a seule une fontaine, un peu loin.

– Quelque chose à manger ?

– Des fruits, quelques deux ou trois dans des arbres.

– On s'est souvent contenté de moins que ça. Nous passerons la journée ici.

– Et s'ils nous attaquent ? protesta Raimond.

– Eh bien ! il faudra fuir, on sait faire maintenant. Mais nous ne craignons plus rien, nous sommes en terre d'empire.

– Les autres vont arriver avant nous à Constantinople, soupira le comte.

– Tant mieux, ils essuieront les premiers la colère d'Alexis… Éric, prends deux hommes, et essayez de trouver de quoi manger. Nous vous attendrons ici. »

Foulques porta les mains à ses reins.

« Tu as mal ? demanda Renaud.

– Plus que ça. Souvent, je n'arrive plus à respirer. »

Équipés de l'outre et d'un morceau de vieille voile en guise de couffe, Éric et les deux hommes d'Étienne de Blois entreprirent d'escalader la rude pente de rochers piquée de pins accrochés aux anfractuosités.

Sans un mot, l'homme de Conrad se dirigea vers une langue sombre qui, à fleur d'eau, prolongeait de cent coudées l'extrémité pierreuse de l'anse, et entreprit de gratter le sable.

« Il nous reste à tenir conseil, dit soudain Renaud, gêné par le silence.

— Pour faire le bilan du désastre ? demanda Raimond d'une voix blanche.

— Renaud a raison. Que comptes-tu faire ? »

Le comte de Toulouse leva vers Foulques un regard où se lisait une totale lassitude. On avait peine à retrouver dans ce visage les traits glorieux du grand Raimond de Saint-Gilles qui parlait naguère de puissance à puissance avec les rois, les empereurs, et même le pape.

« Faire ? À quoi puis-je prétendre désormais ? Je reviens écrasé, déshonoré…

— Pour nous, tu ne l'es pas, coupa Renaud.

— N'attachez plus vos fortunes à la mienne. Quand les chevaux sont épuisés, on les abat. J'ai dépassé mon temps, failli à ma mission. J'ai perdu… J'envie le sort du pauvre Guilhem qui, lui, ne demandait qu'à continuer de vivre. Noyez-moi ou percez-moi d'un coup de dague, comme un chien crevé que je suis.

— Mon cousin, s'indigna Foulques, cette défaite n'est pas la tienne, mais celle des Lombards, tu le sais parfaitement. Étienne de Blois et toi avez tout tenté pour empêcher cette expédition. Vous avez dû obtempérer devant la jactance de la piétaille imbécile. Vous n'y êtes pour rien.

— Si, mon cousin, puisque tu m'honores encore de ce titre… Un chef incapable d'imposer ses vues n'est pas un chef. En cédant aux volontés absurdes des Lombards et de la cour, nous avons, Étienne et moi, endossé du même coup la responsabilité. Sur nous retombe la faute, sur nous retomberont les accusations.

— Eh bien ! nous nous défendrons ! protesta Renaud.

— Non. La main de la fortune ne se tend plus vers moi. Reniez-moi, tout de suite, avant tous ceux qui s'empresseront de le faire demain. Même éclopés, vous revenez vivants d'une expédition insensée. Vous pourrez sans trop de mal vous faire passer pour des martyrs, victimes de la folie du cyclope cacochyme en qui vous aviez naïvement mis votre confiance. Abandonnez le vieux cheval borgne, donnez-vous la gloire de l'avoir les premiers destitué.

— Tu prônes la félonie à ton conseil, Raimond ! Tu invites à la forfaiture tes barons qui te doivent tout, dit Foulques. À l'heure où nul ne t'écoutera plus, si ce malheur devait arriver, nous attesterions, nous, qu'à aucun moment tu n'as trahi tes troupes.

– Ne vous chargez pas de mon ignominie. À Bafra, j'ai fui. Cent témoignages viendront le confirmer.

– Tu as lutté comme un lion tant qu'il a été possible. Et quand tu as compris que tout était perdu, tu t'es replié, protesta Renaud.

– J'ai fui, mon filleul. Laisse aux chroniqueurs complaisants le soin de réinventer l'Histoire. Ton bras cassé ne te rappelle-t-il pas la hideuse débandade, les hurlements de terreur ? J'ai fui avec la seule idée de sauver ma vieille carcasse, et peut-être aussi quelques-uns de mes chevaliers… Dos à l'adversaire, l'invincible Raimond de Saint-Gilles s'est sauvé en bêlant comme une vieille femme. J'ai failli… C'est pourquoi je vous délie de vos engagements et te remets, Foulques, le commandement jusqu'à ce que nous ayons atteint Constantinople. »

À ce moment, le Germain les rejoignit et tendit avec jubilation dans ses mains mises en coupe une vingtaine de grosses palourdes grises de vase.

« C'est bien, dit Foulques en langue du Nord, trouve du bois pour le feu faire.

– Il te comprend, s'étonna Raimond d'une voix rêveuse en voyant l'homme se diriger vers les arbres. Tu es digne d'être le chef.

– Il faut nous mettre à l'ombre, dit Renaud, le soleil est trop fort, ici. »

Pour se lever, Foulques refusa le bras que lui proposait son compagnon.

« Toujours ce foutu orgueil ! ronchonna Renaud.

– Orgueilleux ? Face à qui ? Un chevalier n'a pas droit à la faiblesse. »

Il se redressa vigoureusement, pâlit, serra les poings. Une sueur subite le glaça.

« Tu as raison, dit-il ; il fait trop chaud, allons à l'ombre.

– Un chevalier a le droit d'être un homme », laissa tomber le comte.

Au matin du lendemain, après avoir chassé les mouches et dit une dernière prière, on boucha le trou de sable où Guilhem reposait. Puis, le ventre affamé, on tira la barque dans les vagues qui avaient grossi, et l'on mit cap à l'ouest.

*

Pour la troisième fois, Morphia passa sans oser s'arrêter devant la demeure de sa tante. De l'autre côté de la Mêsè, beaucoup de maisons étaient peintes et elle se demanda pourquoi Vassilika n'avait pas fait décorer la sienne.

« Bon, allez, j'y vais. Si elle ne comprend pas, personne ne me comprendra, et je ne peux plus le garder pour moi. »

Appuyée à une harpe, Vassilika se tenait près d'un bassin où murmurait une eau parfumée.

« Tu joues, ma tante ?

— Hélas ! non, je fais semblant. Il y a si longtemps que je n'ai pas touché à cet instrument. Et toi ? Pourquoi cette mine sinistre ?

— Rien, rien, je t'assure.

— Allez, pas de fariboles avec moi, ma petite. On lit sur ton visage comme dans un livre, tu le sais bien. Assieds-toi là. Veux-tu des fruits ? Boire quelque chose ?

— Merci, ma tante.

— Est-ce pour ton Scythe que tu te fais du souci ? »

Morphia rougit en détournant la tête. Sa robe légère, croisée sur le devant, mettait sa poitrine en valeur. Elle semblait avoir le souffle court, et haletait.

« Mon Scythe ?

— Ton Franc, si tu veux… Ils se ressemblent tous, ces garçons de là-bas. Blonds, grands, doubles d'épaules. Tous plus ou moins Varègues.

— Hier, sont arrivés par bateau Étienne de Bourgogne et le connétable de l'empereur des Germains, Conrad. On dit que les autres suivent. Ceux qui ont survécu.

— Il se murmure qu'il en reste peu… »

Morphia se leva, fit quelques pas dans le jardin, respira une rose.

« Ne reste pas au soleil, tu vas attraper la mort. C'est du feu aujourd'hui.

— Ma tante, je suis amoureuse.

— Que dis-tu ? Je n'ai pas entendu. »

La jeune femme se retourna, le visage grave, et, baissant les yeux, répéta :

« Je le suis. »

Vassilika se passa les doigts dans les cheveux, se caressa les joues et dit d'un ton enjoué :

« Eh bien ! mais c'est merveilleux, cela. Quoi de plus naturel, à ton âge ?

— Tu ne comprends pas…

— Allons, tu t'inquiètes trop. Ton Foulques est un garçon solide. Il aura échappé à l'hécatombe et te reviendra intact.

— Ma tante, ne me parle pas de lui, je te prie… Celui que j'aime s'appelle Gunnar. C'est un Scythe, justement. Un de ces Varègues… Le plus beau. À t'entendre tout à l'heure, j'ai cru que tu avais deviné. »

La vieille femme s'était raidie.

« Laisse-moi t'expliquer. Je ne sais plus que faire, continua Morphia. C'était il y a quinze jours. J'étais allée au palais prendre des nouvelles de nos troupes. Il était là.

– Un Scythe…, murmura Vassilika.

– Un Varègue de la garde impériale. Mais pas un simple soldat. Il est de noble famille… Oh ! que je suis heureuse, et malheureuse en même temps ! gémit-elle en se jetant aux genoux de sa tante.

– Ma chérie, ma chérie, calme-toi. Ce sont des choses qui arrivent, surtout après une union forcée. Pourquoi ne m'as-tu rien dit plus tôt ?

– J'avais honte. Je pensais que tu me condamnerais.

– Ma pauvre petite. Je suis femme. Enfin, j'ai été femme. Je sais bien ce qu'est la vie. Raconte-moi tout. »

Incrédule, Morphia releva la tête. De vraies larmes coulaient le long de ses joues. Vassilika les lui essuya du pouce.

« Je ne veux pas voir ces jolis yeux pleurer. Tu es si jeune, ma fille ! On t'a mariée si tôt, et contre ton gré. »

Après un profond soupir, Morphia ébaucha un sourire.

« J'attendais pour être reçue… J'ai senti qu'il me regardait. Alors je l'ai regardé moi aussi. Nous nous sommes souri. "Une femme seule, c'est singulier, m'a-t-il dit. Depuis que je suis ici, j'en ai peu vu, et toujours voilées et accompagnées." Il parlait très correctement le grec, avec un merveilleux accent de rocaille…

– Tu lui as bien dit, j'espère, que tu étais d'une famille où les femmes ne se sont jamais laissé dompter par les mâles ? »

Morphia sourit.

« Non. Ce n'est pas ce qui m'est venu à l'idée… Il vient de Suède. Il n'aime pas qu'on l'appelle Scythe, il trouve cela méprisant.

– Méprisant ? Quelle idée ! C'est un Scythe, puisqu'il vient du Nord, c'est tout. Les femmes ont toujours été folles d'eux, et rien que ce mot les excite. Ils quittent leur pays de glace, traversent des terres innombrables, se refont une santé au pays de Rus, et débarquent ici pour se mettre au service de nos empereurs. Il faut dire qu'ils ont une certaine allure… Donc, ce Gunnar t'a regardée et tu as fondu.

– Je ne comprends pas ce qui s'est passé en moi. Un grand vide dans le ventre, le cœur qui bat, une espèce de joie folle, l'envie de rire et de sauter sur place…

– Tout le carquois d'Éros d'un seul coup. C'est terrible !

– Il a perçu mon trouble. Oh ! ma tante, si tu avais vu son sourire, ce regard de mer en colère illuminant son visage clair. Une telle puissance, une telle grâce…

– Hum. Yeux de saphir, denture de loup, carrure de dieu, taille d'éphèbe, cheveux de blé balayant les épaules.

– Oui, c'est lui, c'est lui, s'exclama Morphia en battant des mains. Comment le sais-tu ? »

La vieille femme haussa gentiment les épaules.

« Si je te décrivais un lynx, le reconnaîtrais-tu ?

– Bien sûr, tous les lynx se ressemblent ! s'exclama Morphia avec un tressaillement de surprise.

– Comme tu dis, ils se ressemblent tous.

– Lorsqu'on m'a appelée, il a murmuré : "À bientôt." Oh ! si tu entendais sa voix. Il y a dans son accent quelque chose de chaud, de doux... »

Vassilika poussa un profond soupir. Quand était-ce ? Il y avait si longtemps... Les troupes de Rus avaient attaqué Constantinople en 1043. C'était juste avant. Une éternité. Il s'appelait... La vieille femme baissa le regard vers la peau flétrie de ses bras. La gorge serrée, elle avança la main vers une grenade. Il y avait eu ce siège effroyable, la ville raide d'angoisse, le feu grégeois par-dessus les murailles, qui illuminait la nuit. Et puis il était mort, près de la poterne du nord, dans une tentative de contre-attaque. Elle avait seize ans. Ceux de Rus étaient en fait des Varègues, elle le savait bien. Ils le lui avaient tué.

« Le lendemain, poursuivit Morphia sans s'apercevoir du trouble de sa tante, je suis revenue aux Blachernes. C'était plus fort que moi. Je n'avais pas dormi de la nuit. Sans cesse me revenait son image. Il me parlait, me souriait. Si je m'assoupissais un instant, il m'accompagnait dans le rêve. Je me maudissais, comptais les heures qui devaient s'écouler encore avant que je le retrouve. Le voir, le voir, le voir...

– Et voilà, j'ai écrasé une graine de grenade sur ma robe. Quelle maladroite ! Sophia, Sophia, va me chercher de l'eau !

– Je suis entrée comme une folle. Il était là. Il a souri d'un air tranquille. J'avais envie de me gifler. Pour un peu, je me serais jetée dans ses bras. "Est-ce l'amour du pays ou l'amour d'un guerrier qui te conduit ici avec tant de fidélité ?" "C'est un guerrier", ai-je répondu. "Quelle chance est la sienne d'avoir su retenir un aussi beau regard !" Voilà ce qu'il a dit.

– Ah ! Sophia, tout de même ! Vois donc cette horrible macule. Je pense bien que mon habit est perdu.

– "Mais ce guerrier n'est pas loin, ai-je ajouté, et je ne sais pas s'il connaît lui-même sa chance."

– Tu t'es déclarée avant lui ? Erreur impardonnable !... Allons, le soleil est en train de tourner, et nous ne serons bientôt plus à l'ombre. La peste soit de cette chaleur. Plus je vieillis, plus je déteste l'été.

– Il a rougi délicatement. Comme c'était beau, sous ses cheveux blonds, un pavot dans un champ de blé... Je suis revenue tous les jours au palais, sans même essayer de recueillir les nouvelles des Francs. Je le voyais, je lui parlais. Je ne pensais à rien d'autre. Puis nous sommes allés nous promener vers les remparts au-dessus de la Corne d'Or.

« – Ah ! ça ne va encore pas. Il faudrait tendre un vélum. J'aime bien être au ras du jardin à cause du parfum des fleurs. Plus loin, c'est trop loin, mais tant pis. »

Morphia transporta la coupe de fruits près de l'endroit où Vassilika venait de se réinstaller. Elle les soupesa machinalement, saisit une pêche.

« Hier, il m'a emmenée dans un endroit qu'il connaît.

– Tu veux dire… ?

– Oui.

– Ah bon !… Ça devient plus compliqué.

– Tante Vassi, je peux tout te dire, n'est-ce pas ? J'ai ressenti des choses comme jamais avant, comme si quelque chose se cassait en moi. J'ai bien cru que j'allais m'évanouir… Tu ne peux pas imaginer !

– Si, si, j'imagine, je vois très bien cela… Tout le monde assure qu'un amant donne ce plaisir-là bien plus souvent qu'un époux. Je ne sais pas, je n'en ai jamais eu. »

Morphia leva vers sa tante un regard empreint d'une vague commisération.

« D'époux… Je veux dire d'époux. Je n'ai jamais eu d'époux, évidemment, précisa en riant Vassilika. Et quels sont tes projets, à présent ?

– Je n'ai plus envie que de cela. Je ne voudrais pas que cela s'arrête. Je viens de le quitter. J'y retournerai demain. »

Une lueur d'inquiétude sur le visage, Vassilika se mit à suivre du pied la mince frise qui cernait la mosaïque de l'atrium. Bien sûr, il n'y avait pas meilleur dans la vie que ce que Morphia vivait en ce moment. Mais elle était mariée ; et son époux allait revenir bientôt, ou alors ne pas revenir…

« Je suis décidée à me séparer de Foulques. »

Vassilika se retourna vivement :

« Hein ? Pour un moment de plaisir que n'importe qui peut t'offrir ? Malheur à celle par qui le scandale arrive ! Profite de ta liberté momentanée, mais ne va pas compromettre ta situation.

– Gunnar est prêt à m'épouser, si je divorce.

– Oh ! es-tu assez naïve pour croire à ces fadaises ? Ce Gunnar est une passade ridicule, comme toutes les passades, et d'ailleurs comme tous les hommes. Les arbres n'auront pas perdu leurs feuilles, que tu t'en seras lassée. Ton Foulques vaut mieux que cela, tout de même !

– Mais je ne l'ai jamais aimé, tandis que Gunnar… »

Un esclave vint glisser quelques mots à l'oreille de la vieille femme dont l'expression se modifia graduellement.

« Ma chérie, la flotte du comte de Toulouse vient d'entrer dans le port. Ton mari est vivant. »

*

Morphia suivit le petit sentier qu'elle empruntait, enfant, quand on venait en vacances chez la tante. Il prenait juste derrière la maison, au coin d'un gros rocher qu'elle appelait Cerbère, serpentait entre les lauriers-roses, les genêts et les aloès.

Où serait-il ? Avec tous ces bouleversements, occuperait-il son poste habituel, dans la salle de garde du palais ? Morphia s'émut à l'idée de la responsabilité qui lui incombait, de tous les personnages considérables qu'il voyait passer, des secrets d'État qu'il devait partager.

Elle s'assit quelques instants à l'ombre d'un sycomore, en froissa une feuille pour en respirer le parfum… Gunnar sentait l'ambre et le miel, et ses cheveux l'herbe sèche dont ils avaient la rudesse. Il était à la fois doux et puissant. Quelle ivresse elle ressentait à l'attendre, à l'inviter en elle ; quelle délicatesse il mettait à lui laisser l'impression que c'était elle qui le possédait…

Le cœur battant, elle rajusta à la ceinture les plis de sa longue tunique et repartit d'un pas de danse, malgré l'écrasante chaleur.

Parvenue à l'église des Saints-Apôtres, elle voulut entrer pour retrouver des émotions d'enfant et un peu de fraîcheur. Au pied d'une colonne froide, elle s'agenouilla.

« Mon Dieu, murmura-t-elle, protège Gunnar. Accorde-lui Ta bienveillance. Fais qu'il m'aime toujours et surtout, surtout, ne l'entraîne pas hors de la ville. »

*

À peine débarqués, les barons de Toulouse furent conduits au palais. L'empereur les reçut à huis clos, et commença sur un ton difficilement contenu :

« On Nous assure, comte de Toulouse, que tu as fui, abandonnant tes troupes au plus fort de la bataille, les conduisant à la déroute et au massacre. Nous ne pouvons le croire. On Nous aura menti.

– On ne t'a point menti. En même temps que la guerre, j'ai perdu sans doute ta confiance et à coup sûr l'honneur.

– En toi, précisément, reposait notre confiance. Sur ton bras, Nous avions misé l'avenir d'un trône redevenu victorieux et universel. Avec un champion tel que toi, Alexandrie Nous paraissait pouvoir redevenir un des phares de notre empire… Et quoi de tout cela ? Nos troupes abandonnées, nos renforts sacrifiés, nos espoirs lâchement trahis ! Sans mesure dans la forfaiture, tu as préféré ta misérable carcasse à la destinée d'un Empire romain deux fois millénaire. Honte soit sur toi ! »

Dos voûté, regard baissé, Raimond demeurait immobile devant Alexis qui allait et venait en faisant de grands gestes. Du coude, Renaud poussa Foulques et lui glissa :

« Il faut dire quelque chose. »

Foulques fit une grimace de douleur en redressant les épaules. Une bête furieuse rongeait son dos. Il sut qu'il ne pourrait pas longtemps rester debout. L'empereur, maintenant, hurlait qu'il chasserait tout le monde de Constantinople, ces schismatiques de tout bord qui empuantissaient la ville, ces rapaces bons seulement à s'attaquer à des pucelles. Que n'allaient-ils sur-le-champ rejoindre pour s'y faire écraser les autres barbares, à Jérusalem, et tout autour en Palestine ?

Des spasmes agitaient l'échine du comte de Toulouse. Placé à trois pas derrière lui, Foulques se demanda si Raimond pleurait, et, sans réfléchir, coupa les imprécations impériales.

« Votre Grandeur, votre colère est juste, et le guerrier que vous êtes connaît l'humiliation de la défaite, dit-il avec un calme qui l'apaisa lui-même. Devant vous, se présentent des hommes atteints dans leur chair et plus encore dans leur fierté, mais dont l'honneur est sauf. À aucun moment le comte de Toulouse n'a trahi. Jusqu'à l'ultime limite, et même un peu au-delà, il a lutté avec sa vaillance coutumière. Mais lorsque la bataille est perdue, Votre Grandeur le sait, la témérité devient de la sottise. Le comte de Toulouse, qui est le plus grand stratège d'Occident, a toujours été hostile à cette expédition en Paphlagonie. Le comte de Blois, tous les hommes de bons sens, Votre Grandeur elle-même partagiez cet avis. Vous savez bien que…

— Il suffit. Tu défends ton chef, et tu fais en cela ton devoir ; il n'est pas certain que Nous trouverions semblable dévouement, si Nous étions Nous-même en pareille circonstance… Notre empire a subi d'effroyables défaites, c'est un fait. Mais il en a tiré les leçons et le désastre de Mantzikert a enseigné à nos peuples que Nous étions seul digne d'occuper le trône le plus prestigieux de l'univers. Songes-tu à établir un parallèle entre le basileus triomphant et un comte écrasé ?

— Nos causes étaient communes, notre défaite est aussi votre défaite. Notre état de chevalier nous impose de respecter l'honneur puisque nous ne pouvons rien sur les revers des armes. »

Alexis s'approcha de Foulques et le considéra longuement. Il se rappelait avoir déjà vu aux côtés du comte de Toulouse ce Provençal qui ressemblait à un Varègue. Aujourd'hui, ses traits creusés et sa saleté trahissaient les souffrances qu'il avait traversées, même si, par orgueil, il essayait de dissimuler sa douleur. Le regard était droit et sans arrogance.

« Ton langage est noble. Quel est ton nom ?

— Foulques, sire de Termes. Je suis le cousin de messire Raimond. »

Lentement, le basileus regagna son trône et, se tournant vers le comte :

« Tu es bien heureux, au plus sombre de ton humiliation, de pouvoir encore inspirer tant de foi… Nous oublions cette malheureuse affaire et considérerons désormais que Nous Nous sommes laissé emporter par un courroux justifié mais excessif. Réjouis-toi, Raimond, d'avoir à tes côtés, et, plus encore, d'avoir dans ta famille, un pareil défenseur. »

Alexis frappa dans ses mains et fit signe d'apporter des sièges pour ses hôtes. Foulques se demanda si, une fois assis, il souffrirait davantage.

« Et toi, qui es-tu ? demanda l'empereur à Renaud.

— Mon nom est Renaud, chevalier, vassal du seigneur de Termes, filleul du comte Raimond.

— Bien. Il vous faut prendre du repos, vous en avez le plus grand besoin. Regagnez le palais d'Hodogetria. Outre quelques présents, Nous vous y ferons apporter de quoi vous vêtir et vous parer.

— Tu nous remercies de notre échec ?

— Non, Raimond. Vous auriez pu Nous trahir, vous ne l'avez pas fait ; cette rare fidélité mérite récompense… Sitôt après votre départ, sont arrivées des troupes franques emmenées par le comte Guillaume de Nevers. Ils ont cherché à vous rejoindre pour vous prêter main-forte, mais ont perdu votre trace. Nous n'avons plus de nouvelles et craignons beaucoup pour eux. Ils sont quelque part du côté d'Iconium, probablement harcelés ou déjà anéantis par les Turcs.

— Je ne connais pas Guillaume, dit Raimond, mais sa réputation de guerrier est parvenue jusqu'à moi.

— Presque en même temps, nous ont rejoints avec leurs armées Welf, le duc de Bavière et Guillaume, le duc d'Aquitaine.

— Guillaume ? hurla Raimond. Ah ! le traître ! Et que vient-il… ? T'a-t-il dit si c'était le pape qui l'avait incité à gagner l'Outremer ? Je lui avais écrit…

— Tu avais demandé cela au pape ? s'étonna Alexis. Pourquoi donc ?

— Oh ! de vieilles histoires. Je me demandais comment un tel prince pouvait manquer à son appel… Et où se trouve-t-il, à présent ?

— Welf et lui ont suivi les traces du comte de Nevers. Ils prétendaient se diriger vers Jérusalem.

— En passant par l'intérieur ? Folie !

— Tout le monde veut absolument reprendre Bohémond aux Turcs qui le détiennent. Ils pensaient joindre leurs troupes aux tiennes. »

Le comte de Toulouse jeta derrière lui un regard accablé.

« Mes troupes… murmura-t-il.

— La fortune est frivole, Raimond. Aujourd'hui, vous n'êtes que trois. Demain, vous serez peut-être mille fois plus nombreux.

– Tu dis bien. Accorde-nous quelques jours de repos, et nous reprendrons le combat. De Laodicée, nous ferons notre tête de pont commune pour reconquérir le Sud. Je m'y rangerai entièrement sous les ordres de ton représentant. »

L'empereur se leva d'un coup, assénant une claque sonore sur la crinière de ses lions d'or immobiles.

« Les heures de Laodicée sont comptées.

– Que veux-tu dire ?

– L'infâme Tancrède, que la peste l'emporte, ne se contente pas de son titre de prétendu régent : depuis Antioche, il a concédé des privilèges aux Génois pour commercer à Laodicée.

– Le fourbe ! Et de quel droit ? de quel droit ?

– Notre gouverneur est demeuré impuissant car la révolte grondait.

– Je vois, intervint Foulques. Ils m'ont fait la même chose.

– Il y a pire, continua avec rage Alexis. On vient de Nous apprendre que ces Normands assiègent la ville avec l'intention manifeste de la soustraire à notre autorité. Tout se délite, l'autorité fait entièrement défaut : ton évêque Étienne a créé un scandale affreux en devenant père. Il s'est enfui on ne sait où. »

L'empereur s'immobilisa, les yeux étincelants. Il partit d'un éclat de rire.

« Mais rien n'est tout à fait perdu, tu as raison. Peut-être ceux qui vous cherchent auront-ils plus de chance que vous, et Nous allons convoquer les survivants qui vous ont précédés.

– Le comte Étienne n'est pas venu te rendre compte ?

– Ne l'accable pas. Contrairement à toi, il n'est pas notre ami et devait craindre notre colère. Allez, rejoignez à présent votre demeure, et essayez d'y recomposer des forces dont Nous aurons besoin tantôt. »

*

Dissimulée près de Gunnar derrière une file de colonnes, Morphia les regarda sortir de la salle d'audience. Elle vit s'approcher un vieillard affaissé suivi de deux garçons répugnants de misère crasseuse. Vêtements en lambeaux, bras en écharpe, démarche incertaine, cheveux raides. Elle imagina leur puanteur, se représenta l'horreur de devoir se laisser toucher par ce porc immonde qui avait toujours sur elle les droits d'un époux.

Elle jeta un rapide regard à son compagnon. Gunnar sourit. Tant de charme, tant de douceur exquise et de délicatesse… Se blottir dans ses bras, exiger protection, caresses. Qu'il la prenne, là, maintenant… et surtout qu'il fasse disparaître cette vision d'horreur !

Le Varègue la poussa doucement en avant.

« Foulques… Enfin… enfin, tu es de retour… et vous aussi, Raimond et Renaud, vous êtes de retour… », bredouilla-t-elle.

*

Après avoir diagnostiqué chez l'un une brisure du coccyx à la suite d'une chute de cheval, et chez l'autre une double fracture du bras, le médecin impérial avait prescrit aux deux garçons un repos absolu.

Durant cette immobilisation forcée, Morphia se rendit assidûment aux Blachernes afin de recueillir les nouvelles. Foulques la grondait gentiment, lui représentait la fatigue qu'elle devait éprouver dans ces va-et-vient constants, la mettait en garde contre la canicule et la grossièreté de la soldatesque. Elle riait de ses appréhensions, assurant que le chevalier blessé devait accepter parfois de se reposer sur sa dame.

Au début du mois de septembre, on apprit qu'Ascalon venait d'être prise par le roi Baudouin, et que Tancrède était englué dans le siège de Laodicée. Foulques et Renaud s'étaient remis à l'étude sous la direction d'Onfroy, ce qui faisait beaucoup rire Michel. Chaque jour, Morphia revenait épuisée des Blachernes, faisait un bref compte-rendu et allait s'allonger. Foulques s'indignait qu'elle eût à attendre des heures avant d'obtenir des renseignements sur la situation.

*

« C'est la Saint-Michel, s'exclama Foulques en riant. Prépare-toi, Renaud, c'est aujourd'hui que nous percevons les redevances de Saint-Palais.

— Ah ! ces paysans du diable ! Que vont-ils encore inventer pour ne pas payer ? s'amusa Renaud.

— Tu te rappelles nos pauvres piécettes, là-bas, au fond de notre trou ?

— Ce que je me rappelle surtout, c'est le Germain au bout de sa corde. On a fait bien mieux depuis, et pourtant je n'arrive pas à oublier. Sans doute parce que c'était la première fois.

— Nous ne savions rien, nous ne comprenions rien… Il y a à peine plus d'un lustre de cela, et ça me semble l'éternité.

— Le temps n'appartient qu'à Dieu, ricana Renaud.

— À Dieu, un peu, et à l'administration impériale beaucoup, oui. Je ne comprends pas pourquoi je n'ai toujours pas reçu l'acte que j'attends. Je vais descendre et envoyer un esclave au palais.

— Descendre l'escalier ? Alors, je t'accompagne.

— Non. Je veux me démontrer que je peux le faire seul.

— Tu n'as toujours rien dit à Michel ?

– Non, il faut qu'il ait la surprise… Il m'en parle souvent, sans comprendre exactement de quoi il s'agit. J'imagine sa fierté, quand il va découvrir l'acte officiel ! Attends-moi là, je reviens tout de suite. »

Parvenu au rez-de-chaussée, il constata que le bout de sa sandale était défait. Quel plaisir de pouvoir se baisser pour la renouer, d'accomplir ces gestes simples de l'existence interdits depuis plus d'un mois ! Soudain, il s'immobilisa.

« Non, je ne peux pas, disait une voix d'homme, il faut que j'y aille.

– Quelle déchirure de te quitter ! À demain, n'est-ce pas, là où tu sais ?

– Bien sûr. Nous aurons tout l'après-dîner… »

Les voix murmuraient à présent et Foulques ne comprenait plus ce qui se disait. Morphia ?

Il eut juste le temps de se plaquer derrière une colonne. À côté de sa femme qui tenait un papier à la main, un inconnu, grand et blond comme un Varègue, apparut dans l'embrasure. Après un dernier signe de main, elle referma la porte et se dirigea vers l'escalier.

« Je suis là, Morphia » dit Foulques.

Saisie, elle se retourna lentement, une intense surprise dans le regard.

« Tu sembles bien étonnée de me voir ?

– Je… je ne savais pas que tu pouvais descendre les marches maintenant…

– Tout a une fin, même l'infirmité. Ça me fait plaisir de t'en voir si heureuse.

– Tiens, s'exclama-t-elle en affectant soudain un air badin, regarde, c'est ce que tu attendais, pour Michel. Un serviteur du palais vient de l'apporter. »

Elle lui tendit le rouleau scellé qu'elle tenait à la main.

« Depuis quand ? dit Foulques d'une voix absolument plate.

– Quoi, "depuis quand" ?

– Inutile de mentir. Je vous ai entendus. »

Un instant, Morphia parut faire mentalement le tour de tout ce qu'une femme peut inventer en pareille circonstance, puis une résolution froide brilla dans son regard.

« Tu me demandes depuis quand ? Alors c'est depuis toujours, parce que depuis toujours j'attends l'homme que j'aime. Et l'homme que j'aime, c'est lui ! »

Puis, comme saisie d'une idée plus intéressante, elle se jeta soudain aux pieds de Foulques qui était demeuré absolument immobile.

« Chasse-moi si tu veux, sanglota-t-elle, mais ne touche pas à son enfant.

– Son enfant ? Parce que… parce que… ? »

Hoquetant, elle confirma d'un hochement. Il la repoussa du pied pour dégager son chemin et, la tête vide, se dirigea en silence vers les degrés de marbre.

*

Pendant le repas du soir, ils n'échangèrent pas une parole. Le regard fixe, Morphia se tenait raide comme une effigie de la réprobation. Renaud s'efforçait de distraire Michel en racontant des histoires de guerriers et de batailles.

Enfin, au moment où un domestique apportait des fruits, Foulques tira le parchemin de sa tunique et dit d'une voix blanche :

« Michel, voici la surprise que je te promettais pour le soir de ta fête.

– Oh… ben, c'est ça ? Qu'est-ce que c'est ? »

L'enfant cassa le cachet de cire et déroula le document avec un air navré.

« J'y comprends rien, dit-il.

– Bien sûr, dit Foulques dans un sourire pâle, c'est écrit en grec. Le basileus reconnaît que, désormais, tu es mon fils. À compter de ce soir, j'ai deux enfants, scanda-t-il en direction de Morphia.

– Ton fils, c'est vrai ? » s'émerveilla Michel en se jetant au cou de Foulques.

Morphia rejeta brutalement son siège en arrière.

« C'est imbécile, hurla-t-elle en grec avant de claquer la porte. Autant recueillir sous notre toit tous les gueux de Constantinople !

– Qu'est-ce qu'elle a dit ? demanda Michel qui l'avait suivie d'un œil sidéré.

– Rien, va, elle n'a rien dit d'intéressant », dit Foulques, les yeux embués.

*

Plus tard dans la même soirée, Ménélas vint annoncer le retour du comte de Nevers et du duc d'Aquitaine. Ils étaient arrivés en haillons, ayant perdu leurs armées et leur honneur. La plupart des hommes étaient morts, les femmes avaient été capturées pour servir dans on ne savait quels affreux harems.

« Il y a trois ans, dit Renaud lorsqu'ils furent seuls, tout semblait devoir plier sous nos assauts. Aujourd'hui, tout tourne au désastre.

– Il y a trois ans, nous nous battions pour Dieu. Et maintenant plus personne ne connaît les raisons de son combat. Dieu non plus. Il ne nous regarde plus, Il ne se bat plus à nos côtés.

– Je crois qu'Alexis va devoir renoncer pour toujours à reconquérir l'Anatolie. »

Longtemps, les deux garçons tournèrent et retournèrent la situation. L'homme le plus puissant de Syrie était à présent Tancrède. Jamais Bohémond ne recouvrerait la liberté. Jamais le comte de Toulouse ne serait prince de Galilée ou d'ailleurs ; jamais le basileus ne pourrait restaurer le pouvoir de Byzance sur les immenses territoires de l'Empire romain d'Orient.

La nuit avait largement dépassé le milieu de sa course lorsque Renaud osa enfin demander :

« Et pour elle, pour Morphia, as-tu réfléchi ? Que comptes-tu faire ? »

Foulques leva vers lui un regard où brillaient des larmes.

« Je demanderai réparation à la justice de Dieu. Je vais appeler ce Varègue en combat singulier. Jusqu'à ce que mort s'ensuive pour l'un de nous. »

Renaud frémit.

« Ici, en terre d'Empire, il existe aussi la justice des hommes…

— Un procès ? Tu voudrais que je demande à la justice impériale de condamner ma femme pour adultère ? Que sommes-nous devenus, Renaud, pour qu'un guerrier tel que toi me suggère ces procédés de femelle ? L'honneur ne se lave que dans le sang.

— Il y a aussi le pardon. C'est un chrétien, comme toi.

— Mon pardon sera pour l'enfant à naître. Lui n'y est pour rien.

— Et Morphia ?

— Ça, elle… »

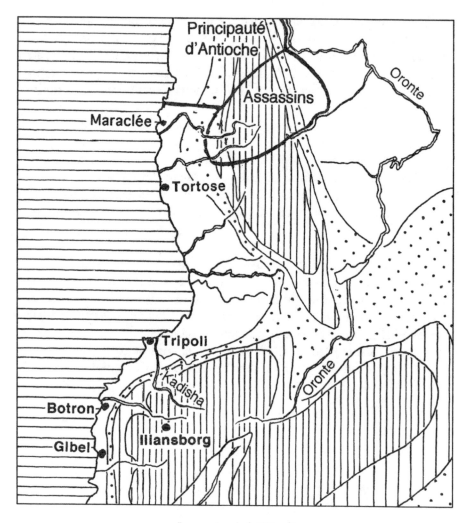

Les environs de Tripoli

XII

L A DOUZIÈME HEURE agonisait entre poivre et miel. Bientôt, l'imperceptible fléchissement du soleil enflammerait la mer qui se draperait de mauve. Et tout disparaîtrait. Foulques inspira plus fortement. Un souffle tiède l'enveloppa. Il reporta son regard vers Morphia, étendue sur une couche posée devant la tente.

« Je t'en prie, supplia-t-elle en grec, porte-moi à l'intérieur.

– Tu as fauté et tu expieras ta faute en accouchant devant tous. »

La douleur lui déchira le bas du ventre. Elle se cambra.

« Relevez ses robes, c'est le moment », ordonna Foulques aux esclaves qui s'affairaient.

Elle se mit à haleter puis hurla :

« Aide-moi !

– Faites ce qu'il faut, femmes, dit-il sans regarder Morphia. Si l'on a besoin de moi, je suis aux chevaux, avec mes hommes. »

*

Renaud contemplait la lente manœuvre du bateau ventru qui, après avoir doublé Tripoli, s'approchait du môle de fortune installé par les Latins le long d'une barre de rochers. Les voiles avaient été affalées et, avec grande précaution, on se dirigeait à la perche, sondant régulièrement, tant le fond paraissait proche. Enfin, après avoir talonné à plusieurs reprises, la nef pisane s'immobilisa.

Des groupes de plus en plus étoffés s'agglutinaient dans le crépuscule. Bientôt, un personnage bariolé apparut au bastingage, hurla des choses incompréhensibles, puis, s'étant brusquement ravisé, se tourna vers son équipage et fit signe à un marin de s'approcher. Après un bref conciliabule, ce dernier s'adressa à son tour à l'assistance :

« Hommes de Toulouse, la fortune vous sourit ! Dès que notre capitaine a su que vous étiez sur le point de prendre Tripoli, il a décidé de se dérouter pour venir vers vous. Vers vous, **hommes de Toulouse** !

Alors que notre précieuse cargaison était destinée aux superbes marchés de Constantinople, il vous en offre la primeur. À vous, peuple de Provence, les étoffes et les épices merveilleuses qui viennent de l'autre côté de la mer. À vous, les soies de Perse, les verres d'Alexandrie et les esclaves d'Orient aux forces intactes ! Voyez, choisissez ! Tout ce qu'il y a de plus rare est à la portée des bourses les plus modestes ! »

Un brouhaha d'approbation s'éleva. Avec amusement, Renaud observa la foule qui se pressait maintenant, tandis que l'équipage transportait les ballots vers des étals improvisés.

La mer frémissait. Renaud fit quelques pas sur la grève puis s'assit sur les galets tièdes pour contempler le spectacle. Une chaîne d'esclaves franchissait à présent la coupée et s'installait pour une présentation. Il s'amusa de les voir si différents les uns des autres. Des grands, des petits, des femmes, et même trois Noirs.

Soudain, il immobilisa son regard, le cœur affolé, puis se leva d'un bond et se mit à courir vers l'attroupement.

« Combien ? Combien pour celle-là ? » hurla-t-il.

Le garçon qui faisait l'article se détourna lentement vers son cheptel.

« Elle, c'est cher ! Même pas pubère, presque vierge ! » dit-il en faisant approcher le petit être aux cheveux crépus que Renaud avait pris pour un nain.

« Pas elle, pas elle ! L'autre à côté, là, celle-là… »

Le marchand eut une moue de dépit vite réprimée.

« Ah ! je vois, tu n'aimes pas la chair trop fraîche… Eh bien ! celle-là, c'est encore plus cher. Parce que c'est du solide, malgré les apparences. Et, si tu veux en faire autre chose, ça a de la pratique, ça sait y faire. C'est blanc, comme tu vois…

– Combien ? » répéta violemment Renaud.

Après avoir rapidement évalué son client à l'aspect, le marchand poursuivit :

« Pour toi… Mais ne veux-tu pas regarder les autres ? J'ai six femmes, six trésors… Celle-ci est chère pour une raison qui ne t'intéresse guère, je suppose : impossible de tirer d'elle une seule parole, mais elle comprend bien ce qu'on lui dit, elle connaît le grec, ce qui n'est pas commun.

– Combien ? gronda encore Renaud.

– Eh bien ! si tu tiens absolument à celle-là, mettons trois cents besants, à peine le prix de deux chevaux. »

Il attira la fille vers lui, la fit pivoter pour mettre en valeur ses pauvres attraits, et finalement la tendit au chevalier sans pour autant la lâcher.

Renaud tira son épée. L'homme eut un mouvement d'effroi.

« Prends cela, dit Renaud. Je n'ai pas d'argent avec moi. Une épée, c'est ce qu'un chevalier a de plus précieux. Donne-moi la fille et garde l'épée en gage. Je vais quérir la somme et te la rapporte.

– Ce n'est pas ordinaire, dit le marchand en soupesant l'arme avec méfiance. Mais soit, je te fais confiance. Rappelle-toi que nous partons avant l'aube. »

Mais Renaud s'était déjà éloigné, agrippant par le coude la misérable créature qu'il venait d'acquérir.

*

« Anne, Anne, parle, dis-moi quelque chose ! »

Depuis un moment, assis sur les galets, Renaud essayait d'obtenir une réaction de la femme accroupie en face de lui. Les dernières lueurs du jour lui renvoyaient l'éclat de prunelles vides d'expression.

« Anne, tu me reconnais bien, non ? Je suis Renaud. Renaud, souviens-toi... Je t'ai achetée, là, tout de suite, tu es libre, Anne, libre... », essaya-t-il encore.

Elle se balançait d'avant en arrière, au rythme des vagues, sans manifester la moindre étincelle d'intelligence.

« Anne, nous allons rentrer. Tu vas revoir Foulques... Foulques, répéta-t-il plus fort.

– Foulques... », murmura Anne.

*

« Foulques ! Foulques ! viens vite. On te cherche partout. »

Foulques reconnut une intonation inhabituelle dans la voix de Michel. Un poing glacé lui serra le cœur. Morphia ? L'enfant ? À qui la faute, si Dieu les avait l'une et l'autre emportés pour racheter le péché ?

« Le comte Étienne est mort ! » annonça Michel d'un air important.

Une terrible envie de rire saisit Foulques. Ce n'était que cela ! Le siège de Ramla avait donc été fatal au comte de Blois... Lui qui tergiversait depuis si longtemps entre l'envie de revenir au pays et l'angoisse d'être à nouveau renvoyé par sa femme...

« Tu t'en fiches ? »

Foulques sourit.

« C'est comme le soleil. Regarde, il va devenir rouge puis se noyer, et reparaître demain.

– Alors il ressuscitera, comme le soleil, Étienne ?

– Oui, comme tous les autres, mais dans très longtemps.

– Et puis, il y a aussi que Morphia, c'est fini, enchaîna Michel. On a tous regardé, moi et les autres. C'est pas une fille, cette fois. Elle a dit qu'il s'appellerait Frédérick. Ce qu'elle a gueulé, c'était bien ! Et puis, il y a Renaud qui te cherche. Il t'attend devant la tente des réserves. »

*

« Tu as la nostalgie du vieux temps, pour prendre ainsi la place du garde-vivres ? s'amusa Foulques en retrouvant Renaud assis dans l'obscurité devant la tente aux provisions.

— J'ai renvoyé le garde. J'avais besoin d'un endroit tranquille... Il me faut trois cents besants, tout de suite. »

Foulques demeura la main en l'air, happant le vide.

« Trois cents ? Mais, mais...

— Prête-les-moi, trouve-les !

— Qu'as-tu fait ? Tu as joué cette somme effrayante ?

— C'est à peine le prix de deux chevaux... J'ai mis Jacqueline en gage. Mon épée. Pour acheter quelque chose. »

Foulques éclata de rire, la tête renversée en arrière.

« Toi, acheter quelque chose ? Et pour trois cents besants, en plus ?

— Foulques, que vas-tu faire, avec Morphia ? »

Le ton était si préoccupé que Foulques se ressaisit et regarda Renaud dans les yeux.

« Je veux dire, la garderas-tu, quoi qu'il arrive ?

— C'est ma femme, Renaud. Nous sommes unis devant Dieu, quoi qu'elle ait fait de mal.

— Mais suppose que des circonstances extraordinaires se présentent... Suppose qu'il y ait des nouvelles d'Anne, par exemple...

— D'Anne ! s'exclama Foulques. Mais elle est morte, tu le sais bien... Des nouvelles ? Tu as des nouvelles ? Tu as acheté des nouvelles... ? Tu as mis Jacqueline en gage pour payer des nouvelles ? »

Foulques tremblait à présent. Les ombres du couchant vibraient dans l'air moite.

« Et suppose que Anne soit différente de celle que tu as connue. Suppose qu'elle soit... qu'elle soit comme folle ? Que ferais-tu ?

— Mais je ne sais pas... Que me dis-tu ? À qui as-tu acheté ces renseignements ?

— C'est difficile, Foulques. Il va nous falloir du courage... beaucoup de courage. »

La voix de Renaud était altérée. Il murmurait plus qu'il ne parlait. Avec obstination, la poussière qu'il faisait couler d'une main dans l'autre se déposait sur ses jambes nues. Il ressemblait au Renaud de la Billette, d'avant la guerre, d'avant le pèlerinage.

Il montra du doigt la tente derrière lui.

« Ce n'est pas des renseignements sur Anne que j'ai achetés, reprit-il, c'est Anne. »

*

Le regard d'Anne allait de l'un à l'autre, comme si elle cherchait quelque chose dans sa mémoire muette. D'une longue tunique informe et grisâtre, dépassaient ses bras maigres qu'aucun bijou n'ornait plus.

Renaud entreprit d'allumer un feu.

Le cœur broyé, Foulques détourna les yeux. Qui était cette pauvre créature n'appartenant plus à aucune civilisation, traînant après soi un lambeau de corps enroulé de guenilles ? Elle était absente à elle-même, comme au-delà de la souffrance. Se pouvait-il que les horreurs qu'elle avait dû connaître, les marchés odieux, les avanies eussent peu à peu dissous cette âme subtile, comme le vif-argent dévore l'or ? Ou alors était-ce ce coup de poignard qu'elle avait reçu au moment d'être enlevée ?

Il arrêta son regard sur le faîte lointain de leur tente, dressée à la manière bédouine et dépourvue de parois verticales afin de profiter de la moindre brise. Comme ils avaient changé, tous ! La fille qu'on ne reconnaissait plus reconnaissait-elle de son côté, dans les deux soldats orientalisés qui lui faisaient face, les enfants de Saintonge qu'elle avait découverts à Toulouse ? Qui étaient-ils devenus, les uns et les autres ?

« Nous n'avons pas changé, Anne, murmura-t-il. Je n'ai pas changé. Souviens-toi, je suis Foulques… Foulques… Renaud… Le comte Raimond… Toulouse…

– Toulouse… », répéta-t-elle d'une voix étrangement grave.

Foulques adressa à Renaud un coup d'œil où brilla une lueur d'espoir.

« Rappelle-toi, dit Renaud, le soleil qui se couchait sur la Propontide, "Aux enfers règne mon père"… "Vous serez Achille et Patrocle"…

– "Je t'aime"…, dit-elle en grec, le regard vide porté au loin.

– C'est ce que tu disais à Foulques… Tu te souviens, maintenant, tu vois, tu te souviens !

– Je suis marié, Anne. J'ai cru que tu étais morte. Je ne t'ai pas attendue… Je ne savais pas… », gémit Foulques.

Lentement, le visage noyé dans ses cheveux, Anne amorça un geste. Sa main parut flotter dans l'air, le soupeser, puis, tel un papillon ivre de fatigue, elle se posa sur la main de Foulques qui secoua la tête comme pour reprendre les mots misérables qui voletaient encore.

Renaud redressa le feu dans un furieux bondissement d'escarbilles.

« Moi, je n'attendais rien, murmura-t-il dans un souffle. Si tu comprends ce que je dis, Anne, et si tu veux de moi, je te prends pour épouse. »

*

« Alors, qu'en dites-vous ? » triompha Raimond en toisant les deux garçons.

Foulques s'assit à la manière des Arabes sur le plus moelleux des tapis envoyés par l'émir Fakhr-al-Mulk. Renaud croisa les bras sur sa poitrine et écarta les jambes.

« Il faut accepter, dit-il en plongeant son regard dans l'œil matois du comte de Toulouse.

— Et toi, mon cousin, que penses-tu ?

— La même chose.

— Il faudrait donc laisser échapper cette perle qui doit être ma capitale ?

— Voici bientôt trois mois, mon cousin, que tu l'assièges en vain, cette perle. Tous les nôtres sont à Jérusalem ou repartis.

— Ou morts, comme Étienne de Blois, renchérit Renaud.

— Seul, tu ne parviendras à rien.

— Et qu'ai-je besoin de quelqu'un, s'il te plaît ? Avez-vous donc oublié mon dernier triomphe ? Avec moins de trois cents hommes, j'en ai mis plus de sept mille en déroute ! »

Raimond se cala sur ses coussins et fit tressauter son ventre. Devant la tente, les chevaux dodelinaient avec nonchalance. On distinguait au loin les campements récents des nouveaux arrivés. De fait, depuis près de cent jours que le comte de Toulouse assiégeait Tripoli, sa position ne cessait de se renforcer. Tout comme les renforts accourus de Damas derrière le malik Dukak, la troupe de l'émir de Homs avait été mise en pièces. À l'inverse, les chrétiens des environs ne cessaient de regarnir les rangs provençaux, bien maigres au départ.

« Voilà bien la preuve éclatante que je ne suis pour rien dans la misérable aventure de Paphlagonie ! »

Le comte se leva, passa en revue la colonne de cadeaux envoyés par l'émir de Tripoli, plongea ses mains dans les sacs d'argent, retroussa les babines des chevaux.

« Ainsi, poursuivit-il, tu vois que l'heure n'est pas encore venue pour toi, mon jeune cousin, de récolter les fruits d'une prétendue défaite que seule la perfidie d'Alexis a manigancée. Le vieux lion n'est toujours pas crevé et les chacals devront encore attendre.

— Comte Raimond, intervint Renaud, je n'oublie pas ce que je te dois, mais tu sembles oublier, toi, ce que tu dois à Foulques ! »

Un cheval hennit. Le truchement se dandinait.

Foulques s'était levé d'un bond, la main sur le pommeau de son épée.

« Mon cousin, lança-t-il, si je ne prétends à aucune gloire, je rejette tes odieuses insinuations. Devant l'empereur en personne, au plus sombre de la défaite, j'ai pris ta défense aussi bien que je l'ai pu. Pour autant, je n'accepterai plus à l'avenir d'endurer tes caprices. »

Dans un geste circulaire qui embrassait chevaux, interprète, tentes et horizon, le comte de Toulouse s'exclama :

« Voyez-le, ce jeune coq qui croit pouvoir se jouer du vieux renard ! Allez, du calme, mon bel ami, ou je te fous dehors !

– Dehors ? Nous y vivons depuis trois mois, dehors ! N'oublie pas que ma fortune m'assure l'indépendance, je le sais maintenant. Et mon mariage fait de moi un homme…

– Cocu. »

*

Sous le ricanement du comte, les deux garçons quittèrent la place immédiatement. Dans la tente, ils retrouvèrent Michel qui achevait de bouder pour une raison que lui seul, peut-être, n'avait pas oubliée. Foulques fit signe à Onfroy de l'éloigner.

« Ça suffit comme ça ! éclata Renaud. Que reste-t-il de notre chef ? Un vieillard extravagant que le fiel rend fou.

– Peut-être, mais quel guerrier ! La fortune lui sourit de nouveau, alors que tout le monde l'a laissé tomber. Il va de victoire en victoire, il nargue la mort avec la désinvolture d'un jeune homme…

– Oui, c'est vrai, et vrai qu'à l'âge où les autres se portent sur une canne, le guerrier est toujours la terreur des infidèles, vrai qu'ils ont remplacé le nom de leur diable par celui de "Sanjill", comme ils disent. Mais c'est vrai aussi que l'homme a perdu le sens commun, que rien ne l'intéresse plus que lui-même, qu'il ne sait plus ce qu'il dit. Ce n'est pas "comte de Tripoli" ou "empereur de Tripolitaine" qu'on va l'appeler bientôt, c'est "le fou de Tripoli" ! »

Foulques saisit le yatagan au manche d'ivoire que l'émir lui avait offert le mois précédent et qu'il portait désormais à son côté, en même temps que son épée. La double incurvation de la lame lui apparut soudain merveilleusement adaptée à cet Orient compliqué.

« Nos épées sont bêtement raides, murmura-t-il. Elles tuent et ne comprennent rien ; elles tranchent sans caresser. Elles sont aussi brutes que nous. Notre Raimond ressemble de plus en plus à un yatagan. »

Surpris, Renaud détailla la culotte bouffante de Foulques, sa ceinture d'étoffe, ses babouches légères. Étaient-ils tous en train de devenir arabes, comme le prétendait parfois Morphia ?

« Je vais partir, Renaud.

– À cause d'Anne ?

– Isoard m'a appris qu'on ne va pas contre le destin. Jour après jour, Anne redevient elle-même ; j'admire ton offre généreuse et je suis heureux qu'elle l'ait comprise et acceptée. Non, ce n'est pas pour cela que je pars.

– Raimond ? »

D'un geste las, Foulques rengaina son yatagan.

« Je ne peux pas, comprends-tu cela, je ne peux pas me dresser contre lui. Le respect est plus fort que tout. Son arrogance a fait fuir tout le monde et agacé Tancrède au point qu'il l'a gardé tout l'hiver prisonnier à Antioche. Il m'insulte, et pourtant…

– Un fidèle chevalier conserve le droit de critique et le devoir de conseil. Regarde Gaston de Béarn, jusqu'au bout, il a dit ce qu'il pensait.

– En se dressant contre lui, Gaston n'éprouvait pas comme moi le sentiment de commettre un sacrilège… Mais ce n'est pas pour cela que je veux partir, même pas pour cela. »

Renaud approcha un tabouret de la petite bouilloire d'argent dans laquelle chantait le thé. Rien ne désaltérait mieux, au plus fort de la chaleur, et tout le monde s'était depuis longtemps habitué à cette amertume qui avait d'abord fait pousser les hauts cris. Renaud avait appris à le verser de très haut dans les gobelets de terre. Il souleva le couvercle.

« Tu veux retourner sur le Thabor ?

– Je repars à Constantinople. Je vais rechercher son amant et le tuer. »

Un vent de sable s'engouffra sous la toile qui doubla de volume comme un chat devant le danger qu'il s'invente. Renaud se mit à trembler et feignit de s'être brûlé à la poignée de la bouilloire. Dans quel guêpier Foulques allait-il encore se fourrer ? Un Varègue de la garde impériale… Autant défier l'empereur en personne.

« Je pensais que tu avais oublié… À Constantinople, ce n'est pas comme à la guerre, on n'a pas le droit de tuer un homme, lâcha-t-il d'une voix blanche.

– Il a bafoué mon honneur, je dois me venger.

– On n'est pas à Châtenet, ici. Tu parles en barbare.

– Non, en chevalier.

– Le chevalier défend l'ordre, et toi tu veux le troubler. Si tu abats un homme, tu vas contre leur ordre à eux.

– Eh bien ! je me renseignerai pour savoir comment chez les Grecs on recouvre l'honneur perdu, mais j'irai. »

Foulques quitta la tente. Le soleil dardait à plomb. Au loin, Michel courait avec d'autres enfants. On sentait les premières odeurs de cuisine. Plus loin encore, des bandes armées tripolitaines passaient et repassaient, se dirigeant vers des barques. Accrochée à son isthme, la cité ne se laisserait pas enlever. Raimond avait eu beau, par une sorte de miracle à répétition, triompher jusqu'ici de tous les périls, il ne parviendrait pas à enlever d'assaut une pareille forteresse, et c'était folie de rejeter les propositions que lui faisait l'émir d'abandonner définitivement le siège contre une colossale compensation en argent et en chevaux. Dans son obstination, Raimond était bien capable de tout renvoyer pour le plaisir du geste. Que la fortune des armes tourne à nouveau, et c'en serait fini de tout. Pourquoi ne pas se contenter de la délicieuse Tortose que les barons latins lui avaient remise sans discussion sitôt sa sortie des geôles d'Antioche ?

*

Le quatrième jour des calendes de juillet, qui était un samedi, Foulques s'éveilla avec le soleil. Par sa fenêtre ouverte, il entendait clapoter les vagues au pied des remparts. Il devait être en train de rêver, mais, inexorablement, son rêve filait derrière un lambeau de nuit. Comme presque chaque jour, il entreprit de chasser la détestable nausée qui l'envahissait. Retarder le réveil jusqu'à se persuader que la nuit était à peine commencée, faire semblant de croire qu'il dormait encore, refuser les douleurs imaginaires, chasser les ombres noires qui rôdaient dans sa tête. Pourquoi, aux matins de combat, la machine à tuer ignorait-elle toutes ces paresses ?

Renaud se mariait.

Un tourbillon salé balaya sa mémoire. Le cœur distrait frappait par saccades au creux du ventre. Un vague torticolis lui enserra le cou. Il ouvrit grands les yeux et fixa le plafond.

Renaud et Anne se mariaient.

Quelque part dans cette demeure tortosane réquisitionnée, Morphia dormait. Une fois de plus, ils occupaient des murs qui n'étaient pas les leurs… Raimond avait promis que bientôt Tripoli tomberait, qu'alors on serait chez soi, enfin, revenu au pays, tout en ne quittant pas l'Orient. Un jour, mélangeant l'un et l'autre dans une sorte d'incompréhensible union mystique, il avait parlé de « Tripolouse ». Le comte de Toulouse ne pensait qu'à Tripoli, ne parlait plus que d'elle.

Renaud allait épouser Anne.

La chambre était absolument dépouillée. Des murs blancs chaulés, un plafond blanc. Une icône au mur. Saint Michel terrassant le dragon. Et absolument rien d'autre hormis la petite banquette poussée dans un coin, un lit en bois d'anis, avait dit Morphia. La fenêtre surplombait les remparts et ouvrait sur la mer. La grande pièce des repas, deux étages plus bas, était seule décorée de fleurs peintes et, par de larges baies, s'ouvrait sur le jardin où gargouillait l'eau des bassins. De l'autre côté du triclinium, le gynécée, où Foulques avait jusqu'à présent refusé de pénétrer.

« On n'échappe pas à son destin. » Il avait fini par faire sien l'aphorisme d'Isoard. Depuis l'instant où son aïeul avait décidé de le marier, il ne s'était jamais soustrait à son destin. Avant non plus, du reste, mais ce n'était pas pareil. Le destin était comme une tunique de Nessus, surtout depuis la trahison de Morphia. Trois semaines, déjà, qu'elle avait enfanté ce garçon dont il allait falloir assumer l'éducation… Il tâcherait de comprendre pourquoi Morphia effectuait depuis quelques jours des manœuvres de rapprochement. Puis, il irait tuer le père.

« Je tuerai le père », murmura-t-il.

C'était ce qu'il aurait dû faire dès l'instant de la découverte. Mais le départ précipité de Constantinople pour Tripoli, l'affolement causé par la captivité de Raimond avaient tout bouleversé. Tout l'hiver, au gré des campements, il avait veillé sur Elvire. Après, il avait fallu s'installer à Tortose, composer avec l'obstination de Raimond, supporter de retrouver le spectre d'Anne, préparer son esprit à accepter l'union d'Anne et Renaud.

« Benjamin ! » cria-t-il.

En voyant presque aussitôt apparaître son nouveau serviteur juif, Foulques se félicita une fois de plus d'avoir abandonné Éric à Renaud, tout en refusant d'acquérir un esclave. Benjamin s'était trouvé là, et comme, outre le grec et l'hébreu, il comprenait aussi la langue romane, il l'avait pris à son service, avec le vague espoir de scandaliser Morphia qui, hors de Constantinople, semblait tout oublier de son ascendance juive.

« Tu es déjà réveillé, messire Foulques ?

— Oui, et la journée promet d'être longue… As-tu bien fait savoir partout que je désire voir le sire de Gap sitôt son arrivée ?

— Tous ceux de mon peuple sont au courant. C'est-à-dire que presque chaque maison peut m'avertir immédiatement.

— C'est bien. Après le bain, j'irai à la première messe. C'est aujourd'hui le jour anniversaire de la mort de mon grand-père. »

Une fois Benjamin sorti, Foulques s'agenouilla devant l'icône. Pour la première fois depuis des mois, paumes levées vers le ciel, il pria avec ferveur.

Puis, se demandant comment la vie, sans règle, pouvait ne pas glisser au chaos, il se livra à l'exercice physique, qui fournissait dès le réveil les premiers repères du jour.

*

« Tu es là, toi aussi ? »

Renaud se retourna et lui sourit.

« C'est la messe pour l'âme d'Henri, tu sais bien.

— Je ne pensais pas que tu assisterais à deux offices le jour de ton mariage. »

Renaud était vêtu comme un Grec. Une courte tunique blanche qu'un bracelet, enfilé haut sur le bras, resserrait avec raffinement, retenue à la ceinture par une fine lanière de cuir ; des sandales à lacets noués aux genoux en tout point semblables à celles que l'on voyait à Constantinople.

« C'est pour Anne que tu t'es habillé comme ça ? »

Renaud considéra un moment ses bouts de pieds.

« Quand tu t'es marié, j'étais mourant. Aujourd'hui je suis mort à moi-même parce que je dois être un homme nouveau. »

Renaud reprit sa position après avoir balayé du regard la modeste assistance de la messe de laudes. Il songea que les leurs étaient vraiment peu nombreux en Syrie, et qu'il fallait tout faire pour renforcer leur communauté que seule pouvait symboliser l'Église. Que les gestes accomplis devant Dieu étaient somme toute de même nature que presque tout ce que l'on faisait ailleurs : des conventions. Devant Raimond, le conseil ou Alexis, ou même Thibaud, déjà. Des convenances à apprendre, à respecter sans y penser. Des actes simples à accomplir auxquels personne ne réfléchissait jamais. Comme allait être son propre mariage, l'après-midi.

En apprenant qu'on avait retrouvé Anne, Raimond avait levé le sourcil. Quand on avait évoqué les noces, il avait haussé les épaules, puis parlé de contrat, en s'échauffant tout seul à la pensée que quelqu'un pourrait vouloir contrecarrer ses volontés. Enfin, il avait éclaté de rire en se martelant les cuisses : « Un contrat ! Quelle idée imbécile ! Pourquoi me suggère-t-on de faire établir un contrat entre le gueux de mon conseil et sa misérable esclave à tout faire ? »

Renaud remâchait avec rage ce souvenir, d'autant que le comte avait ajouté : « À l'évidence, je paierai le festin, voilà ce que ça me rapportera ! »

Ils s'étaient demandé ce qu'avait bien pu subir Raimond dans les geôles d'Antioche pour en être revenu si plein de méchanceté. Foulques penchait pour l'amertume. Pour sa part, Renaud pensait plutôt à l'âge, et la tristesse le gagnait de voir sombrer celui auquel il devait son épée de chevalier.

*

Anne hésitait devant l'armoire aux livres. Chez les Grecs, on ouvrait la Bible au hasard pour trouver réponse aux questions importantes. Ils avaient l'air d'y croire. Elle demanderait à Morphia. Quand Foulques serait parti. Foulques partait.

Lorsqu'elle se leva, un étourdissement la saisit. Elle n'avait pas mangé depuis deux jours. Elle ne pouvait pas. Où allait-il ? Et pourquoi ? Elle se dirigea vers la fenêtre. Le minuscule jardin suffoquait en silence.

Elle revint vers l'armoire et y saisit la Bible : « *Avant que la chaîne d'argent soit rompue, que la bandelette d'or se retire, que la cruche se brise sur la fontaine et que la roue se rompe sur la citerne, que la poussière rentre en la terre d'où elle avait été tirée, et que l'esprit retourne à Dieu qui l'avait donné. Vanité des vanités, dit l'Ecclésiaste, tout est vanité. »*

Tremblante, elle reposa le volume en entendant les pas de Renaud.

Il s'approcha d'elle et lut, par-dessus son épaule, puis, frémissant, alla s'accouder à la fenêtre. Quelques roses émergeaient des ronces, offrant à l'air cruel leurs parfums inutiles. Après un instant de surprise, les cigales reprirent à tue-tête leur bégaiement de crécelle.

« Il part. Pourquoi ? » articula-t-elle.

Aveuglé par la lumière du dehors, il ne vit en se retournant que la forme indécise d'Anne appuyée au lutrin.

« Il veut retrouver Gunnar. »

Elle vint se blottir dans ses bras.

« Je ne peux pas l'en empêcher, poursuivit-il. Tout est vanité, mais pas cela, Anne. L'honneur prime tout. Je ne ferai rien pour le retenir.

— Tu ne l'aimes plus ?

— Toi et moi, nous l'aimons chacun à notre manière. Toi, tu l'aimes comme aiment les femmes. »

*

Renaud retrouva Foulques au moment où, s'apprêtant à sortir, il achevait de ceindre son épée.

« Je ne sais pas où tu vas, mais je peux t'accompagner, si tu veux, proposa-t-il.

— Je n'allais nulle part, ou plutôt je voulais prier une dernière fois, mais je le ferai plus tard. Te souviens-tu de la lettre de saint Paul aux Éphésiens, lue ce matin à l'office ?

— Tu sais, le latin, je ne m'efforce de le comprendre que lorsque ça en vaut la peine.

— Eh bien ! justement, ça en valait la peine : « *Renouvelez-vous dans l'intérieur de votre âme, et revêtez-vous de l'homme nouveau, qui est créé à la ressemblance de Dieu.* »

— Et alors ? Ce n'est pas neuf ! J'ai l'impression d'avoir entendu ça toute ma vie… enfin, je veux dire depuis que j'ai quitté la Billette. »

Ils rêvèrent un instant à l'évocation de ce nom qui parut les surprendre tous deux.

« Penses-tu que j'aie le droit de tuer ce Gunnar ? reprit Foulques.

— Qui pose cette question ? L'époux trahi ou le chrétien ?

— Je sais, ce n'est pas pareil. Les droits de l'un ne sont pas ceux de l'autre, et l'idée de faire justice moi-même, comme à Saint-Palais, me préoccupe.

— Tu as tué tellement d'hommes depuis !

— C'était la guerre.

– Quand Thibaud a levé sa bannière pour venger l'honneur bafoué, le curé a béni ses armes. »

Renaud baissa la voix et changea brusquement de ton.

« Anne lisait un passage de la Bible où l'on disait que tout est vanité », continua-t-il.

Foulques le regarda au fond des yeux.

« Messire Foulques, messire le comte de Toulouse t'appelle près de lui », intervint Benjamin.

*

Raimond semblait surveiller le serviteur qui dressait la table.

« Mon cousin, sois le bienvenu, et toi aussi Renaud. J'ai des renseignements d'importance sur ce Pergamo da Volta.

– Le Génois avec lequel je pars demain ?

– Celui-là même avec lequel tu pourrais partir. Il se trouve que c'est un trafiquant d'esclaves. »

La bonhomie du comte mit Foulques en garde. D'ordinaire, le départ d'un de ses hommes, fût-il le plus modeste manouvrier, était qualifié d'infâme désertion…

« Et il semble qu'en Orient, bien des marchands s'enrichissent de cette manière », poursuivit-il.

D'un air dégagé, Raimond saisit la plus grosse des grappes de raisin débordant d'une coupe en argent, détacha avec méthode les graines les unes après les autres et les engloutit à pleine bouche.

« Intéressant personnage, certes, enchaîna-t-il après avoir jeté par la fenêtre le squelette de la grappe, votre Anne est sortie de ses cales ! »

Les deux garçons se regardèrent, et Foulques constata qu'une gêne violente colorait le visage de Renaud. Raimond tournait toujours le dos.

« Il me semble que lorsqu'on représente ce que tu représentes, c'està-dire moi, on n'abandonne pas son poste, continua le comte, toujours retourné vers le spectacle de la rue. Si ton héroïque aïeul voyait cela, le pauvre ! Un déserteur…

– Je ne déserte pas, car nous ne sommes plus en guerre et tout l'Orient latin est pacifié.

– Tout compte fait, j'ai peut-être eu tort de la refuser, cette couronne de Jérusalem que l'on m'offrait. En voilà, un beau miroir à alouettes qui attire les fidélités ! »

Raimond faisait mine de suffoquer. À petits coups répétés, il se massait la poitrine, mais son ventre tressautait à contretemps.

« Il ne vous a pas échappé que si je ne suis pas roi c'est que je ne l'ai pas voulu, hurla-t-il. On m'a offert la couronne, à moi, souvenez-vousen bien ! Tu ne peux pas en dire autant, toi, avec tes prétentions ridicules, tes sornettes de Jésus et compagnie… D'ailleurs, la seule manière convenable de descendre de Notre-Seigneur, c'est d'en descendre spirituellement. »

Il s'arrêta net, rapprocha ses bottes l'une de l'autre et contempla le sol où rien de remarquable, pourtant, ne se signalait.

« La couronne a été offerte de la même manière au duc de Normandie et au comte de Flandres, laissa tomber Renaud.

– Qui l'ont, comme toi, refusée soi-disant par humilité, précisa Foulques.

– Mais bien sûr que je l'ai refusée par humilité ! Les deux autres ont fait des simagrées, rien que des simagrées… Demain, quand je régnerai sur Tripoli, le petit roi de Jérusalem viendra me manger dans la main.

– Baudouin a su renforcer ses alliances. Depuis son mariage avec Arda, il a tous les Arméniens derrière lui.

– Et alors ? Moi, derrière moi, c'est tous les Juifs, que j'ai ! C'est autre chose, non ?… Allez, dis-moi plutôt ce que tu vas faire là-bas, dans ce repaire de brigands.

– Je pars à Constantinople pour y régler un point d'honneur.

– Tiens donc, l'honneur… L'honneur existerait donc encore quelque part ?

– Il existe parce que nous existons, Raimond », dit tranquillement Renaud.

Le comte de Toulouse releva la tête vers lui et le considéra avec application, plissant la paupière comme l'ivrogne qui dessaoule. Puis il partit d'un rire tonitruant.

Foulques et Renaud se jetèrent un coup d'œil sidéré et éclatèrent de rire à leur tour.

XIII

Novembre 1102. – Constantinople-Tortose.

« C'EST FINI POUR TOI, charogne ! »
Gunnar lâche son épée qui tinte. Il la regarde d'un air stupide puis s'enfuit. Sa *byrnnie* couleur d'or lance un éclair de feu. Maintenant, Foulques est sur ses talons, mais sa course est ralentie par des cailloux aux arêtes aiguës que le Varègue semble ignorer ; ou bien est-ce la terreur qui le porte en avant comme s'il était ailé ? Le lacet de Foulques se défait pour la troisième fois ; il se baisse pour le renouer.

À présent, les gourdins s'entrechoquent avec furie. On les dirait cloutés, prêts à déchirer les chairs. Quand Gunnar a saisi le sien, Foulques a porté la main à son yatagan. Mais l'arme subtile de l'Orient s'est transformée en ce gros bâton noueux qu'il fait tournoyer au-dessus de sa tête et abat sur l'écu du Varègue. Gunnar grimace et hurle un ordre en norrois. Aussitôt surgissent de partout des gnomes moulés de noir. Heureusement, Foulques découvre l'entrée d'une caverne qui le soustrait à ses poursuivants.

Le voilà ressorti un peu plus loin. Sa fronde tourne. Sans qu'il ait besoin de la recharger, elle décoche pierre sur pierre. Gunnar est harcelé comme un bœuf sous les mouches. Il rit, cependant, et son rire se répercute de rocher en rocher. Mais voilà que Gunnar arme sa propre fronde. Dans l'air qui siffle, Foulques cherche en vain des pierres sur le sol, soudain devenu lisse comme la surface d'un bassin. Ses gestes deviennent plus lents. Il va devoir fuir. Mais ses pieds s'enfoncent dans une sorte de glaise…

*

Foulques s'éveilla d'un bond. Avec de longues plaintes discordantes, la bourrasque lançait dans la pièce des bouffées de pluie glacée. Il courut refermer la croisée aux panneaux de verre décolorés par les lueurs sales de novembre.

Depuis une semaine qu'il était à Constantinople, il avait consacré tout son temps à rechercher la trace de Gunnar. La haine au cœur, il avait vite découvert que le Varègue avait quitté le palais. Personne ne semblait connaître par leur nom les hommes du Nord. Et quelle description donner, ils se ressemblaient tous ! La veille, il avait cru reconnaître sa silhouette ; souvent un son de voix le faisait se retourner. De la première à la dernière heure des jours, il ne pensait qu'à lui. Et maintenant Gunnar occupait aussi ses nuits.

C'était comme une crue vénéneuse qui allait et venait en vagues d'acide toujours plus fortes, rongeant chaque instant.

Halluciné par cette idée fixe, de démarches vaines en espoirs déçus, Foulques avait erré jusqu'à l'épuisement dans la pluie d'automne.

Il s'assit sur sa couche, saisi par une idée nouvelle. Demander audience au basileus… Après tout, il le connaissait, il lui avait même parlé. Alexis se souviendrait certainement de lui. Peut-être, reconnaissant la noblesse de sa cause, consentirait-il à lui livrer un de ses hommes, fût-il de sa garde personnelle.

Il se mit fébrilement à organiser son plaidoyer : la fille qui le déshonorait, sa femme, étant une Grecque, comment l'empereur pourrait-il refuser de faire triompher le bon droit, lui qui en était le garant ? Et d'ailleurs, les Provençaux ne l'avaient-ils pas constamment soutenu dans les moments difficiles ? Ne lui avaient-ils pas apporté sans défaillance le secours de leurs bras ? Raimond n'était-il pas le plus solide rempart de l'empire ? Et lui-même, Foulques…

Il hocha la tête avec abattement et se surprit à rire. Le basileus combattait sur tous les fronts pour tenter de sauver son empire millénaire, il comptait par centaines les têtes qui tombaient chaque jour. Que lui importait l'honneur d'un barbare cocufié par un autre barbare ?

*

« Je suis heureuse que tu aies pu venir. »

La comtesse de Toulouse avait les yeux dans le vague, et Renaud se demanda si elle s'adressait vraiment à lui, ou plutôt à travers lui à un être idéal qui aurait eu les traits de Raimond. On murmurait de plus en plus fort que c'était elle, désormais, qui tenait le flambeau du pouvoir. Depuis des mois, son époux s'agitait en expéditions vaines, clamait pour qui acceptait encore de l'écouter que Tripoli, à une portée d'arbalète, allait le lendemain se rendre sans combattre, que s'il eut disposé de seulement vingt hommes capables et déterminés, au lieu de cette bande d'incapables envieux accrochés à lui comme des tiques… Il moulinait l'air, Elvire demeurait silencieuse.

Parfois cependant, au milieu de l'incohérence générale, il prenait une décision pertinente. On croyait retrouver le comte de Toulouse tel qu'on l'avait autrefois connu, puis, à le voir désemparé, indécis aux moments cruciaux, on comprenait tout ce que ses bonnes idées devaient à la comtesse.

« Je t'ai expliqué que la faute originelle n'existait pas, dit-elle, t'en souviens-tu ?

– Ce sont là des mots qui ne s'oublient pas. »

C'était au cours de l'hiver, pendant que Raimond était prisonnier de Tancrède. À tour de rôle, parfois ensemble, Foulques et Renaud venaient tenir compagnie à la comtesse. Elle n'était pas femme à quémander du réconfort, mais avait su faire comprendre aux garçons que leur présence lui agréait.

« La dernière fois que nous avons parlé un peu sérieusement, Renaud, c'était... c'était ?

– Pendant le carême. Tu me disais que la faute originelle était une absurdité, comme la séparation du corps et de l'âme, que meurtrir la chair revenait à meurtrir l'âme.

– J'en sais davantage aujourd'hui.

– Tu as médité ?

– Un peu, peut-être. Et j'ai surtout écouté ceux qui ont quelque chose à dire. D'après la tradition égyptienne, en croyant que le corps est péché et l'âme don de Dieu, les chrétiens ont mal interprété l'Enseignement. Il fallait comprendre que le bon et le mauvais se combattent en nous, aussi bien dans l'âme que dans le corps. Chacun de nous est peut-être bien à la fois Gabriel et le démon, mais notre corps ne s'appelle pas démon ni notre âme Gabriel. »

Dans la lumière grise que le soir tombant laissait glisser par une meurtrière, Renaud discernait à peine les traits de la comtesse. Il alluma une torchère et rapprocha son siège.

« Mais, reprit Elvire, je ne t'ai pas fait venir pour t'entretenir des secrets de la philosophie ; tout au plus pour que tu les gardes en mémoire... Dans la pièce à côté attend Goscel de Montaigu, qui doit avoir ton âge. C'est le fils de Conon, le beau-frère de feu l'avoué du Saint-Sépulcre.

– Conon de Montaigu ? Il est d'Auvergne, je crois.

– En effet, dit Elvire avec un frémissement de surprise. Puisque tu as si bonne souvenance, peut-être te rappelles-tu l'hospice des Amalfitains de Jérusalem, près de Sainte-Marie-Latine ?

– Et que dirige Gérard ?

– Ça a-lors, quelle mémoire, vraiment ! Oui, celui-là même. Savais-tu que, juste avant l'assaut, Gérard, chassé par les Sarrasins, s'était réfugié auprès de Godefroi ?

– Je l'ignorais. Qu'allait faire un Italien chez le duc de Lorraine ? »
Un sourire ambigu étira les lèvres d'Elvire.

« J'ai cru comprendre que ce Gérard n'est nullement un Amalfitain. Il viendrait lui aussi d'Auvergne… L'Auvergne qui touche à nos possessions.

– Et tu penses qu'il s'agissait pour lui de retrouver Conon de Montaigu ?

– Lui, ou un autre de la même nation… Cela n'a d'ailleurs aucune importance. »

Renaud se demandait où elle voulait en venir.

« Ce qui en a, poursuivit Elvire, c'est que ce Gérard renforce la troupe des serviteurs d'un hospice jusqu'ici uniquement voué à l'entretien des malades et des blessés. Un certain nombre de barons l'ont rejoint, Conon par exemple, et aussi Raymond du Puy et Arnaud de Comps, deux Dauphinois.

– Je m'en souviendrai, murmura le garçon.

– Et les donations suivent… Il semble que les chevaliers qui se sont mis au service de l'hospice se soient regroupés en une sorte de confrérie, certains parlent d'un "ordre", bien qu'ils n'aient rien de moines… Ils se seraient mis sous le patronage de saint Jean, et certains les appellent déjà les hospitaliers de Saint-Jean. Conon de Montaigu a envoyé ici son fils aîné, Goscel, officiellement pour prendre possession d'un terrain offert par le patriarche d'Antioche.

– Officiellement ?

– Il ne peut t'échapper qu'il a surtout pour mission de faire de nouvelles recrues. Il me semble voir en eux une puissance montante, et, comme le comte de Toulouse ne saurait se passer d'avoir des hommes à lui partout où quelque chose d'important se passe, j'ai pensé à toi. »

Elvire sourit sans réserve et fit entrer Goscel de Montaigu.

*

« Que la paix soit sur toi, messire.

– Et sur toi aussi, Nathanaël. Mon serviteur, dit Foulques en désignant Benjamin, m'a recommandé ton nom puisque David, qui s'occupait de mes affaires, est parti pour la Sicile. »

Les deux hommes échangèrent un sourire et Nathanaël prononça quelques mots en hébreu qui firent rosir Benjamin.

Les pieds posés sur un épais tapis qui assourdissait les sons et réchauffait la pièce, Foulques se détendit avec bonheur.

« Voilà, dit-il enfin, tu sais que je possède de l'argent ?

– Je le suppose puisque tu as requis mes modestes capacités. »

Une lueur fugace avait traversé le regard du changeur. Foulques en éprouva un malaise, et une vague d'appréhension l'envahit. Sans aucun doute, Renaud lui aurait reproché une entrée en matière aussi dénuée de précaution.

« Enfin... J'ai un peu d'argent, murmura-t-il.

– Eh bien ! veux-tu que nous voyions cela ? » proposa Nathanaël avec affabilité.

Foulques tripotait ses parchemins dans la vaste poche de sa toge. Comment faisait-on pour être prudent ? Comment s'apprenait la méfiance ?

En face, l'homme conservait un sourire figé. Tendant le billet de David, Foulques se lança :

« C'est-à-dire que je n'ai pas vraiment d'argent. C'est plutôt des papiers... Un billet à ordre de trente-cinq mille besants, mais qui n'en vaut que trente et un, à cause du change. Et il y a cela, aussi. »

Foulques présenta brusquement un autre document. Nathanaël leva vers lui un regard interrogateur.

« Je traînais avec moi un sac d'or d'une valeur de cinq cents marcs d'argent. Avant de quitter Tortose, je l'ai échangé contre un autre billet à ordre. J'avais peur du vol et je ne voulais pas le laisser là-bas. On a inscrit que ça faisait vingt-sept mille sept cent soixante-dix-huit besants. »

Nathanaël parut s'assombrir. Déconcerté, Foulques reprit son parchemin et, au milieu des signes hébraïques, repéra immédiatement les deux nombres.

« Si, si, c'est bien ça, vois toi-même. »

Le changeur lut le document avec application tout en se caressant le menton.

Benjamin était resté debout près de la porte d'entrée ; Foulques se demanda s'il convenait de le faire asseoir.

« Je comprends, dit enfin Nathanaël. On a calculé la conversion au taux le plus avantageux pour toi, car on t'a pris auparavant une grosse commission sur le premier change. »

Foulques sentit une désagréable bouffée de chaleur s'insinuer sous sa peau. Renaud l'avait bien dit, il s'était fait rouler ! Il revit le sourire étrange de David, auquel se surimposa soudain le visage de Gunnar.

Mais Nathanaël interrompit sa rumination.

« Tu as entre les mains une énorme fortune.

– Entre les mains, dis-tu ? Mais je n'ai rien entre les mains, sinon ces deux papiers ! Comment puis-je savoir si ça vaut quelque chose ? »

Le changeur leva vers lui un regard incrédule.

« Cela vaut très précisément cinquante-huit mille sept cent soixante-dix-huit besants, c'est-à-dire infiniment plus que quelque chose !

– Je mène une vie où les dangers ne manquent pas, continua Foulques, vaguement rasséréné. Ces lettres sont bien fragiles ; à tout moment elles peuvent être détruites.

– Aussi souhaiterais-tu quelque placement ? »

Du coin de l'œil, Foulques crut voir Benjamin, bras croisés, approuver de la tête.

« J'ai offert tout cela à mon seigneur, le comte Raimond de Saint-Gilles, pour qu'il acquière des hommes et des chevaux...

– Tu as voulu donner cela ? s'exclama Nathanaël avec une émotion visible.

– Oui, mais il a refusé.

– Tant mieux... tant mieux... C'est stupéfiant, stupéfiant ! »

En marmonnant, le changeur parcourut à nouveau le billet qu'il tenait entre les mains : ainsi, ce garçon était un bienfaiteur du peuple juif... Le sage Abraham, de Jérusalem, le précisait expressément, et demandait que l'on « n'abuse en aucun cas de la naïveté et de la complète ignorance en matière d'argent du vaillant sire de Termes, ami de notre nation ».

« Tu possèdes beaucoup d'œufs, dit-il après s'être ressaisi. Il te faut donc plusieurs paniers.

– Des œufs ? répéta Foulques abasourdi.

– C'est façon de parler... Chez nous, on dit qu'il ne faut pas placer tous ses œufs dans le même panier. La terre et le bâti, voilà le vrai. Et aussi le commerce. »

Comme Foulques s'étonnait, Nathanaël expliqua que la présence des Latins au Levant allait certainement bouleverser les équilibres et modifier les circuits d'échanges. Ainsi, par exemple, il suffisait que les marchands russes du faubourg Saint-Mamas, se lassant d'être si peu pris en considération par l'empereur, décident de transporter leur activité vers la Ville sainte. Qui pouvait imaginer ce qui se passerait si l'ambre de la Baltique, dont ils avaient le quasi-monopole, ne faisait plus que transiter par Constantinople ? Demain, le centre des affaires se serait peut-être déplacé de plus de cinq cents lieues vers le midi. Heureux, l'homme prévoyant qui posséderait alors les indispensables moyens de transport ! À son avis, acheter des parts de navire ralliant Constantinople à Jaffa devait à brève échéance se révéler d'un gros rapport.

« Les gens de Venise sauront certainement, eux aussi, tirer profit de la situation car rien de ce qui compte ne leur échappe, poursuivit-il.

– Des Italiens ? Je ne les aime guère... Dès qu'un mauvais coup se prépare, on peut être certain de les trouver là.

– Tu parles en guerrier, chevalier, alors qu'il s'agit aujourd'hui non du fracas des armes mais du bruissement de l'or. Et, pour ce qui concerne l'or, tu peux faire confiance aux Vénitiens. Peut-être, un jour, le pavillon de leur République flottera-t-il en maître sur toute la Méditerranée, et il serait habile de placer "quelque chose", comme tu dis, dans leur commerce. »

Après de longues explications, Foulques signa les ordres d'acquisitions d'une maison dans Constantinople, de parts de bateaux vénitiens et d'une terre convenable aussi proche que possible de Termes. Il fut en outre convenu que, pour environ quinze mille besants, David chercherait en Sicile un grand et beau domaine. D'après Nathanaël, la situation politique était là-bas des plus confuses et l'on pouvait pour rien acquérir des merveilles. Bien sûr, la mise n'allait pas sans risque, mais l'espoir de gain était à la mesure du danger : immense.

Malgré les protestations indignées du changeur, Foulques refusa obstinément de s'intéresser aux hypothétiques entreprises des Russes, parce que l'ambre venait de la Baltique, c'est-à-dire du pays du Varègue Gunnar.

Il demanda encore que la somme restante fût placée dans les coffres pontificaux, dans l'espoir, un jour, de pouvoir faire bâtir une église, conserva un billet à ordre de cinq mille besants, et quitta Nathanaël avec un gros sac de pièces.

*

« Pourquoi pleures-tu ? »

Anne redressa fièrement la tête. Un sourire de défi blessait ses lèvres. Elle remonta la couverture.

« Où vois-tu que je pleure ?

– Ta joue est mouillée », dit Renaud en essuyant du pouce une larme qui glissait.

Elle essaya un sourire et murmura :

« Je ne te mérite pas. »

Renaud observa un moment son visage glacé où se lisait une totale indifférence, puis la prit dans ses bras.

« Serre-toi contre moi, tu as froid. »

Elle s'enfouit dans la toison rousse de sa poitrine.

« Tu es tellement bon ! Comment n'es-tu pas dégoûté à l'idée de me toucher ?

– C'est fini, maintenant, essaie d'oublier. Je suis ton époux, et tu n'es plus une esclave. Tu es à nouveau une vraie femme. Ma femme.

– Si tu savais ce que j'ai fait… »

Renaud entremêlait ses doigts dans les cheveux d'Anne qui l'enveloppaient comme une chasuble. Du dehors, parvenait le feulement des vagues qui se brisaient au pied des remparts. Quand il l'avait vue pour la première fois, chez le sire de Didonne, la mer se balançait avec obstination en répétant toujours le même grondement. Il avait eu l'impression que le temps patinait et, pour le faire repartir, il s'était lui aussi mis à se balancer… C'était aussi une mer de novembre, mais, ici, elle était comme soulevée par la folie des hommes.

« Foulques n'a plus le droit de t'aimer, alors… »

La tête appuyée sur la pointe du menton, Anne le regarda dans les yeux.

« Alors, par pitié, tu m'as prise. Et moi, en échange de ta générosité, je ne suis même pas capable d'oublier combien je l'aime.

– Je sais. Toi comme moi, nous faisons ce que nous pouvons. Pendant ces quatre années d'horreur, nous avons combattu de toutes nos forces, toi pour survivre, moi pour gagner. Nous avons gagné et survécu, mais nous ne sommes plus des enfants. »

Anne abaissa le regard. Elle se vit un instant semblable à ces pennes d'oiseau de mer ébouriffées et salies de vase que le flot dépose au hasard des grèves, ligotées dans un paquet d'algues à demi ensablées.

« Autrefois, chantonna-t-elle, j'étais comme une plume, légère et vagabonde, libre dans le vent. Maintenant, je suis toute gluante de poix et j'englue qui me touche.

– La poix ne retient les pattes que des très petits oiseaux, dit Renaud en riant, et moi, je ne suis ni une alouette ni un bruant ! Ce n'est pas de poix qu'il s'agit, mais plutôt de boue. Moi je suis né dedans, et toi tu y es tombée plus tard. Il faut sécher la boue ; elle deviendra argile. Et l'argile a suffi au bon Dieu pour construire les hommes. »

Un éclat de lumière passa dans le regard d'Anne :

« J'espère que le petit que je suis en train de te fabriquer ne sera fait ni de poix ni d'argile. »

*

« *Tu es toujours en acte et toujours en repos.* »

Foulques répéta à mi-voix la phrase de saint Augustin. Il se souvint que Philippa disait plutôt « Augustin » que « saint Augustin ». Les gens de Toulouse étaient-ils donc tous hérétiques, comme on le murmurait ?

Il se frotta les tempes et fit du regard le tour de la pièce. Nathanaël avait trouvé une belle demeure dans la troisième région, tout près du port de Sainte-Sophie, à deux cents coudées à peine au sud-ouest de l'hippodrome. Plusieurs fenêtres laissaient voir la Propontide devant laquelle se découpait la coupole de l'église des saints Serge et Bacchus. Jadis, Adhémar lui avait enseigné que le pape Serge, mort il y avait si longtemps qu'on n'en avait pas idée, avait mis à l'honneur les fêtes de la Vierge, notamment l'Assomption et d'autres qu'il se désolait d'avoir oubliées. Voir le pape Serge associé au dieu Bacchus réjouissait Foulques. Où, ailleurs qu'à Constantinople, aurait-on pu trouver pareille alliance de l'ancien et du nouveau monde ?

Il se leva pour contempler la coupole qui luisait comme un sein d'or sous la pluie inlassable… Bientôt, Benjamin serait de retour avec la réponse du palais impérial… Quelle idée d'avoir cédé à son impulsion et sollicité une entrevue avec la fille du basileus ! Comment pourrait-elle l'aider à retrouver Gunnar, et surtout pourquoi le ferait-elle ?

Sur le mont Thabor, l'Arabe avait dit certaines choses qu'aurait pu écrire saint Augustin, mais pas cette phrase étrange qui troublait Foulques : « *Tu aimes sans brûler, tout plein de jalousie et de sécurité.* »

De quoi, lui, brûlait-il le plus ? De haine envers Gunnar ou d'amour mal éteint pour Anne ?

Au loin, toutes voiles carguées et toutes rames dehors, un bateau essayait péniblement de vaincre la houle pour entrer dans le port...

« Messire Foulques ?

– Ah ! te voilà. Alors ?

– Tout va pour le mieux. La princesse porphyrogénète te convie à partager le dîner de l'empereur, après-demain, annonça Benjamin avec un air dégagé.

– Mais...

– Cela n'a rien d'extraordinaire. La table impériale est ouverte presque chaque soir. Tu seras sans doute avec d'autres, à côté de l'impératrice et de ses enfants. »

Le serviteur sorti, Foulques regagna son poste d'observation, souriant à la pensée de ce que pourrait dire Renaud de sa démarche, lui qui était si prudent. Il tempêterait, le traiterait une fois de plus d'inconscient... Heureusement, Renaud était loin.

Le navire était à présent sur le point d'accoster. Des chats s'approchèrent, suivis de badauds.

Qu'allait-il bien pouvoir dire à la table de l'empereur ? Déverser des flots de rancœur ? Parler d'honneur ? Inventer ? Et puis, que savait-il de cette princesse, sinon qu'elle s'appelait Anne, qu'elle écrivait, selon la rumeur, l'histoire du règne de son père, et que, la fois où il l'avait aperçue, elle avait les lèvres pincées et l'air hautain d'une pécore ?

*

« Avance sans crainte. Nous sommes heureux de t'accueillir. »

En pénétrant dans la salle, Renaud marqua un instant d'hésitation, jeta prudemment un regard circulaire autour de la pièce vide et s'arrêta sur le visage grave du comte de Toulouse.

Se pouvait-il que, imitant l'empereur... ?

« Nous, c'est-à-dire le feu et moi... C'est cela, le feu et moi nous sommes heureux de t'accueillir », précisa Raimond en ouvrant ses bras.

Trônant sur une haute cathèdre juchée sur une estrade, le maître de Tortose se massa le cœur avec détachement, se racla la gorge et laissa glisser son regard vers ses pieds, qu'il se mit à agiter.

« J'avais froid, tu comprends, et ce feu ne chauffe rien… Ah ! comme il faisait bon, à Toulouse ! Jamais de froid, ni de vent, juste un peu de pluie, quelquefois, pour féconder les jardins…

– Ça, c'est la Toulouse qui est dans ta tête, s'exclama Renaud en secouant sa tignasse au-dessus des flammes pour la sécher.

– Il y avait tous les jours ce bon soleil…

– Ici, il y a Goscel de Montaigu, coupa Renaud. L'as-tu vu ? »

Contrarié dans ses évocations élégiaques, le comte se renfrogna.

« Évidemment ! Nul ne peut pénétrer dans mon royaume sans se présenter à moi. Il est bien ce garçon, très bien.

– Ce n'est pas mon avis.

– Tiens, et pourquoi cela ? Je te dis, moi, qu'il est très bien. Déférent, juste ce qu'il faut, les idées ardentes qui conviennent à son âge, de la prestance, de la foi, de la vaillance. Que demander de plus ? Il me plaît.

– Tu désires que je rejoigne son père à Jérusalem, n'est-ce pas ?

– Qui te l'a dit ? »

Renaud se retourna. Raimond s'était levé et tapotait du bout du pied la base d'un coffre de cèdre, seul ornement de la pièce.

« Elvire me l'a fait rencontrer avec des airs énigmatiques. Voilà maintenant que tu chantes ses mérites. Gérard a besoin d'hommes pour son hospice. Point n'est besoin d'être devin pour conclure que tu m'incites à les rejoindre.

– Eh bien oui ! je t'y incite et même je te le commande.

– Je suis ton homme, comte Raimond, pas ton serviteur. Tu me requiers, j'obtempère, mais je n'obéis pas à un ordre. Si tu me demandes de rejoindre la troupe de Conon de Montaigu, c'est que tu as de bonnes raisons pour le faire. »

Raimond donna quelques bons coups au coffre, le regard perdu sur les dalles sans couleur que la parcimonieuse lumière affadissait encore.

« Il faut aider les entreprises du Seigneur, cela seul compte. D'ailleurs, je m'en lave les mains », fit-il avant de se mettre à siffloter.

Saisi d'inquiétude, Renaud fourragea dans ses cheveux.

« Moi parti, Foulques à Constantinople, nos femmes et nos enfants seront sous ta seule protection. Y as-tu songé ?

– Quelles femmes ? Quels enfants ? Que fais-tu donc de l'idéal ? Regarde un peu Goscel, prends modèle ! Quel exemple ! Je crois bien qu'en fait c'est saint Georges, avec son armure de feu…

– Morphia et Anne, nos épouses, ne peuvent pas m'accompagner, tu le sais bien, ce serait trop dangereux… Quand tu es parti, nous avons protégé Elvire. Tu es notre seigneur et tu dois protection aux nôtres.

– Toutes ces femmes… toutes ces femmes, murmura le comte, le regard vide. Vais-je investir Tripoli avec des femmes ? Et d'abord, est-ce digne d'un vassal d'abandonner son seigneur au moment du danger ? Pourquoi pars-tu à Jérusalem ? »

Renaud étendit une dernière fois les mains vers l'âtre, ajusta son bliaut et se dirigea vers la sortie.

« Je me joins à la troupe de saint Georges pour combattre le dragon infidèle et sauver la princesse, comme tu me l'as demandé, ricana-t-il en atteignant la porte.

– Saint Georges ? Où ça, saint Georges ? s'exclama le comte comme s'il émergeait d'un rêve confus.

– Il n'y a pas de saint Georges, et tu n'as pas de royaume, Raimond… Quant à moi, j'essaie de servir mon seigneur dans l'honneur, et j'espère que le puissant Raimond de Saint-Gilles ne m'engage pas à soutenir une cause louche.

– Ne dirait-on pas que tu m'as rencontré il y a deux jours ? On croirait que tu doutes de moi ! Allez, sois tranquille pour vos nichées, et ne t'éternise pas dans ce repaire de bandits, cette Jérusalem qui n'a rien d'une princesse menacée du dragon. Je suis impatient d'entendre les deux ou trois potins intéressants que tu auras pu y glaner pour moi. »

*

Stéphanitès se frayait péniblement un passage dans la foule. Parti très en avance, Foulques redoutait maintenant de ne pas rejoindre à temps le palais impérial. Pour l'encourager, il flatta l'encolure de la bête qu'il venait d'acquérir, un alezan bien découplé pour un cheval d'Orient. En prenant le thé qui concluait le marché, le vendeur lui avait expliqué que les gens de Constantinople avaient coutume de critiquer la marche des affaires en substituant des chevaux aux grands personnages de l'État. L'empereur Alexis ayant fait traduire en grec le conte *Stéphanitès et Ichnelatès*, ces deux noms avaient été donnés à deux poulains nés le même jour. Foulques avait pensé à Ésope, et acquis Stéphanitès pour lui et Ichnelatès pour son valet Benjamin. Après tout, était-ce plus ridicule que *Gaspard* et *Balthazar* ?

Enfin, il atteignit l'immense cour dallée, et repensa à l'émerveillement qui l'avait saisi le jour où il avait découvert le palais des Blachernes. En retrouvant la splendeur des salles d'audience, il se demanda à quel degré de luxe pouvaient bien atteindre les appartements privés de l'empereur.

Un eunuque le conduisit à travers un dédale de couloirs. Marbres, or, pourpre, mosaïques. La tête affolée, Foulques tournait le regard en tous sens et finit par trébucher sur l'épaisse tranche d'un tapis. L'eunuque se retourna, les yeux levés au ciel dans une mimique gracieusement affectée, et attendit.

Ils reprirent leur cheminement. Foulques avait l'impression de tourner en rond dans un immense labyrinthe. Soudain l'eunuque s'arrêta, jeta un coup d'œil dédaigneux au garçon, se composa en un éclair un visage de miel et poussa en s'effaçant le double battant d'une large porte.

« C'est bien toi, jeune homme. Sois le bienvenu en notre demeure. »

Sans réfléchir, Foulques mit un genou en terre, plaça sa main droite sur son cœur et inclina la tête.

« Relève-toi, dit le basileus, et partage le repas que Dieu octroie à notre famille. »

Autant que dans sa salle aux lions d'or, Alexis paraissait distant, vaguement hautain.

Étrangement détendu, constatant qu'il était le seul invité, Foulques se disait qu'il allait enfin apprendre où se cachait Gunnar.

L'impératrice, Irène Doukas, traînait avec ennui un visage aux rides comblées de crème, aux yeux profondément encavés, qui rappelèrent à Foulques les racontars entendus un peu partout. Avait-il vraiment en face de lui cette sybarite dépravée se vautrant la nuit dans d'obscènes dévergondages dont tout l'empire faisait des gorges chaudes ?

Encore plus raide que sa mère, Anne Comnène étalait à tout propos et sur un ton pointu une culture qui paraissait vaste. Foulques savait qu'elle rencontrait les plus grands savants de l'empire, qu'elle disputait, parfois en public, sur des points d'érudition. On prétendait même qu'elle avait entrepris de composer un traité d'histoire.

Elle avait d'abord tenté de s'exprimer en latin, mais, après deux stupides contresens, elle était revenue à un grec alambiqué. Foulques avait du mal à suivre sa conversation.

« Ainsi, dit-elle soudain avec un rire perlé, tu es avec constance de ceux qui cherchent noise au noble Bohémond ? Ta présence parmi nous aurait-elle quelque rapport avec lui ? »

Suffoquant de surprise, Foulques hésita :

« Bohémond de Tarente a été un des héros du pèlerinage, dit-il. Mais je ne l'ai pas vu depuis un très long temps. Je ne connais pas bien les Normands.

— Varègues et Normands germant sur les glaces du septentrion, peuplade magnifique et barbare, s'extasia Anne Comnène. J'avoue qu'en te voyant je t'ai cru de leur sang.

— Chaque prince a ses Varègues, intervint l'empereur. J'aurais voulu, ma fille, que tu voies comment celui-ci a pris naguère devant moi la défense de son seigneur, le noble Raimond de Saint-Gilles. Puisse-t-il s'en trouver un seul de ceux qui nous entourent capable d'une pareille fidélité !

— Nos meilleurs Varègues veillent en ce moment au Grand Palais sur la sécurité de mes frères et de mon époux, père. Leur loyauté ne nous a jamais fait défaut. »

Le Grand Palais ! Enflammé de bonheur, Foulques se tourna vers la princesse et dit d'un ton vibrant :

« Je ne suis pas un Varègue et je ne m'intéresse nullement à Bohémond. Pour quelques garçons bien doués, j'ai ouvert il y a quelques jours un cours de philosophie, pensant que la rencontre de nos deux mondes ne serait pas sans intérêt, et si j'ai sollicité l'honneur de vous rencontrer, c'est en raison de l'extraordinaire réputation de votre esprit. L'ambition d'y glaner quelques lueurs de savoir m'a donné assez d'audace pour entreprendre cette démarche. »

Il quitta les Blachernes dans un état euphorique : cette fois, il tenait Gunnar. Dès le lendemain, il le rencontrerait. Il fallait trouver maintenant un moyen d'en tirer vengeance avec honneur.

Son domestique le vit arriver rouge d'exaltation.

« Benjamin, j'ai à te dire des choses graves », jubila-t-il.

*

Voyant entrer Morphia, Michel s'éclipsa :

« Je vais trouver Onfroy pour qu'il m'apprenne des choses, dit-il en écrasant au passage un orteil de la jeune femme.

– On dit pardon, grogna Renaud.

– Oui, pardon, fais excuse », articula sans conviction l'enfant.

Morphia laissa errer un regard terne vers la petite sculpture que Renaud faisait sortir d'un bout de bois rond. Rien de tout cela ne semblait l'intéresser. Le visage fermé, elle se laissa tomber sur un tabouret.

« Nous allons bientôt entrer dans l'avent… et toujours rien de Constantinople.

– Pour qui trembles-tu ? Pour ton époux ou pour ton amant ? »

Morphia baissa la tête, pétrit ses doigts sur ses genoux.

« Tu m'en veux beaucoup, sans doute ?

– Bien sûr que oui. Tu as trompé et bafoué Foulques. À l'heure qu'il est, il est peut-être déjà mort. À cause de toi.

– S'il te plaît ! »

Elle se précipita aux pieds du garçon et enserra ses genoux. Surpris et gêné, Renaud tenta de se lever, mais Morphia ne lâchait pas sa prise. Il faillit trébucher et dut se rasseoir.

« Ne me crois pas méchante, je te prie. Gunnar, c'était un péché, une faute même. Mais je n'ai pas pu m'en empêcher… On m'a obligée à épouser Foulques, tu le sais bien. »

Renaud se raidit, prêt à affronter un long discours empli de jérémiades et de justifications. Mais Morphia s'était relevée et avait pris un tout autre ton.

« J'ai des choses importantes à te dire, Renaud. Et tu pars pour Jérusalem. Demain, il sera trop tard. Peux-tu m'accompagner jusque chez moi ? »

*

Renaud constata dès l'entrée qu'elle avait préparé sa venue. Une cruche de vin doux était posée sur une tablette, à côté de deux gobelets d'argent.

« Tu attends quelqu'un d'autre ? » s'étonna-t-il en désignant les godets.

Morphia suivit son regard :

« À la cour des grands, chacun a son gobelet et son assiette. Nous sommes devenus des grands seigneurs, et nous boirons en grands seigneurs », s'esclaffa-t-elle.

Puis elle servit le vin doux et se mit à parler de la vie, de Foulques, des heures difficiles passées à ne pas le comprendre ; tout en reservant régulièrement Renaud, elle évoqua leur jeunesse et leur inexpérience, l'impatience et le désir, Raimond, Antioche, Gunnar, Constantinople, Vassilika et Alexis, Tortose, Michel, Anna, et l'autre Anne…

Renaud l'écoutait mollement en sirotant son breuvage. Une torpeur bienheureuse l'envahissait. Bientôt, il saisit lui-même la cruche et offrit à Morphia de remplir son gobelet. Mais elle refusa d'un geste léger de la main. Les yeux brillants, la tête vague et comme embuée, il la regardait en souriant, fasciné par il ne savait quoi.

Lorsqu'il s'éveilla, le jour avait disparu. Il était allongé sur une couche qu'il ne connaissait pas. Nu. Une lueur dessina des ombres dans l'embrasure de la porte, et Morphia parut, une lampe à la main.

Instinctivement Renaud chercha quelque chose pour se couvrir, et Morphia désigna la ruelle d'un geste nonchalant.

« Là, murmura-t-elle avec une suavité tout à fait inhabituelle, tu l'as laissée à côté de notre lit. »

Il se leva d'un bond et enfila sa tunique.

« Morphia, qu'est-ce que ça signifie ? » gronda-t-il.

Elle sourit avec hauteur, posa sa lampe sur une tablette encombrée de bijoux, et s'assit au bord de la couche.

« Vraiment, je me demande quelle femme serait assez cruelle pour se refuser au désir d'un homme aussi limpidement exprimé que le tien ! Tu m'as voulue et je n'ai pas su te résister, voilà ce que ça signifie.

– Tu m'as enivré, hurla Renaud, tu as abusé de moi ! »

Morphia partit d'un grand éclat de rire :

« D'habitude, c'est plutôt le robuste chevalier qui abuse des innocentes, non ? Ne dis jamais à personne une pareille sottise, tu ferais étouffer de rire tous les sujets du basileus ! »

Renaud donna un grand coup de poing dans les coussins, puis, soudain détendu, jambes écartées et bras croisés demanda d'un ton glacé :

« Pourquoi ? »

Morphia enroula une mèche autour d'un doigt et fit mine d'hésiter.

« Désormais, nous sommes deux à avoir fauté. »

*

Accroupie dans une humidité rance, écrasée par les nuages bas qui balayaient le Bosphore, Constantinople dormait dans la nuit de novembre.

La pluie venait de cesser. Foulques écouta le silence grelottant de gargouillis. Quelque part, un chien hurlait d'inutiles imprécations contre le vent qui gonflait la Propontide. Les pilotes étaient tous rentrés et l'on avait tiré la chaîne du port.

Demain il irait au Grand Palais, et il le trouverait… Et il le provoquerait… et puis il le tuerait. Froidement, sans arrière-pensée. Parce qu'il le fallait ainsi. Et alors sa joie reviendrait.

« Gunnar… Gunnar…, murmura-t-il. Demain, je te trouverai, et je te tuerai. Et alors ma joie reviendra… »

Une bûche roula vers le devant du foyer. Avec application, Foulques reconstitua la pyramide ardente. De hautes flammes s'élevèrent qui engloutissaient dans de grands crépitements les démons de la haine tournoyant dans la pièce. Il pensa au prophète qui avait ressuscité le fils de la veuve en s'étendant sur lui. De même, il se régénérerait en prenant corps dans son corps de héros. Comme David, il anéantirait le Goliath nordique et renaîtrait transfiguré. Alors il pourrait pardonner à Morphia et reprendre le chemin de leur union renouvelée.

L'image de Renaud lui traversa l'esprit. Pris d'une brusque inspiration, il posa un parchemin sur le pupitre, saisit une plume et écrivit :

Foulques, chevalier, à son ami en Dieu, Renaud, chevalier.

Que la grâce de Dieu te parvienne avec cette missive. L'empereur a décidé de reconstituer le service de messagerie disparu il y a trente ans dans la débâcle de Mantzikert. Sans doute pense-t-il ainsi affirmer sa suprématie sur l'ensemble de l'Orient. Quoi qu'il en soit, le premier mandator part demain pour Jérusalem. Il passera par Tortose. Je me demande ce que Raimond, Baudouin et les autres vont en penser.

Mes projets vont au mieux : mon école de philosophie est ouverte. J'ai quatre élèves. Ils ont jusqu'ici bénéficié d'une magnifique éducation et connaissent assez de latin pour suivre mes leçons. Demain, nous nous rencontrerons pour la troisième fois.

Mais le plus important, c'est que l'objet de ma détestation va bientôt rejoindre son Walhalla, car je l'ai enfin retrouvé. Tout à l'heure, à la table impériale, j'ai appris où il se terrait. Je vois d'ici ta surprise, mais je ne t'en dis pas plus pour l'instant. Encore quelques heures à passer, et mon honneur sera lavé...

À mesure qu'il écrivait, Foulques sentait monter en lui des vagues de jubilation. N'y tenant plus, il alla exécuter devant le feu une série de gambades, s'arrêta brusquement, abattit son poing dans sa paume et rejoignit la table.

Oui, j'ai mangé avec une autre Anne. Une prétentieuse insupportable. Rien à voir avec notre Anne. Embrasse-la pour moi, je te prie.

Il laissa son regard errer sur les flammes. Il faudrait, après l'affaire de Gunnar, régler... Oui, il restait beaucoup de choses à régler. Enfin, il faudrait voir.

Voilà, je vais donc tuer Gunnar. Ce sera un duel. Demande à Éric de t'expliquer ce que c'est, il paraît que les choses se passent comme cela dans leur pays de glace.

Il ne peut pas m'arriver malheur, parce que Dieu sera avec moi, ou du moins mon ange gardien. Quand nous nous retrouverons, nous rirons bien de tout cela. Il faudra bien alors que tu reconnaisses l'existence des anges gardiens, toi qui n'y crois pas.

Au cas où ni l'Un ni l'autre ne voudrait se battre à mes côtés, j'ai tout mis en ordre. Adresse-toi à Nathanaël Godenkian.

Veille sur eux tous. Sur toi aussi, surtout. Je resterai un peu à Constantinople, le temps de réfléchir. Et puis je veux rechercher Dieu, dans le désert de la ville, cette fois.

Adieu.

Au moment de sceller, il se demanda s'il ne ferait pas mieux de déchirer cette missive qui lui paraissait à présent incohérente. Une vague appréhension superstitieuse le retint. Il apposa son sceau sur la tache de cire fondue.

Quand il tira la fenêtre, un souffle violent se précipita vers les flammes. La rumeur sourde de la Propontide enrobait la ville d'un sombre cocon. Foulques imagina les vagues furieuses s'engouffrant dans le Bosphore et chahutant les galères, les navires marchands et les innombrables embarcations dans les ports de la Corne d'Or. Dans la ruelle passèrent quelques *vicomagistri* chargés de maintenir la paix du basileus.

Le vent soufflait-il aussi là-bas ? Trébuchant sur les écailles de Nuââ, les troncs arrachés tournoyaient-ils toujours dans le contre-courant ? La mer verte et grise mugissait-elle comme autrefois dans le puits de l'Auture, berçait-elle Adhémar derrière ses murs en bois ?

Un jour, demain, tout serait terminé, oublié, la Babylone grecque, le sang criminel, les larmes amères. Demain, dans l'harmonie, triompheraient les serments sacrés ; demain, la paix des hommes illuminerait Jérusalem, demain le doute aurait fondu et l'avenir aurait enfin un sens. Demain, avec Renaud, ils franchiraient les mers profondes, les terres arides ou verdoyantes, les vallées et les défilés, les plaines et les cités innombrables, là-bas devant, vers le couchant, et ils vivraient là le reste de leur temps, dans la quiétude enfin permise.

Demain.

XIV

Avent 1102-Pâques 1103. – Constantinople-Jérusalem-Tortose.

« C'EST FINI POUR TOI, charogne ! »
Jambes écartées, épée relevée, Gunnar fixa sur son adversaire un regard bleu que Foulques vit très clairement virer au noir. Puis le Varègue poussa vers le ciel un rire démesuré. Avec un cri rauque, il se mit en position de combat. Il était à présent méconnaissable, avec ses lèvres retroussées sur des dents haut plantées, les narines dilatées comme s'il aspirait tout l'air du monde. Enfin, sur un ton caverneux percé d'étranges pointes suraiguës, une plainte s'éleva, une sorte de prière grognée où apparut à plusieurs reprises le nom d'Odin.

Les deux mains crispées sur sa poignée, bottes rivées au sol gluant, Foulques se tenait debout, immobile, attendant l'assaut.

À présent, sautant d'un pied sur l'autre, le Varègue faisait tournoyer son arme avec des hurlements de loup pris au piège.

Puis la lame s'abattit. Surpris par la rapidité de la frappe, Foulques eut tout juste le temps d'amortir le choc.

Alors il comprit que le Varègue avait revêtu pour combattre l'armure d'Odin, qu'en face de lui se déchaînait cette « fureur sacrée », si souvent évoquée par Éric et qui rendait invulnérables les guerriers de Norvège. Habité de toute la force des héros du Walhalla qui le secouait de spasmes, Gunnar poussait des cris inarticulés et frappait sans un instant de trêve.

Pendant longtemps, Foulques fut réduit à parer. Un moment, même, il fallut reculer. Bien qu'il n'eût pas encore donné un seul coup, la fatigue l'étreignait, et il eut le temps de se demander s'il avait peur.

Enfin, aussi brusquement qu'elle lui était venue, la fureur d'Odin parut abandonner le Varègue. Ses assauts s'espacèrent, devinrent plus imprécis. Toute la haine et la violence accumulées semblaient maintenant concentrées dans ses cris. Foulques saisit le moment pour attaquer à son tour.

Le silence et la méthode de son adversaire parurent désemparer le Nordique. Bientôt, il fut sur la défensive et finit par lâcher pied. Foulques poussa son avantage et se mit à hurler « Goliath ! Goliath ! ». À ce cri, Gunnar parut se ressaisir. Il fit face à nouveau et lâcha son arme.

En un éclair, il détacha de sa ceinture sa masse d'armes et la fit vrombir dans un vaste mouvement circulaire. Pris de court, Foulques pointa son épée vers ce nouveau danger, mais elle lui fut arrachée des mains comme un insignifiant fétu.

Il parvint à dégainer son yatagan et, avec un hurlement, s'élança dans les jambes du Varègue. La masse d'armes le frôla et alla rouler à vingt pas dans la boue. Un corps à corps aveugle s'engagea.

*

« Merci à toi de nous rejoindre, nous manquons vraiment trop de bras, dit Isoard en donnant l'accolade.

— Je te retrouve comme si nous nous étions quittés hier ; le temps n'a pas de prise sur toi », se réjouit Renaud.

Isoard éclata de rire.

« Le corps semble de bronze, mais l'âme se ramollit. Parle-moi plutôt de tous les nôtres, Éric m'en a fait un rapport passablement obscur.

— Foulques est à Constantinople…

— Je sais. Sur lui non plus, le temps n'a pas de prise, et l'expérience ne lui apprend rien.

— Les choses sont devenues difficiles. Nous avons retrouvé Anne… je l'ai épousée… ce n'est simple pour personne. »

Isoard ne dit rien, mais Renaud comprit qu'il savait également tout cela et qu'il avait dû y réfléchir bien des fois.

« Anne aura un enfant, bientôt… Je me sens un peu bête.

— Et tu as bien tort ! Pour peu que ce soit un garçon, voilà ta lignée assurée. Rien de mieux ne pouvait se produire.

— Il y a aussi notre comte… Lui, le temps ne l'épargne pas. Il ne sait plus toujours ce qu'il fait, et d'ailleurs, le plus souvent, il ne fait rien.

— Tiens, voilà qui est singulier, s'étonna Isoard. Es-tu bien sûr de cela ? Il n'y a pas plus malin que lui pour jouer au chat qui dort.

— Là-bas, tout le monde pense que, sans Elvire, il n'aurait plus aucune idée. »

Avec un sourire énigmatique, Isoard hocha lentement la tête.

« Peut-être… peut-être. Et toi, que fais-tu ici ?

— On m'a demandé de rejoindre la milice de Gérard. Sais-tu de quoi il s'agit ?

— "On", c'est le chat qui dort ? ricana Isoard en jetant un regard à travers la fenêtre grillagée qui ouvrait sur une cour intérieure. Sainte-

Marie-Latine… L'hospice de Gérard est un endroit bien singulier, et ceux qui le fréquentent sont plus singuliers encore… Je n'ai aucune confiance en eux.

– Tu les connais tous ? »

D'un geste fataliste, le sire de Gap agita la main.

« Quelques-uns seulement. On parle de compagnons de Saint-Jean, d'hospitaliers… Je n'ai pas l'impression qu'ils souhaitent la notoriété.

– En me demandant de les rejoindre, Raimond a peut-être voulu en savoir un peu plus.

– Pour l'instant, ils sont une poignée. Leurs buts semblent limpides et rien, à vrai dire, ne peut les faire soupçonner de quoi que ce soit, sinon…

– Sinon le fait que Gérard a été bien proche de Godefroi de Bouillon, et que Conon de Montaigu soit le beau-frère de ce même Godefroi », coupa Renaud.

Isoard se retourna lentement. Dans son regard, Renaud lut la surprise de celui qui, ayant quitté un enfant, retrouve en face de lui un homme.

« C'est vrai, mais surtout certains d'entre eux me semblent tout à fait fanatiques.

– Y a-t-il en Orient autre chose que des fanatiques ? Nous, par exemple, qui avons tué au nom du Christ la moitié des vivants !

– C'était la guerre. Or la guerre, aujourd'hui, est finie et nous n'avons plus qu'à nous maintenir.

– Et pour se maintenir de force sur une terre volée à d'autres, que fait-on, sinon la guerre ?

– Ce n'est pas la même guerre, et d'autre part, cette terre n'appartient en vérité à personne, ou alors à tout le monde.

– La guerre est toujours la guerre. On croit savoir pourquoi on se bat, et puis, une fois les armes remises au fourreau, on se rend compte qu'on ne sait plus pourquoi on s'est battu, dit Renaud avec amertume.

– Nous, nous le savons très bien. Si nous sommes ici, c'est parce que le pape Urbain n'a pas trouvé d'autre moyen pour vider l'Occident de ses guerres intestines. C'est comme s'il nous avait dit : "Vous tenez à vous battre entre petits et grands seigneurs, entre cousins et entre frères, entre nations, entre vallées, entre contrées ? Alors, pour épuiser vos énergies, votre goût du sang et de la violence, j'ai autre chose à vous proposer qu'un vain combat fratricide. Prenez les armes contre le Sarrasin, car lui mérite vos assauts et votre haine. Allez, la route est ouverte et n'oubliez pas que Dieu le veut !" Voilà ce qu'il a dit, rappelle-toi.

– Il a dit cela, je l'ai entendu de mes propres oreilles, mais chacun n'a retenu que "Dieu le veut", et personne ne sait plus ce que Dieu voulait.

– J'ai ici des amis musulmans. Des sunnites. Ce qu'ils disent des chiites rappelle à s'y méprendre le comportement de certains des nôtres. Il m'a fallu venir à Jérusalem pour comprendre : la valeur et l'intérêt d'un homme ne dépendent nullement de la religion qu'il pratique, et entre ces sunnites et nombre de chrétiens latins, je sais bien de quel côté penche mon cœur.

– Des chrétiens comme Gérard, par exemple ?

– Lui et ses sbires, plus particulièrement, oui. Ils disent consacrer leur vie terrestre aux soins prodigués aux malades, mais la violence aveugle leur tient lieu d'argument, et j'ai honte d'être chrétien quand je vois comment ils traitent les autres, les Juifs, notamment. »

À ce moment, on entendit le galop de chevaux martelant les dalles de la cour, et presque aussitôt, trois cavaliers entrèrent précipitamment dans la pièce.

*

Foulques contempla un moment les bustes graves qui ornaient la coursive et auxquels nul, jamais, n'accordait le moindre regard, sinon de distraction. On entendait d'ici ses élèves commenter bruyamment ce qui devait être la dernière leçon de philosophie. Une bouffée d'affection l'envahit. Il poussa la porte et le silence se fit.

« Salut à vous, Jonathan, Éphialtès, Ioannis et Timothée. De quoi parlerons-nous aujourd'hui ?

– Nous avons appris que tu t'étais battu, il y a quelques jours, lança un garçon aux yeux de topaze.

– En effet, Ioannis, j'ai affronté un redoutable adversaire. Mais aujourd'hui, je suis ici, vous le voyez.

– C'est que, lança un autre avec une apparente désinvolture, nous ne nous attendions pas à voir notre maître de philosophie se battre comme un gladiateur ! Les maîtres antiques auraient réglé leurs différends par la parole et la sagesse.

– Timothée parle bien, reprit Ioannis. Aucun de leurs disciples n'aurait supporté de voir Platon ou Épictète les armes à la main, et la sagesse s'accommode mal de l'airain ! »

Foulques laissa passer un moment de silence. Ses élèves levaient vers lui des regards chargés d'incompréhension et d'une vague réprobation.

« Et l'honneur s'accommode mal de tergiversations, fit-il enfin. Vous ne voyez dans ce combat que l'apparence des choses. Mais c'est bien parce qu'il a eu lieu que je puis vous parler en ce moment sans avoir à rougir. J'ai fait ce que j'avais à faire.

– On dit aussi que tu as redonné son épée au vaincu et que tu l'as laissé partir, insista un troisième. Ton but était-il de montrer à tous la supériorité du philosophe sur le soldat ?

– Si je l'ai emporté, c'est qu'un hasard minuscule m'a donné l'avantage au moment où tout était possible. Alors je me suis souvenu de Jésus. La haine a fait place à l'amour. Je n'ai pas voulu prendre une vie désormais à ma merci. En cela, j'ai fait acte de philosophe. »

Il alla vers la fenêtre et l'ouvrit. Un bouquet de lumière et d'odeurs s'engouffra dans la pièce avec les sons mêlés de la rue. Une vive discussion s'était engagée entre les élèves. Il laissa faire.

« L'existence de chaque homme est un trésor précieux, reprit-il au bout d'un moment. Seule la haine peut aveugler l'esprit au point de faire oublier ce précepte. C'est parce que chaque homme est unique, faible, tyrannisé par la jactance naïve de ses certitudes, qu'il mérite d'être sauvé, comme le Seigneur nous a sauvés. La haine est un nectar délétère qui projette les ombres d'un paradis satanique. La prochaine fois, nous parlerons de l'Amour, parce que maintenant, je sais dans ma chair et non plus seulement dans mon cœur quelle est la puissance de son mystère. Aujourd'hui, nos esprits n'ont pas le repos suffisant pour apprendre dans la quiétude. Allez, à présent, et pensez à ce que nous avons dit. »

Quand la salle fut vide, Foulques alla se placer sous le buste de Cicéron. Qu'aurait-il dit, s'il avait connu le Christ ?

Dehors, la lumière l'enveloppa, mais ce n'était plus la faible lumière de l'hiver. Comme vierge, cristalline et fraîche, elle promettait la renaissance.

Ses manuscrits sous le bras, il quitta le forum du Taureau pour s'engager dans la Mêsè.

*

Morphia s'effaça pour laisser passer la jeune fille qui l'accompagnait, referma sur ses talons la lourde porte de chêne sculpté et s'y appuya un instant. Un capharnaüm ! Ces manuscrits entassés, cette odeur de poussière, cette obscurité… Une vague d'émotion la saisit. Parfois, son père fermait les volets de sa bibliothèque et l'abandonnait pour plusieurs jours au silence. Il disait alors qu'il mourait à la mort pour ensuite pouvoir mourir à la vie. Bravant les interdits, elle profitait de cette manie pour se glisser dans la mystérieuse caverne paternelle. Elle restait longtemps là, à en respirer la fadeur, assise par terre, essayant de deviner dans le noir les chimères énigmatiques dont s'ornait le pavement. Ici le plancher était de bois et craquait sous les pas.

Elle alluma une petite lampe à bec d'oiseau de mer et regarda un moment la fille qui allait d'un objet à l'autre avec des gestes nonchalants. Ses nattes torsadées de perles luisaient dans la pénombre.

« Comment t'appelles-tu ? demanda Morphia à mi-voix.

– Antinéa. Ce sera mon nom pour toi.

– Sur le port… tu n'attends que des hommes, d'habitude ? »
Antinéa sourit.

« J'ai tout de suite vu que tu n'étais pas un homme », dit-elle en lui saisissant tendrement la nuque.

*

Une fois la fille partie, Morphia ouvrit le panneau de bois. La lumière l'éblouit. Appuyée au rebord, elle rêva un moment, puis, comme si elle venait de prendre une décision essentielle, alla droit au pupitre et poussa les piles chancelantes pour aménager un petit espace libre. Elle parut hésiter ou chercher ses idées. La plume en l'air, la tête penchée dans une attitude studieuse, elle se décida brusquement :

> *Mon époux bien-aimé,*
>
> *Les semaines succèdent au temps pour rythmer d'un glas sourd les jours où tu me manques. Le poids de mon péché m'alourdit de chaque heure qui passe. Que ta rage légitime n'entraîne sur son char les démons infernaux de la vengeance sans visage. Ne poursuis pas, tel Hippolyte, de ta fureur blessée l'ensemble de mon sexe d'une haine inexpiable. Ne fais pas de ton épouse une Phèdre damnée, vouée à ta vindicte ici-bas, et là-haut au jugement de son Père.*
>
> *Mon ami, Dieu m'a fait le cadeau de m'envoyer la vie. Dans mes entrailles bouge un être ; ton enfant. Tel Isaac arrivé par miracle, il rejettera Ismaël au désert. Transforme Agar et métamorphose-moi en Sara.*
>
> *Anne est, elle aussi, dans l'attente du plus bel événement qu'une femme puisse rêver. Le comte, aussi incrédule qu'Abraham, se réjouit comme lui. Comme, je l'espère, tu te réjouiras aussi à cette annonciation.*
>
> *Mes bras sont pour toi une guirlande de fleurs de printemps.*
>
> *Morphia.*

Elle jeta un regard vers le meuble aux manuscrits. Pourquoi Foulques l'avait-il fermé à clé ? Une vague de curiosité la saisit. Elle faillit se lever, renonça. « Antinéa », quel curieux nom… Était-ce mieux qu'avec les hommes ? Un coup discret dans son ventre lui rappela l'enfant. Elle revit son époux la violant dans un accès de rage, une heure avant son départ. Elle se dit qu'elle venait peut-être d'écrire à un mort, eut un bref haut-le-cœur et se mit à chantonner.

D'une embrasure, elle contempla de haut son nouveau jardin. Des spécialistes avaient été priés de produire une réduction du parc impérial des Blachernes. À sa demande, ils avaient taillé les buissons en forme d'animaux. À la rigueur, on pouvait reconnaître un bélier et un taureau mal dégrossi. Mais la girafe était affreuse, et pourtant, que d'efforts elle avait déployés pour évoquer à ces ahuris l'animal inconnu ! D'abord, ils avaient cru qu'il s'agissait d'une grande chèvre. Ensuite, d'après ses descriptions, ils avaient dessiné une chimère : cul de hyène, corps de vache, cuisses de poule, col de cygne. Mais la touffe choisie n'avait que trois troncs ce qui ne pouvait convenir pour une bête à quatre pattes. Excédée, elle avait dû en convenir, et se rabattre sur l'idée d'une girafe couchée. À présent, elle avait devant les yeux une horreur qui la dégoûtait, un veau de mer verdâtre surmonté d'un ridicule panache orné de deux cornes.

Elle déplaça son regard vers un figuier où Michel se balançait sur une branche basse. À ses côtés, Onfroy semblait expliquer quelque chose. Elle se promit d'inviter une de ces nuits le précepteur à partager sa lassitude.

Elle passa une main sur son ventre, crut le trouver rebondi par sa grossesse. Une moue exaspérée pinça ses lèvres. Voilà qu'en plus, avec ça dans le corps, il allait bientôt falloir renoncer aux plaisirs du soir !

Pour en raviver l'effet, elle songea à toutes ses nuits où elle avait couru, discrètement voilée, dans des endroits obscurs, des ruelles délicieuses qui serpentaient derrière le port. Les transports anonymes qu'elle vivait rapidement avec des hommes inconnus ne valaient pas, sans doute, les extases que lui prodiguait Gunnar, mais c'étaient quand même des extases. Souvent, on s'était étonné de la qualité de son parfum, de la finesse de ses tissus. Et, bien qu'elle refusât généralement de faire entendre le son de sa voix, elle expliquait alors en riant qu'aucune dame bien née, à Constantinople, ne se privait de ces plaisirs simples, que l'impératrice elle-même, par une prédilection particulière, se satisfaisait des conducteurs de char de l'hippodrome et plus encore de leurs garçons d'écurie. Ils riaient, les rustauds, la croyaient à demi, la reprenaient avec conviction, et elle, confusément, leur savait gré d'être si forts et si stupides.

Puis elle songea que Gunnar pouvait bien, après tout, avoir eu le dessous. En ce cas, il serait mort, aujourd'hui, et ce serait à un Foulques triomphant de suffisance qu'elle aurait écrit... Elle imagina des vengeances, des raffinements de cruauté qui la remplirent de délectation.

L'idée lui vint de partir sur-le-champ à Constantinople, de laisser là tout cet ennui. Mais elle se représenta les difficultés et un frisson la parcourut.

Vassilika devait bien savoir, elle, de quoi il retournait. Elle écrirait à Vassilika.

*

À Constantinople, jour des ides de mars. Ainsi je vais être père pour la seconde fois. Cette étrange nouvelle me pousse à reprendre mon calame pour ajouter un épisode au journal que j'avais pourtant juré d'abandonner. Un domestique de Vassilika est venu m'apporter ce matin une lettre pour moi que Morphia avait adressée chez sa tante.

En d'autres temps, j'aurais parlé avec Renaud. Morphia ne me dit même pas où se trouve mon ami, ni même s'il est encore en vie.

Ai-je jugé cette épouse avec trop de rigueur ? De son infidélité passagère, j'ai tiré peut-être des conclusions excessives et, dans ma hâte à me venger, j'ai probablement péché par trop de naïveté : nous avons été mariés très jeunes et contre notre gré. J'étais à la guerre, elle était seule et désemparée. Gunnar s'est présenté. Il a tenté sa chance, elle n'a pas su résister, car la chair est faible, et je peux comprendre la faiblesse de la chair. Après l'avoir vaincu en combat singulier je lui ai fait grâce et c'est ce que doit faire un homme d'honneur. Si je l'avais tué j'aurais été un meurtrier, tandis qu'aujourd'hui je puis m'affirmer chevalier.

Il est temps pour moi de revenir à Tortose. Le devoir m'appelle au chevet de ma femme, au côté de mon seigneur, auprès de mon ami. Mais puisque j'écris ici pour elle, je veux que ma postérité sache les motifs qui m'ont conduit dans la capitale de l'empire.

Le premier a été la haine. C'est là un sentiment que je n'avais jamais éprouvé, même envers mon frère Guillaume, même envers Pierre-Raimond d'Hautpoul, ni même envers tous nos cruels et implacables ennemis. J'ai tenté en vain de réfréner cette violence, fruit du démon. Mais j'étais alors humilié, bafoué par la turpitude. Aujourd'hui que j'ai vaincu Gunnar, et surtout que je lui ai fait grâce en lui offrant le pardon, je puis également pardonner à Morphia, parce qu'un péché indivisible appelle un pardon indivisible. Faut-il donc être supérieur à autrui pour être capable de clémence et de bonté ?

En deuxième lieu, j'ai voulu réfléchir, seul, au terrible poison inoculé par mon cousin Raimond de Saint-Gilles. J'ai compris, au mont Thabor, que je n'étais pas de la race de Siméon et que je ne trouverais pas la sérénité au sommet d'une colonne isolée. J'ai rencontré des Juifs, des musulmans, je les ai interrogés. J'ai tenté de comprendre la liturgie orthodoxe et, à travers le symbole des signes, de percer les mystères universels.

Tout s'est révélé inutile. La paix intérieure m'est restée interdite.

Alors, au silence du monastère ou à la terrible solitude d'une colonne, j'ai préféré l'immense cité qu'est Constantinople. Je me doutais que rien mieux que la foule ne peut offrir un complet isolement. Isolé au milieu d'une place, l'arbre est connu, regardé, aimé ou détesté de tous. Anonyme parmi des milliers d'autres au fond des forêts, nul ne le connaît, il ne connaît personne.

Au reste, je n'ai pu me tenir à la complète indifférence que j'ambitionnais, sûrement parce que cette haine qui m'habitait exige l'action pour s'épanouir. Et l'observation de cette ville m'a apporté plus de réponses que je n'en attendais. Pour ne pas me souiller, j'ai refusé de m'y adonner au plaisir, *alors que rien n'est plus facile ici. À quoi sert l'activité du corps, hors le devoir et la procréation ? Libéré de ces préoccupations, je me suis consacré à l'étude, puis à l'enseignement de la philosophie. Des érudits grecs ont déploré devant moi la quasi-disparition de la langue des Anciens. Alors, l'idée m'est venue d'enseigner en latin. Mes élèves ont voulu me payer, ce que j'ai refusé parce que je n'ai nul besoin d'un salaire. Peut-être leur permettrai-je de me faire un cadeau, comme ils semblent le souhaiter.*

Ce détour par la philosophie m'a ramené à la religion. En vérité, en m'amenant à douter de tout, les ragots du comte de Toulouse m'auront été très bénéfiques. Le monde deviendrait absurde si rien n'existait hors de l'homme. Or le monde n'étant pas absurde mais ordonné, il me faut bien en conclure que Dieu est, mais que ce mystère demeure inaccessible à l'homme que je suis.

Cependant, il n'est pas encore temps pour moi de partir, je le sens. Qu'ai-je à comprendre ou découvrir encore ? Pourquoi l'idée de retrouver déjà Renaud me fait-elle l'effet d'un fruit vert ?

Un jour, bientôt, tout sera compris ? Alors je partirai les rejoindre, je reprendrai la guerre et j'irai veiller sur mes enfants.

*

« Tu avais raison, je crois qu'ils sont très dangereux ! »

Renaud défit son baudrier et le posa sur la table, à côté des manuscrits que lisait Isoard. Il ôta ses gants de fer et s'assit pour détacher ses éperons.

« Je t'attendais avec impatience… Dangereux, dis-tu ?

— Intéressante rencontre ! Ils n'imaginent pas un instant qu'on puisse ne pas partager leurs convictions.

— Qui sont ?

— Demander au pape de les reconnaître. Je dirai plutôt exiger.

— Les reconnaître ? En tant que quoi ?

— Une espèce nouvelle, des soldats-moines, ou des moines-soldats, comme tu veux.

— Initiative redoutable ! Cela ferait d'eux des êtres à part. Et as-tu pu apprendre sur quelle particularité reposent leurs revendications ? Pas sur les soins qu'ils dispensent aux malades et aux blessés, en tout cas, c'est là le devoir de tout chrétien. »

Renaud plaça les deux éperons à côté de son épée, ébouriffa sa tignasse qui lui couvrait les épaules.

« Parfaitement. D'ailleurs, ils assurent vouloir changer de patron et remplacer leur saint Jean-l'Aumônier que personne ne connaît, par le grand saint Jean-Baptiste.

— Ils disent cela ? »

Isoard reposa son parchemin et se cala sur les coussins qui garnissaient sa cathèdre.

« C'est vrai, reprit-il en souriant, que je ne sais pas où ils étaient allés chercher ce saint Jean-l'Aumônier. En voilà un dont je serais bien incapable de citer une seule prouesse ! »

Les deux garçons se sourirent avec malice.

« J'ai eu la nette impression de me trouver en face de deux camps bien distincts, d'un côté, les moins nombreux qui essaient de bien faire sans arrière-pensées, de l'autre, des intrigants qui ne reculeront devant rien pour parvenir à leurs fins. Au milieu, le gros bataillon des indécis, comme d'habitude.

– Indécis ? Qu'entends-tu par là ?

– Les chefs exigent qu'on prête serment et beaucoup hésitent.

– Et pourquoi donc ? Dans ce genre d'entreprise, le serment va de soi.

– Sans doute, mais ici, il s'agirait d'un serment exclusif de tout autre. Il faut renier tout engagement précédent et faire entière allégeance à ce qu'ils appellent l'Ordre, et plus tard au pape.

– L'Ordre ? Hum, hum…

– D'après eux, tout ce qui n'est pas chrétien est démoniaque. Certains considèrent la présence des Juifs en Terre sainte comme une abomination. Ils parlent de les exterminer.

– Des fanatiques, c'est bien cela, des fanatiques dangereux. »

Renaud saisit le pichet d'eau et but à grandes gorgées.

« Il y a des fanatiques dangereux, rectifia-t-il en s'essuyant le menton d'un revers de manche, et il y a aussi des hommes animés d'un idéal extraordinaire. Même s'ils sont pour le moment, et de loin, les moins nombreux, je pense que leurs idées finiront par l'emporter.

– Ainsi, tu persistes à te joindre à eux ?

– À les aider, seulement. J'ai déjà prêté serment à Raimond et à Foulques, qui sera mon seigneur, là-bas, à Termes. Je veux rester fidèle à mes engagements, et je ne comprends pas comment certains envisagent sans sourciller de devenir félons… Et puis, ajouta-t-il après un silence, ils parlent d'imposer la chasteté, une fois que le pape les aura reconnus… et ça, pour moi, c'est trop ! »

Isoard sourit.

« Et quels sont maintenant tes projets ?

– Je vais tâcher d'en rencontrer un en tête à tête. Il s'appelle Arnaud de Comps et je crois qu'il fait partie des bons. Peut-être me dira-t-il de quoi il retourne exactement. Puis je repartirai.

– Déjà ? s'exclama Isoard.

– Oui, j'ai accompli la mission que Raimond m'avait confiée. J'ai rempli mon contrat.

– Contrat ? répéta Isoard avec amusement. Il y a quatre ans, tu n'aurais pas dit cela.

– C'est vrai. Mais maintenant, je sais ce qu'est une mission, un contrat et aussi un devoir, et je suis capable de me les confier à moi-même. »

Isoard émit un petit sifflement admiratif.

« Tu comptes à toi tout seul régler l'avenir des compagnons hospitaliers de Saint-Jean-Baptiste, futur ordre pontifical ?

– Non, mon devoir à moi, c'est de veiller sur Anne et sur les miens, et ma mission de faire en sorte que Foulques revienne.

– Mission ? Étrange mot !

– Je sais, mais lui et moi, nous n'en sommes pas à un blasphème près. Et puis, à le voir aussi naïf, aussi démuni face à la ruse la plus grossière, le bon Dieu comprendra sûrement ce que je veux dire ! »

*

D'un signe discret, Vassilika ordonna à une servante de relever les coussins cramoisis de ses trois convives. Elle-même était lasse de s'appuyer sur un coude, et ses vieilles articulations s'accommodaient de plus en plus mal de ces postures avachies. Elle redressa le buste et, dans un délicat tintement de bracelets et de boucles d'oreilles, se massa du bout des doigts la nuque et les clavicules.

Le patriarche Siméon se laissa remonter d'un cran sans se départir du sourire figé qu'il conservait depuis son arrivée. Vassilika le considéra un moment avec agacement, et une moquerie acide lui chatouilla la langue. Mais elle parvint à se retenir : on ne pouvait se passer de la complicité de ce Siméon, patriarche orthodoxe d'Antioche exilé par Bohémond.

« Il se peut qu'il existe un autre moyen, Grégoire », susurra l'homme de Dieu, en fixant d'un œil de velours le secrétaire du catholicos d'Édesse.

L'Arménien fuyait le regard du patriarche, s'attardant au hasard sur les lustres d'or chatoyants de bougies, la paroi de marbre rouge qui ornait le mur du fond, les arabesques, les aiguières au col démesuré, les fruits primeurs garnissant des plats d'argent.

« Nos amis d'Édesse peuvent nous être d'un bon secours, précisa le patriarche Siméon. Ils n'ont pas hésité naguère à se révolter contre Baudouin.

– C'est un fait, dit Vassilika. Que dit de cela le catholicos ?

– Je ne sais ce qu'en pense le catholicos, je ne suis que son secrétaire, gémit Grégoire. Je n'ai pas mandat pour parler en son nom, et j'ignore ses convictions. Tout au plus puis-je supposer… »

Vassilika considéra d'un œil acerbe le secrétaire qui s'était tu. Allongé sur cette banquette pourpre, il paraissait encore plus rabougri, et sa laideur de gnome était si peu dissimulée qu'elle s'en trouvait indisposée. Ainsi fait, il cherchait cependant à se donner de l'importance, prenait des poses, semblait agité de pensées, mais se dérobait dès qu'on lui demandait son avis. Vassilika se demandait comment le catholicos arménien d'Édesse avait bien pu mettre sa confiance dans cet avorton.

« Alors, que supposes-tu ? insista-t-elle avec une pointe d'exaspération.

– Je suppose qu'il réfléchit à la situation », murmura le secrétaire sans se compromettre.

Vassilika leva les yeux au ciel. Bon Dieu, qu'elle avait mal au dos ! Et ce début de crampe qui lui dévorait le mollet gauche… Elle songea à se lever, mais il lui faudrait se poser sur sa patte devenue insensible. Un coup à s'affaler devant ses tristes comparses ! Elle entreprit d'étudier une autre possibilité : se retourner aussi élégamment que possible, poser au sol la jambe droite, attendre que la gauche se décoince…

« Donc, reprit le patriarche Siméon, nous pourrions ici, ce soir, en présence de notre si délicieuse hôtesse, conclure le pacte suivant : les Arméniens d'Édesse, sous l'autorité morale de leur catholicos, s'uniront aux orthodoxes d'Antioche pour restituer à l'évêque Étienne son siège de Laodicée. Après quoi l'évêque Étienne et les Arméniens d'Édesse s'allieront pour expulser d'Antioche Normands et autres sectes hostiles, tels les melkites et les jacobites, restaurant par là même le patriarche légitime que je suis. Enfin, libérées des Normands, Antioche et Laodicée rassembleront leurs forces neuves pour chasser d'Édesse le sire du Bourg, successeur illégitime de Baudouin, et ainsi rétablir le catholicos dans son indépendance. »

Ayant dit, le patriarche Siméon parcourut l'assistance d'un regard langoureux. Un sourire de miel dégoulinait de son front jusqu'aux replis de son triple menton.

« On pourrait en profiter pour éliminer quelques jacobites d'Antioche, proposa Vassilika. Ils nous ont toujours détestés, nous autres Byzantins et soutiennent l'envahisseur. Et aussi les Juifs…

– Il ne faut pas poursuivre à la fois plusieurs renards, intervint précipitamment l'évêque Étienne. Laissons les Juifs à d'autres, je ne sais pas, moi, aux nestoriens par exemple. D'ailleurs, le comte Raimond…

– Le comte Raimond… ? » s'étonna Vassilika avec condescendance.

Apparemment troublé, l'évêque chercha un secours sur le visage impassible du patriarche puis sur celui du secrétaire.

« Je veux dire… articula-t-il, je veux dire que le comte Raimond… le comte de Toulouse ne s'est jamais attaqué aux Juifs.

– Eh bien ! mais qu'avons-nous à faire du comte de Toulouse, s'exclama le secrétaire avec un rictus de méfiance. N'est-il pas l'objet principal de ta haine ? N'est-ce pas lui qui t'a chassé de ton siège ?

– Bien sûr, oui… C'est cela, je le déteste, ce fourbe, cet infâme ! » assura Étienne avec application.

Dans un silence peuplé de ruminations, Vassilika laissa tomber sur l'évêque un regard plein de dédaigneuse suspicion. Ah ! les temps avaient bien changé… Autrefois, les complots avaient une autre allure ! Ils réunissaient tout ce que l'empire comptait d'important. Jamais on n'en recensait moins d'une dizaine à la fois, et parfois l'on parvenait à bousculer la famille impériale ou, au moins, à faire tomber une des toutes premières têtes du pouvoir…

Ou alors c'était elle qui avait changé. La vieille femme qu'elle était devenue ne faisait plus tourner les têtes, et les hommes importants d'aujourd'hui risquaient la leur avec d'autres jeunesses.

Elle eut une moue de dégoût, et considéra les conjurés. C'était du bien menu fretin, du quatrième ou cinquième ordre. Mais tant pis, il fallait se contenter de ce qu'on pouvait encore accrocher. L'important était de ne pas s'ennuyer. Vivre, vivre encore…

Peut-être cependant avait-elle été mal inspirée de proposer à ses acolytes l'adjonction de ce barbare d'Étienne. Quels qu'ils soient, ces Francs ne comprendraient jamais rien aux subtilités de la politique orientale ! Et que signifiait cette ridicule sortie sur le comte de Toulouse ? Dès qu'il leur aurait apporté son petit coup de main, il faudrait se débarrasser au plus vite de ce ridicule personnage.

« Ton discours est bien ambigu, Étienne, ironisa-t-elle. Les Grecs n'ont qu'une parole et qu'un engagement, et j'espère qu'il en est de même dans ta peuplade. As-tu bien compris que l'objet de notre… association est précisément de rejeter à la mer toute la racaille du genre de ton Saint-Gilles ?

– Je les hais autant que vous, ils m'ont tout pris, jura l'évêque qui avait pâli.

– Ils ne t'ont rien pris du tout, car tu n'avais rien, sinon l'aumône d'un siège fantoche que t'avait jetée le comte de Toulouse », ricana le patriarche.

Tous avaient à présent le visage tourné vers l'évêque destitué, et attendaient une explication.

« Rien ne peut réussir si confiance et harmonie ne règnent pas entre nous, s'indigna-t-il. J'ai voulu dire que le Saint-Gilles n'aurait jamais fait l'erreur de frapper ceux qui peuvent le servir, et notamment les Juifs, c'est tout. Et le comte de Toulouse est un grand stratège. Il n'y a rien d'étrange à prendre des leçons chez ses ennemis !

– Tu étais de ceux qui le servaient, toi, et pourtant il t'a frappé, insista le patriarche Siméon avec un sourire encourageant.

– C'est vrai, c'est une injustice, une histoire compliquée. Il s'est laissé entortiller par les accusations éhontées du prétendu sénéchal, ce Foulques, son cousin… et ton neveu, ajouta-t-il perfidement à l'adresse de Vassilika.

– Bien, trancha celle-ci, acceptons pour l'instant tes protestations d'amitié. Pour ce qui est des nestoriens, tu sauras qu'ils sont en Perse et se moquent éperdument des Juifs. »

Étienne se renfrogna. Son foie le torturait. Des traînées de bile lui déchiraient les entrailles. Il se sentait devenir jaune.

On évoqua encore la possibilité de soulever les maronites de Tripoli. Grégoire se demanda si, plutôt que de les exterminer, il ne faudrait pas rechercher l'alliance des melkites et des jacobites. On admit que l'annexion de Laodicée par Tancrède avait créé une situation nouvelle. Pour les Juifs, soit, on tenterait de se les attacher, et ce ne serait pas facile, vu le respect imbécile qu'ils portaient au Toulousain ! L'évêque évoqua les hospitaliers de Saint-Jean ; on le rabroua : n'avait-on pas assez à faire avec tout ce qui existait déjà ? Les Italiens, en revanche… Ceux-là, il faudrait comprendre comment ils se détestaient, car on devait pouvoir en tirer quelque chose. Le patriarche Siméon rappela que Saint-Gilles n'avait pu s'emparer de Tortose que grâce aux Génois ; Étienne assura que les Pisans n'étaient pas sûrs, et que Daimbert, ancien patriarche de Jérusalem, était pour lors réfugié auprès de Bohémond. Pour les Vénitiens, on ne savait pas ; ils allaient où le vent et leurs intérêts les portaient. Après quoi, on étudia l'éventualité de débaucher quelque aigri de la famille impériale, comme c'était de mise autrefois. Puis Vassilika fit remarquer avec aigreur qu'un général ou un amiral des dromons valait mille fois tous les hommes de Dieu déchus. On se demanda si elle plaisantait puis l'on prit le parti de rire de cette innocente boutade. Il y avait bien aussi les Fatimides chiites. Ne seraient-ils pas enchantés de venger la perte de Jérusalem avec l'espoir de récupérer d'anciens territoires sunnites ?

« Non, pas de musulmans ! coupa Vassilika. Ceux-là ont toujours soutenu les jacobites. Nous n'allons tout de même pas faire alliance avec les amis de nos ennemis ! »

L'évêque Étienne se redressa en s'exclamant :

« Il me semble pourtant que tu n'y manques pas toi-même, en donnant la main aux entreprises malveillantes de ton neveu. Il y a mille façons de faire alliance avec les amis de ses ennemis. »

Vassilika n'avait pas pensé à Foulques. Devait-on le comprendre dans ceux que l'on expédierait dans un monde meilleur ? Morphia souhaiterait-elle recouvrer son indépendance par ce moyen expéditif ? Il fallait y réfléchir.

« Allons, allons, dit-elle en riant, la situation est déjà assez compliquée comme cela. Tenons-nous-en au plan simple du patriarche Siméon, et, dans un premier temps, remettons Étienne à sa place. »

Le sourire du patriarche fissura son visage.

« Puis nous passerons au second point, c'est-à-dire me rétablir sur mon siège d'Antioche.

– Évidemment, comme convenu », conclut Vassilika.

Elle pétillait d'excitation. Enfin une vraie distraction, quelque chose qui ait un peu de touche et de dimension !

En grignotant un fruit, elle observa tout à tour ses alliés. Tout sourire, le patriarche Siméon adressait de molles approbations de la tête à tous les angles de la pièce. Celui-là devait se voir déjà réinstallé sur son trône. Le secrétaire Grégoire frottait ses paumes l'une contre l'autre dans un mouvement rotatif qui trahissait son anxiété plus que sa satisfaction. L'évêque Étienne... Pourquoi n'avait-il rien dit pour soutenir sa propre cause ? En voilà un sur qui l'on ne pourrait pas compter, le moment venu. Cependant, cette idée à propos de Foulques... Pourquoi ne pas profiter du formidable désordre qu'allait nécessairement engendrer la réussite du complot pour libérer la pauvre Morphia ? Ou même agir sans attendre... Le benêt déambulait sans aucune garde dans Constantinople. Quelques hommes déterminés, une ruelle sombre, un soir sans lune, et hop ! Ou alors quelque chose de moins grossier, de plus grec ?

En laissant se retirer ses hôtes gonflés de haine et d'importance, elle passa sur ses lèvres minces une langue gourmande, la tête fourmillante de projets, d'échafaudages subtils et de renversements d'alliances.

XV

« L E VOILÀ, LE VOILÀ, il arrive ! »
Michel poussa la porte d'un coup de pied, dérapa pour aller s'étaler dans les jambes de Morphia qui brodait près de la fenêtre. Levée d'un bond, elle se mit à hurler en grec.

L'enfant se redressa avec l'air sournois qu'il savait le plus propre à l'agacer et recula de quelques pas, les mains croisées devant le visage, comme pour témoigner qu'il était habitué à recevoir ses coups. Morphia se rassit en haussant les épaules.

Il se retourna vers Anne.

« C'est à toi que je venais le dire », gémit-il d'une voix pitoyable avant de s'échapper en riant.

Anne avait un peu pâli. En partant, Renaud l'avait laissée seule face à ses affreux souvenirs et au rôle à tenir. Quelquefois, Elvire ou Morphia la regardaient en laissant échapper un soupir. Elvire levait un sourcil compatissant, c'était tout ; Morphia disait de temps à autre « C'est pénible ! », et Anne ne savait pas de quoi elle parlait. Un jour, au milieu du repas, le comte de Toulouse s'était exclamé : « Ah ! ma pauvre petite, ma pauvre petite ! »

C'était ainsi. À bout de bras, Renaud tenait au-dessus d'elle la tunique de Nessus qu'il était parvenu à arracher sans cependant trouver la force de la jeter au loin. Lui parti, l'odieuse pelisse était tout naturellement retombée, la brûlant comme un acide.

Avec un large sourire, il pénétra dans la salle, le heaume à la main. Anne le débarrassa de ses gants et de ses éperons.

« Ah ! tout de même, te voici ! clama Raimond. Jérusalem… As-tu bien pris tout ton temps pour régler tes petites affaires dans cet antre en putréfaction ? Mais évidemment, tu ne peux pas savoir que le sort du monde est en train de se décider, ici même, maintenant ! »

Renaud saisit Anne dans ses bras, tandis que Michel s'agrippait à son manteau.

« Tu as grandi, toi, dis donc ! Tu pourras bientôt venir avec nous, dit-il en le soulevant de terre.

– C'est vrai ? Là, pour ce que dit Raimond, je vais venir ?

– Je ne sais pas encore ce que dit Raimond ! s'exclama-t-il en tournant un visage rayonnant vers le comte de Toulouse. Une conquête ? Une expédition ? La prise des villages environnants ? L'assaut de Constantinople ? »

Le comte jeta à Elvire un regard entendu puis, l'air avantageux, contempla avant de répondre les murs épais de la salle vide.

« Si, à mon génie et à nos forces, tu ajoutes la fidélité juive, la puissance pisane, l'habileté génoise, l'estime de l'empereur, qu'obtiens-tu ?

– Pisans ? Génois ?

– En personne ! Demain, la lignée de Toulouse sera la seule puissance de l'Orient. Comme ils l'ont enfin compris, ils se sont mis à mon service… Le prestige, mon petit, le prestige, tout est là », ajouta-t-il après un grognement de satisfaction.

Renaud semblait chercher une improbable inspiration au-dessus de lui, sur la voûte humide. Après un moment, son regard descendit le long d'un pilier, atteignit le sol, remonta vers Morphia, puis vers Elvire qui avait repris sa tapisserie. Sur son ventre rond, l'aiguille allait et venait avec détermination. Elle arborait l'énigmatique sourire qui si souvent l'avait glacé de malaise. Pour la première fois, il remarqua des fils d'argent qui striaient le bandeau de ses cheveux noirs.

Enfin, il effleura Anne d'un sourire tendre.

« Tout cela fait beaucoup de monde, Raimond. Tes projets sont-ils aussi vastes que tes nouvelles alliances ? » dit-il avec légèreté.

Trompé par le ton, Raimond vérifia d'un coup d'œil que son filleul l'écoutait avec respect.

« Mon conseil s'est évaporé dans la nature sous des prétextes futiles. Une moitié à Constantinople, l'autre à Jérusalem ! Il faut bien que je trouve tout seul des alliés, moi qui suis un vieil homme, à présent. »

L'œil plissé, il attendit un moment une protestation.

« Tu dis bien, asséna Renaud, il est vrai qu'à ton âge entreprendre encore est hors du raisonnable, mais nul ne peut se refaire, non ? Si tu n'entreprenais plus, tu ne serais plus le comte de Toulouse. Ton conseil voyage, mais revient toujours près de toi au moment opportun, tu le vois. »

Le comte de Toulouse prit le temps de mâchonner cette déclaration, se demandant en quelle part il fallait l'entendre. Il quêta du regard l'avis d'Elvire qui fit un imperceptible geste d'apaisement.

« C'est ça, le conseil voyage pendant que le vieux lion organise les combats, lança-t-il par acquit de conscience. Broutilles que tout cela… La situation est la suivante : ce chien de Tancrède s'est emparé par traîtrise de notre Laodicée et j'ai autre chose à faire que de la lui reprendre. D'ailleurs, je m'en suis suffisamment vengé en me saisissant de Tortose. Cette conquête a rempli le monde d'admiration. Pisans et Génois me pressent depuis de pousser mon avantage.

– Ils te poussent vers Tripoli ? dit Renaud, sidéré de voir l'opulente Laodicée comparée à la médiocre Tortose.

– Tripoli ! Vous n'avez tous à la bouche que ce mot-là, Tripoli !... Sache, mon petit ami, que Tripoli tombera entre mes mains le jour où je le déciderai. Mais Tripoli sera la perle de mon diadème. Je veux d'abord forger le diadème pour ensuite, et seulement ensuite, y sceller la perle. J'aime le grandiose, moi, l'organisation ; je ne suis pas comme tous ces médiocres, les Bohémond, les Tancrède, les Baudouin et les Godefroi, qui se jettent sur la première proie débile passant à leur portée. Regarde Alexandre, regarde César ! Des projets larges comme l'univers, la réflexion du sage, l'ambition des aigles, pas celle des charognards !

– Quoi, alors ?

– Gibel, la cité de rêve », ricana Morphia.

Saisi de stupeur, Raimond se redressa à demi, les mains crispées sur les accoudoirs de son siège.

« Quoi ? Quoi ? Mais comment sais-tu cela, toi, femme ?

– Tu nous en parles tous les jours, mon ami, dit doucement Elvire.

– Eh bien oui ! Gibel, justement... Gibel, c'est... enfin oui, c'est une cité de rêve, précisément. Pas comme tu l'entends dans ton ignorance de femme, ma pauvre Morphia, mais parce que c'est au sud de Tripoli. Voilà ce qui en fait une cité de rêve : sa situation. Il ne t'échappe pas, Renaud, que prise entre Tortose au nord et Gibel au sud, encerclée de toute part, Tripoli me tombera entre les mains lorsque je le déciderai. Comme une poire mûre, oui, comme une poire. »

Raimond soufflait bruyamment. Soudain, il ouvrit largement les bras et poussa un gros rire :

« Voilà, il suffisait d'y penser ! Et maintenant, mangeons. Tu me parleras plus tard de ce que tu as vu là-bas... Ces soi-disant chevaliers de Saint-Jean, ce n'est rien du tout, c'est bien ça ?

– Ne crois pas cela. Je ne suis pas parvenu à rencontrer Arnaud de Comps, de qui j'espérais obtenir des renseignements précis, mais je pense qu'on n'a pas fini d'entendre parler des hospitaliers de Saint-Jean... Ils ne tarderont pas à parvenir jusqu'ici, comme partout ailleurs, et ils ne manqueront pas de prétextes. Beaucoup de barons leur ont déjà fait d'importantes donations. C'est une puissance qui pourrait bien compter, bientôt, et il vaudra sans doute mieux les avoir pour amis que pour adversaires... Quand prévois-tu le départ pour Gibel ?

– Tiens, comme c'est amusant ! Je croirais entendre parler ma mie », s'extasia le comte en glissant à Elvire un regard langoureux.

Puis, un moment après, comme émergeant d'une rêverie :

« Gibel ? Demain. »

*

Mon neveu,

Trop d'inquiétantes rumeurs fendillent l'image de votre dignité, et mon cœur, croyez-le bien, s'en afflige. On vous accuse de tout. Vous développeriez des thèses hérétiques dans des sortes de leçons en échange desquelles vous exigeriez de vos élèves des sommes iniques. On prétend que vous avez contracté un pacte avec les musulmans, dans le but de ruiner le crédit des vôtres et celui des melkites au profit des jacobites. On murmure encore des accusations beaucoup plus graves que le rouge de la honte, descendant de mon visage jusqu'à mes mains étonnées, m'interdit de confier au papier.

Depuis plusieurs jours, je m'interpose entre la police impériale et vous. Mon crédit s'y use, et, à ce train, il n'en restera bientôt plus que des lambeaux. Chaque question des logothètes du drome brisent un cœur déjà en miettes. Pourrai-je longtemps vous protéger ?

D'abord convaincue de votre innocence, j'avais décidé de ne pas vous entretenir de ces abominations. Mais les preuves s'accumulent et je ne suis qu'une vieille femme.

Protégez-vous, mon neveu, évitez-moi des souffrances intolérables et songez à la dignité de votre épouse, ma nièce.

Vassilika.

Après l'avoir tourné en tout sens, Foulques reposa le papier sur le retour de cheminée. La tête vide, il ajouta une bûche puis s'assit sur le fauteuil de citronnier qu'il aimait. Il considéra ses mains et vit qu'elles ne tremblaient pas. Et pourtant son cœur s'affolait maintenant dans sa cage. Une nausée le prit.

D'où venaient ces accusations absurdes ? Qui cherchait à abuser la grand-tante de Morphia ? Et dans quel but ?

Les lieutenants du logothète du drome… La terrible police impériale s'informant de lui ?

Des bribes de récit effrayants lui revenaient par bouffées. Ces hommes-là allaient comme des ombres… Un jour ils vous emmenaient et, le plus souvent, personne n'entendait plus parler de vous. Ou alors on vous retrouvait un matin, hébété, les orbites vides, les doigts ou la langue coupés. Nul ne vous reconnaissait plus. On vous évitait à voix basse. Vous étiez mort…

Foulques s'ébroua. Un frisson courut de sa nuque aux mollets. Sans bien comprendre pourquoi, il se réjouit de savoir les siens loin de Constantinople et sa fortune à l'abri. Il comprit qu'une peur glacée l'envahissait, la peur de l'invisible, tapi là, derrière la porte, peut-être, attendant d'effacer son existence. D'un regard, il vérifia que ses armes étaient à portée de main.

Puis, vibrant de honte, il songea que l'empereur Alexis et Anne Comnène, sa fille, le connaissaient, se mettraient en travers de l'injustice.

Plus question de quitter la ville, maintenant. Il allait falloir éclaircir ces mystères, laver son honneur, au besoin...

« Benjamin ! » appela-t-il.

Le domestique apparut presque aussitôt.

« Benjamin, je dois sortir. Veille sur le feu. Prépare le dîner pour mon retour. »

Après un instant d'hésitation, il reprit :

« Que sais-tu des lieutenants du logothète du drome ? »

Le serviteur changea brusquement de visage. Il lança un coup d'œil furtif autour de la pièce, et s'approcha pour répondre presque à voix basse.

« Il ne faut pas parler de ça, messire !

– Mais pourquoi ? dit Foulques, la gorge nouée. Ce sont des agents impériaux comme les autres, non ?

– Ils ont la fidélité du chien, la férocité du loup, la cruauté de la murène. Les serres de l'aigle... Jamais ils ne lâchent leur proie.

– Leurs pouvoirs ? »

Manifestement très mal à l'aise, Benjamin semblait chercher un motif pour se retirer.

« Quel est exactement leur pouvoir ? répéta Foulques.

– Mais absolu, messire, absolument absolu. Quand on leur dit de s'occuper de tel ou tel, ils s'en occupent, voilà... Il vaut mieux être dévoré par les requins que de tomber entre leurs mains.

– Cependant, il existe un code de droit, Benjamin, et ils ont un maître, l'empereur Alexis !

– Une fois les portes du Néôriôn franchies, il n'existe plus aucun code, ni aucun maître. Ils sont les seuls maîtres de leur code à eux.

– Qui leur donne des ordres ?

– Tous ceux de la cour assez puissants pour le faire. Il suffit d'avoir de bonnes alliances, de payer le prix qu'il faut, d'avoir vraiment envie de se débarrasser de quelqu'un. »

Des fourmillements agaçaient les joues de Foulques. Ses doigts étaient comme gourds. Il voulut se lever, mais la tête lui tourna, et il se rassit. Des idées commençaient à se former en lui. Se pouvait-il que

Gunnar... Un Gunnar avait-il assez de crédit pour mettre sur pied contre lui une machination aussi abjecte ?

« Benjamin, dit-il sur un ton plus sérieux qu'il n'aurait voulu, je viens de recevoir un message, là. Des divagations de vieille femme qui s'ennuie, sûrement, mais lis quand même... »

Le garçon parcourut la lettre d'un regard, puis, le visage devenu gris, les narines palpitantes, il reprit ligne à ligne. En l'écoutant, Foulques se sentit tout à coup complètement soulagé par cette idée nouvelle : divagations... Bien sûr qu'il s'agissait de divagations ! La vieille Vassilika avait perdu la raison... Elle s'inventait des chimères auxquelles elle croyait ensuite dur comme fer. Elle avait dû voir passer dans la rue un agent du logothète et avait bâti dans sa pauvre tête folle toute une...

« Fuis, messire, il n'y a pas un instant à perdre ! »

Foulques considéra avec surprise l'air affolé de son domestique.

« Fuir ? Mais fuir quoi ? Il ne s'agit là que des élucubrations d'une vieille folle... Et d'ailleurs, un chevalier ne fuit jamais... Et puis tu sais bien que je suis innocent de toutes ces ridicules accusations.

— Ce n'est pas d'être innocent ou coupable, qui compte, ici. Si tu es accusé, tu es pris. Si tu es pris, tu es mort ou encore pire. Fuis, fuis sans attendre ! »

Benjamin était blême. La sueur couvrait son front. Foulques lut dans son regard une supplication désespérée.

« Bon, puisque tu dis que cette affaire est peut-être sérieuse, je vais écrire à Renaud et à Raimond pour les avertir de ces racontars.

— Non, n'écris pas, surtout !

— Mais il faut quand même bien qu'ils sachent ce qui...

— Non, ton courrier serait intercepté. On y trouverait forcément des preuves contre toi. »

Malgré l'angoisse qui montait en lui, Foulques éclata de rire.

« Des preuves ? Mais des preuves de quoi ?

— Si cette Vassilika n'a pas perdu la raison, alors c'est que quelqu'un à la cour veut ta peau, et puisqu'il la veut, tu es coupable. Si besoin est, on démontrera à l'empereur tout ce qu'on voudra. »

Foulques haussa les épaules.

« Si tu veux vraiment écrire, poursuivit Benjamin, je vais trouver quelqu'un, un étranger, qui fera parvenir des nouvelles. Je m'en occupe tout de suite, je vais chez mon cousin Isaac. Pendant ce temps, prépare ton départ... notre départ... il faut que tu m'emmènes avec toi. »

Foulques passa un doigt sur l'arête polie de sa table de travail.

« Si tu crois que c'est mieux ainsi, fais-le. Mais passe aussi chez Vassilika Théophilitzès, remercie-la pour son intercession, dis-lui que je déplore les soucis que je peux lui causer, et que je vais rechercher l'origine de tous ces ragots.

– Vraiment ? murmura Benjamin.
– Vraiment. »

*

Après avoir hésité un moment, Renaud avait finalement renoncé à se joindre à l'expédition contre Gibel. Avec ses Italiens, Raimond était parti l'avant-veille, laissant là Elvire dont la grossesse avançait.

Anne était sur le point d'accoucher. L'idée de la quitter dans cet état lui avait paru inconcevable. Raimond avait ricané : « Est-ce que je renonce, moi, parce que la comtesse est enceinte ? » Renaud avait eu envie de répondre que la situation n'était pas la même puisque, pour Elvire, le terme était dans plusieurs mois, mais l'air goguenard du comte de Toulouse l'avait dissuadé de fournir des explications.

Deux femmes se tenaient debout près du lit. Par la fenêtre ouverte, la lumière crue du printemps pénétrait en vagues joyeuses. On approchait de l'Ascension, qui tombait cette année le jour anniversaire de la naissance de Morphia. Leur enfant viendrait-il à la vie le même jour que l'épouse de Foulques ?

Anne le regarda en souriant.

« Laissez-nous, dit Renaud aux servantes, je vous appellerai le moment venu, mais ne vous éloignez pas trop.

– J'ai un peu peur, murmura Anne quand elles eurent refermé la porte.

– D'avoir mal ?

– Oh ! non... aha !... j'ai l'impression que...

– Je les rappelle ?

– Ça va, c'est passé, ce n'est pas pour maintenant... Non, ce n'est pas d'avoir mal que j'ai peur... Enfin si, un peu... Morphia m'a dit que c'est affreux. Elvire prétend au contraire que rien n'est plus agréable au monde. Je ne sais pas quoi penser.

– Tout ira bien, je resterai près de toi.

– Ce n'est pas de cela que j'ai peur, Renaud... Penses-tu... penses-tu que notre enfant sera propre ?

– Propre ? »

Anne se tourna sur le côté et le regarda dans les yeux, le regard devenu presque dur.

« Je vais mettre au monde notre enfant... Mes tripes souillées vont accoucher de ton enfant... J'ai peur que Dieu refuse d'oublier... J'ai peur d'être punie de tout ce que j'ai accepté.

– Tu n'as rien accepté, Anne, tu as tenté de survivre. Et tu as survécu, et nous sommes là, toi et moi. Le bon Dieu a compris cela. Tout est bien. »

Anne était extraordinairement maigre. Toute la vie semblait s'être réfugiée dans l'œuf énorme qui pointait sous la peau de son ventre distendu. Le petit être qu'elle portait avait-il sucé tout son sang ? N'en avait-elle rien gardé pour elle-même ?

« Donner la vie, c'est comme mourir, n'est-ce pas ? Au moment de la mort, on pardonne à celui qui s'en va... Me pardonnes-tu, Renaud ? »

Le garçon sentit ses jambes se dérober. Elle était beaucoup trop faible pour supporter une pareille épreuve. Elle le sentait. Elle allait mourir. Elle était peut-être déjà en train de mourir.

Il approcha un tabouret.

« Je n'ai rien à te pardonner, Anne, car tu n'as rien fait de mal. »

Elle serra les dents, son souffle s'accéléra et elle agrippa le dessus de soie rouge.

« Ce n'est pas aussi simple que tu le crois. Même esclave, même souillée, le plaisir existe... Le corps, quelquefois, parle plus haut que l'esprit. »

Renaud tendit la main pour lisser sur son front une mèche collée de sueur. Il revoyait tous ces plaisirs qu'il avait pris où le corps parlait plus haut que l'esprit, où l'esprit, tout simplement ne parlait pas.

« Si tu as parfois connu autre chose que la souffrance et l'humiliation, tant mieux, c'est ce qui t'a permis de tenir. Puisque le bon Dieu sait tout, Il savait ce qu'Il faisait en te donnant le plaisir.

– Ce n'est pas Dieu, Renaud, qui me le donnait.

– Mais si, c'était le bon Dieu ! Tous les instruments sont instruments du bon Dieu.

– Il y a le vice, le diable, aussi.

– Le diable ne s'intéresse qu'aux méchants. Un jour, il y a longtemps, c'était sur la Charente, on allait à Saintes voir le pape, et Gérard a raconté une belle histoire. Elle s'appelait Isèle, le bon Dieu voulait voir si elle était méchante... Il l'a tentée. Mais je ne crois pas que c'était le bon Dieu. Ni le diable. Tout ça, c'était dans sa tête ! »

Anne laissa échapper un gémissement.

« Ça vient ? J'appelle les femmes ?

– Oui, oui, vite, appelle, appelle... »

*

L'accoucheuse avait fermement prié Renaud de décamper. Comme il protestait qu'on pouvait avoir besoin de son aide, elle lui avait cloué le bec : « Non, beau chevalier, ils disent tous ça, et en plein milieu de l'action, il faut leur mettre du vinaigre sous le nez pour les ranimer. Comme si on n'avait que ça à faire ! » D'abord surpris de cette familiarité, Renaud avait vite compris qu'il existait des domaines où la femme prenait les affaires en main et régnait sans discussion. Comme il restait muet, l'autre avait gentiment ajouté : « Allez, ouste, dehors, on t'appellera quand ce sera fait. »

Depuis, il arpentait la grande salle contiguë d'où Raimond commandait à Tortose. Des sons étouffés lui parvenaient. Au milieu d'un murmure monotone, il croyait reconnaître des cris, des exclamations. À vingt reprises, il avait failli pousser la porte pour voir où l'on en était. Chaque fois, il s'était arrêté dans son mouvement. Quand le silence s'installait, il tendait l'oreille, s'imaginant des choses affreuses, Anne expirant, les femmes priant à voix basse, l'enfant mort-né recroquevillé dans le linge blanc qui devait accueillir sa naissance. Puis les bruits revenaient, toujours aussi équivoques, des sortes de jurons, peut-être, des chocs sourds contre les parois, un cri vitement interrompu.

Tout à coup, il entendit un pas léger courir dans l'escalier, et Michel apparut.

« Tiens, dit-il en lui tendant un pli, c'est Onfroy qui m'a envoyé. On vient d'apporter ça pour toi. »

D'un geste agacé, Renaud fit sauter le cachet de cire et déchiffra à voix haute :

Votre ami Foulques vous fait dire qu'il a encore quelques affaires à régler à la ville. S'il n'était pas revenu aux calendes de juillet, il serait certainement bon de venir le chercher.

La signature était illisible.

« Qu'est-ce que ça veut dire ? demanda Michel.

– Des choses qui ne me plaisent pas du tout. Pourquoi n'a-t-il pas écrit lui-même ? »

Renaud reprit ses allers-retours. Il fallait trente pas dans le sens de la longueur, et dix-huit en largeur. Il n'y avait aucun meuble. Une pauvre lumière s'échappait d'ouvertures rares placées juste sous la voûte. Dans le fond avaient été entassés de vieux sièges défaits.

Il y eut un silence lourd, puis un hurlement rauque, net, suivi d'un autre silence. Renaud et Michel se regardèrent avec inquiétude, l'oreille aux aguets.

Alors, un son nouveau leur parvint, le cri perçant d'un nouveau-né.

*

Plus d'une quinzaine s'était écoulée depuis que Benjamin avait rapporté de chez Vassilika une réponse ambiguë : les choses étaient sérieuses, certes, mais elle ne désespérait pas de pouvoir encore éteindre l'incendie. Foulques devait tenter de se faire oublier jusqu'à ce qu'elle lui fît signe.

Aujourd'hui, Foulques avait reçu un pli plein de mystères : il lui fallait sur-le-champ, dans la plus extrême discrétion, autant que possible en voiture fermée, et sans en avertir quiconque, se rendre où il savait à une heure qu'il devinait... Il avait aussitôt fait seller Stéphanitès et avait traversé la ville. Personne ne l'avait regardé plus que de coutume.

Il s'arrêta au seuil de la pièce. Vassilika conversait avec un homme qui tournait le dos.

« Tiens, mon neveu, quelle surprise ! Entrez, voyons, ne restez pas là, s'exclama-t-elle. Les agents impériaux ne vous ont pas encore arrêté ? Vous m'en voyez ravie. »

Foulques avança prudemment. L'homme ne se détournait pas. Soudain, avec stupeur, il reconnut l'évêque Étienne.

Le visage impavide, celui-ci fit face à Foulques et hocha la tête sans aménité.

« Mon neveu, reprit Vassilika comme si elle n'avait rien remarqué, savez-vous bien que les choses vont très mal pour vous ? Vous avez de très sérieux ennemis, je le sais de source certaine. Dieu merci, j'ai, moi, quelques amis... Pas plus tard que ce matin, j'ai encore réussi à déjouer un piège. »

Que pouvait bien faire ici l'ancien évêque de Laodicée ?

« Quel piège ? demanda Foulques.

– Ce serait beaucoup trop long à raconter... Ce qu'il y a de sûr, c'est qu'il vous faut absolument quitter Constantinople avant qu'il ne soit trop tard. Voici l'idée qui m'est venue : Étienne, ici présent, souhaite retrouver son siège légitime de Laodicée, dont il a été indignement chassé par qui vous savez. »

Foulques se tourna vers l'évêque déchu qui pointait sur lui son étrange regard.

« L'hiver dernier, poursuivit Vassilika, les Normands ont pris la ville aux Provençaux, mais le siège épiscopal est resté vacant. On dit Tancrède hésitant. Il ne verrait certainement pas d'un mauvais œil la candidature d'Étienne, mais il faudrait y aller plaider sa cause. »

Foulques se demandait où elle voulait en venir. Étienne approuvait en silence.

« Le mieux pour tout le monde serait que vous alliez en personne à Laodicée remplir cette mission, continua-t-elle.

– Mais, s'indigna Foulques, Tancrède est notre ennemi !

– Il s'agit avant tout de vous sauver vous-même, le comprenez-vous bien ?

– Je ne peux entreprendre une pareille démarche sans l'accord du comte de Toulouse. »

Les traits crispés, l'évêque ricana en levant au ciel son regard jaune. Foulques sentit une vague de dégoût l'envahir.

« Je ne comprends pas ce que fait ici cet individu. Tu as d'étranges fréquentations, Vassilika ! poursuivit-il.

– Mon neveu, mon neveu… Allons, n'agressez pas un homme de Dieu ! »

Elle porta vers l'évêque un regard plein d'onction, lui fit signe de se retirer et attendit que fût retombée la lourde portière pour reprendre la parole.

« Je suis vraiment très inquiète, commença-t-elle en picorant les petites fraises glacées qui trempaient dans un bol d'argent.

– Tu ne connais pas cet homme ! Il a comploté, il a soulevé la ville, il m'a excommunié, et tu veux que je plaide sa cause ?

– Écoutez, Foulques, vous avez fait suffisamment de mal comme cela à ce pauvre Étienne. Au lieu de persister, mieux vaudrait tenter de vous racheter.

– Mais… je n'ai rien fait, bredouilla Foulques, étourdi de saisissement. Je t'assure…

– Cessez donc de me parler comme si j'étais une bête, voulez-vous ! J'use tout mon crédit à vous sauver, et voilà comment vous m'en remerciez !

– Je ne comprends pas… je ne comprends rien à ce que tu… ce que vous me dites. »

Avec un air affligé, Vassilika saisit un miroir d'argent sur la table de bronze, à côté du bol de fraises, y contempla un instant le désastre des ans et dit avec un soupir :

« J'ai passé l'âge de me faire abuser par des fadaises, mon petit. Je vous aime bien, et vous êtes de ma famille, après tout. Mais je ne peux tolérer que l'honneur de ma petite Morphia, et, à travers elle, de toute notre maison, soit irrémédiablement terni par vos ignominies et vos trahisons, vous comprenez cela, je suppose.

– Mais quelles trahisons, quelles ignominies ? De quoi parles-tu ? C'est incompréhensible ! Tu es la dupe d'un complot ! » s'indigna Foulques.

Vassilika lui jeta une moue coquette qui avait dû faire des ravages, autrefois.

« Allons, cela suffit. Allez, mon neveu, et réfléchissez. Mais réfléchissez vite. »

*

En retrouvant la rue, il eut l'impression de s'éveiller d'un cauchemar fou. Comment la tante de Morphia pouvait-elle avoir rencontré Étienne ? De quoi l'accusait ce misérable ?

Puis il se reprocha d'avoir oublié d'évoquer Gunnar. Vassilika le connaissait-elle ? Savait-elle s'il était à l'origine de toutes ces étranges rumeurs ?

Extrêmement troublé, il se rassura de la pensée que la vieille femme l'aimait bien. Elle venait encore de le lui répéter.

Le crépuscule tombait sur la ville impériale. Stéphanitès suivait avec lenteur le flot de la circulation qui s'engluait dans la Mêsè. Des serviteurs noirs ouvraient la route à une litière richement décorée, venant en sens inverse. Enrubannées dans des effluves de jasmin, les odeurs tournoyaient mollement dans l'air du soir. Les parfums de la rue sentaient comme les bruits.

Bientôt une fraîcheur délicieuse se mêla à la brise. Foulques reconnut l'offrande de la mer.

Il comprit qu'elle l'invitait à d'autres rivages, que ces mois de recherche devaient prendre fin, et tout le reste aussi. Il décida brusquement de partir. Dès demain, il rejoindrait les siens là-bas, à Tortose.

Puis ils quitteraient pour de bon cette terre maudite et ils regagneraient la Saintonge. Que faisait Philippa à cette heure, dans le soir qui tombait sur Châtenet ? L'envie de lui écrire le saisit comme une urgence.

*

Il faisait nuit noire. Le bébé venait de s'endormir. Anne se leva sans bruit.

« Veux-tu que je t'aide ? demanda Morphia. Tu es encore bien faible.

— Je pensais que tu dormais… Prête-moi ta main, oui, si cela ne te fatigue pas. C'est pour bientôt, toi aussi.

— Sans doute. Je n'ai encore rien ressenti. »

Dans une assiette, se consumait un reste de parfum. Anne saisit la petite lampe à huile dont la mèche à peine tirée trouait l'obscurité d'un infime point de lumière. Elle se pencha sur l'enfant enroulé comme une voile dans un couffin de bois et se mit à chantonner : « Petit garçon porphyrogénète, toi qui es né sur la soie rouge, mon Foulquinet, mon petit Foulques d'or, fait de douceur et de beauté… »

« Je n'arrive pas à m'y habituer, dit Morphia. À chaque fois que tu dis Foulques, je pense à…

— C'est vrai, avec Renaud, nous aurions dû réfléchir davantage. Nous n'avons pas songé à lui donner un autre nom, pardonne-nous. »

Morphia fit de la tête un signe de dénégation.

« C'est votre enfant à tous les trois, Foulques, Renaud et toi. Il est le fruit de votre amour, comme les miens sont les rejets de la désunion. »

Elle se leva et tira la mèche de la lampe. Maintenant, Anne voyait son regard. Il brillait.

« Tous les enfants sont fruits de l'amour, assura-t-elle.

— J'ai fait beaucoup de bêtises, jusqu'à présent…

— Tu penses à Gunnar ?

– Veux-tu me donner la harpe, là ? »

Anne tendit l'instrument miniature qui dormait contre le mur. Morphia s'installa comme elle put, le dos appuyé au châlit, et se mit à jouer et à chanter doucement. Le petit Foulques sourit dans son sommeil.

« Gunnar, oui…, dit Morphia en reposant la harpe sur le drap. Les Francs ne comprennent pas comment vivent les Grecs… enfin, je veux dire, les Grecs élégants. C'est un jeu, pour nous, de choisir un amant. Aucune femme de la cour ne compte plus les siens.

– Foulques sait et comprend sûrement cela, non ?

– Je ne sais pas… Je ne crois pas qu'il comprenne… Mais il y a autre chose de plus important. »

Anne prit de la crème dans un pot de verre rose et commença à se masser lentement le visage.

« Autre chose de plus important ?

– Le jeu. Jouer à intriguer, à comploter, à conspirer, à échafauder des plans, à les renverser, à en construire d'autres. Se moquer de tout et jouer à faire celui qui se moque de tout. »

Anne la regarda en souriant.

« À Toulouse, on croit que Rome est morte, il y a quelques siècles, corrompue jusqu'à la moelle par une longue décadence. Mais c'est faux. Depuis tout ce temps, Rome agonise encore dans les murs de Constantinople.

– Comme on doit s'ennuyer, à Toulouse ! Vous ne jouez à rien d'autre qu'à la guerre et aux dés ? Foulques n'a jamais rien compris à nos jeux subtils.

– Sans cesse, vous vous défiez l'un l'autre. C'est un jeu ?

– Comment éviter l'ennui, autrement… Il y a l'amour, bien sûr, mais je ne sais pas ce que c'est. »

Anne leva un regard étonné.

« Mais pourtant, Gunnar… ?

– Du désir, de l'amusement, du nouveau, voilà ce que c'était, Gunnar. L'amour, c'est autre chose. J'imagine ce que c'est en vous regardant tous les trois. Je ne pourrai jamais connaître cela. Je suis sans doute un peu envieuse. »

Anne s'assit à ses côtés, parut hésiter un instant et caressa la raie qui partageait les cheveux de part et d'autre de son visage.

« Veux-tu que nous essayions de t'aider ?

– Je pense que pour aimer, il faut d'abord s'aimer un peu soi-même, non ? La vie m'indiffère.

– Mais… tes enfants ? Deux, déjà ; un troisième, bientôt… »

Morphia se redressa vivement, le visage soudain fermé.

« Garde pour toi ta pitié, je n'en ai nul besoin ! Quant à mon troisième enfant, il est peut-être d'un troisième père.

– D'un troisième père, répéta Anne, abasourdie.

– Mais bien sûr. Pourquoi pas de Renaud ? »

Anne haussa doucement les épaules. Oui, Morphia aimait follement jouer… Mais à quoi pouvait bien servir ce genre de jeu sans queue ni tête ?

« Renaud est droit comme un chêne. Pourquoi dis-tu cela, Morphia ?

– Comme ça, parce que c'est bien possible, après tout. Est-ce qu'un homme sait ce qu'il fait quand il a bu ? Et puis quelle importance ? »

Anne quitta la couche et se pencha sur l'enfant qui ronronnait dans son sommeil. Elle se mit à psalmodier des choses douces pour que son sommeil soit peuplé de rêves.

« Il faudrait qu'Onfroy aille chercher Renaud à Gibel, dit tout à coup Morphia.

– Mais il vient juste d'y partir !

– Tiens, lis. »

Elle tira de sa chemise un petit billet écrit en grec.

Anne le parcourut et le rendit en tremblant.

« Qu'est-ce que ça veut dire ? murmura-t-elle.

– Que le jeu a mal tourné… C'est ça, le plaisir du jeu, ne pas savoir si l'on saura s'en sortir à temps. Il y a eu quelque chose d'imprévu, sans doute, un grain de sable…

– Mais ce n'est pas un jeu, Morphia ! Foulques…

– Le commissionnaire est déjà reparti avec ma réponse. Je lui ai dit de crever autant de chevaux qu'il faudrait. Parvenu à Antioche, il utilisera les services du courrier impérial. Tante Vassi saura dès demain que Renaud arrive, qu'il faut mettre tout de suite un terme à nos petits divertissements.

– Mais comment ? Comment ? Il faut des semaines pour atteindre Constantinople !

– Pas pour des pigeons… Personne ne le sait, ici, mais le palais impérial n'a jamais cessé de correspondre avec Tancrède. »

Anne demeurait silencieuse, la tête pleine d'idées entrechoquées. Qu'avait-il pu se passer pour que Foulques croupisse en ce moment dans une geôle ? Que risquait-il ? Comment expliquer que l'empereur ait la possibilité de communiquer avec Tancrède, son plus grand adversaire, alors qu'il fallait des mois à Raimond pour recevoir une réponse du palais ?

« Morphia, je peux comprendre qu'on rie de la vie, de la sienne comme de celle des autres. Mais je ne comprends pas la cruauté. Ton jeu est méchant. Si Foulques devait… je ne pourrais pas te le pardonner.

– Moi non plus. »

*

On n'en finissait plus d'errer dans des boyaux obscurs régulièrement coupés de lourdes portes. Les verrous grinçaient. Un nouveau passage s'ouvrait. La torche du topotérétès dessinait un halo. Un bâton dans les reins, le prisonnier titubait. L'autre ne paraissait pas comprendre que sa lumière n'éclairait pas le chemin. Les jambes douloureuses des coups reçus, mains ligotées, Foulques avançait à l'aveugle.

Enfin, devant un battant clouté qui s'ouvrait dans la paroi, le topotérétès donna d'un violent coup sur la hanche le signal d'arrêt.

La porte s'ouvrit, libérant un flot d'odeurs fades et de plaintes lointaines.

Il y eut d'autres couloirs suintant d'humidité verdâtre, des escaliers aux marches poisseuses, des gémissements qui semblaient flotter dans l'air.

Maintenant, le topotérétès allait très lentement. Régulièrement, il faisait arrêter devant des ouvertures percées dans le mur. À l'intérieur, à la lueur de la torche, on distinguait des cachots. Leur voûte arrondie descendait si bas qu'aucun homme ne pouvait là se tenir debout. D'abord, Foulques avait essayé de distinguer quelque chose. Dans le deuxième, au-dessus d'une forme tassée en forme de sac, il avait cru apercevoir un visage, râlant la bouche ouverte. Deux globes blancs et roses luisaient sur les joues à hauteur du nez. Une nausée l'avait saisi, mais le garde l'avait forcé à contempler encore le spectacle.

La cellule dans laquelle il fut précipité était éclairée d'une torche accrochée au mur. Une puissante odeur d'excréments le saisit, et il abaissa le regard.

À ses pieds gisait une créature inexplicable. Foulques eut un sursaut d'horreur, leva la tête vers le plafond, y prit une inspiration puis reporta le regard vers le sol.

Il reconnut d'abord des yeux qui imploraient quelque chose et il mit un moment à comprendre que ces yeux-là ne cillaient pas parce que les paupières avaient été coupées juste au-dessous des sourcils. Les dents étaient comme sciées et un filet rougeâtre s'en échappait en bulles obscènes. Alors, il constata que ce qui restait de mâchoire n'était plus caché aux regards par les lèvres. Le cou s'ornait d'une guirlande luisante que Foulques suivit du regard. Elle se prolongeait sur le torse, cheminait en torsades le long des côtes, descendait brusquement pour entourer le sexe de nœuds compliqués, et remontait vers le nombril pour disparaître dans une fente proprement cautérisée.

C'était un homme.

Autrefois, ç'avait été un homme.

Alors il se mit à hurler, doucement, presque silencieusement d'abord, puis de plus en plus fort, jusqu'à s'en faire crever la gorge.

XVI

Été 1103. – Tortose.

« *Nous qui avons été baptisés en Jésus-Christ, c'est en sa mort que nous l'avons été. Car nous avons été ensevelis avec lui par le baptême, pour mourir ; afin que, comme le Christ est ressuscité d'entre les morts par la gloire du Père, de même nous aussi nous marchions dans une vie nouvelle.* Mes frères, aujourd'hui, sixième dimanche après la Pentecôte, le chevalier Renaud m'a demandé de consacrer la messe pour le repos de l'âme de messire Henri de Toulouse. À l'heure où son petit-fils connaît un sort bien difficile, prions d'abord pour cette famille marquée par les épreuves. »

Un silence relatif s'installa. Il n'était jamais possible d'obtenir mieux. Arrivé sur le dernier bateau en provenance de Toulouse, le curé ne cherchait pas plus qu'un autre à imposer un recueillement absolu.

« Tu vas quand même pas le laisser mourir pour qu'il soit enseveli avec le baptême du Christ à Constantinople, hein, Renaud ?

– Tais-toi, Michel, tu ne comprends rien.

– Je comprends que Foulques est prisonnier et que tu ne fais rien et que si ça continue…

– Ça ne continuera pas. »

Dans cette petite église maronite, on se serait presque cru là-bas, à Toulouse. Appréciant la présence des Latins, les maronites acceptaient que le clergé des Francs célèbre des offices selon le rite romain. Un jour, après avoir assisté à plusieurs, pour comprendre, avait-il dit, Foulques avait fait remarquer que, à quelques détails près, la messe y était très semblable à la leur. Il avait cependant parlé de cymbales et de clochettes. Renaud se demandait où de pareils objets de divertissement avaient bien pu être dissimulés.

Que faisait Foulques, en ce moment ? Était-il correctement traité, s'assurait-on de la qualité de sa nourriture, de la salubrité de son logement ? Des bruits stupides avaient couru sur les geôles de Constantinople. Certains parlaient de vermine, et même de sévices… Comme

si Foulques avait été du gibier de potence ! Pourtant, Morphia paraissait anormalement soucieuse. Elle croyait savoir que les princes eux-
mêmes étaient traités avec une rigueur extrême, dans ce Néoriôn dont
le nom émaillait souvent sa conversation. Elle répétait sans cesse qu'il
ne fallait pas tarder, s'impatientait de sa grossesse qui n'en finissait plus
de retarder le départ.

« Arrête de te fourrer les doigts dans le nez !

— Oh ! la barbe ! C'est pas bientôt fini, cette messe ?

— Vas-tu te taire, bon sang ? »

À la nouvelle de la captivité de Foulques, une grande stupeur avait
abattu le camp du comte de Toulouse. Rapidement, des plans avaient
été élaborés. Gibel était conquise et, le maintien de l'ordre ne requérant
guère de bras, la présence de Renaud ne s'imposait plus. Raimond avait
approuvé l'idée de son filleul de rejoindre Tortose et d'y prendre toutes
dispositions qu'il croirait à propos. D'après lui, on ne pouvait rien
tenter pour l'instant du côté de Constantinople, mais, au cas où les difficultés de Foulques viendraient à se préciser, il serait toujours temps de
faire appel à Alexis qui n'avait rien à refuser au comte de Toulouse. Pour
l'heure, il conseillait d'attendre prudemment, assurant qu'un malentendu avait dû se glisser quelque part. On ne tarderait pas, sans doute,
à voir Foulques revenir. Le mieux pour Renaud était cependant de regagner Tortose pour en surveiller la défense, prendre soin de la comtesse
et de Morphia, toutes deux sur le point d'accoucher.

Renaud avait d'abord songé à partir seul à Constantinople. Puis le
comportement de Morphia l'avait tellement intrigué qu'il se demandait à présent jusqu'à quel point elle et cette vieille tante qu'elle s'obstinait à appeler Vassi étaient étrangères à ce qui arrivait à Foulques. Il
partirait avec elle et la forcerait bien, une fois là-bas, à lui faire dire ce
qu'elle savait. Mais elle ne se décidait pas à accoucher. Et les jours passaient, comme ils passaient aussi pour Foulques, seul, là-bas, dans un
cachot.

D'une bourrade, Michel lui fit signe qu'il fallait s'agenouiller.

« Bon Dieu, murmura-t-il, les yeux levés vers les lampes, Tu sais que
Foulques T'aime et Te vénère. Tu vois à travers les murs, Toi, alors va
près de lui. Et toi, Henri, si tu nous regardes, ne nous abandonne
pas… »

Sa vue se brouilla. Que vivait Foulques en ce moment ? N'était-ce
pas folie que de faire comme s'il était encore vivant ? Et, après tout,
pourquoi ne pas partir tout de suite ? Morphia devait bien pouvoir
mettre bas sur un bateau aussi bien qu'ailleurs…

Cette idée lui parut tout à coup si limpide qu'il se mordit les lèvres
de ne pas y avoir pensé plus tôt. Il allait sur-le-champ se renseigner
auprès des Génois. Ils lui devaient bien un service, en échange de tout

l'appui qu'il leur avait donné, depuis quelque temps. Ou alors, les Pisans ? Il fallait du doigté, dans ce genre d'histoire… un coup à se fâcher avec tout le monde, y compris les Vénitiens.

Et ce curé qui n'en finissait pas ! Après la communion, d'habitude, les choses étaient pourtant à peu près terminées. On en était aux chants, comme si l'office allait recommencer au début. Était-ce un hymne à la mémoire d'Henri de Toulouse ? C'était bien le moment, en tout cas, de perdre son temps, alors qu'il fallait partir, immédiatement, qu'il n'y avait pas un instant à perdre.

*

Vêtu à la mode grecque d'une longue tunique d'étoffe fine, l'homme portait beau. À ses mains aux ongles soignés scintillaient trois bagues compliquées. Il régnait sur une grande table encombrée de papiers en fouillis. À l'entrée de Renaud, il arbora un sourire net et quitta sa chaise rembourrée de coussins.

« Ta langue ne m'est pas inconnue, dit-il. Nous n'aurons pas besoin de truchement. »

Sans attendre d'y être convié, Renaud s'assit sur un des tabourets qui montaient la garde devant le vaste pupitre. L'homme s'installa sur un autre.

« Combien, pour rejoindre Constantinople ? »

L'homme conserva le même sourire ambigu. Son collier de barbe finement taillé soulignait sa peau mate d'un cordage poivre et sel.

« Constantinople ? À cette saison ? La mer…

– La mer est très bonne, tu le sais, et c'est la meilleure saison pour voyager. J'ai une affaire des plus importantes à y traiter et je dois partir au plus tôt.

– Puis-je t'offrir du thé ? Cette chaleur est accablante. »

Renaud acquiesça d'un geste, exaspéré à l'idée que d'interminables palabres allaient comme toujours s'engager. À présent, les Italiens n'avaient plus rien à envier aux Levantins dans ce domaine.

« La mer est une chose, dit l'homme, mais il faut compter avec les pirates, avec Tancrède, qui ne laisse passer personne au large des côtes de Laodicée sans exiger tribut… Et puis, je ne tiens nullement à mécontenter le comte de Toulouse… C'est qu'il est devenu assez imprévisible !

– Combien ? »

Le marchand génois se dirigea vers sa fenêtre d'où filtrait, entre les volets mi-clos, une lumière agressive. La pièce était fraîche et ce faisceau incandescent blessait l'œil comme un feu de forge.

« Nos bateaux ne sont pas en état de prendre la mer. »

De dos, l'homme faisait une masse opaque, dressée contre la chaleur. Il avait parlé sans se retourner.

« Tu les fais réparer ? »

Avec élégance, il fit face à Renaud. Le contre-jour ne permettait pas de distinguer l'expression de son visage.

« Le commerce est un peu creux, en ce moment. J'en profite en effet pour les faire calfater.

– Et celui qui appareille demain pour Chypre, tu le laisses partir pour le plaisir de le voir sombrer au large ? »

D'un geste agacé, le marchand fit signe au serviteur de poser les bols et de se retirer.

« Il doit, précisément, demeurer quelques jours à Chypre. Ce n'est pas la solution pour toi… Goûte donc de ce thé. Il vient de très loin. Des caravanes de chameaux le transportent jusqu'ici à travers les déserts. Je le ferai connaître à Gênes dans quelques semaines. »

Renaud sentait monter en lui une ivresse de bile. L'envie le tenaillait de jeter la bouilloire à la figure du Génois.

« Je sais que c'est une question d'argent, répéta-t-il calmement. Finissons-en, je te prie. Combien ? »

L'homme devint grave. Il prit son verre de thé, fit le tour de la table et s'assit sans manières. Il avait perdu son sourire.

« Nos principaux ennemis, ici, ne sont ni les musulmans, ni, bien sûr, les Normands, qu'ils soient de Sicile ou de chez toi.

– Ce sont les Pisans, coupa Renaud dérouté par ce biais inattendu.

– Non, les Vénitiens. Les Vénitiens qui, comme tu sais, sont en grande faveur auprès des Grecs.

– Eh bien ! prenez leur place, faites mieux qu'eux ! »

L'homme coutura ses lèvres d'un sillon oblique.

« Voici vingt ans que les Vénitiens ont arraché au basileus un traité inique qui fait leur fortune et précipite notre ruine ; ils ne paient pas les taxes qu'acquittent les Grecs eux-mêmes au sein des ports impériaux. Les marchandises qui transitent sous leur pavillon sont les moins chères de toute la Romania.

– J'en suis bien marri pour vous, mais en quoi tout cela concerne-t-il nos affaires ? »

L'autre laissa éclater un rire sonore, qui découvrit quelques dents en or dont Renaud fut stupéfait.

« Depuis des années, nous tentons d'obtenir nous aussi l'exemption du *kommerkion*. Nous étions sur le point de réussir, nous avions tous les contacts voulus. Mais un Pisan est allé révéler nos plans à l'empereur et a osé parler de cabale et de manigances ! Le basileus en a conçu de la méfiance envers nous et semble décidé à accorder ce scandaleux privilège aux Pisans… Quelle misère ! nous revoilà au point de départ, nous autres Génois.

— Je ne vois toujours pas…

— Je ne veux pas, hurla le marchand en frappant la table du plat de ses mains, je ne veux pas passer pour le complice d'un criminel. Libre à toi de t'embarquer avec qui tu voudras dans cette ridicule entreprise, mais tu n'y entraîneras pas avec toi la puissance de notre cité. Si le sire de Termes est emprisonné, c'est qu'il est coupable.

— Coupable ? s'indigna Renaud.

— Oui, coupable, ou en tout cas accusé, ce qui est la même chose. Ce qui seul compte, pour Gênes, c'est de recouvrer la confiance impériale. »

*

Blême de rage, Renaud quitta l'entrepôt sans saluer le marchand ni avoir goûté au thé qui devait enchanter les palais génois une quinzaine plus tard.

Dans une ruelle étroite, comme il passait devant une échoppe de sellier, une voix l'interpella :

« Pardonne-moi, messire Renaud, puis-je te montrer mes meilleures pièces ? »

Surpris de s'entendre appeler par son nom, Renaud détourna la tête vers un petit bonhomme chauve, assis jambes écartées sur un tabouret. Un savant jeu de miroirs de cuivre poli renvoyait une lumière crue sur son travail.

L'artisan ne levait pas le nez de son ouvrage et Renaud se demandait s'il n'avait pas rêvé, lorsque, continuant à piquer une pièce de cuir, l'homme murmura :

« Il a refusé ?

— Qui es-tu ? Que me veux-tu ? dit Renaud glacé de méfiance.

— Je t'attendrai ce soir au *Chameau endormi*, dès la nuit tombée. Sois-y. »

*

La citadelle bourdonnait d'une activité inhabituelle. Dans la cour d'enceinte, piaffaient des chevaux inconnus. Mentalement, Renaud se dit qu'ils avaient dû faire une longue course, ils écumaient encore de chaleur et d'épuisement.

Il pénétra dans le corps de logis.

Allongée sur un lit dressé pour elle devant la cheminée, le ventre nu et palpitant recouvert d'un linge fin, Elvire le regarda traverser la salle d'audience déserte.

« Je suis mieux ici, affirma-t-elle d'un ton tranchant. Il y a un peu d'air frais.

– Mais tu vas accoucher d'un instant à l'autre ! Il serait plus raisonnable...

– L'épouse du comte de Toulouse représente en son absence l'autorité. L'enfant à venir doit voir le jour dans cette salle, et pas au fond d'un gynécée... Qu'as-tu obtenu des Génois ?

– Rien pour l'instant. Ils ont peur. »

Une moue de mépris passa comme une ombre sur le visage cramoisi de la comtesse. De grosses gouttes perlaient à son front et glissaient vers les tempes. Renaud constata que les racines des cheveux étaient presque blanches. Elvire se teignait-elle ?

« Où sont tes femmes ? demanda-t-il, vaguement gêné.

– Je les appellerai le moment venu, ne te préoccupe pas de ce qui me regarde, je te prie... Un chevalier va paraître. Il arrive de Jérusalem. Tu le connais, je crois : Conon de Montaigu. »

Renaud chercha le regard d'Elvire, qui s'égarait dans les voûtes.

« Je l'ai invité à prendre un bain. Il ne va pas tarder, maintenant. Il sollicite notre aide. »

D'un geste ferme de la main, Elvire imposa silence à Renaud, saisit un petit marteau et frappa un coup sec sur un plateau de bronze suspendu à une poutre. Comme si elles avaient été à l'affût de ce signal, des servantes entrèrent vivement, les bras chargés de linge, de baquets remplis d'eau, de bassins de laiton.

À leur suite, Conon de Montaigu pénétra dans la pièce, adressant un bref salut à la comtesse et une rapide bénédiction à Renaud.

Les accoucheuses murmuraient à l'oreille d'Elvire. Les deux hommes firent mine de se retirer.

« Restez, chevaliers ! » ordonna Elvire.

Résigné, Renaud détourna le regard vers la cheminée et attendit.

« Si tu le souhaites, nous pouvons faire route ensemble. Je pars demain pour Constantinople, proposa soudain son voisin à mi-voix.

– Sur quel bateau ?

– Par voie de terre. »

À ce moment, on entendit une sorte de gloussement suivi d'un son de goulot ou de seau qui glisse au fond d'un puits.

« L'enfant du comte de Toulouse ! » proclama Elvire d'une voix qui tremblait à peine, tandis qu'une femme élevait vers les témoins un petit être tout fripé et dégoulinant.

Renaud jeta un coup d'œil à Conon qui paraissait comme hypnotisé par la maigre créature mauve, inerte dans les bras de la servante.

Renaud se demandait s'il convenait de dire quelque chose. À voir les têtes, il comprit que tout le monde attendait que se produise un événement. Il fit un mouvement pour s'approcher, mais Conon le retint d'un geste large. Il eut la très nette impression que toutes les mines s'allongeaient. Les traits de la comtesse s'étaient creusés, les servantes avaient de petits gestes pleins de nervosité, Conon se tenait à présent légèrement penché en avant. Soudain, Elvire se redressa avec détermination, fit un signe étrange, main refermée et pouce vers le sol. Sans attendre d'explication, celle qui tenait l'enfant le prit par les pieds et le suspendit tel un lapin. Les respirations s'étaient arrêtées, le silence vibrait comme une corde.

Soudain, le petit être sembla s'éveiller et, au milieu de mystérieux gargouillis, poussa un cri perçant.

Ce fut comme si la vie venait de reprendre, en même temps que s'échappait des poitrines l'air depuis un moment retenu. Renaud songeait aux moyeux rouillés qui, à force d'huile, acceptent enfin de se mettre en branle avec des grincements intolérables.

« Un garçon, lança une des femmes, un superbe garçon, comtesse !

– Il s'appellera Alphonse, comme son grand-père, décida Elvire. Alphonse-Jourdain... Maintenant, cela suffit. Emmenez-le. »

Puis, se tournant résolument vers les deux hommes qui n'avaient pas bougé :

« Bien, chevaliers, reprenons où nous en étions restés. »

*

La nuit était bien noire maintenant. Avec beaucoup d'hésitations, Renaud s'était résolu à emmener Michel. Il devait avoir une douzaine d'années, il était temps de le mêler aux affaires des grands. Bientôt il pourrait se battre.

La taverne du *Chameau endormi* ne se distinguait des autres bicoques de la ruelle que par une enseigne ostentatoire évoquant davantage une poitrine avantageuse que les bosses d'un chameau. Renaud jeta un coup d'œil à Michel et fut soulagé de constater qu'il n'avait rien remarqué.

« T'as vu les nichons ? ricana l'enfant. Quel chameau ! »

À l'intérieur, une moiteur âcre prenait à la gorge. Un court passage conduisait à une ouverture masquée par une tenture grasse.

La pièce était bondée d'hommes attablés devant des coupes de terre vernissée. Une servante à l'air revêche allait et venait, indifférente aux beuglements et aux éclats de voix.

Tenant par la main Michel qui regimbait, Renaud s'avança.

« Viens, dit soudain une voix tout près de son oreille, ce n'est pas une place pour un enfant. Nous serons mieux plus loin. »

Renaud se retourna et, dans la médiocre lumière, crut reconnaître le sellier. Il fallait bien faire confiance. Il le suivit.

Ils atteignirent l'étage par une échelle qui prenait dans l'angle de la grande pièce. Des portes entrebâillées laissaient échapper des chuchotements. L'homme pénétra dans une petite pièce dont il referma soigneusement le vantail. L'endroit était sommairement meublé d'un grabat jeté sur le plancher, d'une cuvette et d'un seau plein d'eau.

« Il ne faut pas perdre de temps. La pièce n'est louée que pour trois tombées de clepsydre. J'ai bien cru que ce bougre me la refuserait parce que je n'avais pas de femme avec moi. »

Renaud jetait autour de lui des regards effarés : même Gertrude, aux pires heures de la conquête, avait toujours réussi à proposer un semblant d'apparat aux clients de ses filles.

« Ne pouvais-tu trouver un endroit moins…

– L'endroit n'importe pas. Ce qui compte, c'est ce que j'ai à te dire. »

Puis, avec un regard de biais vers Michel :

« Que t'a-t-il pris de l'amener ? En bas, le patron m'a fait payer double. "Avec un enfant, c'est plus cher, je risque gros !" Voilà ce qu'il m'a dit…

– Tu peux parler devant lui. C'est le fils de Foulques. »

Tandis que le gamin se rengorgeait, l'homme eut un sursaut de surprise, mais ne posa pas de question et enchaîna comme si de rien n'était :

« Avant même que le bruit ne s'en répande à Tortose, nous avons été prévenus que notre ami Foulques avait de très gros ennuis.

– "Nous" ? s'étonna Renaud. Que veux-tu dire par là ?

– Notre communauté… le peuple juif… C'était folie de ta part de t'adresser aux Génois. Tu n'obtiendras rien d'eux, car ils ne songent qu'à leurs petites affaires de commerce… Ce sont des gens qui vendraient père et mère s'ils pouvaient espérer en tirer trois deniers… Ft il faut agir, vite.

– Bien sûr ! s'exclama Renaud, si fortement que l'autre eut un geste effrayé pour le faire taire. Bien sûr, mais il faut bien un bateau, pour aller là-bas !

– Nous pouvons en trouver un.

– À quel prix ?

– Ne t'occupe pas de cela. Nous nous arrangerons avec Nathanaël, le changeur de Foulques.

– Je ne paierai pas n'importe quoi !

– Bien entendu. Les Provençaux sont les amis de notre peuple. Le prix sera établi en conséquence. »

Renaud renonça à poursuivre sur ce thème. La vie de Foulques, d'ailleurs, n'avait pas de prix.

« Que proposes-tu ?

– Un bateau anglais quittera Chypre demain. Il fera escale à Tortose où il embarquera pour notre compte une cargaison de marchandises.

Puis il fera route vers Constantinople. Nous l'avons convaincu d'accepter de prendre en sus deux passagers…

— J'irai, j'irai ! glapit Michel.

— Non, tu ne viendras pas parce qu'il n'y a pas de place pour toi. Mais je te promets que c'est la dernière fois. »

De dépit, Michel donna un coup de poing sur sa cuisse, prêt à se lancer dans une plaidoirie. Mais on frappa violemment à la porte en hurlant quelque chose. Renaud porta la main sur son épée.

« Qu'est-ce que c'est ? demanda-t-il.

— Rien. Le patron qui dit que c'est fini. »

*

Doucement, Renaud se laissa glisser de côté.

« Ça va ? demanda-t-il en souriant. Depuis que le petit est né, j'ai toujours un peu peur de te faire mal. »

Anne lui prit la main en riant.

« Vous êtes bien tous pareils ! C'est plus solide que vous croyez, une femme…

— Je ne sais pas ce qui m'arrive, j'ai peur de tout, en ce moment. C'est peut-être à cause de Foulques.

— Que fait-il, à cette heure ? Tu crois qu'il est encore en vie ?

— Bien sûr !… Sûrement… J'espère qu'ils ne l'ont pas abîmé… »

D'un mouvement du bras, Anne chassa les ombres qui rôdaient.

« Fais bien attention à toi, là-bas… Si vous ne reveniez ni l'un ni l'autre…

— Il te resterait le petit », chuchota Renaud.

Elle ferma les yeux et pinça les lèvres. Une crispation enlaidit son visage maigre.

« Il ne compte pas pour grand-chose, à côté de toi… et de lui.

— C'est notre enfant, tout de même, protesta Renaud.

— Je sais, c'est monstrueux de dire cela. Et je n'ai même pas honte. Cet enfant que j'ai mis au monde, je devrais le chérir plus que tout… Pourtant, ce n'est pas le cas. Je n'ai de place dans mon cœur que pour vous deux, toi et Foulques. Vous deux que j'aime.

— Tu… tu m'aimes, moi aussi ? »

Elle serra sa main un peu plus fort.

« Je ne sais pas. Parfois je le crois… Et d'autres fois, je compare à Foulques, et je sais que ce n'est pas pareil. Je crois que je pourrai t'aimer un jour, peut-être autant que lui. Avec toi, je me sens moins seule, moins laide. Ce n'est pas cela, aimer, mais je peux avec toi me regarder sans m'apitoyer.

— Et avec Foulques ? »

Anne le considéra longuement. Il ne détourna pas les yeux.

« Je ne suis jamais avec Foulques. Je ne le connais plus et il ne me connaît plus… C'est mon soleil. Il me réchauffe. Sous ses rayons, mon esprit s'agrandit, mon souffle se précipite. Je ne sais que te dire d'autre.

– Foulques est beau, je n'ai aucune chance, dit Renaud avec un rire forcé.

– Pas plus que toi, Renaud. Et il n'aurait pas su faire pour moi le quart de ce que tu m'as offert. Pourtant…

– Pourtant ?

– Je ne sais pas. C'est comme un philtre. Je n'y peux rien. Toi, tu es l'homme que j'aimerai un jour. Mais peut-on oublier le soleil ? Laissez-moi vous regarder comme Oreste et Pylade. »

Renaud mit ses mains sous sa nuque en guise d'oreiller.

« Je ne sais pas ce qui m'arrive. Il y a quelque chose qui me grignote le cœur… C'est la première fois. Crois-tu à la jalousie ?

– J'aimerais mieux mourir que de me savoir la cause d'un pareil sentiment. Non, je ne crois pas que la jalousie puisse atteindre ceux qui ont le cœur pur. La jalousie est semblable à une huile rance qui empoisonne tout ce qu'elle touche. Mais nous trois, nous avons le cœur pur.

– Foulques est beau et fort. Il comprend tout, il connaît presque tout. Il est loyal et droit, et même fragile et attendrissant de naïveté. Comment ne pas l'aimer ? Et puis, il y a notre histoire… Une épopée… »

Anne triturait une mèche folle qui barrait son épaule.

« Pour le sauver, tenteras-tu l'impossible ?

– Ce qui est impossible, c'est de ne pas réussir à le sauver, d'imaginer de vivre sans lui.

– Cependant, s'il est perdu, à quoi servirait ton propre sacrifice ? Bien sûr, si j'étais un homme, je ferais comme toi. Mais si vous disparaissiez tous les deux, à quoi pourrait encore servir ma vie ? »

Un chien aboya dans la rue et des chevaux hennirent quelque part en réponse. Le silence revint.

*

Le surlendemain, le bateau anglais apparut dans l'humble havre de Tortose. Point n'était besoin d'être marin d'expérience pour s'apercevoir qu'il donnait de la gîte. On apprit bientôt qu'il avait talonné sur des hauts-fonds et que la coque était enfoncée sur trois coudées très en dessous de la ligne de flottaison. Il fallut tout décharger, mettre au sec, entreprendre la réparation. Mais le seul charpentier de navire de Tortose venait de périr. On dut attendre qu'arrive de Maraclée une équipe de remplacement.

*

« Tu viens voir si j'ai changé d'avis ? » demanda Morphia en voyant entrer Anne.

Celle-ci jeta un coup d'œil autour de la pièce. Dans un angle, Anna jouait avec une poupée de chiffons.

« Non. Tu nous as fait assez de mal à tous et à toi aussi. Tu as été bien maladroite.

— Tu ne comprends pas. Il n'y a rien là de maladroit. J'ai joué, mais mal.

— Vous partez demain, Renaud et toi. Puis-je te poser une question ? »

Morphia se mit à rire doucement.

« Que veux-tu ? Que je sois fidèle à Foulques ? »

Après un moment de silence où elle parut se demander ce qu'elle était venue dire, Anne reprit :

« C'est difficile, Morphia, de comprendre les Grecs. Vous êtes vraiment trop différents de nous… Comment peux-tu plaisanter alors qu'on ne sait même pas s'il est encore vivant ou…

— Ne te trompe pas. Moi aussi, j'ai peur. Moi aussi je me demande si nous allons le retrouver entier, et même, simplement, si nous le retrouverons. On joue, et puis les choses vous échappent, sans qu'on comprenne bien pourquoi. Après, il ne reste plus que la dérision. Comprends-tu cela ? »

Anne alla s'asseoir près d'Anna.

« Que fais-tu ? » lui demanda-t-elle en montrant la poupée.

La fillette leva vers elle un visage grave.

« Je lui *manthanô* à faire un *glyko*.

— Pour qui, le gâteau ?

— Pour maman *mou* qui *aphikneitai* demain. »

L'enfant fournit en grec quelques explications uniquement destinées à la poupée.

Anne la considéra un moment et prit conscience qu'elle ne l'avait jamais vue sourire.

Elle se retourna vers Morphia.

« Tu ne crains pas d'accoucher sur ce bateau ?

— Une femme grecque n'a peur de rien. D'ailleurs, j'ai obtenu qu'Irène m'accompagne. Elle sait s'y prendre. »

Anne eut envie de poursuivre en grec tant sa compagne la mettait mal à l'aise. Une langue étrangère faisait comme une carapace, maintenait artificiellement des distances. Elle renonça.

« Que va dire ta tante en voyant Renaud ?

— Vassi reçoit avec chaleur tous ceux que je lui amène, parce qu'elle m'aime sans réserve. Ne crains rien pour lui. »

Anne approuva mécaniquement, essayant de la croire.

« C'est ce que tu voulais me demander ?

– Oui, un peu. Toute notre vie dépend de toi, tu le sais ? »

Morphia sourit amèrement.

« Et la mienne dépend de vous. Vous m'obligez à laisser Anna ici.

– Je m'occuperai d'elle.

– Parle-lui en grec. Seulement en grec. Je voudrais qu'elle continue à parler les deux langues. Tu es la seule à parler correctement, les servantes font trop de fautes. »

Anne caressa les pétales flétris d'un petit bouquet qui se fanait sur une tablette.

« Tes roses ont besoin d'eau. Tu veux que j'aille leur en mettre ?

– Inutile. Demain on les jettera.

– Crois-tu que la vie pourra reprendre, après, quand vous l'aurez retrouvé ? Voilà ce que je voulais te demander. »

Morphia se contenta de désigner du regard l'enfant qui semblait ne voir personne.

« Parle-lui de son père. Tu sauras le faire mieux que moi. »

La porte s'ouvrit et une servante annonça à sa maîtresse que le chevalier Conon de Montaigu souhaitait obtenir d'elle la faveur d'un entretien en tête à tête.

XVII

« Vous vous moquez de moi, toutes les deux ! Morphia, dis-lui que ça suffit ! Si elle continue à refuser de me dire ce qu'elle sait, je la dénonce, et pas à l'empereur ! À d'autres qui sauront lui arracher les boyaux ! »

Morphia traduisit d'un ton sec. La vieille femme essayait de conserver des manières dignes, mais le tremblement des joues trahissait son angoisse. Elle parvint cependant à planter son regard noir dans celui de Renaud. Sa tête branlait, mais les mâchoires étaient crispées de détermination et le garçon n'eut aucune peine à écarter l'élan de pitié qui l'avait un instant menacé.

De ses deux mains, Vassilika ébouriffa sa chevelure blanche, parsemée de quelques fils encore noirs, puis émit un rire chevrotant.

Renaud saisit un cratère rouge et noir qui était à portée de main et le lâcha froidement sur la mosaïque.

Vassilika contempla avec une sorte d'incrédulité les miettes de son antique, releva un regard de défi vers le visage fermé de Renaud et dit quelque chose en se tournant vers Morphia.

Celle-ci avait plaqué les mains sur sa bouche, comme si elle venait d'assister à une incroyable profanation.

« Qu'a-t-elle dit ? gronda Renaud.

— Rien d'important… Elle ne comprend pas ce qui se passe.

— L'honneur m'interdit de toucher à une femme, elle le sait, cette vieille garce ! Mais d'autres peuvent le faire. Dis-lui qu'aucune pommade ne pourra plus lui cacher la figure, si elle n'avoue pas où est Foulques. »

Morphia parla en grec. Renaud enrageait à l'idée qu'elle ne devait nullement traduire ses paroles. La vieille femme s'était en un instant recomposé un visage. Un profond dédain se lisait à présent dans toute son attitude.

« Alors, que dit-elle ?

— Rien, tu le vois bien. Elle ne doit pas savoir ce que tu lui veux… »

Renaud tira à lui une chaise curule aux pieds en griffons, lui fit décrire un arc de cercle et l'expédia dans le lustre d'argent qui alla s'écraser sur une petite table marquetée d'ivoire.

Vassilika avait pâli. D'un geste de la main, elle fit signe à Morphia qu'elle avait quelque chose à dire et s'approcha de son oreille.

« Alors ? s'impatienta Renaud.

— Elle dit qu'elle est très malheureuse de voir chez elle s'exercer une pareille barbarie et que cette tablette que tu as sauvagement brisée lui avait jadis été donnée par l'impératrice Zoé porphyrogénète en personne. »

Attirées par le fracas, deux servantes s'étaient figées à la porte. Sans répondre, Renaud se dirigea vers le jardin, arracha de son socle une sorte de créature ailée et la fracassa dans la vasque de marbre qui se fissura et laissa tristement couler son contenu.

« Non, pas l'Hermès trismégiste ! hurla Morphia. Foulques n'est plus au Néoriôn… »

Renaud pivota sur ses talons.

« Depuis quand le sais-tu ?

— Peu importe… Vassi a obtenu qu'on ne lui fasse aucun mal… Il a fallu le soigner.

— Que lui est-il arrivé ? Où est-il ? » hurla Renaud.

La tante Vassilika s'était assise sur la chaise curule curieusement retombée sur ses pieds. Avec une moue dégoûtée, fixant Renaud de son regard de fer, elle murmura en latin d'une voix douce :

« Comprenez-vous ce que je dis, jeune homme ? »

Désarçonné, Renaud acquiesça d'un signe de tête.

« Alors, écoutez-moi bien. Je vous dirai le peu que je sais mais à une condition. »

Renaud se tourna vivement vers Morphia.

« Une condition, c'est ça, qu'elle a dit ? Elle se fout de moi, là, c'est ça, hein ? Elle se fout de moi…

— Mais non, l'apaisa Morphia. Non, jamais tante Vassi ne se moque de quelqu'un qu'elle respecte. Écoute-la.

— Laissez Morphia ici avec le bébé », reprit en latin Vassilika.

Renaud saisit violemment Morphia par les épaules. Il sentit qu'elle tremblait.

« Je déteste ce chantage. Dis-lui que ce n'est pas à elle de poser des conditions et que de toute façon, ta fille Anna, votre fille, est toujours à Tortose, et aussi ton bâtard ! »

Il fallut encore quelques manières pour que Vassilika consentît à confier ce qu'elle savait de la situation : après un séjour au Néoriôn dont elle ne pouvait comprendre les raisons, Foulques avait été transféré, sous bonne garde et pour un motif inconnu, dans une demeure proche de Sainte-Sophie. Sans aucun doute, il s'y trouvait en sécurité, puisqu'elle croyait savoir que ses blessures, Dieu soit loué, étaient en voie de guérison. On s'était certainement fait beaucoup de souci pour peu de chose.

« Mais personne n'a pu savoir ce qu'on lui a fait, ajouta Morphia à voix basse.

— Il sera toujours temps de l'apprendre. Je veux qu'il sorte de là !

— Impossible sans un ordre de l'empereur.

— Dis à ta tante, qu'il reste encore ici pas mal de choses à mettre en morceaux. Si elle ne me dit pas tout ce qu'elle sait, j'irai voir l'empereur. Et l'empereur a besoin du comte de Toulouse. Alors explique-lui bien qu'entre elle et moi, Alexis aura vite fait son choix ! »

La vieille femme avait maintenant retrouvé de l'énergie. Il ne fallut pas la prier davantage. Abandonnant le latin pour aller plus vite, elle se lança dans une longue explication. Morphia hochait pensivement la tête, tandis que Renaud trépignait d'exaspération. Enfin, le flot de paroles s'interrompit et Morphia en donna la substance.

Sous la demeure en question, se trouvait une citerne, une de ces constructions plus vastes que Sainte-Sophie qui alimentait en eau la capitale de l'empire. Vassilika connaissait une entrée secrète. Elle savait en outre que, par certain escalier de pierre, l'on pouvait de là accéder aux caves des demeures plantées au-dessus, et justement de celle où Foulques était détenu. Pour le soir même, elle se faisait fort de trouver un guide, et Renaud pourrait entreprendre l'aventure…

« Dis-lui que tu m'accompagneras… J'aurai besoin d'un truchement, tu comprends.

— J'allais te le proposer, parce que je sens que tu n'as pas confiance en nous, ce qui est très injuste mais peut-être compréhensible chez un Franc, après tout… D'ailleurs, Foulques est le père d'Anna, et de Thibaud maintenant. Si tu veux, nous allons arranger tout cela, ma tante et moi. Le mieux serait de nous retrouver ce soir, à la nuit tombée…

— Non, je préfère rester avec vous deux toute la journée. »

*

Heure après heure, Renaud observa les va-et-vient, décortiquant les regards, suivant l'une ou l'autre dès qu'elle s'éloignait. On lui faisait des signes entendus et rassurants. On prenait des airs mystérieux ou subitement préoccupés, puis l'on partait d'un éclat de rire. Il demandait des explications. Ce n'était rien.

Au soir, on lui dévoila les détails du plan.

La nuit vint. Le guide devait les attendre au pied de l'arc du Million, devant Sainte-Sophie. Il porterait un couvre-chef de feutre. Le mot de passe serait...

« *Agapitos mou*, murmura Morphia en frôlant l'inconnu.

— *Eleftheros*, répondit-il comme convenu en se découvrant.

— C'est ici le centre du monde, Renaud, expliqua Morphia, d'ici que toutes les distances sont calculées. Nous sommes au centre de notre monde... Que feras-tu s'ils ont beaucoup abîmé Foulques ?

— Ce qui compte c'est de le retrouver et de le sortir de là. Les questions, ce sera pour après. Où est-il, d'après toi ? »

Morphia désigna du menton un bâtiment qu'on devinait très décrépit, sans doute un ancien palais. Sa masse sombre se découpait lourdement sur la nuit bleutée. Avec effort, Renaud parvint à discerner des ouvertures, toutes en hauteur et apparemment murées.

« Propriété du basileus », chuchota Morphia.

D'un signe de tête, elle ordonna au guide de les conduire.

Ils contournèrent le bâtiment et, en moins de cent pas, atteignirent une très petite maison qu'on aurait dite incrustée dans les branches d'un énorme figuier. L'homme frappa. Deux coups, puis trois. Silence, puis un coup.

« *Agapitos mou*, répéta Morphia, les lèvres presque collées au bois.

— *Eleftheros* », entendit-on derrière la porte.

Un grincement de verrou, une torche discrètement voilée, une haleine froide qui insultait à la douceur du soir. Renaud frissonna et se laissa pousser dans le dos. Le maigre vantail fut aussitôt repoussé.

Morphia tira une bourse de sa poitrine et en gratifia le très jeune homme qui venait d'ouvrir. Il s'esquiva sans un mot après avoir remis sa torche au guide qui referma le verrou derrière lui.

Ils se trouvaient dans une pièce exiguë, très basse de plafond et sans autre ouverture extérieure.

Le guide montra du doigt le mur du fond où se découpait une porte à peine assez haute pour un enfant.

« Allons-y », ordonna Morphia.

La lumière de la torche découvrit les premiers degrés d'un escalier qui paraissait s'enfoncer très profondément. Un souffle glacé comme une eau d'hiver balaya la pierre lépreuse de salpêtre. Ils s'engagèrent.

Les marches devinrent rapidement glissantes et il fallut avancer lentement en se tenant des deux mains aux parois. De discrets bruits d'eau couraient dans le boyau qui semblait devoir descendre jusqu'en enfer. Cela pouvait bien faire cinq douzaines de marches, maintenant...

Soudain, le guide se retourna et maugréa quelque chose.

« Il dit qu'on a de la chance, traduisit Morphia. Demain, on va commencer à la remplir de nouveau, et dans une semaine l'eau aura atteint le niveau où nous sommes. On ne pourra plus descendre. »

Enfin, l'escalier déboucha sur une sorte de quai. L'homme montra une barque amarrée à un pilier. Le souffle coupé, Renaud prit le temps de regarder autour de lui. On n'apercevait pas la voûte. Aussi loin que portait la torche, on devinait une eau noire et immobile. Des gouttes larges tombant de très haut en tiraient des clapotements et de molles ondulations. Un instant, la lumière trouvait une aspérité à quoi s'accrocher, et, dans ses reflets fugitifs, révélait des gouffres d'ombre, une étendue qui semblait infinie.

Des colonnades de marbre blanc montaient vers la nuit aveugle. Construites ici, les plus vastes pièces des palais impériaux, et même Sainte-Sophie dans son entier auraient paru des antichambres.

« La ville ne manquera jamais d'eau, tu vois », dit Morphia avec une pointe de fierté.

Renaud s'ébroua, comme sorti tout à coup d'un rêve vague. Une buée sortait de ses lèvres. Il prit conscience qu'il avait froid.

La barque à fond plat s'engagea dans la forêt de colonnes. Par endroits, la torche révélait des entassements de fûts engloutis. Des sculptures grimaçaient dans la pénombre. On entrevoyait des formes étranges, des monstres sous-marins, des gorgones difformes, des chapiteaux foisonnant d'acanthes. Puis le guide enfonçait sa perche et l'image se décomposait.

« C'est ce qui reste des temples de nos ancêtres, dit Morphia entre deux toussotements. Ils ont servi à construire nos citernes. »

L'écho donnait au clapotis une étrange solennité. Une humidité froide coupait le souffle. L'air rare comprimait les poumons.

Confusément, Renaud se réjouit d'avoir exigé la présence de Morphia.

Enfin, l'embarcation s'immobilisa. Dans la roche, s'ouvrait directement un escalier dont les degrés abrupts se poursuivaient sous la surface. Le guide attacha de côté l'amarre à un anneau, fit descendre ses passagers qui se tassèrent le long de la paroi pour le laisser aller en premier. Mais à la troisième marche, Morphia parut glisser et perdre l'équilibre. Elle tomba lourdement sur Renaud qui chancela et bascula dans l'eau.

Il chercha un appui, perdit pied et se mit à barboter. Là-haut, le guide n'avait pas lâché la torche et retenait Morphia d'une poigne ferme.

Renaud parvint à se rapprocher des marches englouties et posa la main sur le premier degré. Alors, au lieu de tendre le bras, l'homme fit vivement passer la jeune femme derrière lui et leva sa botte, comme pour écraser les doigts du naufragé.

Celui-ci esquiva le coup et parvint à saisir au mollet l'individu. Il y eut un cri, puis un bruit sourd de tonneau vide. La torche dégringola et grésilla sur la surface noire. Comprenant que la tête avait porté, Renaud tira vers l'eau son agresseur.

L'obscurité était à présent complète. Ranimé par le froid, l'homme gigotait et Renaud comprit qu'il ne pourrait pas longtemps le tenir d'une main et en même temps s'agripper de l'autre à la marche gluante. Soudain, il reçut entre les yeux un violent coup de poing qui l'étourdit un instant et lui fit lâcher prise.

À tâtons, guidé par le bruit, il le retrouva. L'homme devait être très affaibli car il ne résista pas. Sans réfléchir, Renaud l'enfonça sous l'eau et l'y maintint fermement. Il sentit au bout du bras de violentes secousses, puis des trépidations de plus en plus raides. Il y eut un bouillonnement puis plus rien.

« *Me apokteneis ! Pant' apoteiso !* dit la voix de Morphia qui semblait venir de très haut.

— Ce n'est plus la peine de lui parler, il est mort ! cria Renaud en prenant pied sur les marches.

— Ah ! c'est toi, Renaud ?... Tu l'as eu ?... C'est bien toi ? »

Transi, le garçon entreprit de grimper.

« Je suis là-haut, Renaud, poursuivit Morphia. Il n'y a pas de porte. C'est un mur... Il n'y a rien pour passer ! »

Il la trouva sur la dernière marche, recroquevillée contre la paroi. Au-dessus d'eux, un puits d'aération laissait passer l'insignifiante lueur de la lune.

Renaud saisit la jeune femme par les cheveux.

« C'est un coup monté ! Un coup monté par toi et cette vieille garce, hein ? Vous m'avez entraîné dans un guet-apens ! »

Elle sanglotait. Renaud relâcha sa prise avec un grondement de dégoût.

« Mais non ! Non ! gémit-elle. Nous avons été trahis... On ne peut faire confiance à personne, ici.

— Vous m'avez trahi. Et crois-moi, vous le paierez cher ! »

Un instant, il fut aveuglé par le désir de la précipiter au bas de l'escalier pour qu'elle aille au fond du gouffre rejoindre son complice.

Il se contenta d'essayer de distinguer ce qui bouchait le passage et finit par reconnaître une maçonnerie de brique.

« Au moins, Foulques est-il vraiment là-dessus ? grogna-t-il, les dents serrées.

— Bien sûr, je te l'ai dit.

— Oui, justement, tu me l'as dit... Raison de plus pour qu'il soit ailleurs ! Tu n'es que mensonge !

– Je ne t'ai pas menti et je ne t'ai pas trahi, Renaud ! assura Morphia avec un accent de véracité qui stupéfia son compagnon.

– Quelle comédienne ! s'exclama-t-il. Tu es encore meilleure qu'Armorica, et aussi putain qu'elle !

– Crois ce qu'il te plaît, mais essayons de sauver Foulques. Il est là, je te le jure.

– Soit, dit-il après un moment de silence excédé, admettons que tu n'aies pas menti. Tu reviendras avec moi demain soir. Avec des outils, je casserai ce mur.

– Tu n'y songes pas ! Le bruit… Ça fera un vacarme terrible ! »

Renaud ne répondit pas, certain que si elle tentait de le dissuader c'était que Foulques était bien à portée de main.

Il la fit s'asseoir devant lui pour pouvoir la surveiller. Maintenant que la tension était tombée, le froid devenait insupportable. Il faudrait pourtant attendre ainsi jusqu'aux premières lueurs du matin, en espérant que la maigre lumière tombée des puits d'aération permette de se repérer. Et il faudrait aussi que la voie soit libre, là-haut, que ces deux femelles enragées n'aient pas posté des sbires à l'attendre, au cas où.

« Nous attendrons ici que le jour paraisse, dit-il. Essaie de ne pas crever de froid d'ici là, et tiens-toi tranquille, je te le conseille. »

*

Benjamin fixa le bout de ses babouches de cuir.

« On peut tenter le tout pour le tout et s'adresser aux Vénitiens, suggéra-t-il.

– Les Vénitiens ? Mais ce sont nos adversaires et les alliés de tout ce qui touche à l'empire et à la cour ! Cette Vassilika connaît tout le monde.

– Ça dépend du prix, comme le reste. Pour un gros sac d'or, ils accepteront de faire une petite entorse à leur fidélité… »

Cela faisait bien une heure qu'ils tournaient en rond sans trouver d'issue.

« Je n'ai pas d'argent, tu le sais.

– Messire Foulques en a.

– Ce n'est pas la solution. »

Y avait-il une solution ? D'après Benjamin, personne à la cour n'aiderait quelqu'un qui avait déplu au basileus, quelle qu'en soit la raison. L'empereur lui-même était inaccessible, il le savait bien. Aucune nation ne se compromettrait, et, à moins d'une intervention vigoureuse et immédiate du comte de Toulouse en personne…

En le voyant arriver au petit matin, le serviteur avait à peine reconnu Renaud, tant ses traits étaient tirés. Il semblait avoir traversé un déluge, alors que le temps était au beau depuis trois jours. Le visage était livide sous la chevelure rousse aplatie et semée de cornes. Il l'avait frictionné, séché, habillé et chaussé de hardes qu'il était allé chercher dans un coffre.

Retenu par il ne savait quelle prudence, Renaud n'avait pas raconté encore les péripéties de la nuit.

« Tu ne m'as pas demandé ce que j'avais fait cette nuit », dit-il avec méfiance.

Benjamin leva un regard étonné.

« Ce n'est pas à un serviteur de s'en enquérir, mais si tu veux me le confier, dis-le-moi.

— Avant de te quitter, hier, presque à l'aube, je t'ai ordonné de tout préparer et de te tenir prêt à partir sur-le-champ ; je devais revenir avant minuit, peut-être avec une grosse surprise. Est-ce bien ce que je t'ai dit ?

— C'est ce que tu m'as dit. Aussi, ai-je attendu toute la nuit, jusqu'à ton retour, il y a une heure.

— Et tu ne t'es aucunement étonné ? Tu n'as pas cherché à savoir pourquoi je ne revenais pas ? »

Renaud riva son regard dans celui du domestique. Il y rencontra une loyauté teintée de surprise qui mit en déroute sa défiance. Soudain, il se compara à Raimond, continuellement obsédé de suspicions dénuées de tout fondement. Une vague de honte le submergea.

« Nous deviendrons tous fous, murmura-t-il. Pardonne-moi, Benjamin, je me mets à douter de tout et de tout le monde… Eh bien ! cette nuit, on a essayé de me tuer… Des sbires recrutés par Morphia et sa tante… »

Il entreprit son récit, sans omettre le moindre détail. De temps à autre, Benjamin hochait la tête tristement.

« …c'est à ce moment-là que Morphia a crié quelque chose, continuait Renaud. Elle demandait à son compère si tout était bien terminé. Ah ! si tu avais entendu l'angoisse dans sa voix ! Et dire qu'elle a osé crier cent fois son innocence, cette nuit !

— Qu'a-t-elle dit exactement à son compère ? l'interrompit pour la première fois Benjamin.

— Je n'en sais rien. C'était en grec, sûrement, ou alors un message codé, qui peut savoir ?

— À Constantinople, la vie d'un homme ne pèse pas d'un grand poids, c'est vrai. Mais, si l'on a déjà vu souvent des femmes faire supprimer quelqu'un, il n'est pas dans la manière grecque de le faire soi-même… Ne pourrais-tu tenter de te rappeler ce qu'elle a dit ? »

Troublé, Renaud prit sa tête entre les mains.

« …Ta peau qui pend, tes eaux… Mes appeaux qui naissent… Quelque chose comme ça… »

Comme fasciné, Benjamin contemplait les yeux de Renaud, agrandis par l'effort de la mémoire.

« C'était du grec, tu es sûr ? dit-il pour l'aider. Ta peau qui pend… ?

– Ta peau qui pend, ou pends ta peau, comment veux-tu que j'aie retenu cela ? J'étais dans l'eau jusqu'au cou, je venais de noyer un homme qui frémissait encore au bout de mon bras !

– Justement, dans ces moments-là, on retient tout, la tête devient comme une grande citerne… je veux dire, un grand réservoir. Tout y entre, il suffit de le faire sortir… Ta peau qui pend, ta peau qui pend… Pends ta peau… et mes appeaux qui naissent…

– Ça ne sert à rien, tu vois bien ! » dit Renaud qui se tut cependant parce que Benjamin semblait comme illuminé.

Soudain, les yeux écarquillés, il s'écria :

« *Me apokteneis ! me apokteneis* ! c'est ça ? Le reste, vite, le reste…

– Pends ta peau, tes eaux… murmura Renaud.

– *Me apokteneis ! Pant' apoteiso* ! triompha le serviteur.

– Ça ressemble à ça, admit Renaud. Et alors ?

– Alors, ça veut dire : "Ne le tue pas ! Je te paierai !" »

Un coup de masse n'aurait pas davantage assommé Renaud. Mais alors, mais alors…

« Mais alors, si ça veut dire ça, c'est qu'elle essayait de me sauver, d'épargner ma vie… C'est qu'elle avait du remords…

– Non, messire. C'est qu'elle comprenait qu'on était en train de te tuer et qu'elle proposait de tout donner pour tenter d'acheter le meurtrier.

– Mais alors, si ce n'est pas elle… qui ? » bredouilla Renaud, le regard hébété.

*

En se présentant chez Vassilika, vers la sixième heure, Renaud et Benjamin suscitèrent un affolement général. Les servantes se tenaient à distance, roulant des yeux épouvantés et même poussant de petits cris en les regardant par en dessous dès qu'ils ouvraient la bouche. Vu ce qu'il venait faire, Renaud s'imposa la patience et réussit même à sourire. Pour autant, personne ne parut. Ils parvinrent cependant à apprendre que la maîtresse n'était pas visible et que sa nièce dormait. Renaud s'assit et attendit, tandis que Benjamin regardait dehors par la fenêtre.

Au bout d'un long moment, il fit signe à Renaud de s'approcher et lui laissa son poste d'observation : une chaise portée déposait Vassilika dans la cour. Avec de grands gestes, les servantes se précipitaient à sa rencontre. Renaud vit la vieille femme écouter d'un air agacé ce qu'on lui disait, puis se diriger vers l'entrée d'un pas résolu. Il se prépara à l'affronter.

« Pas un mot, chevalier ! dit-elle sèchement à peine le seuil franchi. Êtes-vous ici pour détruire ce qui reste ? »

Elle avait parlé en latin.

« Voici Benjamin, le serviteur de Foulques, présenta Renaud. Veux-tu, je te prie, lui parler en grec, ce sera plus simple. Il sera le truchement.

– Nous avons peu à nous dire, mais soit, parlons enfin une langue civilisée, siffla-t-elle en congédiant d'un geste ses femmes qui l'escortaient.

– Je suis venu m'expliquer avec Morphia et lui présenter des excuses », articula Renaud.

Benjamin traduisit. Les faux sourcils de Vassilika prirent l'angle de la surprise.

« Vous vous êtes en effet comporté de fort vilaine manière, chevalier, et, à la place de ma nièce, je n'accepterais rien de vous, et surtout pas des excuses.

– Il s'est produit une affreuse méprise », expliqua Renaud.

Vassilika ne le quittait pas des yeux, n'accordant pas plus d'intérêt à Benjamin que s'il se fut agi d'un marbre.

« J'ai cru que vous aviez toutes les deux monté ce coup. Tout me portait à le croire. Ce sont des choses qui arrivent… Je veux dire qu'il arrive que l'on se trompe.

– Ma nièce est horrifiée par ce que vous lui avez fait subir cette nuit, au point qu'il m'a fallu avoir recours à des remèdes pour lui procurer le sommeil. Je vous interdis en conséquence de chercher à la voir. Néanmoins, comme nous poursuivons le même objectif, à savoir la libération de mon malheureux neveu, je consens à vous donner les éclaircissements que je viens à l'instant d'obtenir. J'espère que votre… votre truchement prendra bien garde à traduire très exactement ce que j'ai à vous dire.

– J'ai confiance en Benjamin, dit Renaud une fois que celui-ci eut terminé la traduction.

– Je serai brève. Nous avons tous été abusés, moi, elle, vous. Hier, il fallait agir vite, j'ai fait appel à des… amis dont, jusqu'à présent, je n'avais eu qu'à me louer. Mais leurs meilleurs hommes étant occupés à d'autres tâches, ils ont eu recours aux services d'un… comment dirai-je… d'un auxiliaire. Cette crapule a perdu la tête, à ce qu'il semble. Au lieu de se contenter de sa rétribution, il a dû envisager de se débarrasser de vous pour disposer ensuite de ma pauvre Morphia. Il imaginait sans doute en tirer une grosse rançon… L'imbécile ! Où serait-il allé avec son argent ? Il n'aurait pas fait trois pas au soleil ! »

*

Malgré la fatigue, Renaud voulut se réchauffer sur les remparts. Il tremblait de fièvre, et Benjamin protesta, assurant que la seule chose à faire était de se mettre au lit, de dormir, et d'attendre que ça se passe en ingurgitant des boissons chaudes.

Le chemin de ronde, large comme une avenue, était désert. De là, face à la rive d'Asie, on dominait l'entrée du Bosphore, scintillant de quiétude. Derrière, parmi des amoncellements de toits, s'ouvrait l'immense arène de l'hippodrome, et plus loin, les palais, la lourde masse de Sainte-Sophie, les jardins dégringolant jusqu'à la Corne d'Or.

Renaud s'accota à un merlon, rêvassant sur les voiles qui passaient en bas.

« Vassilika a raison, dit-il à mi-voix. Il ne faut pas essayer à nouveau ce soir, l'alerte a pu être donnée.

– Bien souvent, la ruse peut davantage que la force, assura Benjamin. »

Renaud leva vers lui un visage surpris.

« Je veux dire, précisa le garçon, qu'il n'existe que deux façons de libérer messire Foulques : soit l'enlever, soit le faire sortir par la porte.

– Te moques-tu de moi ? Le faire sortir par la porte ?

– Les jacobites sont habiles, et ils haïssent l'empire.

– Et alors ?

– Ils savent fabriquer des faux parfaitement imités… Avec un pareil édit impérial, messire Foulques serait libéré immédiatement.

– Un faux édit ? Mais c'est impossible ! »

Benjamin sourit, bras croisés.

« Ici tout marche avec de l'écriture… Veux-tu me laisser essayer ?

– Mais cela demanderait combien de temps ?

– Très peu. Pour ce qu'il faudra payer…

– Vas-y, tout de suite, si tu crois pouvoir y arriver.

– J'irai. Mais pas avant de t'avoir préparé une bouilloire de boisson chaude. »

*

Le surlendemain, Conon de Montaigu se présenta. Il paraissait soucieux, animé de la même exaltation suspecte qu'à Jérusalem.

Un vent aigre avait hargneusement succédé à la chaleur incongrue des jours précédents, et Benjamin en avait profité pour imposer un feu de cheminée à celui qu'il s'obstinait à appeler « mon malade ».

« La paix soit sur toi, Conon.

– Dieu bénisse cette demeure et tous ceux qui l'occupent. Ou devraient l'occuper. »

Renaud offrit un siège près du foyer.

« Merci, pas de mollesse. Il faut rendre à César... Ce banc fera l'affaire.

— Du moins, approche-toi du feu.

— Non, car nous devons servir le Christ dans un absolu dénuement. Tout ce bien-être est superflu. »

Renaud sentit ressurgir l'indignation que le fanatisme de certains chevaliers de Saint-Jean lui avait inspirée à Jérusalem.

« Ainsi l'on a tenté de détruire la demeure de cette personne... l'estimable Vassilika Théophilitzès, commença-t-il avec un air entendu.

— Qui t'a raconté cela ? J'ai tout au plus bousculé quelques vieilleries, protesta Renaud, et je m'en suis depuis expliqué avec elle.

— Tu parles là de ta première intervention, et moi de la seconde.

— La seconde ?

— Aujourd'hui même, il n'y a pas trois heures... L'incendie, heureusement maîtrisé, qui a dévoré tout de même la moitié des écuries... Il se murmure que tu ne serais pas étranger à ce malheur. »

Conon présentait un visage taillé à la hâte sous un crâne chauve. Une grande croix blanche frappait le haut de sa cape noire d'où s'exhalaient des relents de beurre rance.

« Que dis-tu là ? s'indigna Renaud. Qui ose soutenir de pareilles infamies ? Je n'ai rien à reprocher à l'estimable Vassilika, et si tel était le cas, je m'occuperais de mes affaires moi-même. Envoyer des sbires n'est pas dans mes manières.

— Tu conviendras, cependant, que les circonstances ne plaident pas en ta faveur. Certes, la dame ne t'accuse pas, mais... »

Le chevalier se tut le temps de fouiller dans ses vêtements qui soufflèrent des effluves écœurants.

« Vois-tu ce mot que je viens de recevoir ? Il m'informe que le chevalier Renaud, notre ami et futur frère, est sur le point d'être arrêté par la police impériale pour incendie volontaire. »

Renaud eut un mouvement de recul.

« Futur frère ? »

Du bout des doigts, Conon faisait tourner le message comme un chiffon.

« Tu hésitais encore à t'affilier à l'ordre de Saint-Jean, je crois. Mais vu ce qui t'arrive, tu n'as plus guère de raison de différer, d'autant que l'Ordre a les moyens d'étouffer dans l'œuf les accusations dont tu es l'objet.

— L'Ordre dont tu parles n'existe que dans ton imagination. D'ailleurs, je suis innocent, et ça me sera facile de le démontrer ! »

Conon déplia le parchemin et fit mine de le relire à voix basse.

« C'est que, à ce qu'on me dit, il y aurait encore autre chose... Je vois là une histoire gênante pour toi... Un faux, semble-t-il... As-tu une idée de ce qui peut arriver à celui qui, au crime d'incendie, ajoute celui de lèse-majesté ? Ton ami Foulques avait fait bien moins que cela, et tu vois pourtant comment il a fini. »

Renaud blêmit et fut obligé de s'asseoir.

« "Comment il a fini", dis-tu ? Tu as appris quelque chose à son sujet ? bredouilla-t-il d'une voix qui tremblait.

– Non, pourquoi ? Je n'ignore pas que tu tentes de le sauver par tous les moyens, et je t'en félicite, c'est le devoir sacré de l'amitié fidèle... Mais il serait regrettable qu'au moment où il va peut-être sortir, tu prennes sa place au Néoriôn. »

La pluie tombait à présent et chuintait dans le foyer qui se mit bientôt à fumer.

« Que cherches-tu, Conon ? Pourquoi me poursuis-tu ainsi ? »

Dans un geste désinvolte, le chevalier de Saint-Jean jeta au feu le papier qu'il n'avait pas lâché.

« Rien, sinon sortir d'un mauvais pas le seul baron du comte de Toulouse susceptible de nous rejoindre. »

Renaud se leva violemment et alla droit à la croisée. À l'angle de la rue, piétinaient sous la pluie quelques hommes en armes. Soudain il eut peur.

« Qui voulez-vous recruter, le chevalier Renaud ou le baron de Raimond ? s'exclama-t-il.

– À toi de juger, ricana Conon.

– Alors, faites ce que vous pouvez pour retarder ce que tu m'annonces ! Que j'aie le temps de sauver Foulques. Après, je vous rejoindrai. »

*

Enfin l'homme quitta la place, et Renaud eut l'impression de s'éveiller d'un cauchemar. Il le regarda s'éloigner sous la pluie. Son pas n'avait pas ralenti à l'approche de la patrouille.

Longtemps, assis devant le feu qui s'étouffait doucement, il resta prostré à ressasser des images de pièces enfumées et de cœur nauséeux. Il passait de la bicoque de Saint-Palais à la forteresse de Marra, de la chambre d'Antioche, où la vie lui était revenue, à la maison de Thaims... Ils avaient, Foulques et lui, chevauché des terres de géants pour finir ainsi, dans le feu des tortures impériales...

Soudain, des bruits inhabituels lui parvinrent du vestibule. D'un bond, tout abattement oublié, il fut sur son épée. À des éclats, il reconnut la voix de Benjamin qui semblait s'opposer à plusieurs adversaires.

Prudemment, il poussa la porte et, le corps en arrière, se pencha sur la rampe de l'escalier.

Il vit un homme seul qui faisait face au serviteur.

C'était Foulques.

XVIII

Plus de deux mois avaient été nécessaires pour remettre Foulques sur pied. Tout un automne passé à reconstruire. D'abord, il n'avait voulu parler de rien. Les marques violacées qui maculaient son front, les blessures des mains, du dos, des jambes, et surtout le regard absent disaient assez ce qu'il avait dû endurer, et nul ne posait de questions. Un soir, cependant, au retour d'un entraînement à l'épée, comme si le temps avait apporté un peu de baume, il avait donné quelques précisions, après avoir demandé que l'on fît sortir les enfants.

Il ne comprenait toujours pas les raisons qui l'avaient conduit au Néoriôn, dont il ne pouvait prononcer le nom sans qu'un frisson ne découvrît ses dents. Une fois là-dedans, les rouages essentiels de la vie tournaient à contresens. Rien de ce qu'on avait jusque-là cru important n'existait plus, et l'on ne songeait qu'à durer jusqu'au moment qui suivrait, en espérant avoir la force d'attendre celui qui viendrait après. Lorsqu'on était conscient, c'était pour être aux aguets des grincements de gonds, des bruits de pas. On entendait avec indifférence les hurlements qui, de temps à autre, trouaient le silence et pouvaient se prolonger pendant ce qui semblait des heures. On se réjouissait affreusement que ces cris sortent d'une autre gorge que de la sienne. Il n'y avait plus de temps. Ni soleil, ni nuit.

On attendait comme un chien le morceau de pain jeté sur le sol, la gamelle d'eau qui était une grâce, parce qu'elle était toujours fraîche. On donnait des petits noms aux rats et l'on attendait leur visite comme la seule compagnie à espérer de tout le jour. On attendait on ne savait quoi. Au début, on appelait Dieu. Mais les murs étaient trop épais pour Dieu, ou bien Dieu avait autre chose à faire et n'entendait pas.

Enfin, un matin, on s'apercevait que, depuis le premier instant, c'était la mort qu'on attendait.

Ils avaient choisi de lui faire subir la Passion. Ils l'avaient attaché à un grand T de bois, et ils avaient cloué les poignets. Et, disant cela,

Foulques avait montré ses pouces qui ne se dépliaient plus. Ils avaient fait semblant de briser les jambes avec des barres de fer, mais avaient retenu la force des coups juste assez pour ouvrir chairs et genoux sans rompre les os. Ils l'avaient traité de schismatique, longuement fouetté. Cela avait duré peut-être trois jours, ou deux, ou quatre. Quelquefois, ils venaient à plusieurs, attachaient solidement ses chevilles et retournaient la croix. Et il fallait rester la tête en bas, refusant de mourir, les yeux et la bouche affolés de sang. Souvent, un trou noir avalait la conscience. Au réveil, il ne savait pas s'il était encore vivant.

Et puis, un jour, on l'avait emmené ailleurs, dans une maison inconnue où on l'avait soigné sans jamais lui adresser la parole. Et un autre jour enfin, quand il avait pu marcher de nouveau, on l'avait poussé dehors et il s'était traîné jusque chez lui.

Avec Renaud, ils étaient restés plus d'une quinzaine à Constantinople, le temps pour Foulques de recouvrer quelques forces. Morphia venait matin et soir. Vassilika envoyait des fleurs, des sucreries, mille encouragements.

On n'avait pas entendu reparler des accusations annoncées par Conon de Montaigu. Dès les premières heures, un des palefreniers de la vieille Vassilika avait reconnu avoir déposé un fer rouge sur une paille qu'il croyait humide, et avoir manqué de la présence d'esprit suffisante pour éteindre les flammes qui avaient jailli.

De son côté, Benjamin était parvenu à apprendre que des hommes de Gérard, se disant hospitaliers de Saint-Jean, avaient, tout comme lui, parfois recours à l'ingéniosité des faussaires, ce qui pouvait expliquer d'où Conon tenait l'indiscrétion dont il avait fait état. Bientôt, ayant compris que le chevalier avait menti de bout en bout pour le contraindre à rejoindre leur bande, Renaud avait, avec soulagement, considéré comme nulle sa promesse d'engagement. Benjamin en avait conclu que rien ne l'obligeait plus à quitter Constantinople et, avec des larmes, avait dit adieu à Foulques.

Reclus dans la citadelle de Mont-Pèlerin qu'il avait fait construire devant Tripoli dans l'espérance obstinée de venir à bout de Fakhr-al-Mulk, maître de la cité, Raimond de Saint-Gilles les avait reçus sans ménagement à leur retour de Constantinople. Après avoir d'un coup d'œil mesuré l'état de son cousin, il avait, en deux phrases, résumé la situation : Foulques avait un mois pour se rétablir entièrement, et un autre mois pour s'emparer de Botron. C'était plus que suffisant, et, de toute façon, la conquête de l'endroit était indispensable.

Le regard rivé sur la plaine au bout de laquelle Tripoli se prélassait sur son isthme, éclatant de colère pour aussitôt sombrer dans l'apathie quand on le distrayait de son obsession, le comte de Toulouse s'enfermait dans un entêtement que beaucoup jugeaient cacochyme.

Foulques avait étudié la position de ce Botron. D'après les informations réunies par Raimond, le site paraissait remarquable. À moins de dix lieues de Tripoli, le petit port s'étendait sur une avancée de roche. Immédiatement derrière les remparts, une première vague de collines molles ondulait doucement jusqu'à la montagne, tout de suite raide, à trois lieues de mer. Une vallée fertile s'ouvrait là, qu'il faudrait aussi contrôler. Quant à la montagne elle-même, elle était fermée au sud par des éboulis infranchissables, et au nord par les profondes gorges de la Kadisha, obstacle absolu à toute contre-attaque venue de l'intérieur. Il s'agissait bien là d'un magnifique verrou dont la possession renforcerait singulièrement l'emprise toulousaine entre Gibel au sud, et Tripoli au nord.

Cela faisait moins de quinze jours que la petite troupe provençale était installée. Le modeste havre était tombé presque sans combat, et Foulques avait profité de l'effet de surprise pour mettre sur pied un plan d'occupation de tout le territoire voisin. Pour déterminer les limites de ce qu'il avait appelé « un tampon de sécurité », il avait décidé l'annexion de tout ce qui pouvait s'atteindre en deux heures de cheval.

Le vaste amphithéâtre encerclant la cité, jusqu'aux gorges de la Kadisha, était donc devenu possession du maître de Botron. En trois jours, et presque sans coup férir, Foulques avait mis la main sur une terre immense qui aurait contenu plus de dix fois la totalité de ce que son père Thibaud avait pied à pied amassé en vingt ans.

Il avait fallu poster quelques hommes sûrs. Au sud-est, la partie la plus vulnérable puisqu'elle occupait tout le fond de la vallée tenue par un cheikh respecté, Foulques et Renaud avaient entrepris de fonder un casal autour des restes d'un donjon remontant, d'après l'opinion commune, au roi Salomon. Le nouveau seigneur de Botron avait décidé d'établir en ce lieu la tour de guet la plus avancée de son territoire, et, dans le même temps, de profiter de la situation exceptionnelle, à l'abri des vents d'est et très ensoleillée, pour en faire un modèle de mise en valeur agricole. Conscient qu'il serait inutile de s'opposer à ces projets, le cheikh avait laborieusement entrepris de négocier son éventuelle collaboration.

*

« Ça va pas, ça va pas, ça va pas du tout ! »

En entrant, Renaud introduisit après lui l'air glacé qui cisaillait le ciel de plomb. Le feu brûlait à même le sol, mordant la pierre d'une lèpre noire. Foulques leva un visage grave sans quitter la pose orientale que beaucoup avaient adoptée. Coudes appuyés sur ses genoux, tête entre les mains, fesses sur les talons, il s'engourdissait en se balançant, sans parvenir à se réchauffer.

« Tu sais bien ce que c'est... On vient de prendre possession. On ne peut pas tout réussir du premier coup », dit-il avec philosophie.

Renaud avait le nez blanc de froid. De grandes zébrures rouges couraient de son front jusqu'au col de sa houppelande.

« Ça, tu peux le dire ! On est même loin de réussir quelque chose ! Tout va de travers. Ça me rappelle les Germains du Maine-Gaudin, en pire ! Que veux-tu faire avec des Arabes, chrétiens en plus, des Juifs, des maronites, et à peine trente hommes de chez nous ? »

Sans cesser de se frotter les mains, Renaud s'était lui aussi accroupi sur ses talons, les bras en avant vers le feu.

« Non, c'est sûr, ça ne va pas du tout ! Oui, comme les Germains, en pire, répéta-t-il, et je trouve étrange que tu gardes cet air satisfait !

– Le cheikh me présente demain ses conditions, voilà ce qui me réjouit. Et comme il n'a pas d'autre solution que notre alliance...

– Oui, à part s'entendre avec ses voisins pour nous tomber dessus ! »

Foulques se leva en se frottant les yeux. La pièce était si enfumée qu'on distinguait à peine le mur du fond. Il retira le panneau de bois qui obstruait l'unique fenêtre. Un souffle frais s'engouffra.

« Ses voisins ne bougeront pas. Ils ont bien trop peur de nous, reprit-il. Et s'ils venaient à trouver un peu de courage, c'est tout simple, nous les acculerions aux gorges de la Kadisha, et au cas où ils refuseraient d'entendre raison, nous les précipiterions en bas. »

Maintenant, la fumée tournait comme un ballet de diablotins affolés par le crucifix accroché au mur.

« En tout cas, dit Renaud en relevant la tête, plus rien ne se fait, les travaux n'avancent plus. »

Foulques eut un frisson d'exaspération. On avait mis en chantier une maison fortifiée flanquée d'une tour de guet, une église et des citernes. Il avait fallu mobiliser des paysans de toutes confessions, et même solder les plus rétifs, appâter par des gages doubles les maçons et les charpentiers qui avaient bien voulu quitter Botron. Onfroy avait l'administration de tout ce monde.

« Ils se révoltent ? »

Sa voix vibrait légèrement.

« Non, pas encore. Pour l'instant, ils se chamaillent. Et impossible de savoir pourquoi, tellement c'est compliqué ! Ce qu'il y a de sûr, c'est que, les maronites et les artisans de Botron exceptés, tout le monde a décidé de chômer.

– Il doit y avoir deux ou trois meneurs, comme d'habitude... Trouve-les, qu'on leur fasse passer le goût des chamailleries... »

Renaud jeta un rapide regard à son compagnon. Comme il avait changé depuis les derniers événements ! Quelle impatience excédée, quelle dureté dans le ton et dans le cœur !

« Non, Foulques, ce n'est pas le bon moyen… Tu n'obtiendras rien par la haine et la violence. Il faut négocier.

– Négocier ? Est-ce qu'un chevalier négocie avec ces… ces…

– Un chevalier mène à bien ses entreprises, c'est tout. Raimond lui-même négocie, quand il le faut.

– Eh bien ! fais comme tu l'entends. Mais ne viens pas m'annoncer dans huit jours que tes maçons et tes paysans jouent aux dés ou se préparent à nous égorger ! »

*

Trois jours plus tard, Foulques réunit son conseil. Les cinq hommes prirent place dans la salle où deux chandelles de mauvais suif achevaient d'empuantir l'air. Le cheikh bédouin Ibn Khaled, accoutumé à la tente, paraissait mal à l'aise dans cet endroit confiné.

Ayant adopté la pose accroupie, Foulques avait salué le cheikh d'un « Salamalek », qui avait paru faire grand effet.

En voyant le Bédouin hésiter sur l'attitude à adopter, Renaud pensait que Foulques devenait aussi rusé que son cousin Raimond. Convier le cheikh à cette assemblée, c'était le distinguer et donc se l'attacher, mais l'enfermer c'était le contraindre, donc le tenir.

« Traduis, Onfroy. »

Le truchement-chevalier-conseiller expliqua de nouveau au cheikh Ibn Khaled que, la nuit précédente, deux paysans juifs avaient été poignardés en plein cœur par des inconnus.

Quand il eut compris le fond de l'affaire, le cheikh émit une plainte accablée et se mit à aller et venir d'avant en arrière sur ses jambes repliées en tailleur, entrecoupant sa mélopée des mêmes mots.

« Que dit-il ? s'impatienta Foulques.

– Il répète : "Par la barbe du prophète", traduisit Onfroy.

– Voilà qui nous avance bien ! maugréa Renaud.

– C'est les Juifs qui tuèrent les autres Juifs ? demanda Éric.

– Sûrement pas ! répliqua Foulques. Ou peut-être que si, après tout, peut-on savoir ? Qui peut bien avoir intérêt à la mort de ces malheureux ? C'est inexplicable.

– Ici, il y a seulement l'explicable qui est inexplicable », assura Éric, avec un sourire énigmatique.

Foulques éclata de rire, se félicitant d'avoir élevé son écuyer au rang de conseiller, après l'avoir fait chevalier. De tous les « Francs » de Botron, il était peut-être en définitive le seul à comprendre vraiment quelque chose à l'Orient. Assis dos au mur, le nouveau chevalier avait étendu ses jambes à même le sol.

Foulques reporta son attention sur le chef bédouin.

« Tu es le cheikh de cette vallée, et ta sagesse est bien connue, assura Foulques, comment jugerais-tu cette affaire, toi ? »

Onfroy traduisit.

L'homme prit le temps d'arranger les plis de sa djellaba, invoqua le nom d'Allah à plusieurs reprises, et, d'une voix très grave, roulant des yeux comme s'il racontait une histoire à faire peur aux enfants, il résuma sa pensée en moins de dix minutes. Le sourcil froncé, la tête penchée en avant, Onfroy s'efforçait de saisir l'essentiel.

« Il dit que toute la lumière doit être faite, si Allah le veut, mais qu'aucun fellah n'est évidemment responsable. Il croit qu'il faut chercher du côté des dhimmis maronites ou même peut-être juifs. »

Sourcil froncé, Renaud gardait le regard fixé sur les larmes de suif qui dévalaient en gouttes pressées le long des bougies et s'écrasaient en étoiles sur les dalles.

« J'attends que justice soit rendue avant que je ne redescende à Botron, conclut Foulques. Précise-lui que le tribut qu'il percevra sur ma terre sera à la mesure du zèle qu'il déploiera. »

*

Le seizième jour des calendes de février, deuxième dimanche après l'Épiphanie, les Latins célébrèrent leur première messe au milieu du chantier de l'église. Quand il avait fallu trouver un prêtre, le curé maronite, dhimmi du cheikh Ibn Khaled, avait proposé le nom de Joseph Ibn Haris, un Arabe musulman converti au christianisme bien longtemps avant l'arrivée des Francs.

Avec un accent effrayant, ce Joseph Ibn Haris articulait un latin à peu près incompréhensible auquel se mêlaient des mots de grec et quelquefois d'arabe. Foulques avait néanmoins approuvé la suggestion du prêtre maronite, qui permettait de soustraire au statut de dhimmi l'une des deux familles d'Arabes chrétiens installées sur le territoire du nouveau casal. L'influence morale et les revenus financiers du cheikh Ibn Khaled en seraient diminués d'autant. D'autre part, on pouvait espérer que Joseph, nouvellement exonéré de sa taxe de dhimmitude, mettrait beaucoup d'ardeur, au nom de l'Église, à faire rentrer la dîme levée sur tous les paysans, qu'ils fussent fellahs musulmans, juifs, ou chrétiens maronites.

Foulques avait en outre décidé que la capitation sur les chrétiens serait désormais versée non plus au cheikh, mais à lui-même, c'est-à-dire à Onfroy, qui représenterait désormais l'autorité franque. Quant aux musulmans, jusque-là épargnés, il leur faudrait s'acquitter dans les mêmes conditions d'une participation. Les Juifs continueraient évidemment à supporter la taxe de dhimmitude, à laquelle s'ajouterait la dîme à l'Église, mais Foulques renonçait pour eux au prélèvement seigneurial. Par ce statut privilégié, le nouveau seigneur de Botron avait déclaré s'acquitter ainsi de ses dettes envers le peuple juif.

*

L'étrange prêtre avait choisi de commenter le passage où Jean explique comment Jésus a changé l'eau en vin. Au sortir de l'office, Foulques désigna de la main l'amphithéâtre de pierraille qui, devant eux, dévalait jusqu'au rivage.

« Je comprends pourquoi Joseph a choisi ce passage des textes : à nous qui sommes venus ici au nom du Christ, il appartient de métamorphoser toute l'eau en vin. »

Renaud jeta un coup d'œil vers l'immensité de la mer qui miroitait au loin.

« Ce qui veut dire ?

— Ce qui veut dire que, d'un monde ancien, nous devons faire un monde nouveau.

— Tu prétends changer toutes leurs habitudes, les faire vivre comme nous ?

— Non, il s'agit d'être plus habile. Rome avait déjà compris cela. Pour éviter les révoltes, il faut respecter les coutumes, mais imposer à tous une loi commune, mettre en avant l'autorité des petits chefs locaux pour s'assurer la vraie, s'attacher des fidélités, des alliances d'intérêt. Il faut être vu comme un protecteur, pas comme un conquérant.

— Et tu comptes que Ibn Khaled saura jouer ce rôle de petit chef local à la botte du pouvoir ? Il n'est toujours pas parvenu à trouver les coupables des meurtres de l'autre jour... Ne crois-tu pas que si ces deux pauvres paysans ont été tués, c'est parce qu'ils étaient juifs, donc nos alliés, justement ?

— Peut-être... Il faudra du temps pour que s'installe la paix des Francs. »

Ils marchaient au milieu des échafaudages de ce qui devait devenir la résidence seigneuriale. Les travaux avaient repris et, l'hiver étant sec, l'ardeur était plus vive. Au loin, avec des éclats de métal, la mer festonnait d'écume les falaises blanches.

« Je suis content aussi de ce que tu as projeté, pour les cultures. Mais qui sait où nous serons, quand la vigne et l'olivier commenceront à donner...

— C'est pour ça que j'ai fait semer beaucoup de blé. Ils pourront peut-être commencer la moisson dès Pentecôte. »

Les chantiers du fort et de l'église n'étaient séparés que par un chemin d'ânes qui frôlait la crête et allait se perdre dans la montagne. Tout près du chœur se dressaient déjà les premières citernes ; dans le vallon, bien à l'abri du vent de terre, frémissaient les plants d'oliviers.

Sur l'éperon, hâtivement construites, des masures de pisé se blottissaient au pied du donjon du roi Salomon, assemblage hétéroclite de fûts de colonnes, de chapiteaux, de morceaux de statues, de blocs de pierre irréguliers, dans lequel Foulques et Renaud avaient tant bien que mal établi leur quartier provisoire.

« Et si on part bientôt, qu'est-ce que tout ça deviendra ? dit Renaud en balayant du bras l'ensemble du domaine.

– Ce que ça pourra. L'essentiel, c'est de construire. Transformer l'eau en vin. À quoi, sans cela, servirait la vie d'un homme ?

– C'est étrange, quand même ! Il y a neuf ans, devant la fontaine Sainte-Eustelle, nous avons juré de faire régner la paix du Christ, et nous n'avons fait que la guerre. Voilà que maintenant nous ne songeons plus qu'à la paix des hommes !

– Y a-t-il une différence, entre la paix de Dieu et celle des hommes ? »

*

« Voilà », dit Anne d'une voix tremblante, en tendant à Foulques un papier plié.

Il ouvrit, et, après un coup d'œil rapide :

« Je ne peux pas déchiffrer ça, on dirait des pattes de mouche », dit-il doucement.

Anne se pencha à son tour. C'était du grec, écrit très vite, à peine lisible.

« *Ma chère enfant...* », commença-t-elle.

Elle jeta à Foulques un regard interrogateur.

« Continue », ordonna-t-il.

Anne se taisait, gênée comme au bord d'un sacrilège.

« Continue, répéta Foulques d'une voix dure, et ne traduis pas, je veux entendre ça en grec. »

Anne le regarda dans les yeux. Le gris des prunelles était froid comme un ciel d'hiver.

« *Ma chère enfant*, reprit-elle, *avec ton départ, mon vieux cœur se serre. Tu ne peux longtemps encore mener cette existence effroyable, tu ne peux accepter de continuer à gâcher ta vie auprès des barbares, risquer mille morts au péril des camps...* »

Anne s'arrêta brusquement.

« Foulques, cette missive ne nous est pas adressée... J'ai honte.

– Continue, et ne saute rien.

– *Même si le divorce fait scandale, rien n'interdit d'y recourir, et les schismatiques romains eux-mêmes acceptent la séparation, dans certaines conditions. Il faut voir cela. Pour le moment, essaie de faire oublier à ton Foulques que je lui ai peut-être causé du tort. Je ne pouvais pas savoir jusqu'où iraient mes alliés. De mon temps, les choses allaient moins promp-*

tement. Moi, je ne pensais qu'à faire ton bien et à t'assurer la liberté.
Étienne soutient qu'il est concevable de faire casser ton mariage par le pape.
Il se dit prêt à me rendre ce petit service. S'il doit partir pour Rome, il ne
sera pas à Antioche, tu vois ce que je veux dire… Prends soin de ta nichée
(c'est pire qu'une basse-cour, et l'idée des piaillements que tu dois endurer
me rend malade pour toi), et dis-moi où tu te trouves. J'envoie cette missive
à Gibel en la scellant pour plus de sûreté.

J'ai peur pour toi et je t'embrasse comme je t'aime.

Vassilika.

– C'est arrivé quand ? dit Foulques, les dents serrées.

– Ce matin. Morphia était au bain avec ses femmes. Quand le messager de notre comte s'est présenté, j'étais seule dans la salle de la citadelle. »

Anne n'avait pas relevé la tête. Sa chevelure détachée était comme une crinière de cavale.

« Tu as bien fait de me l'apporter.

– Il y a longtemps que j'attendais l'occasion de me trouver un moment seule avec toi, dit-elle en rejetant la tête en arrière. Je voulais te dire d'être prudent… Je crois que ces Grecques te veulent beaucoup de mal. »

Elle alla s'accoter à la meurtrière.

Du sommet de la plus forte tour de la citadelle, la petite salle de garde surveillait la modeste cité de Botron. Comprimées dans des murailles devenues trop étroites, les ternes maisons de pisé s'accroupissaient sous leurs toits en terrasse. Les ruelles de terre battue, craquelées par la sécheresse hivernale, bâillaient par endroits sous les pattes des chiens et des cochons. Seuls les cierges des cyprès ornaient ce décor pâle, écrasé sous le ciel trop bleu. Plus loin, la mer argentée des oliviers faisait onduler les collines.

En bas, le flot chahutait tranquillement la base du rempart, se brisait sur la digue en vaguelettes qui venaient caresser par en dessous les humbles embarcations du petit port.

Foulques contemplait l'horizon vide.

Soudain, il posa sur son épaule une main légère.

« Anne… », murmura-t-il.

Au moment où elle se retournait, il l'attira vers lui.

« Ne dis rien, Foulques… pense à Renaud.

– Je pense surtout à Morphia, dit-il en se ressaisissant. Comprends-tu que ce n'est pas facile ?

– Cette vieille femme, là… Vassilika… Elle propose quelque chose… faire casser votre mariage.

– À quoi bon ? Pour en reprendre une autre pareille ?

– Toutes les femmes ne sont pas comme Morphia. »

Machinalement, Foulques frottait l'une contre l'autre les cicatrices de ses mains.

« Mais aucune femme n'est toi. »

Anne releva un regard humide et fit descendre ses doigts le long des joues du garçon.

« Quelquefois, je rêve que nous partons tous les deux », dit-elle dans un souffle.

Elle avança ses lèvres. Il ne se détourna pas.

« C'est toi que j'aime, murmura-t-elle.

– Nous n'avons pas le droit, Anne. Il aurait fallu… »

Elle mit un doigt sur ses lèvres.

« Renaud essaie de me reconstruire. Aide-moi, toi, à lutter contre toi. »

*

Son épouse venait de se coucher lorsque Foulques pénétra dans la pièce. D'un geste, il ordonna à la servante de se retirer.

Morphia tira jusque sous son nez la courtepointe de laine.

« Ce n'est pas possible pendant ces jours, dit-elle d'une voix étouffée.

– Je ne viens pas pour ça… Tiens, lis. »

Elle se redressa et parcourut la missive d'un regard glacé.

« Comment se fait-il que tu aies ceci entre les mains ?

– Tout ce qui arrive m'est d'abord apporté. Question de sécurité. Ce n'est pas superflu, comme tu vois. »

Morphia approcha la lettre de la chandelle et jeta le papier enflammé sur le sol de pierre.

« Ce n'est pas ainsi que tu supprimeras le mal, ricana Foulques.

– Quel mal… ? Non, si j'espère faire disparaître quelque chose, ce n'est certes pas le mal. Disons les traces de l'imprudence de ma pauvre Vassi… Le divorce n'a pour ainsi dire plus cours chez nous, elle retarde, et d'ailleurs j'ai déjà trois enfants. C'est un destin qui me colle à toi, sans doute. Je ne t'aime pas, c'est un fait, mais il se peut que je t'estime. »

Dans sa chemise de lin blanc, avec ses cheveux noirs défaits, sans bijoux, elle lui parut presque nue. Ses paroles, aussi dénuées de fard que son visage, le troublèrent.

« C'est toi, le Néoriôn ? » demanda-t-il malgré lui.

Elle eut un instant d'hésitation, puis une moue agacée lui tordit le coin de la bouche.

« Et si nous essayions d'oublier cela ? Ce qui compte, c'est que tu sois sorti vivant et entier de nos geôles. Tout le monde ne peut pas en dire autant. Tu étais jusqu'ici un guerrier valeureux, te voilà devenu un héros. Plus tard, je serai fière de parler de leur père à mes enfants, c'est déjà beaucoup. »

Foulques l'observait, comme fasciné. Rien en elle ne trahissait la moindre émotion. Rien ne semblait sincère, mais rien non plus ne paraissait tout à fait faux. Le regard était droit, mais pas direct.

« Je n'admets pas que ta tante intrigue en compagnie de cet Étienne, qui m'a persécuté.

– Tante Vassi est grecque, Foulques. Elle n'intrigue pas, elle vit. Sans complots, la cour serait comme un tombeau. L'intrigue est à l'existence ce que le vin est au banquet, douceur, enivrement, poison. Les Grecs aiment jouer avec la mort des parties difficiles. On gagne, souvent. Et d'autres fois, c'est elle qui l'emporte.

– En tout cas, le mensonge est victorieux à tous les coups, lui ! Tu ne mens pas toujours, mais tu ne dis jamais vrai. »

*

Renaud tenait à commencer la journée par une inspection des écuries. À l'aurore, il examinait les naseaux, les langues, soulevait les sabots, flattait l'encolure des destriers. Michel l'avait en général précédé, dans l'espoir d'être le premier à porter un diagnostic.

En quittant Morphia au petit matin, Foulques n'eut donc pas à se demander où il le trouverait.

« Tout est en ordre ? demanda-t-il dès l'entrée.

– Non, triompha Michel, y'en a un qui bave sans arrêt. C'est moi qui l'ai vu !

– Ce n'est pas bon, cela. Si ça persiste, il faudra l'abattre.

– Tu fais comme tu veux… Mais je vais d'abord essayer de le soigner. »

Renaud approuva d'un signe de tête.

On approchait des calendes de février. Depuis la conquête, comme assoupi dans la nouvelle paix des Francs, Botron n'avait manifesté aucun signe de rébellion.

« Il faut que je remonte au casal, annonça soudain Foulques.

– Quand partons-nous ? demanda Renaud qui examinait d'un air soucieux la denture d'un alezan en parfaite santé.

– Je préfère y aller seul.

– Tu en as déjà assez de me voir ?

– Je peux venir, moi ? Dis, Foulques, je peux aller avec toi ? »

Comme pour appuyer sa requête d'un argument de poids, Michel passait ses deux mains sur le très léger duvet qui bleuissait sa lèvre supérieure et le creux de ses joues.

« Pourquoi pas ? Comme ça, Onfroy pourra continuer ses leçons, ça t'évitera peut-être de dire "C'est moi qui l'a vu"… Pour ta première expédition, j'avais rêvé autre chose, mais…

– Yaouh ! » hurla le gamin, en détalant à toutes jambes pour préparer son balluchon.

Renaud arborait la tête des mauvais jours. À présent, il tenait à pleins bras la jambe d'un étalon presque entièrement noir.

« Il faut que j'y aille, je le sens », poursuivit Foulques.

Toujours silencieux, Renaud saisit une poignée de paille et entreprit de bouchonner une croupe au demeurant parfaitement luisante.

« Tu joues les palefreniers, maintenant ?

– C'est une noble fonction, non, pour un bâtard ? »

Une brusque montée de sang colora le visage de Foulques. Cela faisait des mois que Renaud n'avait pas eu ce genre d'idées.

« Renaud…

– Renaud ramasse les miettes que les autres veulent bien lui jeter. Renaud le bâtard, Renaud le faux chevalier… ricana-t-il.

– Arrête là, coupa Foulques d'un ton bref. Laisse ces enfantillages à Michel… Je venais te dire aussi qu'avant mon départ, je veux qu'un acte officiel précise nos droits sur Botron.

– *Nos* droits ? Tes droits, tu veux dire. »

Renaud s'était brusquement retourné, une lueur de défi dans le regard.

« *Nos* droits… répéta Foulques. Ici, tu ne seras pas mon vassal. La prise de la ville tient autant à ta bravoure qu'à la mienne. J'ai décidé que nous en serions toi et moi coseigneurs. »

Renaud haussa les épaules et redoubla d'ardeur sur les flancs du cheval qui hennit.

Foulques le saisit par le bras.

« Hier, nous avons parlé, Anne et moi.

– Je sais, elle me l'a dit. Ce n'est pas facile pour elle, ni pour toi. Ce n'est facile pour personne. Mais ne pars pas, ce serait pire.

– Si, il faut que j'y aille. Je crois que Ibn Khaled a tendance à oublier que le maître, ici, c'est moi. »

*

Le casal prenait forme. Les différents chantiers avançaient à leur rythme, beaucoup de murs étaient déjà montés ; les charpentiers étaient sur le point de poser les premières poutres, les querelles semblaient s'être tues. En plus d'une semaine, Foulques n'avait rien trouvé à reprendre.

Il s'apprêtait à regagner la plaine, lorsque, un midi, Michel vint lui signaler l'arrivée d'un inconnu qui était aussitôt allé s'entretenir avec le curé, près du puits. Un moment, le jeune garçon les avait observés. Le visiteur parlait beaucoup, avec de grands gestes, et le curé semblait bien ennuyé de ce qu'il entendait, à en juger par les regards désespérés qu'il jetait en tout sens. Non, Michel n'avait rien entendu, parce qu'il était trop loin. Oui, l'étranger était venu à cheval.

En apprenant ces nouvelles, Onfroy avait reposé le plan qu'il consultait l'instant d'avant avec Foulques, et avait relevé la tête.

« J'y vais, dit-il. Le chantier de l'église est proche du puits, et j'ai l'oreille fine. »

*

« Mange, Joseph, allons, mange ! »

Le prêtre regardait fixement l'écuelle que Foulques lui avait proposé de partager avec lui. Celui-ci saisit le pichet et but une grande gorgée avant de replonger la main dans l'assiette.

« Tu n'as encore touché à rien, Joseph, insista Foulques d'un ton dangereusement calme. Il faut t'y mettre, car j'ai déjà pris plus que ma part. »

Le prêtre avança la main, mais la retira aussitôt, comme vaincu par une force inexplicable.

« J'ai pas beaucoup faim. Le froid, il me grignote le ventre.

— Il te faut pourtant prendre des forces, Joseph. Le carême commence dans moins d'un mois… »

L'autre désigna alors une bolée de haricots posée sur une soucoupe de terre.

« Alors, si tu veux, je prendrai ça. »

Foulques donna sur le bois de la table un coup de poing qui le foudroya d'une douleur aiguë. Les ustensiles frémirent et le prêtre eut un mouvement instinctif pour se protéger le visage. D'un même geste, Onfroy et Michel récupérèrent leur écuelle commune qui avait fait un saut de côté.

« Tu n'en veux pas, parce que c'est du cochon ! Voilà pourquoi tu n'as pas faim ! Tu es en train de nous trahir, Joseph !

— Non, non… bredouilla le prêtre. Je suis un bon chrétien, pas musulman… je te le jure…

— Qui était cet homme ? »

Joseph Ibn Haris tourna la tête vers Onfroy. Il avait la certitude, à présent, que cette ombre qui s'était glissée derrière la citerne et avait disparu dans l'église était celle de l'écuyer. Et l'autre imbécile qui n'avait pas compris les signes qu'il lui adressait pour le faire taire… !

« Un affilié… articula-t-il, un affilié de la secte.

— Quelle secte ? hurla Foulques.

— Ceux qui obéissent au… au Vieux… au Vieux de la Montagne… »

Avec des complications infinies, Joseph Ibn Haris expliqua ce qu'il savait. À Maraclée, les *fedawis* ismaéliens étaient de plus en plus nombreux. Ils tentaient de gagner à leur cause non seulement les chiites demeurés dans la région, mais aussi les sunnites qui leur prêtaient attention. S'ils s'étaient adressés à lui, c'était parce qu'on savait que, quoique Arabe, il était prêtre chrétien.

« Et qu'ont-ils donc à proposer qui soit si tentant ? demanda Onfroy.

— Il dit : si je deviens fedawi, après la mort je reviendrai sur la terre.

— Mais ça ne t'aura pas suffi d'une fois ? s'indigna Foulques. Après la mort, c'est à Dieu que tu devras rendre des comptes. Et Il ne sera sûrement pas content de voir que tu t'es moqué de Lui.

— Je Lui expliquerai… »

Foulques éclata de rire.

« Tu n'expliqueras rien du tout. L'enfer, directement ! La fournaise du diable, voilà ce qui t'attend.

— Dis pas ça, s'il te plaît ! »

Après avoir passablement épouvanté le bonhomme avec des descriptions torrides qui faisaient se dresser les cheveux de Michel, Foulques ordonna au curé de jurer sur la Bible, et pour plus de sécurité, sur la tête de sa mère, entière soumission et fidélité à Dieu. Une fois qu'il eut en outre promis de ne jamais venir en aide aux Ismaéliens, le coseigneur de Botron lui accorda une augmentation du taux de la dîme.

*

Quelques jours plus tard, le dimanche de la Septuagésime, à la fin de la messe, on vit arriver à Botron Conon de Montaigu. Sous le prétexte de lui montrer les deux bateaux qui y faisaient relâche, Renaud l'entraîna vers le port.

« C'est maintenant qu'il faut tenir tes engagements, chevalier Renaud, dit le visiteur, maintenant qu'il te faut nous rejoindre. Les infidèles pullulent à Jérusalem, les Juifs s'infiltrent partout. Bientôt les chrétiens seront écrasés sous leur nombre.

— Mon prétendu engagement est nul, tu le sais aussi bien que moi.

— Nul ? s'exclama le chevalier avec un mouvement vers la poignée de son épée.

— Tout serment extorqué sous la menace, la pression, ou par mensonge et fourberie est nul, récita Renaud, je me suis renseigné. Or tu m'as honteusement menti. À part toi, personne ne m'a accusé d'avoir incendié cette maison, personne n'a jamais parlé de je ne sais quel faux…

— L'Ordre en possède copie, chevalier… Souhaites-tu le voir ?

— Tu ne m'intimides pas et tu insistes en vain. L'Ordre, comme tu dis, se passera de moi, car je ne lui suis redevable de rien… D'ailleurs, je suis un guerrier, pas un moine, et je refuse d'abandonner femme et enfant pour vous rejoindre. Enfin, je n'ai, hormis le bon Dieu, qu'un seul seigneur, Raimond de Saint-Gilles, qui est à la peine devant Tripoli et a besoin de tous les bras.

– Il existe un Seigneur plus exigeant et plus adorable que ton Raimond de Saint-Gilles. Ce n'est pas quand tout le travail aura été fait par d'autres qu'il faudra venir te présenter pour quémander salaire.

– Quel salaire ? Vous prétendez exiger de vos affiliés la chasteté et le renoncement à tout bien en ce monde ! »

Le buste droit, le regard fier, la croix cousue sur l'épaule, le sire de Montaigu regardait au-delà de la ligne d'horizon.

« Rien n'est encore décidé sur ce point… Tu pourrais obtenir un titre…

– Je suis coseigneur de Botron, cela me suffit. »

Conon ricana en rejetant d'un mouvement de cheval sa tignasse en arrière.

« Je peux t'offrir tout autre chose, mais il faut nous rejoindre sans attendre. Après, il n'y aura plus grand-chose à glaner…

– Cherche quelqu'un d'autre, Conon. Votre manière de servir Dieu n'est pas la mienne. »

Le chevalier de Saint-Jean s'arrêta brusquement et, montrant du doigt une barque ronde à demi engloutie :

« Vois ce triste tas de planches rongé de sel et de misère. Vois la chevelure de boue verdâtre qui déshonore la fière embarcation qu'elle était. Et vois aussi les trous dans la coque, le banc écrasé, l'amarre pourrie… Eh bien ! je te le promets, chevalier Renaud, un jour, le sort de cette coquille de noix te paraîtra enviable ! »

*

La lune était noire, et les étoiles scintillaient en cornes pointues qui annoncent les nuits de glace. Avant de laisser la garde à Éric, Foulques et Renaud surveillaient du haut de la tour la cité qui s'endormait.

« Tu devrais te méfier de ce Conon », dit Foulques tout à coup.

Renaud allait et venait dans le vent glacé qui criait dans les meurtrières.

« Ne t'inquiète pas, il ne reviendra pas, je lui ai fait peur ! assura-t-il.

– Ça m'étonnerait ! Ces hommes-là ne lâchent jamais leur proie quand ils croient en tenir une.

– Quel dommage qu'Isoard soit reparti chez nous… S'il était encore à Jérusalem, je crois que j'irais lui demander son avis…

– Tout le monde cherche des hommes parce que tout le monde en manque, dit Foulques. Avant, le seul but était de conquérir toujours plus loin ; maintenant, on ne songe plus qu'à recruter des hommes pour essayer de conserver ce que l'on a conquis.

– Je crois bien que ceux de Saint-Jean cherchent surtout à se rendre maître des âmes », murmura Renaud d'une voix rêveuse.

XIX

Mars-avril 1104. – Côte de Syrie.

Parvenu à l'angle du chemin d'où l'on découvrait enfin Botron, Renaud arrêta son cheval et en flatta l'encolure avec des mots tendres. Devant lui, à dix mille pas, la mer luisait comme une huile. Tassée tel un nid de mouette au pied des dernières collines, leur petite cité semblait engourdie dans les premières chaleurs du printemps nouveau-né. Une barque de pêcheur doublait la vieille digue et, de haut, son sillage paraissait la trace d'un ver de terre. Très loin en direction de Gibel, on devinait un léger brouillard de poussière qui n'était pas retombée. Une troupe montée avait dû passer là, un moment auparavant. Ici, l'air de cristal embaumait la terre fraîche, et Renaud le huma à pleins poumons.

Il se retourna pour contempler le vaste territoire qui montait doucement vers la montagne. Là-haut, à cette heure, les équipes des chantiers devaient prendre la première pause du matin. Avec un sourire, il imagina Foulques, s'impatientant de ce que le travail n'avançait pas assez vite à son gré, pestant en silence contre les charpentiers qui avaient sorti leurs gourdes, contre les maçons qui avaient pour un moment déposé les outils, contre les paysans-manouvriers qui allaient de leur pas... Seule, la tour de guet était à peu près terminée.

Quand Renaud avait quitté le casal, le jour pointait derrière la montagne. En passant, il avait salué le vieux Monsef, qui avait autrefois dirigé des équipes de maçons, et déambulait à présent chaque nuit au milieu des chantiers, comme s'il avait craint de les voir s'envoler. « Tout est en place ? » avait dit Renaud, par habitude. « Rien n'est parti », avait répondu l'autre.

En atteignant la vallée, il avait constaté que le blé venait dru. Si tout allait bien, avec toute l'eau de la montagne et tout ce soleil, on aurait peut-être un grain pour dix. Plus de deux fois ce qu'on obtenait en Saintonge !

Il poussa sa monture qui reprit le petit trot sur le chemin en pente et parvint bientôt à la citadelle.

Un calme étrange régnait dans l'enceinte. Une brusque oppression le saisit. Il sauta à bas et courut vers les logements.

Il découvrit Éric, planté bras ballants au milieu de la grande salle.

« Qu'est-ce qu'il y a ? » hurla-t-il.

L'Islandais ne semblait pas le reconnaître.

Renaud se jeta sur lui et le secoua sans ménagement. Éric, qui le dépassait pourtant de plus d'une tête, ne réagissait pas.

« Petit Foulquinet mort, Anne partie, bredouilla-t-il enfin d'une voix blanche.

– Quoi… ? Quoi ? Que dis-tu ? Parle, nom de Dieu ! »

Éric pleurait sans larmes au milieu de hoquets.

« Au lever du soleil… Des hommes… Anne prise et Foulquinet perdu, je pense.

– Tu penses ? Mais que dis-tu, que dis-tu ? Et qu'as-tu fait ? Où étais-tu ?

– Aux chevaux et à l'entraînement. Je viénis trop tard. La servante raconta. »

Renaud s'engouffra comme un fou dans le boyau qui conduisait au gynécée. En l'entendant arriver, les femmes qui se pressaient autour de leur maîtresse se mirent à hurler et Morphia se jeta à ses pieds, se frappant le front sur les dalles, se labourant les joues.

« Ce n'est pas moi, Renaud ! Je te le jure ! Je n'y suis pour rien… Je n'étais pas là. »

Le cœur affolé, l'estomac au bord des lèvres, il la releva et la fit asseoir sur un lit de repos encombré de coussins. Quand elle se fut un peu calmée, il entendit les sanglots d'Anna, recroquevillée près des berceaux de Frédérick et de Thibaud, qui hurlèrent à leur tour.

« Emmenez-moi tout ça ! » vociféra-t-il en direction des servantes statufiées.

Anna traduisit en se penchant pour prendre l'un de ses petits frères.

« Explique-moi ce qui est arrivé, Morphia, je te prie », dit Renaud dans un terrible effort pour recouvrer un peu de calme.

Morphia fit signe qu'elle ne pouvait pas parler. Du poing, elle écrasait sa gorge crispée à se rompre. Enfin, bribe à bribe, elle parvint à articuler ce qu'elle savait.

Au lever du soleil, avec Anna, elle était allée au port acheter le poisson de la nuit. Les servantes étaient dans les cuisines où elles baignaient les deux bébés. C'est alors que des inconnus s'étaient introduits dans le gynécée. Ils y avaient trouvé Anne, Foulquinet et Irène, la cuisinière grecque. Ils avaient arraché l'enfant aux bras de sa mère ; Irène avait cherché à s'interposer. Ils l'avaient rudement frappée, avaient tiré le battant, avaient jeté l'enfant par l'ouverture. Irène avait couru dans la cour. Quand elle était remontée, Anne avait disparu.

Renaud contemplait le visage torturé de Morphia. Des perles de sang suintaient des griffures qu'elle venait de s'infliger. Peu à peu, elle reprenait son souffle.

« Pourquoi dis-tu que tu n'y es pour rien ? Personne ne t'accuse.

– Dès que le mal arrive, on me croit responsable… Et moi aussi, je me demande si c'est de ma faute…

– Qui sont ces hommes ? Par où sont-ils partis ? »

Elle remuait mécaniquement la tête d'un bord à l'autre.

« Et mon fils ? Où est mon fils ? hurla Renaud, comme s'il venait juste de prendre conscience de la situation.

– Il est tombé dans la cour, Renaud. Irène l'a rapporté… Pauvre petit être… N'y pense plus. Je l'ai fait aussitôt enterrer pour que tu ne le voies pas. »

Renaud se laissa glisser au pied de la couche. Des spasmes agitaient ses épaules.

« Pourquoi personne n'est-il monté au casal pour avertir ? dit-il d'une voix sans timbre.

– Ils ont emmené les chevaux.

– Et Éric ? Les gardes ? Pourquoi n'ont-ils pas combattu ?

– Ils s'entraînaient de l'autre côté du port, comme tous les matins. »

La sécurité ne semblant en rien menacée, la vigilance s'était beaucoup relâchée. Lorsque Éric, le capitaine de l'endroit, partait à l'entraînement avec la troupe, il ne laissait qu'un seul garde à la porte de la citadelle. Les femmes n'hésitaient pas à sortir sans escorte dans les rues.

Renaud renifla, passa son bras sur son visage comme pour en chasser les ombres, et se leva lourdement.

« Je vous interdis de sortir de la citadelle, toi et les enfants. »

Il donna à Éric de strictes consignes, puis, comme dans un cauchemar, reprit le chemin du casal.

*

Foulques et Michel travaillaient avec les artisans à la finition de la tour de guet. Couverts de poussière, ils sciaient à eux deux l'extrémité d'un énorme madrier de charpente.

En voyant Renaud revenir, tout le monde comprit que quelque chose de grave était arrivé, et le travail s'arrêta sur tous les chantiers.

D'une voix affreusement blanche, comme si tout cela ne le concernait pas, Renaud rendit compte des événements. Foulques pâlit et dut s'asseoir. Des larmes silencieuses coulaient sur ses joues poudrées de sciure.

« A-t-on une idée de qui a fait le coup ?

– On a trouvé une croix tracée à la craie sur la borne noire de l'entrée.

– Croix blanche sur fond noir… Les chevaliers de Saint-Jean ? »

Renaud saisit une hache et, de toutes ses forces, la ficha dans la poutre.

« J'ai vu ce matin la poussière d'une troupe, vers le sud. C'était eux, sans doute. Ils doivent aller vers la Terre sainte. Je pars à Jérusalem.

– Oui, et je vais avec toi. Mais ils ont presque dix heures d'avance sur nous, et nous ne pourrions pas les rattraper, même en partant tout de suite.

– Décide ce qu'il faut faire. Je ferai comme tu voudras. Tu as sûrement raison », dit Renaud.

Foulques le considéra un instant en silence, inquiété par cette réponse plus encore que par le reste, puis, se tournant vers Onfroy qui était accouru, ses pantalons bouffants enroulés autour de son cimeterre :

« Voilà ce qu'il faut faire : nous allons d'abord descendre à Botron. Là, nous confierons à Éric la défense de tout le domaine pendant notre absence…

– Il est stupide, tu le vois bien ! rugit Renaud. Ce matin, au lieu de protéger les nôtres, il jouait avec sa troupe !

– Non, Renaud, tu es injuste. Le chevalier Éric entraînait ses hommes, ce qui est tout autre chose… Toi, Onfroy, tu demeureras ici pour surveiller les travaux et garder la tour. Michel restera avec toi, c'est ici qu'il sera le mieux en sécurité. Je vais immédiatement envoyer un messager à Raimond pour demander des renforts et un prévôt expérimenté. Quand ils seront là, dans quelques jours, nous partirons. »

*

Trois jours plus tard, le mercredi des nones d'avril, une très petite nave pisane en provenance de Narbonne accosta dans le port de Botron. Comme c'était le premier bateau de quelque importance à faire halte dans la nouvelle seigneurie latine, toute la population se déplaça.

Dans un latin curieusement châtié, le capitaine révéla qu'il faisait voile vers la côte tenue par le comte de Toulouse au sud de Tripoli. Cependant, ayant appris à Chypre que des Provençaux s'étaient rendus maîtres de l'escale de Botron, il s'était dérouté jusqu'à eux. On devina qu'il avait vu là l'occasion de se présenter le premier, et donc de décrocher pour l'avenir privilèges et exclusivités.

Il transportait des renforts venus de Toulouse – le seigneur de Botron souhaiterait-il qu'il les dépose ici plutôt qu'à Mont-Pèlerin ? – et le courrier accumulé depuis des mois. Oui, il y avait quelque chose pour un certain Foulques, pèlerin et soldat du Christ. Ah ? il avait l'honneur d'être face audit sire Foulques ? Eh bien ! mais alors…

*

    Mon très cher fils,

    Voici des mois et des années que je suis sans nouvelles. Ton oncle Adhémar prie pour toi sans relâche, tandis que l'inquiétude me ronge. Nous avons entendu dire que Jérusalem était délivrée. Certains ont vu un pèlerin de Poitiers qui dit être allé jusqu'à la Ville sainte et a rapporté une palme du Jourdain.

    Chaque jour que Dieu fait, je regarde le chemin qui pourrait me ramener mon enfant. Seuls les bois barrent mon horizon. Pourquoi ce silence, mon fils ? Je tremble et je vieillis. Et Renaud ?

    Toutes mes lettres sont demeurées sans réponse. Je t'ai écrit onze fois. Peut-être n'a-t-on pas pu te trouver ? Adhémar a appris que le comte Raimond n'était pas revenu, mais qu'il était vivant. Je t'espère toujours à ses côtés.

    Deux fois l'an, comme autrefois, ton oncle Adhémar envoie un émissaire dans notre ville de Toulouse, et je lui confie à chaque départ une missive pour toi. Je ne cesserais que si la tragique nouvelle de ta disparition m'était rapportée.

    Ton frère vient d'épouser sa troisième femme. Il a perdu tous ses enfants et ses deux premières femmes de maladies. C'est une cadette de la famille de Pons. Il a été contraint de prêter hommage au sire de Pons, ce qui l'a rapproché de ta sœur Hélène, qui attend son sixième enfant. Quatre sont déjà morts. Tu dois savoir tout cela.

    Ton parrain Hélie de Didonne vient enfin de se décider à partir outremer. Il a toujours dit qu'il était trop vieux, et c'est à l'heure où il le devient vraiment qu'il va entreprendre le voyage. Son fils Gifard est à présent seigneur avec lui et bientôt à sa place. Le régisseur de Rétaud sera sans doute surveillé de plus près, d'autant que Renaud de Pons projette une ambitieuse alliance pour son fils Geoffroi ; on parle de la fille du comte de Comminges. Nul doute qu'il cherchera à prendre pied partout où l'on ne s'opposera pas à lui. En cas de guerre avec ceux de Didonne, je serais bien inquiète pour Guillaume.

    Le messager part pour Toulouse à l'automne, mais ma missive n'arrivera outre-mer qu'au printemps, car je pense que les navires ne prennent pas la mer pendant l'hiver. Les récoltes n'ont pas été bonnes cette année et quelqu'un a tué mon petit chat. Tout le monde me conseille de prendre une genette. Si j'avais de l'argent, je voudrais bien faire acheter un livre à Toulouse. Mais c'est beaucoup trop cher, il n'y faut pas songer. Dieu merci la Bible dans laquelle tu as lu si souvent est encore bien bonne. J'en prends le plus grand soin.

    Que Dieu te protège, mon enfant, dans les combats que tu livres en Son nom. Je prierai plus intensément pour toi cet hiver avec notre curé.

Écoute bien Renaud qui te donne sans doute de bons conseils. Je t'embrasse, mon très cher enfant, je vous embrasse tous les deux.

Philippa.

« Tous ces fantômes… », murmura Renaud en relevant la tête.

Foulques le regardait d'un œil sans éclat.

« C'est vrai. Ce n'est plus notre histoire… Elle ne sait même pas qui est Anne. »

*

On fit descendre une vingtaine de Toulousains en état de combattre. La plupart semblaient hébétés de la longue traversée qu'ils avaient effectuée. Des semaines de poisson salé et de biscuit sec trempé d'eau douteuse avaient émacié les visages et jauni les teints. L'un d'eux cependant, l'épée au vent, se précipita vers Éric, qu'il avait dû prendre pour le seigneur du lieu, et demanda de quel côté se trouvaient les infidèles. Il tenait à en découdre sur-le-champ, et il fallut lui représenter longuement l'état de la situation en Terre sainte pour apaiser sa soif de combat.

Pendant ce temps, le capitaine négociait avec Foulques les avantages à retirer de son audace. Il bénéficierait, selon la coutume du premier privilégié, d'une taxe réduite de moitié sur toutes les marchandises qu'il ferait entrer ou sortir. Il obtenait l'autorisation d'acquérir sur le port les deux masures qu'il comptait transformer en entrepôt. Toutes les cargaisons seraient vérifiées et, en cas de fraude, tous les privilèges tomberaient.

« Je voudrais te poser une question, dit Foulques quand les tractations furent terminées. Comment, en moins d'une heure, alors que tu ne m'as pas quitté, as-tu choisi l'endroit où implanter ton entrepôt ?

– J'ai étudié tout cela du large. Nous autres marins, c'est de la mer que nous voyons le mieux les choses. »

Ayant dit, le Pisan salua et, apparemment fort satisfait de l'accord avec le seigneur de Botron, regagna son bord avec ses deux témoins.

*

Les premiers soleils de printemps n'avaient pas encore réchauffé la grande salle de la citadelle qui exhalait des relents de cave. On n'allumait plus de feu que le soir, et l'on avait toujours froid.

Cela faisait maintenant cinq grandes journées que l'émissaire devait avoir atteint Mont-Pèlerin. Le prévôt et les renforts réclamés ne paraissaient pas.

Le septième jour, Foulques et Renaud décidèrent qu'on ne pouvait attendre davantage. Le lendemain, Foulques partirait voir ce qui se passait.

Peu avant l'aube, il prit le chemin du nord.

*

La côte était déserte, et, lorsque, trois heures plus tard, Foulques atteignit le camp de Raimond de Saint-Gilles, il n'avait rencontré personne, hormis quelques Bédouins qui menaient leurs troupeaux.

La forteresse était vide. Le garde en faction assura ignorer où se trouvait le comte et indiqua du doigt une vaste tente surmontée d'oriflammes plantée au milieu d'un désordre d'autres installations.

Foulques n'y trouva qu'Elvire allaitant le petit Alphonse-Jourdain. Elle leva vers lui un visage las et comme bouffi.

« Prends place, c'est bientôt fini, et faisons silence, le bruit empêche la venue du lait », affirma-t-elle en désignant une rangée de coussins de cuir.

Le sein de la comtesse était gros et lourd. Le regard fixé sur la bouche rose du bébé qui tétait, les yeux mi-clos, Foulques se demandait comment le caractère d'une telle femme pouvait s'accommoder d'une aussi molle poitrine.

Un moment, le petit être parut s'endormir tout à fait, le sourcil levé comme un philosophe saisi par le doute. Foulques fit mine de prendre la parole. Mais on lui signifia d'un geste qu'il n'était pas encore temps. En effet, l'instant d'après, les petites joues reprirent leur mouvement de succion. La mère considérait son enfant sans sourire, et pourtant sans distance. Foulques comprit que, plus qu'à un bébé, elle donnait le sein au futur comte de Tripoli.

Gêné, il détourna le regard sur une grosse servante au corsage gonflé, souriant d'un air béat dans l'ombre d'Elvire. Ce devait être la suppléante… Des images de chèvres et de vaches aux pis lourds folâtraient dans sa tête.

« Le matin, Raimond s'occupe de ses troupes et de ses chevaux, annonça enfin la comtesse en remettant l'enfant dans les bras de la nourrice. Il est quelque part. Le mieux est que tu l'attendes avec moi. Nous parlerons. »

Foulques se releva d'un bond, la main crispée sur la croix de son épée.

« Je dois le voir tout de suite. »

Elvire lui jeta un coup d'œil stupéfait, et, désignant la poignée de son arme :

« Mais que vous arrive-t-il, chevalier ? Me prenez-vous pour une Sarrasine ?

– Pardonne, je te prie… s'excusa Foulques. Je ne sais pas ce qui arrive. Tout me semble ennemi. »

Avec un imperceptible haussement d'épaules, la comtesse lui montra le voile qui fermait la tente.

« Le comte, mon époux, s'occupe de préparer l'assaut. Cherche-le, au lieu de perdre ici ton temps. »

*

Passé l'ombre fraîche de la tente, la lumière éclatait sur des croupes de chevaux à la longe. Des entrelacs de cordages, des hennissements tranquilles, des relents de brouet réchauffé rappelaient que le siège s'enlisait dans l'habitude. À un mille de là, Tripoli paressait avec indifférence sur sa langue de terre.

Foulques se demandait pourquoi tout le monde semblait avoir déserté la forteresse pour s'abriter sous des tentes. C'était se mettre à portée des archers postés à l'entrée de l'isthme.

Il erra au milieu des troupes au repos. Parfois un soldat coudoyait son voisin pour, d'un mouvement de tête, lui signaler le seigneur de Termes. Peut-être certains le reconnaissaient-ils. Mais la plupart, sans doute, Turcopoles récemment soldés ou renforts d'Occident fraîchement débarqués, s'étonnaient seulement d'une présence nouvelle. À deux ou trois reprises, on lui adressa un vague salut. Il répondait, incapable de mettre un nom sur ces visages inconnus.

Dans un désordre plein de bonhomie, accablé de nonchalance, le camp s'étirait sur plus de mille toises. Ce siège semblait ne ressembler à aucun autre, ni à celui de Nicée, ni à celui d'Antioche, encore moins à celui de Jérusalem… Au bout de cent pas, Foulques avait compris que son cousin n'était pas près de s'emparer de Tripoli.

Il vit Raimond de loin. Moulinant l'air, allant et venant d'un chariot à un groupe qui semblait l'écouter tête basse, il était la seule forme animée à portée de regard.

Il s'approcha.

« Mais voyez-moi cet abruti ! hurlait le comte, où veux-tu donc emporter ce ballot ? Ça s'arrime, un ballot ! Sinon, ça tombe au premier cahot, juste le temps que ces bandits te crèvent la peau ! »

Sentant venir les coups, le muletier se couvrait la tête de ses deux bras repliés, mais, laissant brusquement retomber la main qui allait s'abattre, Raimond s'exclama :

« Ah ! mon cousin ! Quel bon vent t'amène jusqu'à moi ? Ça fait du bien de voir autre chose que des impotents ! Vois comme je suis bien entouré pour l'assaut final contre ma belle Tripoli… »

Il saisit Foulques pour l'accolade, le faisant passer d'une épaule sur l'autre avec de grandes claques dans le dos.

« N'as-tu pas reçu mon émissaire ? demanda Foulques en tentant de se dégager de ces effusions.

– Un émissaire ? Non, je n'ai vu personne. Tout le monde me trahit, tu le sais bien. J'aurais besoin de cent hommes, de mille hommes, et de coffres bourrés de besants, pour réduire l'arrogance de ce Facramoul !

– Facramoul ? s'étonna Foulques.

– Oui, ce Fakhr-al-Mulk, l'émir… Je dis Facramoul pour le vexer. Lui, il m'appelle Sanjill. Je te demande un peu à quoi ça ressemble !

– Et alors, ce Facramoul ?

– Eh bien ! il m'empêche de penser à autre chose qu'à lui ! Depuis l'automne dernier, il me paie tribut pour que je l'assiège sans l'attaquer. Au début, j'ai pensé que l'humiliation d'un tel asservissement l'amènerait un jour ou l'autre, tout naturellement, à se soumettre et à m'ouvrir les portes de la ville. Or depuis tout ce temps…

– Je t'ai envoyé un émissaire, l'as-tu reçu ?

– C'est tous les jours que j'en reçois ! On me somme d'accourir pour mettre au pas les fedawis ismaéliens, on voudrait poursuivre jusqu'à l'Oronte, on ne peut se passer de renforts ici, et là, au sud, au nord, à l'est, à l'ouest… Non, pas à l'ouest… Dieu merci, on a la paix du côté de la mer…

– À Botron, nous avons besoin de toi. Nous avons été attaqués. Le fils de Renaud a été tué, Anne enlevée.

– Enlevée ? Encore ? Mais ce n'est pas possible, elle y prend plaisir, cette jeune personne ! »

Foulques avait fait un bond de côté, l'épée à demi tirée. Le comte de Toulouse eut un geste d'apaisement et se figea brusquement dans une pose pleine de réprobation.

« Si on l'a enlevée, ce n'est pas par hasard… C'est pour vous rappeler quelque chose. Sinon, on l'aurait tuée en la jetant elle aussi dans la cour, voilà tout… Oui, je sais tout cela, on me l'a dit… Énorme erreur de ta part, de conquérir Pétrone sans…

– Botron, rectifia Foulques.

– Oui, c'est ça, Boutronne… de conquérir ce Boutronne sans te donner les moyens de le conserver. Ça se prépare, une conquête, mon petit ami, ça ne s'improvise pas ! Tiens, vois, moi, par exemple, pour ma belle Tripoli, je me prépare, je prends le temps qu'il faut.

– Botron est conquise, et la prise est bonne et solide… Ce sont les hospitaliers de Saint-Jean qui ont fait le coup. »

Peut-être à cause des teintes pâles du soleil d'avril, Foulques aurait juré que le comte avait brusquement pâli.

« Les hospitaliers ? Ils sont très bien, les hospitaliers ! Tu ne sais pas leur parler, voilà tout.

– C'est ça, je ne sais parler ni aux hospitaliers, ni au comte de Toulouse. Acceptes-tu de me porter le secours que tu me dois, ou me faut-il chercher un autre seigneur ? »

Autour d'eux, le silence s'était fait. Le ton était celui de l'altercation, promesse de bagarre. Des regards curieux les détaillaient, déjà allumés du désir du pari. Vieux loup rusé, ou jeune coq dressé droit sur la pointe des bottes ? Babines retroussées sur des dents féroces, on se demandait sur qui miser.

« Il nous faut partir à la recherche d'Anne et je n'ai personne à qui confier la ville, reprit Foulques à voix presque basse.

– On m'a dit que tu avais fait des chevaliers, pourtant. Ce Varègue, là… ne peut-on compter sur lui ?

– Éric est le seul que j'aie fait chevalier. Et si je l'ai fait, c'est que les hommes manquent partout. Mais Éric n'a pas encore assez d'expérience.

– As-tu au moins donné la colée du bon côté ? » ricana le comte avec une feinte inquiétude.

Foulques contempla un instant le rictus qui lui faisait face et une bouffée de haine balaya sa conscience. Il eut la sensation que son épée jaillissait d'elle-même.

Raimond n'avait pas fait un geste. Un court instant, le regard des deux hommes se croisa dans une intensité de feu. Alors Foulques planta violemment son arme dans le sol.

« Tu es vaillant, mon cousin, dit Raimond comme si rien ne s'était passé. Mais pourquoi mon filleul Renaud n'irait-il pas seul à la recherche de son épouse ?

– Nous avons juré de ne pas nous séparer. Le danger est partout. »

Raimond sembla hésiter. Puis, il ouvrit largement les bras et Foulques ouvrit les siens. Ils se serrèrent à se broyer avec des larmes d'émotion.

Autour d'eux, les hommes avaient furtivement repris leurs vagues occupations. Beaucoup s'essuyaient les yeux d'un revers de main sale.

*

Elvire les vit revenir, se tenant par le bras.

« Botron n'est pas ma ville, disait Foulques. Il s'agit de renforcer la sécurité de tes États.

– Alors, ma mie, as-tu eu ce matin assez de lait pour notre petit ?

– Qu'as-tu décidé ? » demanda Elvire, comme si elle n'avait pas entendu.

Le comte de Toulouse redressa toute sa taille et, appliquant une main d'acier sur l'épaule de Foulques, il cria d'une voix de tonnerre :

« Ménélas, va chercher Jacques le Pileux. »

XX

Avril 1104. – Jérusalem.

ABRAHAM tenant boutique à l'angle des rues de David et du Patriarche, à deux pas du Saint-Sépulcre et de l'hospice de Sainte-Marie-Latine, Foulques et Renaud étaient certains de trouver leur chemin sans avoir à demander conseil.

Ils constatèrent rapidement que la Semaine sainte avait attiré à Jérusalem de nombreux pèlerins. Des catholiques latins, bien sûr, mais aussi des orthodoxes, quelques maronites et beaucoup d'Arméniens qui se pressaient à l'intérieur des remparts. Des Juifs, aussi, en plus grand nombre que d'ordinaire.

Les deux garçons s'étaient présentés à la porte de David, à l'heure d'arrivée des denrées. Mêlés à une foule de petits marchands qui grimpaient la colline, poussant leurs ânes et tirant de grosses couffes d'osier montées sur des roues de bois, ils s'étaient retrouvés emportés par le flot. Leurs montures, beaucoup plus grandes que les petits chevaux d'Orient, semblaient effarées d'une telle promiscuité. Foulques eut même du mal à maîtriser Stéphanitès lorsque, dans un embouteillage, un baudet eut l'idée de bramer juste sous son oreille frémissante d'indignation. La rue de David étant bouchée, il fallut tenter de faire demi-tour, se rabattre sur des ruelles puant la sentine, se perdre longuement aux alentours du monastère orthodoxe de Saint-Sabas, puis de l'église de Saint-Jacques-Martyr, rebrousser chemin, tenter de se repérer au soleil, et, en fin de compte, se résoudre à trouver quelqu'un qui voulût bien les renseigner.

De fort méchante humeur, ils parvinrent enfin à la demeure d'Abraham, aisément reconnaissable à la treille qui courait sur sa façade.

*

Contrairement à tous ceux qu'ils venaient de croiser, le changeur juif ne portait ni barbe ni bonnet. Il reçut les voyageurs avec sa courtoisie habituelle, les conduisit vers une pièce lumineuse qui ouvrait sur un jardin, proposa des coussins, fit venir du thé, et invita enfin ses hôtes à lui exposer l'objet de leur visite.

Mains croisées sur les genoux, il écouta avec grande attention le récit des deux garçons, hochant la tête aux passages qu'il devait trouver importants. Quand ce fut terminé, il se dirigea vers la tenture qui masquait en partie le jardin et étendit le bras, paume ouverte, vers la robuste touffe d'un rosier aux tiges déjà hautes.

« Vous voyez là mon ami le plus cher, confia-t-il. Chaque année, à même saison, avec une fidélité qu'aucun homme ne saurait offrir, il me donne ses pousses généreuses. Certaines porteront des fleurs, et d'autres seulement des épines. Sait-il, cet ami cher, qu'il devrait ne produire que des roses ? Il croit bien faire, sans doute, et peut-être ne comprend-il pas pourquoi, chaque année, je coupe et rejette la moitié de ses dons. Il ne sait pas non plus que les blessures que je lui inflige sont celles de l'amour, et que la beauté de ses fleurs dépend aussi de ma rigueur.

— Je comprends bien cela, dit Renaud, mais la maison de Gérard n'est pas un rosier…

— Comme tous ceux qui partagent ma foi, expliqua le changeur en reservant du thé, j'entends fort peu de choses aux mystères de votre religion. Il me semble savoir, cependant, que Jésus a dit qu'il fallait séparer le bon grain de l'ivraie… Or, d'après ce qui se raconte, l'hospice de Gérard ressemble fort à mon ami rosier. Certaines de ses tiges sont hérissées d'épines et ne donneront jamais de fleurs. C'est sans doute à l'une d'entre elles, chevalier, que s'est agrippée ta tunique.

— Et les autres rameaux ? » demanda Foulques.

Un sourire amusé flotta sur les lèvres d'Abraham.

« Le rosier ne possède pas de rameaux, dit-il, seulement des tiges… Les autres tiges puisent leur sève à la bonne racine.

— Et quel est le nom de cette bonne racine, s'il te plaît ?

— Comment, ne te l'ai-je pas dit ? Elle s'appelle Arnaud de Comps, d'après ce qui se raconte. »

Abraham se mit à siroter son breuvage avec un petit bruit.

*

Ils n'eurent aucune difficulté à rencontrer le chevalier Arnaud de Comps qui reconnut immédiatement Renaud, et, après les avoir écoutés, se montra envers eux d'une grande affabilité. Il ne parut pas trouver étrange le fait que Raimond de Saint-Gilles ait, en plein siège de Tripoli, autorisé deux barons de son conseil à venir fêter Pâques à Jérusalem, et loua au contraire la piété toulousaine. Il ne demanda pas pourquoi l'on s'adressait à lui plutôt qu'à d'autres et, lorsqu'il eut appris que les deux chevaliers comptaient loger dans une auberge, il proposa spontanément une autre solution. Rue des Herbes, c'est-à-dire tout près de Sainte-Marie-Latine, un marchand venait d'offrir aux hospitaliers de Saint-Jean une petite maison qui ferait l'affaire des deux Provençaux pendant le temps de la Semaine sainte. Moyennant un loyer modeste, ils seraient là beaucoup plus tranquilles et pourraient dans le recueillement suivre la Passion du Christ.

Renaud demanda alors à cet homme aimable s'il savait Conon et Goscel de Montaigu dans les murs de Jérusalem. Le visage du chevalier de Saint-Jean se ferma brusquement. Non, assura-t-il, il ignorait où étaient pour le moment ces compagnons. Au demeurant, leurs activités ne recoupant jamais les siennes, ils se rencontraient fort rarement.

L'attitude de leur hôte s'était modifiée si brusquement que les deux garçons ne crurent pas un mot de ce qu'il leur disait.

Levés pour matines, recouchés après laudes, ils suivirent jusqu'au Vendredi saint toutes les processions, tous les offices où Conon de Montaigu pouvait être présent. À plusieurs reprises, ils y retrouvèrent Arnaud de Comps, mais aucune trace du chevalier auvergnat ni de son fils.

*

Foulques avait prétendu que Jérusalem ne se pliait certainement pas au rite pascal observé par toutes les Églises d'Orient, mais à celui de Rome. Si tel était bien le cas, la messe nocturne de la Résurrection serait célébrée au petit matin du Samedi saint. Pour des hommes qui vouaient leur vie au service du Seigneur, cet office-là, du moins, ne pouvait se manquer. Si Conon et son fils étaient bien à Jérusalem, on les y verrait à coup sûr.

Face au Saint-Sépulcre, l'hospice de Gérard, contigu à l'église Sainte-Marie-Latine, ouvrait rue des Rameaux.

À l'aurore, les deux amis assistèrent discrètement à laudes. L'office terminé, ils laissèrent le portail de Sainte-Marie se refermer sur eux et, sitôt qu'ils furent seuls, sortirent de leur cachette. Au nord du chœur, par une porte basse permettant de rejoindre l'hospice contigu, ils s'engagèrent dans des couloirs que l'aube blanchissait d'une teinte froide. Après les vastes salles réservées aux malades, un escalier prenait à droite.

Très court, celui-ci donnait sur un palier aveugle percé de deux entrées. Celle de gauche était entrouverte. Plaqués contre le mur, ils devinèrent une pièce vide, des combles bas de plafond et tout en longueur. Une lucarne ouverte dispensait quelques lueurs mélangées aux bruits de la rue qui s'éveillait.

Du regard, ils venaient de se résoudre à ouvrir l'autre porte, lorsqu'un éclat de voix leur parvint de l'intérieur.

Ils s'avancèrent et collèrent l'oreille contre le battant.

« …je ne tolérerai pas plus longtemps un tel comportement, hurlait une voix rauque. Nous avons pour unique vocation de défendre les pèlerins du Christ et de soigner les malades. Vos façons de faire sont des insultes à la face de Dieu ! »

Un brouhaha s'éleva qui indiquait la présence de plusieurs personnes. La voix qui venait d'intervenir se cassa dans une toux sèche puis domina à nouveau le tumulte :

« Oui, je vais en appeler au pape ! Qu'il accepte de faire de nous des moines, et c'en sera terminé de vos manigances. Vous serez bien obligés, alors, de nous quitter ou de vous soumettre à la loi… »

Les bruits s'amplifièrent. Quelque chose roula à terre et se brisa.

Ayant baissé le regard, Renaud aperçut l'extrémité d'une discrète cheville de bois qui bouchait un trou gros comme une paille. Il s'apprêtait à la tirer pour apercevoir quelque chose, lorsque des pas s'approchèrent d'eux.

D'un bond, ils furent dans les combles. Déjà, la porte s'ouvrait violemment, livrant passage à plusieurs hommes en armes qui dévalèrent l'escalier. Par l'entrebâillement de la leur, ils avaient eu le temps de reconnaître Arnaud de Comps. Des inconnus à l'air soucieux les suivirent bientôt. Ils marmonnèrent entre eux, puis descendirent les marches d'un pas lent. Le silence revint.

Foulques s'apprêtait à sortir à son tour, mais Renaud retint violemment son mouvement, un doigt sur les lèvres.

« Qu'est-ce qu'il y a ? » lui souffla Foulques dans l'oreille.

Pour toute réponse, Renaud posa sa main en guise de bâillon et lui fit signe de reculer dans l'ombre.

Soudain, un bruit formidable éclata dans la pièce d'en face, tandis qu'une voix nouvelle hurlait :

« Le diable les emporte ! Ces infâmes se sont vendus à l'infidèle ! »

À une brusque tension contre lui, Foulques comprit que Renaud était prêt à bondir. Il l'agrippa de toutes ses forces et écrasa à son tour sa main sur sa bouche.

« Ils nous traitent en manants ! disait un autre.

– Il est temps de prendre une résolution ferme, trancha une voix beaucoup plus jeune. À minuit, nous cinq, rue Saint-Jean, comme l'autre fois, au fond du jardin d'Ibrahim. »

*

Sitôt arrivé chez eux, Renaud avait voulu se coucher, assurant que, s'il ne dormait pas toute la matinée, sa colère deviendrait comme un feu de forêt que rien ne pourrait plus arrêter. Il était certain d'avoir reconnu la voix de Conon de Montaigu, et d'après lui, celle qui donnait des ordres appartenait à Goscel. Foulques avait eu beau lui remontrer combien il était peu vraisemblable qu'un fils s'exprime avec tant d'arrogance devant son père, Renaud n'avait pas voulu démordre de cette certitude.

Lorsque le silence s'était fait, ils avaient attendu longtemps, l'oreille tendue, mais personne n'était passé devant eux. Alors, avec une prudence de fauves, ils s'étaient glissés hors des combles.

La pièce était vide. Au pied des murs chaulés, des bancs étaient alignés. L'un d'eux, fracassé dans un coin, expliquait le vacarme qui les avait fait sursauter. Face à l'entrée principale, un escalier ouvrait sur les ténèbres. La bande était évidemment sortie par là.

Il avait été décidé de se rendre la nuit suivante au rendez-vous des comploteurs, d'y faire ce que l'on pourrait, et, au cas probable où l'on ne pourrait rien, d'informer Arnaud de Comps de ce qui se tramait et de requérir son aide.

En regardant dormir son compagnon, Foulques se demandait si Dieu acceptait qu'on entreprenne quelque chose le jour où le Christ mort attendait au tombeau la Résurrection. Incapable de se concentrer, il décida d'aller chercher réponse dans le recueillement du Saint-Sépulcre.

Une foule multicolore se pressait autour du chantier de la nouvelle église et s'écrasait à l'unique porte de la partie achevée. Quand il fut parvenu à se frayer à coups de coudes un passage à l'intérieur, une nausée le saisit. Des faces torturées d'on ne savait quelle douleur poussaient vers le ciel des bramements obscènes ; des créatures en loques rampaient à terre, embrassant à pleine bouche le pavement ; d'autres, saisis de transports extatiques, les yeux exorbités, psalmodiaient des litanies sur un rythme frénétique. Au milieu de ce grouillement, se faufilaient des vendeurs d'eau, des petits fabricants de reliques ; pour quelques piécettes, un lourdaud offrait de dédier ses prières à qui l'on voudrait. D'autres proposaient des chandelles prétendument bénies par le patriarche, des perles de suif arrachées au cierge pascal, les feuilles d'un olivier assez vieux pour avoir abrité le Christ de son ombre…

Comme assommé, Foulques se laissait porter. Dans des chapelles, des séances de prières différentes se déroulaient. Les officiants hurlaient leurs litanies, plus sans doute pour écraser le culte concurrent que pour dominer le tumulte. Soudain, un homme au regard autoritaire le saisit par le bras et brandit à distance quelque chose d'invisible, serré entre le pouce et l'index. Comme Foulques approchait instinctivement le regard, l'individu referma vivement la main et l'enfonça dans son bliaut.

« Nul ne saura t'offrir aussi rare et précieuse relique, noble chevalier », assura-t-il en latin.

Comme Foulques ne réagissait pas, il insista :

« Je l'ai trouvé coincé là où elle l'avait perdu, entre deux pavés de l'arrière-cour qui servait autrefois de latrines.

– Montre, dit Foulques, intéressé malgré lui.

– Même si tu ne me l'achètes pas, regarde-le bien, car tu n'en verras jamais d'autre… Ça ressemble à un poil, mais ce n'est pas un poil comme les autres. C'est un saint fragment de la toison de sainte Hélène, perdu alors qu'elle soulageait sa vessie dans l'arrière-cour, sans doute le jour même où elle trouva la sainte Croix », dit l'homme en se signant à plusieurs reprises.

Foulques le regarda longuement dans les yeux, y lut une profonde conviction et, renonçant à répondre, le cœur chaviré, joua de nouveau des coudes pour atteindre la sortie.

*

Renaud s'était réveillé en sursaut, en proie à d'obscurs pressentiments. Mais Foulques revint avec l'air si sombre qu'il renonça à lui en faire part.

« Comment va-t-on entrer chez cet Ibrahim ? se contenta-t-il de demander.

– J'y ai réfléchi. Peut-être Abraham peut-il encore nous aider… À propos, c'est bien une phalange d'un disciple de saint Jean, que Raimond a fait sceller dans ton épée ?

– Oui… Tu crois que ça peut nous aider, pour les chevaliers de Saint-Jean ?

– Non, non, ce n'est pas ce que je voulais dire, ce n'est pas le même Jean… Je me demandais quelle force aurait mon épée, si j'y collais un poil de sainte Hélène. »

*

Quand ils se présentèrent à sa porte, le changeur juif fit d'abord répondre que sa religion lui interdisait de recevoir des infidèles un jour de sabbat. Mais Foulques ayant rétorqué qu'une démarche effectuée un Samedi saint constituait une grave entorse à ses propres principes, un garçon finit par leur ouvrir et les conduisit dans une très petite pièce plongée dans la pénombre.

Assis dans un coin sur une natte, Abraham s'excusa de ne pouvoir faire servir de thé ni aucun autre rafraîchissement, puis demanda d'une voix éteinte quel était l'objet d'une pareille visite.

Foulques lui conta les événements, en insistant sur l'aide que pouvait apporter le changeur.

« Ibrahim, rue Saint-Jean, dites-vous ? Il ne peut s'agir que du marchand d'épices, dit celui-ci. Son esprit est aussi mélangé que ses marchandises, je le pense depuis longtemps.

– Je suppose qu'il est chrétien, pour que des hommes comme nos ennemis se réunissent chez lui.

– Il se dit maronite.

– Il se dit ?

– Ce… c'est sans importance. Josué, un de mes serviteurs, a travaillé chez lui pendant un temps.

– Alors il nous faut voir ce Josué », dit Renaud.

Abraham se pencha en avant, la tête dans les mains, comme si ce qu'il entendait l'obligeait à se voiler la face.

« C'est sabbat…, murmura-t-il.

– Et pour nous c'est jour de deuil affreux. Christ est mort, mais Dieu ne peut nous punir alors que nous agissons pour le bien, répliqua Foulques en haussant le ton.

– Votre Dieu peut-être…

– C'est de l'argent que tu veux ? » demanda Renaud avec impatience.

Abraham se tassa sur son siège.

« En vérité, messire Foulques, il s'agit là de services que ne prévoyait pas le contrat d'administration de tes affaires, et…

– Soit, tu te paieras toi-même sur mon bien. Ce qu'il faut, c'est agir vite. »

Le changeur fit appeler le serviteur qui, encouragé par la pièce qu'on lui tendait, consentit à coopérer.

Il croyait savoir que, malgré sa simple condition de marchand d'épices, Ibrahim avait participé à de nombreux complots. Il dit qu'il le pensait nestorien, mais se rétracta aussitôt devant la moue réprobatrice de son patron. Il affirma que, si les seigneurs francs ne s'étaient pas trompés en ayant cru entendre « fond du jardin », il ne pouvait s'agir que d'un endroit de lui connu où il ne serait point difficile de pénétrer : une ruelle sans nom débouchait sur la rue des Tanneurs ; cette ruelle, déserte à toute heure, longeait une murette. Et cette murette elle-même fermait par l'arrière la propriété du marchand. Accotée à ce mur et le dépassant en hauteur d'au moins trois coudées, se trouvait une resserre de jardin couverte d'une terrasse et dotée d'un comble fort bas. Cependant, quoique fort bas, ledit comble était d'une hauteur suffisante pour qu'un homme assis s'y puisse tenir aisément. Les seigneurs francs avaient-ils à présent une représentation de cette situation ?

Foulques fit signe au domestique qu'ils avaient tout compris et l'engagea à poursuivre.

« Nul ne pourra vous voir, surtout la nuit. Mais vous devrez prendre garde au bruit. Il faudra grimper sur cette murette, et percer à hauteur des combles.

– Percer le mur ? s'étonna Renaud. C'est donc une maison en paille !

– C'est cela, en pisé. C'est très facile à faire. »

Contre une gratification supplémentaire, doublée parce qu'on était jour de sabbat, et malgré les soupirs d'Abraham, Josué accepta de servir de guide. On se retrouverait ici même, à la troisième heure de la nuit.

*

Ils étaient depuis longtemps tassés dans le noir parmi les vieux sacs et les amphores endommagées, lorsque leur parvinrent des bruits de voix. Ils s'allongèrent dans la poussière. Au-dessous d'eux, la resserre s'éclaira de discrètes lampes à huile.

Par un bonheur imprévu, les interstices du plancher permettaient d'apercevoir des fragments de la scène.

Ils étaient bien cinq : Conon, son fils, et trois inconnus.

Pendant un moment, il ne fut question que de « la bande d'Arnaud de Comps ». Le futur ordre des chevaliers de Saint-Jean ne pouvait s'encombrer d'aussi détestables recrues. Ce qu'il fallait trouver, c'était un moyen sûr et définitif de s'en débarrasser. Jérusalem exigeait que soit instauré un ordre chrétien absolu. Comment y parvenir, tant qu'un prince dévoyé par des passions honteuses occuperait le trône ? Il faudrait dans un premier temps rétablir Daimbert dans son patriarcat, comme le demandaient à Baudouin les légats pontificaux. Il ne resterait alors au pape Pascal qu'à exiger la restitution à l'Église d'un pouvoir usurpé par le frère de feu l'avoué Godefroi…

Un des comploteurs qui, vu de haut, paraissait plus maigre et chétif qu'un pieu, demanda s'il conviendrait d'exterminer les populations juives et musulmanes. Après une âpre discussion qui paraissait n'être pas la première sur le sujet, on admit l'idée de les conserver en tant que domestiques, mais privés de tout droit et de tout bien.

« La difficulté vient de ce que nous ne sommes pas assez nombreux, soupira un homme entièrement chauve.

– Tu dis bien, frère. À chacun de nous revient la mission sacrée de faire des adeptes, afin de ne pas laisser les autres renforcer leurs rangs, soutint Conon de Montaigu.

– Si tous suivaient l'exemple de mon père, dit Goscel d'une voix douce, la direction de l'Ordre aurait déjà changé de mains… Plus fait violence que prêche ! Beaucoup hésitent, tergiversent, parce qu'ils ne comprennent pas que la gloire de Dieu n'admet pas de demi-mesures. Ceux-là, il faut les pousser un peu, et au besoin les bousculer. Une fois recrutés, ils deviendront les meilleurs d'entre nous, parce qu'ils auront à cœur de racheter leurs atermoiements.

– Tu as raison, mon fils, et j'ai procédé de la sorte. Ainsi, malgré les encouragements de la comtesse, l'entourage de Saint-Gilles nous était jusqu'à présent fermé. Tel n'est plus le cas : le serviteur de Raimond de

Toulouse en personne, un certain Ménélas, et l'un de ses proches barons, actuellement coseigneur de Botron, sont acquis à notre cause. »

Renaud serra les poings. Un peu de poussière glissa entre deux planches jusque sur le crâne chauve. Machinalement, l'homme leva la tête vers le plafond.

« Va pour le chevalier, mais un domestique ! dit-il en s'époussetant.

— Ce n'est pas n'importe quel domestique. Voilà un homme qui a la confiance de celui qui reste le plus puissant baron de Terre sainte.

— Et comment t'y es-tu pris ?

— Ce Ménélas est assez content de sa personne… Je lui ai laissé croire que l'on dirait partout qu'Alphonse-Jourdain est son fils.

— Pas possible ! Raimond est cornu ? tonitrua un énorme chevalier aux sourcils noirs comme la nuit.

— Mais non, soupira Conon, c'est une invention, tu comprends, une fable pour faire du tort à Saint-Gilles. »

Le chevalier fixait Conon sans paraître comprendre.

« Et l'autre ? reprit le chauve.

— Magnifique prise ! triompha Conon. J'ai sa parole… et aussi la sorcière qui le tenait dans ses charmes, au cas où il regimberait.

— Ce n'est peut-être pas le bon moyen, père, dit Goscel, il faudra qu'à l'avenir nous voyions cela tous ensemble… »

Dehors, le vent s'était levé. Une bourrasque pénétra dans la brèche du pisé, soulevant la poussière. Sans avoir eu le temps de se pincer le nez, Foulques éternua.

Le conciliabule se mua aussitôt en un branle-bas ponctué de jurons et de malédictions. « Une échelle, une échelle, il y a quelqu'un là-haut ! » hurlait la voix du gros chevalier. Mais les deux espions avaient déjà franchi le trou et sauté dans la ruelle.

Ils coururent jusqu'à la rue des Tanneurs, où Josué les attendait avec leurs chevaux.

« Une belle nuit, chevaliers, pour cueillir la marguerite, dit celui-ci en leur tendant les rênes. Dommage que le vent ait un peu fraîchi… »

*

Le mardi suivant Pâques, le roi Baudouin leur accorda enfin l'entrevue qu'ils demandaient depuis leur arrivée et les reçut dans une longue robe rouge largement ouverte. Un pectoral d'or luisait sur son torse de taureau.

« En quoi puis-je être utile aux superbes barons de Toulouse ? dit-il après les avoir examinés des pieds à la tête.

— Nous espérions recueillir ton conseil, sire roi. Mais, à présent, nous croyons pouvoir en retour te donner d'importantes informations, dit Foulques avec une pointe d'orgueil.

– Sur cette flotte génoise qui a déjà si grandement aidé votre comte à prendre Gibel, et à laquelle je vais demain m'allier pour assiéger Acre ?

– Non, sire roi. Ce que nous avons à révéler regarde la sécurité et la paix du royaume. »

Foulques exposa la situation de manière aussi concise que possible. Comme Baudouin ne disait rien, il s'enhardit jusqu'au reproche :

« Tu prépares un siège d'où tu reviendras couvert de gloire. Mais, pendant que s'étendent au-delà des murailles les limites de ta puissance, d'autres en sapent les fondements au cœur même de ta capitale. Comment admettre que de pareils désordres se déroulent presque au grand jour sur des terres qui relèvent de ta royale autorité ? Tu dois protection, soutien et sécurité à ceux que nous sommes devenus, à la fois fils d'Occident et fils d'Orient. Nous sommes tous les poulains de ton royaume. »

Baudouin avait souri.

« Penses-tu que ton seigneur, le puissant comte Raimond, apprécierait que j'aille faire régner la paix dans un territoire qu'il ne maîtrise pas encore ?

– Non, sans doute, intervint Renaud. Mais, d'après ce que nous avons pu comprendre, ces hommes soutiennent les prétentions de Daimbert sur le siège patriarcal, et cela te concerne. »

Gêné, Foulques constata que Baudouin ne semblait pas écouter son compagnon, mais contemplait avec application ses épaules larges, la finesse de sa taille enserrée par le baudrier.

« Daimbert a déjà tenté en vain de récupérer son trône. Ébremar, l'actuel patriarche, bénéficie de mon appui. Ni le cardinal de Paris hier, ni l'évêque de Porto demain, tout légats du pape qu'ils soient, n'y pourront rien changer. Je n'entends pas que le royaume devienne terre d'Église.

– Sans doute, dit Foulques, mais, pour le moment, c'est surtout le sort de la dame du chevalier Renaud qui nous préoccupe. Et elle est aux mains d'hommes assez inconscients pour songer à t'arracher le sceptre des mains. »

Baudouin avait retrouvé son sourire.

« Tes yeux ont la couleur des perles d'Arabie, gris et nacrés comme elles… Je l'avais déjà remarqué, autrefois. À Laodicée, peut-être… Tu ne ressembles guère aux Provençaux, on te croirait plutôt de chez moi.

– Mon père était un fils d'Avesnes, balbutia Foulques.

– Tiens, c'est curieux. Nous avions dans notre troupe le brave Gérard d'Avesnes. Un cousin, sans doute ?

– Oui, oui… Gérard d'Avesnes était mon cousin, mentit Foulques, le regard fixé sur les prunelles bleu d'acier du roi de Jérusalem.

– Les arrêts du destin sont aussi singuliers que les lois de Dieu ! s'exclama Baudouin. Ce pauvre Gérard ne te ressemblait guère. Il était laid à faire peur. »

*

Ils revinrent au palais dès le lendemain pour y rencontrer le cardinal de Paris, encore légat pontifical pour quelques semaines. Lèvres pincées et doigts tapotant impatiemment les accoudoirs de sa cathèdre, celui-ci écouta leurs doléances avec une visible exaspération.

« Chevaliers, vous portez là une accusation grave contre de zélés serviteurs de l'Église, laissa-t-il tomber quand Foulques eut terminé.

– Elle est grave, en effet, intervint Renaud. Et il peut paraître déloyal d'avoir épié en cachette. Cependant, l'Église admet dans l'extraordinaire ce qu'elle condamne dans l'ordinaire. »

Le cardinal hochait lentement la tête sans qu'il fût possible de deviner ses sentiments. Foulques se demandait d'où Renaud tirait les mots qu'il venait de prononcer.

« Les circonstances ont fait que nous avons dû nous enfuir, précisa-t-il en relevant fièrement le regard, et il se peut que nous ayons mal compris. Mais nous sommes prêts l'un et l'autre à jurer que tout ce que nous avons rapporté est vrai. Ces hommes prétendent agir selon les vœux du Saint-Père. Ils affirment détenir ta caution. Ils sont dangereux pour le royaume et pour l'Église. Ils ruinent notre œuvre et compromettent notre victoire. »

Une ombre voila le regard clair du légat. Après un silence empli de méditation, il dit d'une voix vibrante :

« Soit. Vous allez jurer.

– Mon épée contient une relique, dit Renaud en la déposant aux pieds de la cathèdre.

– Pour un chevalier, ce symbole de mort est ce qu'il y a de plus précieux, mais il en va autrement pour Dieu. Donne-moi plutôt la Bible qui se trouve sur cette planchette. »

Les deux garçons jurèrent que leur cœur n'abritait aucune inimitié particulière à l'encontre des hommes qu'ils accusaient, et que, seulement soucieux des intérêts de l'Église et du royaume, ils rapportaient fidèlement des propos surpris par ruse plus que par malignité.

Le légat leur fit ensuite réciter le *Credo*.

« Maintenant, prions ensemble pour appeler sur nous la sérénité et la clairvoyance », dit-il.

Après deux douzaines de *Pater*, il se leva avec solennité.

« La jeune femme dont vous me parlez comme étant l'épouse de l'un de vous a été remise entre mes mains pour y répondre des crimes d'hérésie et blasphème. Elle s'est dérobée par le mutisme à l'interrogatoire auquel elle a été soumise par mes soins. En conséquence, elle fait partie de ceux et celles qui, soupçonnés des mêmes turpitudes, auront à m'accompagner jusqu'à Rome, pour y comparaître devant leurs juges.

Cependant, aucune preuve n'ayant été apportée contre elle et votre double serment l'innocentant, je vais rédiger un billet ordonnant sa libération. »

Foulques et Renaud se jetèrent aux genoux du cardinal, qui leur donna sa bénédiction.

*

On ne retrouva pas Anne. Le cardinal de Paris interrogea le patriarche en exercice, Ébremar, l'ancien patriarche, Daimbert, et même le premier patriarche, Arnoul Malecorne. Aucun des trois ne put donner la moindre information. C'est du moins ce que, la veille des nones, le prélat assura aux deux garçons. Le ton du légat paraissait embarrassé. Renaud ne voulait pas croire qu'il mentait.

« Je dois rejoindre Rome dans un mois. Je veux que tout cela soit éclairci avant mon départ. Demain, à l'issue de la messe que je célébrerai en l'église du Saint-Sépulcre, je vous demande de revenir ici. »

*

La salle dans laquelle avaient déjà eu lieu les deux précédentes entrevues parut plus grande aux deux chevaliers. Devant la cathèdre surélevée où trônait le légat assisté d'un diacre, on avait disposé des bancs. D'un geste, le cardinal invita Foulques et Renaud à y prendre place.

Peu après, conduits par Gérard, entrèrent tous les hospitaliers de Saint-Jean présents à Jérusalem. Les deux garçons frémirent en voyant arriver ceux qui ne les connaissaient pas encore.

« Mes frères, commença le cardinal, vous avez entendu les paroles qui ont été lues à l'instant, extraites de l'Évangile de Jean : *Si quelqu'un m'aime, il gardera ma parole, et mon Père l'aimera et nous viendrons à Lui, et nous ferons en Lui notre demeure.* C'est dans l'amour du Christ, par lequel nous avons reçu l'Esprit, que je vous parle. Puisse-t-Il éclairer nos âmes et guider notre conduite. Prions. »

Tous se dressèrent, paumes levées vers le ciel et, à l'unisson, récitèrent le *Notre Père*.

Le cardinal exposa brièvement les faits, puis demanda à chacun de s'avancer et, la main sur la Bible, de dire ce qu'il savait de l'affaire.

Foulques déposa à la suite de Renaud et dans les mêmes termes. Arnaud de Comps et la plupart des hospitaliers jurèrent n'avoir connaissance d'aucun des faits reprochés.

Un gringalet au crâne pelé s'avança ensuite. Il s'agenouilla devant le légat et, se frappant la poitrine de l'air illuminé de qui vient de faire une découverte essentielle, s'exclama soudain :

« Je suis un misérable ! Je suis un misérable…

– Explique-toi, tonna le légat. Reconnaîtrais-tu quelque responsabilité dans l'un ou l'autre des faits qui sont reprochés à ta communauté ?

– Oui, Très Saint-Père, je les reconnais toutes.

– Je ne suis pas le Saint-Père, maugréa le légat, mais seulement son représentant. Quels sont tes acolytes ? Où est cette femme ?

– Je suis un misérable », répétait l'autre d'un air ravi.

Alors, Conon de Montaigu s'avança, et, dans un silence glacé, posa la main sur l'épaule de l'avorton :

« Tu es un misérable, Lucas, comte de Thiers, tu l'as toujours été, inutile de nous le redire, nous le savons.

– Merci ! Merci de ta confiance, mon fidèle Conon… »

Puis se tournant vers le tribunal :

« Vous voyez, Très Saint-Père, et vous, archanges qui l'entourez, le sire de Montaigu vous en porte témoignage, je suis bien le plus misérable des misérables ! »

Sur un signe de Gérard, trois hospitaliers invitèrent fermement à les suivre à l'hospice le comte Lucas qui se démenait en hurlant : « Étripez le misérable que je suis, écorchez-le tout vif, mes frères ! »

Sans un regard pour son complice, Conon dévoila que lui seul était responsable de ce que l'on pourrait trouver à reprendre dans l'action de ses amis. Lui seul avait décidé d'attacher à l'Ordre le coseigneur de Botron. Lui seul avait entrepris de le libérer de l'emprise d'une sorcière follement épousée sous l'influence d'un charme…

« Tu as tué mon fils, hurla Renaud.

– Ton fils ? Je ne m'en souviens pas. Je n'ai rien vu d'autre que le marmot d'une domestique… Mais si cela est, accepte mes regrets.

– Quoi d'autre ? murmura le cardinal.

– Moi seul ai fait sortir cette… femme des cachots royaux, pour la conduire au couvent de Sainte-Anne, auprès de la reine Arda, épouse recluse et répudiée de notre sire roi. Et moi seul également l'ai vendue à un marchand musulman à qui elle doit être livrée dans deux jours devant le monastère de Gethsémani.

– Qui êtes-vous pour oser présenter comme sorcière une bonne et vraie chrétienne ? Qui êtes-vous, pour oser la vendre à l'infidèle, vous, des chrétiens ! Et qui plus est, dans le lieu même où Judas a trahi Notre-Seigneur Jésus ! »

Le gros chevalier chauve qui s'était inquiété de savoir s'il était vrai que Raimond de Saint-Gilles eût des cornes se leva brusquement de son banc et se jeta aux côtés du comte de Montaigu :

« Oui, Conon, le bon père a raison, c'est mal ce que nous avons fait. Mais explique-leur que c'était parce que nous n'avons pas d'argent pour combattre pour le Christ. Dis-leur que le marchand nous a donné de cette fille le prix de dix chevaux. »

*

Au nom du roi, une troupe vint s'emparer des factieux en vue d'un interrogatoire plus approfondi. Puis le légat envoya quérir le marchand d'hommes, un Fatimide sûr de son bon droit qui refusa tout arrangement. Il fallut trouver un notaire.

Celui-ci écouta les arguments des parties et, quoique chrétien, reconnut le bien-fondé des positions du négociant. Le marché avec le sire de Montaigu avait été conclu dans les formes, la « marchandise » avait déjà trouvé preneur, le dédit des vendeurs engendrait à ses frais un préjudice considérable.

Le cardinal de Paris roulait des yeux éberlués. Comment ? Dans la ville même du Christ ? Un tel trafic ? Et les coupables étant pris, il fallait encore discuter ? Écouter les jérémiades de ce bandit qu'on devrait bien plutôt jeter au fond d'une geôle ? L'homme de loi demeurait inflexible : un contrat était un contrat, même si les termes pouvaient ne pas correspondre aux canons de la vertu chrétienne. D'ailleurs la politique constante du roi Baudouin était de ne rien faire qui pût fâcher les Fatimides. Mais grâce à Dieu, le dilemme n'était pas sans solution, il fallait racheter la « marchandise » et payer le dédit.

« Nous vivons dans ces lieux au cœur du scandale ! s'indigna le légat. Avez-vous, chevaliers, de quoi racheter la liberté de la dame de Botron ? »

Foulques proposa de transférer la propriété de sa maison de Constantinople au marchand fatimide. Le notaire se fit faire une description, évalua le bien, le mit en regard de la valeur des « marchandise », dédit et préjudice subi, et conclut à l'honnêteté de l'échange. On rédigea l'acte notarié par lequel Foulques, sire de Châtenet et Renaud, coseigneur de Botron, devant le cardinal de Paris et le sénéchal du royaume de Jérusalem, témoins, contre une maison sise en la ville et cité de Constantinople près l'église des Saints-Serge-et-Bacchus, échangeaient l'épouse en légitimes noces dudit Renaud, coseigneur de Botron.

En entendant que l'édifice se situait près de l'église des Saints-Serge-et-Bacchus, le légat dit simplement, la main tournée vers Renaud et Foulques :

« De même que Serge et Bacchus, ces deux soldats syriens martyrs de leur foi, ces deux enfants nous montrent à tous la voie de l'amour et de la commisération chrétienne. »

Foulques en était encore à s'indigner de sa propre ignorance, lui qui avait naguère cru voir en Serge et Bacchus un symbole d'alliance entre chrétienté et Antiquité, quand, sur un signe de tête du prélat, la porte s'ouvrit.

Elle était là, grave, le crâne rasé, les yeux immenses. Sa longue robe grenat figée sans un pli, ses mains décharnées pendant au bout de ses bras raides.

Ils la reconnurent ensemble. Et, ensemble, avec dans la voix le même timbre, ils crièrent « Anne ! »

XXI

Été 1104. – Casal d'Iliansborg.

L'AIR BRÛLAIT la gorge d'une suie âcre comme un feu de forge. Aucun oiseau ne chantait plus. Le ciel blanc écrasait au sol des odeurs lourdes comme des poisons. Passé la troisième heure, nul ne s'aventurait plus sur les chemins impitoyables. La terre tendait ses craquelures vers le soleil.

Blotties dans les abris construits à la hâte, les femmes ne sortaient qu'au soir dans l'ombre étouffante pour se traîner jusqu'au puits. Les seaux raclaient une eau épaisse, où flottaient des serpents noyés et des lézards attirés là comme dans un calice de mort.

Les hommes souffraient sur les chantiers. Parfois, une fausse brise venait égratigner leurs prunelles d'une douleur salée. Leurs mains, comme empesées, se déchiraient sur l'angle des pierres avec une fragilité de vieux parchemin qui les laissait encore muets de surprise. Ils regardaient le sang couler, posaient leurs lèvres sèches et buvaient avec un bienheureux écœurement le liquide tiède qui ne désaltérait pas.

Depuis une semaine, à la lueur des torches, on travaillait tard dans la nuit et tôt le matin. Le jour, on essayait de trouver le sommeil, vautré à l'ombre des murs chauffés à blanc.

Aux heures de feu, les mouches elles-mêmes disparaissaient. On les retrouvait le soir, piquant les lèvres et le coin des yeux, s'abreuvant aux plaies.

À chaque crépuscule, du haut de la crête, on regardait s'engloutir dans la mer le globe rouge, devenu énorme. On croyait, certains soirs, le voir un peu blanc, ou voilé, promesse de pluie. Le lendemain, il se levait dans un jaillissement de roses, et l'on savait qu'il allait falloir tenir une journée de plus dans l'horrible fournaise.

De là-haut, muette comme un désert, la mer paraissait une plage de fer. Pas une fois en deux semaines le baume de son souffle n'était parvenu jusqu'au casal.

Les constructions n'avançaient guère.

*

Jacques le Pileux, prévôt désigné par Raimond, avait refusé de rendre Botron. Le jour même de son arrivée, à la tête de trois douzaines d'hommes, il avait proposé à ceux qui le souhaitaient de se joindre à lui, et prié les autres de quitter les lieux sur-le-champ. La rage au cœur, Éric avait vu sa troupe faire allégeance au nouveau maître, et, presque seul, accompagné de Morphia, des enfants et des serviteurs, il avait tristement pris le chemin du casal, qu'il appelait Iliansborg, le fort de Saint-Gilles. À son sens, et c'était aussi l'avis de Morphia, la détermination de ce Jacques était absolue et il n'y avait rien à attendre de lui. Ayant d'un coup d'œil mesuré les faiblesses du gouvernement précédent, ce pirate avait dû soudain considérer le territoire de Botron comme une prise à sa mesure.

À leur retour de Jérusalem, les deux coseigneurs en avaient été réduits à se replier vers le casal, avec, comme seule troupe, quinze hommes en armes, dont deux à cheval, Onfroy et Éric. Et encore, depuis cette honteuse retraite, l'Islandais était-il à peu près méconnaissable. Ayant pris goût au vin, il en avait éclusé les maigres réserves, et, braillant quotidiennement son désir de regagner son île de glace, il s'engloutissait à toute heure dans des sommeils de plomb dont il émergeait écarlate de peau et sombre d'humeur.

Foulques tournait et retournait sa plume dans l'encre, savourant l'odeur sucrée et presque fraîche qui montait du godet de métal. Mais la page vide paralysait son inspiration.

« Tu n'écris pas ? » grogna Renaud, à demi endormi.

Foulques se retourna pour contempler le corps nu de son ami allongé sur la paillasse. L'odeur bien connue de peau rousse irrigua ses narines, et il comprit à ce moment que, seule, elle l'empêchait depuis plus d'une heure d'aligner le moindre mot.

Il ne pouvait écrire en Saintonge, parce qu'il était en Saintonge. Ce parfum plus fragile qu'un jasmin portait dans ses effluves tous les paysages d'autrefois.

Il ferma les yeux. Des images voletaient et s'enfuyaient, papillons de couleurs aussitôt engloutis dans l'ombre. Le grand tilleul… les pins des Fées… la mer battant le puits de l'Auture… le pain craquant des jours de fête… la tunique de cuir de Thibaud…

À quoi ressemblait à présent Châtenet ?

Dans une nouvelle aspiration, concentré comme un guetteur, il appela d'autres souvenirs. Mais, déjà rebelles, pressées de retourner au néant, ne venaient plus que des ébauches. Le plancher craquant de la salle d'écriture… la robe de bure d'Adhémar…

Il tendit sa main ouverte pour caresser dans l'air des formes fugaces.

Il n'y trouva plus que la brûlure du jour, écrasant de lumière le casal, tuant les hommes de ses rayons de feu.

Que ferait Adhémar, à sa place ? Comment redonnerait-il courage aux hommes ? Où puiserait-il la force de ne pas croire perdu ce qui l'était, pourtant ?

Il considéra sa plume presque neuve, et entreprit de la retailler.

« *Foulques, soldat du Christ...* »

Dirait-il à Philippa toutes ces générations d'écailles qui, depuis près de deux lustres, étaient tombées de ses yeux, pour se reformer aussitôt en de nouvelles chimères ? Dirait-il les épreuves et le doute ? Et les cicatrices qui avaient tué la candeur de l'enfance ?

Il lui dirait que la foi l'avait éclairé comme le phare de Constantinople, brûlant de près, quand on l'avait chargé de bois, unique espérance de loin, quand l'œil avait perdu la route.

« *...à Philippa, dame de Châtenet.* »

Il lui disait l'incertitude qui jongle avec la vie comme un macabre funambule, le monde éventré et absurde, les hommes semblables et infiniment différents.

Il lui disait savoir à présent ce qu'était l'arrachement à sa terre, à l'étude, à la paix, à elle, Philippa, sa mère.

Pour finir, il lui dit que son épouse allait mettre au monde son quatrième enfant. Leur quatrième enfant.

...et je te jure, mère, que le temps n'est plus si éloigné où nous rentrerons à Châtenet, pour t'y retrouver et refaire à nous tous le monde que tu mérites.

Mon amour pour toi, aussi fort que celui du Christ pour Marie, me fait paraître légère la croix de l'exil à laquelle Renaud et moi sommes enchaînés, car il me permet aussi de t'envelopper de tendresse, de sécher tes larmes dans la joie de mon cœur.

Foulques.

*

On était encore dans les jours les plus longs. Comme les hommes, les chevaux et les ânes traînaient au long des heures leur souffle épuisé. Les blés, brûlés en plein essor, courbaient vers le sol leurs épis avortés. En partant très tôt le matin, on était plusieurs fois descendu dans la vallée sans eau pour surveiller leur déclin. Ils avaient d'abord semblé ignorer la soif, puis, jour après jour, ils avaient pris une mauvaise teinte jaune, désolante comme une promesse non tenue. Les rats envahissaient les maigres greniers puis allaient crever les uns contre les autres dans des combats sans objet. On avait disposé des pièges, mais la montagne haletante vomissait vers les vallées toutes les vies précaires et mystérieuses qu'elle ne pouvait plus nourrir. On avait renoncé sous le nombre.

La disette menaçait de s'ajouter à la soif. Deux enfants et une femme étant morts, Foulques ordonna de tout faire bouillir longuement, même l'eau. On obtempéra en haussant les épaules.

Par un après-midi crépitant de cigales, Foulques, incapable de dormir, la tête bourdonnante, décida d'affronter la canicule pour défier le ciel torride. Le casal semblait un désert de pierre. Un chien se tenait aplati au sol, les pattes sur le côté, la langue touchant terre. Les ouvriers avaient disparu pour la sieste qui durerait jusqu'au soir. L'air immobile vibrait sur place.

Foulques allait pénétrer dans le chantier de l'église lorsque, sous la branche basse d'un figuier penché au bord de l'à-pic, il aperçut Anne.

Alertée par son pas, elle se dressa d'un bond et lui fit face. Il vit qu'elle avait pleuré.

« Toi non plus, tu ne peux pas dormir ? demanda-t-il.

– Je veux partir… Laisse-moi partir, Foulques.

– Partir ? Mais où ? Le soleil te tuerait.

– Oui, il me tuerait.

– Anne, que se passe-t-il ? »

Elle eut un geste de lassitude et se rassit face aux collines qui ondulaient jusqu'à la mer. En silence, Foulques prit place à ses côtés. Un moment après, elle psalmodia :

« *Blessée par l'amour, j'ai cherché comment, dans l'honneur, résister à ses assauts. À force de raison, j'ai lutté avec âpreté contre ma folie. Puis, impuissante à triompher de Cypris, j'ai résolu ma mort.* »

Foulques la saisit doucement par le bras.

« Pourquoi parles-tu en grec ? Que sont ces mots ? »

Elle tenta de se dégager, mais Foulques ne la lâchait pas. Elle rit, comme elle aurait crié.

« Lorsque j'étais esclave à Alexandrie… »

Le souffle lui manqua et elle chancela. Foulques passa un bras derrière ses épaules. Elle se pencha en avant pour échapper à son étreinte et reprit :

« C'est ce que dit Phèdre. C'est une pièce de théâtre. Hippolyte… Une pièce d'Euripide. Je l'ai découverte à Alexandrie…

– Pourquoi mourir ?

– *Si je me décide à mourir, c'est pour préserver l'honneur de mon époux* », murmura-t-elle avec des larmes dans la voix.

Foulques ne disait rien. Une détresse lui barrait le cœur. De son bras nu, il lui caressa la nuque, comme on apaise une pouliche.

Anne tremblait.

« C'est Phèdre qui parle ainsi… Elle dit : *Malgré lui, malgré moi, je meurs victime de l'homme que j'aime* », articula-t-elle encore, avant de cacher son visage dans le cou du garçon.

Il caressait ses cheveux, éperdu.

« Je croyais que j'étais seul à souffrir encore, murmura-t-il.

— Pardonne-moi. J'ai honte et je ne peux rien. »

Du chantier, leur parvint une cascade de jurons. Ils se retournèrent. Comme insensible au feu du ciel, Monsef déblayait avec des imprécations de colère un gros tas de gravats effervescents.

Anne sourit.

« Oui, souvent je voudrais être morte… Avant, j'avais Foulquinet… mon petit Foulques… Mais je suis chrétienne, et Dieu seul décide de la vie et de la mort. Ne crains rien, je ne tomberai pas au pied de ces rochers.

— Renaud et moi, nous sommes là, près de toi », murmura Foulques, en la serrant contre lui.

*

Ses grosses mains de paysan tremblant comme celles d'un néophyte, Joseph Ibn Haris tendit le texte sacré vers l'assistance, en psalmodiant un *Dominus vobiscum* rugueux, puis enchaîna, le regard rivé sur Morphia :

« Contrairement aux schismatiques grecs qui, le sixième dimanche après la Pentecôte lisent la guérison du paralytique relatée par saint Matthieu, je lirai comme à Rome l'Évangile de Marc. »

Morphia caressa son ventre qui commençait à s'arrondir sous sa légère tunique de lin, déjà pesante malgré l'heure matinale. Elle sourit au prêtre avec l'air amusé de ceux qui ne croient plus en rien.

Pour chanter l'Évangile, Joseph hésita, regarda le soleil et l'inclinaison des ombres, se pencha à droite, puis effectua un quart de tour avant de faire résolument face au nord.

« Joseph est comme les moutons fous, constata Michel. Il tourne en rond.

— Non, c'est parce qu'il veut faire comme à Rome, il cherche le nord, lui expliqua Foulques à mi-voix.

— Il y a le nord aussi, à Rome ? »

Foulques mit un doigt sur les lèvres.

Bras tendus devant lui, le prêtre offrit le Livre aux baisers de l'assemblée, en commençant par le côté des femmes. Tite, le benjamin de l'autre famille arabe, agitait furieusement l'encensoir d'où s'échappaient d'épaisses volutes.

« Il a encore rempli le machin à ras bord pour faire mieux que moi ! s'indigna Michel. Mais il sait pas le balancer pour faire entrer le vent dedans. »

Joseph entamait à présent son homélie. Il venait d'affirmer que le Christ n'avait jamais laissé des croyants périr de faim et de soif, et que l'on ne pouvait plus compter que sur Lui. Puis fixant du regard les deux coseigneurs :

« Avec la chaleur, nous, on n'a plus de pain, et on n'a plus d'eau non plus. Et plus de vin, et plus rien. Où est-il, le Seigneur qui les multipliera pour nous ? Le cheikh Ibn Khaled, dans sa sagesse, a conduit toute sa tribu dans la fraîcheur de la Kadisha. Il y a déjà plus de deux semaines qu'il l'a fait, parce qu'il a compris tout de suite que la pluie ne viendra plus. Il est un bon pasteur, un bon chef pour les familles. Et il est un bon chef aussi, celui qui tient les puits profonds de Botron et les greniers pleins. Heureux ceux qui ont de bons chefs parce qu'ils auront de l'eau et du pain. »

Dans le murmure qui suivit, Michel se pencha vers Foulques qui ne lâchait pas le prêtre du regard :

« Pourquoi ça, il veut faire comme à Rome ?

— Parce que, en Occident, on parle vers le nord. C'est de là que sont venus les barbares. »

*

La messe s'était terminée dans la confusion. À l'ombre des murs, des groupes commentaient les paroles de Joseph.

Foulques réunit aussitôt le conseil.

« Nous venons d'entendre le premier appel à la révolte, déclara-t-il. Quelqu'un a-t-il compris autrement les paroles de notre curé ?

— Coupons sa langue, proposa Éric.

— La soif et la faim font perdre l'esprit, murmura Onfroy. Ils attendent de toi que tu multiplies les pains et leur montres un lac de Tibériade...

— Chez moi, la glace fond quand la pluie vient. L'eau coule...

— Renaud, quel est ton conseil ? » trancha Foulques.

Renaud posa un regard froid sur chacun des visages qui attendaient sa réponse.

« Joseph a raison, dit-il avec calme. Nous avons essayé de tenir tête à l'adversité, et nous n'avons pas su prévoir que les eaux s'assécheraient, que le grain manquerait. Oui, Jacques le Pileux et le cheikh Ibn Khaled sont de bons chefs. Oui, nous allons tous crever, et nous quatre les premiers parce qu'ils nous tueront pour boire notre sang.

— Que proposes-tu ? demanda Onfroy.

– Nous avons été courageux et loyaux. Notre honneur est sans tache, mais continuer ainsi nous transformera en squelettes desséchés tout juste bons pour les vautours. Mon conseil tient en un seul mot : Raimond. »

*

Le soir même, cinquième jour anniversaire de la prise de Jérusalem, ayant juré devant la communauté réunie et sur leur dignité de chevalier de rapporter vivres et boisson, dans une chaleur de four à pain qui faisait craquer les pierres, Foulques et Renaud prirent le chemin de Mont-Pèlerin.

Comme ils atteignaient l'orée du casal, suivis de tous ceux qui avaient encore la force de marcher, on vit s'avancer le vieux Monsef, devenu plus sec qu'une viande fumée, portant dans ses bras une outre de dix pintes.

« Les bêtes n'ont plus de force. Elles ne vous porteront pas sur cinq lieues, dit-il en posant à terre son fardeau. Je gardais cette eau pour la fin, pour les charpentiers… pour qu'ils puissent finir le travail avant de mourir. Que les chevaux boivent, et qu'Allah vous accompagne. »

On courut chercher des écuelles.

Les yeux brillants, les hommes regardaient couler sous le museau des bêtes le merveilleux liquide, plus précieux que le plus précieux des parfums.

*

Raimond étala les feuillets sur lesquels était penché Guillaume de Cerdagne, un cousin qu'il appelait neveu, récemment arrivé en Syrie en compagnie d'Aymar de Marseille.

« Mes enfants, votre visite tombe au meilleur moment. Mon bon Raymond d'Aguilers a terminé son odyssée. Voilà un chapelain que j'aurais dû nommer évêque avant qu'il décide de se retirer dans un monastère de Jérusalem.

– Il est venu jusqu'ici pour t'apporter sa chronique ? s'étonna Renaud.

– Oui, en voilà un qui est fidèle, on peut le dire. Dès que j'aurai pris Tripoli, je le tirerai de ce tombeau où il s'est enfermé. Il sera l'évêque du prince de Tripoli… Enfin, il sera évêque de Tripoli. Tenez, voyez comme c'est bien, lisez un passage au hasard… »

Raimond fouilla dans la liasse et finit par trouver ce qu'il cherchait.

« Tiens, par exemple, ce passage… Je lis : … *Le comte se rendit donc en Syrie avec la foule des pauvres et un petit nombre de chevaliers et assiégea vigoureusement la première ville des Sarrasins qu'il rencontra, nommée Albara : il y tua plusieurs milliers de Sarrasins et plusieurs autres milliers furent ramenés et vendus à Antioche. Ceux qui se rendirent à lui dans le cours du siège et par crainte de la mort, il leur permit de s'en aller en liberté. Ayant ensuite tenu conseil avec ses chapelains et ses barons, il élut un prêtre pour évêque, d'une manière fort convenable et honorable pour celui-ci. »*

Guillaume de Cerdagne, le menton fièrement pointé en avant, le regard soucieux, écoutait le comte de Toulouse déclamer en battant l'air de la main.

« Que se passerait-il si nous déclarions la guerre à ton prévôt, usurpateur du pouvoir à Botron ? coupa Renaud.

— *Assiégea vigoureusement la première ville des Sarrasins qu'il rencontra* », scanda Raimond, en reposant la feuille qui tremblait au bout de ses doigts.

Des gouttes perlaient sur son crâne chauve. Cette salle basse de la citadelle était si fraîche que Foulques s'étonna de le voir suer. Lui avait presque froid.

« Moi, prince de Tripoli, j'aurai vu de mon vivant mon existence érigée en modèle pour les siècles des siècles. J'égale en splendeur et en vertu les plus grands Romains. S'il était encore des nôtres, feu Henri, notre oncle et aïeul, serait fier de moi.

— Comte Raimond, mon cousin, en dépit de cette splendeur, le prévôt que tu as installé à Botron se comporte en félon.

— Là où vous avez conquis en mon nom, je fais régner la paix pour l'utilité commune.

— Nous ne pouvons certes pas nous permettre de perdre un port, intervint Guillaume de Cerdagne, et il faudra châtier ce Jacques le Pileux, le moment venu. Mais, tant que Tripoli résiste, nous ne devons penser à rien d'autre.

— Le chevalier Renaud et moi avons conquis Botron, s'indigna Foulques. Aujourd'hui, nous demandons l'aide de notre seigneur Raimond de Saint-Gilles pour rejeter à la mer le misérable qui bafoue notre autorité et la sienne.

— Et qui te dit que Jacques bafoue mon autorité ? Qui te dit qu'il n'agit pas selon mes ordres ? Qui te dit que je ne préfère pas voir ma ville de Botron tenue par un fidèle plutôt que par un jeune coq imprévisible ? »

Foulques se dressa lentement, pâle comme s'il allait perdre connaissance. Une lueur d'inquiétude passa dans l'œil du comte. D'un même mouvement, Renaud et Guillaume s'interposèrent. Mais Foulques les écarta d'un geste calme.

« Comte Raimond de Saint-Gilles, mon cousin, tu viens de faire acte de déloyauté et de forfaiture. Je prends ici pour témoin le comte de

Cerdagne. À partir de cet instant, je me considère comme délié de mon serment de fidélité à ta personne et ne suis plus ton homme.

– Félon ! Félon ! hurla le comte. C'est toi le plus félon de tous, le plus sournois, le seul déloyal ! Je confisque ton fief de Botron, tu m'entends, je le confisque ! »

Mais, suivi de Renaud, Foulques avait déjà rejoint la fournaise du soir tombant.

*

Ils retrouvèrent leurs tristes montures entourées d'une caravane de mulets lourdement chargés de sacs et d'outres qui pendaient. Des hommes de troupe achevaient de hisser un double bât, blanc de farine.

Stupéfaits, ils apprirent de leur bouche qu'ils avaient reçu mission de porter toutes ces marchandises jusqu'au casal, cette nuit même. Celui qui se désigna comme le chef de l'escorte précisa que leurs chevaux avaient été soignés, abreuvés et nourris.

Les deux garçons demeuraient abasourdis.

« Qui a donné cet ordre ? demanda Foulques.

– Dès que les guetteurs ont annoncé ton arrivée, la comtesse de Toulouse m'a fait appeler, expliqua l'homme. Elle vous fait dire de prendre la route sans attendre, et c'est pourquoi nous marcherons de nuit… »

Puis, jetant un regard dubitatif à l'amoncellement de provisions, il ajouta :

« Elle a dit aussi que c'était pour améliorer l'ordinaire des enfants. »

*

Le soleil s'acharnait sur ce qu'il n'avait pas encore tué. Les provisions de la comtesse de Toulouse avaient permis de tenir presque un mois. Depuis une semaine, il ne restait plus rien.

Le premier de septembre, une caravane de marchands juifs en route vers Acre, monta jusqu'à Iliansborg. On se jeta avec frénésie sur ses réserves. Foulques paya tout ce qui pouvait être vendu.

Le ventre plein, on écouta ensuite les nouvelles de Jérusalem.

« Il se dit que la reine Arda, reléguée par son époux le roi Baudouin, trouve des consolations au fond de son monastère… »

À l'accent, Foulques comprit que son interlocuteur était grec. Il lança un regard vers Anne qui serrait contre elle le petit Thibaud, et poursuivit en grec :

« Le roi préfère les hommes plutôt qu'aux femmes.

– Préfère les hommes aux femmes, se moqua Morphia, le regard au plafond.

– Il se dit que la reine souhaite rejoindre ses parents à Constantinople, poursuivit le marchand.

– *Constantinoupolis esti* la plus belle ville *tou cosmou*, coupa Anna.

– C'est vrai, ce que tu dis là, petite, s'émerveilla le voyageur, c'est bien vrai… La semaine dernière, on a appris que le comte d'Édesse avait été fait prisonnier par les Turcs et que Tancrède s'était offert pour défendre la ville. C'est seulement chez les Provençaux que rien ne se passe. »

Quand le voyageur eut regagné les écuries pour panser ses bêtes, le silence tomba.

Soudain, délaissant le berceau de bois de Frederick qu'elle berçait du pied, Morphia se leva. Sa longue tunique de soie encore claire donnait l'illusion d'une lueur. Le pallium estompait ses rondeurs artificielles.

« Peut-être les choses vont-elles changer aussi chez les Provençaux », dit-elle en détachant les syllabes.

Foulques sursauta.

« Que veux-tu dire ? » lança sèchement Renaud.

Dans un mouvement désinvolte, Morphia lança ses bras en avant, comme pour se détendre.

« Cela fait bientôt six ans que je partage ma vie entre la guerre, les privations et les grossesses…

– Tu aurais pu faire l'économie de l'une d'elles », ironisa Foulques.

Avec un large sourire, Morphia caressa du bout des doigts les perles mêlées à ses cheveux tressés en boucles sur ses oreilles. Ses bagues trouaient la pénombre de lueurs saugrenues.

« Je rêvais que mes enfants grandissent dans un univers civilisé, un monde grec. Depuis que vous nous avez envahis, qu'avez-vous fait ? La guerre et toujours la guerre. Comptez-vous vivre le reste de vos jours comme les plus misérables des Bédouins ? »

Alors seulement, Foulques se rendit compte que des larmes coulaient sur le sourire figé de sa femme.

Il jeta un rapide coup d'œil à Renaud qui, comme lui, serrait les poings sur les montants bruts de son banc.

Anne reposa Thibaud sur une natte de jonc tressé et murmura :

« As-tu trouvé une idée pour sortir de l'enfer ?

– Il y a Constantinople, laissa tomber Morphia, en fixant tour à tour les deux guerriers.

– Nous n'y avons plus de maison, dit Foulques.

– Mais nous avons de l'argent, beaucoup d'argent. Et tante Vassi pourrait nous accueillir aussi longtemps que nous le voudrions. Depuis le temps que vous vous battez, vous avez oublié que la vie n'est pas la guerre. À Constantinople, personne ne songe à la guerre, personne n'est fou. Combattre n'est pas un métier. »

On entendit le tintement d'une enclume. Sans doute le forgeron venait-il de se réveiller de sa sieste. Renaud imagina ce Provençal robuste, torse nu sous son tablier de cuir, penché sur le brasier à peine plus chaud que l'air brûlant des ruelles.

« Je ne sais rien faire d'autre que me battre et cultiver la terre… murmura-t-il.

– Ce sont des discours stupides, hurla Foulques. Nous avons créé une colonie de peuplement. Nous en sommes responsables. Il n'est pas question d'aller vivre dans ce lieu de perdition qui nous a fait assez de mal comme ça, je crois ! »

Renaud se leva et sortit sans un mot. Foulques passa la main dans ses cheveux collés de sueur et disparut à son tour.

« Arrêtez ! On est trop malheureux… » gémissait Anne.

*

« Messires, vite, on a tué notre prêtre ! »

Plus blême que jamais, Onfroy venait de pénétrer violemment dans la pièce seigneuriale où dormait la tribu.

Foulques se frotta les yeux.

« Qui ça, Joseph ? Notre prêtre Joseph ?

– Timothée était de garde, cette nuit. Il est comme fou. Viens vite ! »

Foulques prit le temps de secouer Renaud qui grogna avant de se rendormir.

Face aux premières lueurs de l'aube, à l'angle du chantier, assis sur ses jambes croisées, les yeux dans le vague et l'air béat, Timothée psalmodiait une litanie en se balançant lentement.

« Que dit-il ? » demanda Foulques.

Onfroy approcha l'oreille puis se redressa, l'air navré.

« J'ai déjà essayé tout à l'heure, c'est incompréhensible.

– Que s'est-il passé ? gronda Foulques en saisissant l'homme aux épaules.

– C'est inutile. Il ne nous entend pas, il ne nous voit pas. Il est dans un autre monde. »

Un seul coup d'une lame très effilée avait suffi. Joseph Ibn Haris avait eu le cœur transpercé. Il s'était figé dans la mort, la bouche ouverte, les yeux écarquillés, une main sur la poitrine.

On ne lui connaissait pas d'ennemi. Le seul à avoir pu être jaloux de lui était précisément Timothée, le chef de l'autre famille arabe chrétienne. Mais jamais les deux hommes n'avaient eu de différend, et Timothée avait clamé sa fierté, quand son fils Tite avait partagé avec le fils du maître l'honneur de servir la messe.

Le soleil étant déjà haut, on transporta à l'intérieur le garde privé de raison, et l'on attendit, en veillant la dépouille de Joseph.

*

Vers midi, en même temps que ses esprits, Timothée recouvra une parole cohérente. Il ne se souvenait de rien et déclara que le voile sombre du sommeil l'empêchait de songer à autre chose qu'à dormir. Toutefois, la foule qui l'entourait s'étant un peu écartée, il poussa un cri rauque en apercevant le corps du prêtre qui reposait sur une couche le long du mur opposé.

On pensa d'abord qu'il mentait. Onfroy l'interrogea longuement en arabe. L'homme bramait en se frappant le front contre le sol, puis sombrait dans un mutisme hébété.

Le casal fut fouillé de fond en comble. On chercha des traces, on déménagea les ateliers, on questionna tous les artisans, les hommes de troupe, les femmes et même les enfants. On ne découvrit rien.

Seul le vieux Monsef prétendit avoir vu, au cœur de la nuit, un ange d'Allah frapper le prêtre renégat d'un rayon de lune en plein cœur. On ne le crut pas, mais les fellahs musulmans hochèrent la tête avec des airs entendus.

En raison de la chaleur, il fut décidé d'inhumer Joseph le soir même. Éric prit sur lui de descendre à Botron pour demander l'assistance d'un prêtre. Contre toute attente, il reparut quelques heures après, accompagné de deux hommes d'escorte et d'un prêtre inconnu au fort accent pisan. Jacques le Pileux adressait son salut aux chevaliers du casal et offrait pour la cérémonie une miche de pain et une outre de vin.

Par respect pour le défunt, Foulques décida d'accepter cette aide infamante, et Joseph fut mis en terre avec tous les rites qu'il avait accomplis lui-même sept fois en deux mois.

Pour la nuit, on décida de regrouper les femmes et les enfants dans les deux pièces de la tour et les hommes dans le chantier de l'église. Foulques et Renaud garderaient les premières, Onfroy et Éric les seconds.

À la huitième heure de la nuit, Foulques réveilla Renaud pour son tour de garde. Rien d'inhabituel ne s'était produit. Il s'endormit.

Tout à coup un cri strident déchira la nuit, éveillant tout le casal. Foulques se précipita vers le chantier de l'église.

Une foule d'hommes entourait un corps. À la lueur des torches, il reconnut Timothée.

Au milieu des exclamations, on examina le cadavre. Le coup avait percé le cœur et, un instant auparavant, le pauvre Timothée avait dû quitter la vie sans davantage s'en apercevoir que le curé.

Onfroy, dont c'était le tour de garde, assura n'avoir rien vu d'anormal, tout en reconnaissant ne pas avoir surveillé la petite porte du côté sud, qui donnait sur le rocher.

« Voyez ça ! » s'écria soudain Michel qui regardait le sang dégouliner au sol.

À quatre pattes, il ramassa un objet mou qu'il brandit au-dessus de sa tête. C'était une main. On observa plus attentivement. C'était une main gauche.

*

Après avoir tenté de calmer la population, Foulques ordonna aux trois chevaliers de revêtir comme lui leur haubert et, l'épée tenue à deux mains, de barrer jusqu'au lever du jour les quatre ouvertures des chantiers.

Deux heures avant l'aube, le vent se leva brusquement, soulevant des tourbillons qui dansaient dans le feu des torches affolées. Une fraîcheur exquise dévala de la montagne et un parfum d'eau couvrit la terre. Des cris s'échappèrent des chantiers : « La pluie, la pluie ! »

Bientôt, exaspéré par la pression des femmes dans son dos, Foulques se retourna en leur jetant au visage :

« Il y a des meurtriers, cachés quelque part dans les rochers ! Voulez-vous mourir comme Joseph et Timothée ? »

La bouche ouverte pour happer l'air humide, elles ne l'entendaient pas : « La pluie, la pluie ! »

Foulques devina que, de l'autre côté du chantier, la même scène se déroulait, et qu'Onfroy et Éric ne pourraient pas longtemps retenir les hommes. Il s'écarta.

Un flot hurlant se précipita dans la nuit à la recherche de récipients. Quand Anne passa devant lui, comme entraînée par le flot, Foulques l'agrippa et la tira de côté.

« Rentre, Anne ! Vite, rentre ! »

Elle lui jeta un regard de braise et, se dégageant de son emprise, elle courut vers les autres en hurlant à pleine voix :

« La pluie, la pluie ! »

Lorsque l'orage creva enfin, le jour était levé depuis longtemps. On avait eu le temps d'expliquer une partie des événements de la nuit. Un paysan avait fini par comprendre que ce n'était pas un coin de mur, mais bien un poignet, que sa faux avait rencontré lorsque, éveillé par un bruit de pierre du côté de la porte sud, il l'avait brandie contre une ombre qui semblait le survoler. On avait suivi les traces de sang jusqu'au muret du nord, où elles s'arrêtaient brusquement. Le meurtrier avait dû retrouver là une monture aux pattes enveloppées de guenilles et disparaître dans le silence de la nuit.

On observa en détail la main recroquevillée. Elle était hâlée comme toutes les leurs. Des doigts nerveux, des attaches fines, une peau qui demeurait souple… Ce n'était pas une main de paysan.

« Ce serait pas à un Arabe, ça ? » suggéra le forgeron avec une fine moue de méfiance.

On examina la relique de plus près. Quelqu'un eut l'idée de l'approcher de la main de feu Timothée. On trouva des similitudes troublantes. Comme celle du défunt, la main du meurtrier était hâlée, nerveuse, souple de peau… Ce n'était pas une main de paysan, mais c'était une main d'Arabe.

*

Comme s'il avait su que la sécheresse était à son terme, le cheikh Ibn Khaled avait ramené sa tribu dans la vallée quelques jours auparavant. Le conseil le fit chercher.

Il arriva, vêtu de blanc, descendit noblement de cheval avant de franchir la limite du casal et, à pied malgré le déluge, pénétra en silence dans le chantier de l'église où, à l'abri de la seule partie couverte, reposait toujours la dépouille de Timothée. Sans un regard pour l'assistance, il s'assit sur ses talons et, les yeux au ciel, se mit à pousser des gémissements. Puis il se cogna pendant un long moment le front dans la poussière, soulevant de ses mains abattues devant lui de petits nuages de sable.

Foulques et Renaud attendirent que son chagrin s'apaise pour l'entraîner dans la salle de la tour de guet.

Grâce à la pluie, ils purent offrir le thé.

Puis Foulques commanda que l'on apportât la main. À sa vue, le cheikh reprit ses lamentations, bras au plafond, tandis que ses deux gardes du corps, demeurés jusque-là impassibles, se jetaient à leur tour face contre terre avec des larmes et des cris de douleur.

« Alors ? » demanda Foulques.

Après avoir admis que cette main pouvait avoir appartenu à un homme de son peuple, le cheikh Ibn Khaled murmura quelques mots d'une voix pitoyable.

« C'est la vengeance d'Allah, traduisit Onfroy.

— Si Allah veut se venger de quelque chose, il lui faut des bras pour le faire, dit Foulques avec agacement. Si cette main est celle d'un Arabe, alors c'est celle d'un de tes nomades, ou celle d'un vagabond. Mais jamais un vagabond n'a osé s'aventurer dans la vallée, tu le sais aussi bien que moi. Alors ? »

Le cheikh Ibn Khaled paraissait maintenant en proie à une véritable terreur.

À la demande de Renaud, Onfroy décrivit l'état d'hébétude dans lequel on avait retrouvé Timothée la veille au matin.

« *Hashash* », articula le Bédouin.

À grand-peine, on parvint à savoir que Ridwan, l'émir d'Alep, soutenait de toute sa puissance l'expansion de l'ordre des Ismaéliens. Celui que désignait le Vieux de la Montagne, leur chef, était un **homme** mort, où qu'il soit, de quelque protection qu'il s'entoure. Ces guerriers de Dieu étaient dotés d'un courage sans faille, puisque mourir en mission leur assurait le paradis d'Allah. Mais quelle tête assez folle ou assez puissante pouvait bien avoir demandé à d'aussi redoutables alliés d'exécuter ces deux pauvres créatures, telle était la question qui instillait une terrible anxiété dans l'âme du cheikh Ibn Khaled.

*

Les jours suivants, les sectateurs du Vieux de la Montagne ne se montrèrent pas.

Au matin du sixième jour des ides, septième de septembre, Éric ramena sans ménagement à la tour un des guetteurs qu'il tenait par le col. Dès qu'il l'eut lâché, le jeune homme s'effondra sur lui-même. C'était un des très nombreux neveux de Joseph.

« Un démon habita dans son corps », estima l'Islandais en lui donnant un léger coup de pied dans les côtes.

Morphia haussa les épaules et fit chercher son époux.

Foulques examina le possédé. Paupière lourde, œil rouge, divagations incompréhensibles, ce démon-là devait être le jumeau de celui qui s'était introduit dans la carcasse de Timothée la veille de sa mort.

Il fallut attendre le milieu du jour pour en tirer quelque chose. Aussitôt revenu à lui, il assura qu'il était bon chrétien, qu'il détestait les Ismaéliens, et que, comme ça, il ne sentait plus la misère.

« Comme ça quoi ? hurla Foulques.

— Avec la plaquette de thé.

— La plaquette de thé ? »

Le garçon raconta qu'un jour où il était allé dans la montagne pour relever ses collets, un inconnu lui avait offert de goûter son breuvage, une sorte de thé un peu amer. Il avait bu deux gorgées. La tête lui avait tourné et une grande paix l'avait envahi. Il avait demandé de quoi il s'agissait. L'inconnu avait alors tiré de son vêtement une boîte en bois grosse comme une main et la lui avait donnée en lui conseillant d'en partager le contenu avec ses amis. La nuit, surtout quand il faudrait veiller, ce thé merveilleux effacerait tous les soucis.

« Et quand on boit ce bon thé, on voit des choses. Le ciel est jaune, ou rouge, ou vert, et les couleurs chantent. Tout est beau et plein de gaieté. L'heure est longue comme une vie, et on n'a plus soif, on n'a plus peur, on est invincible.

— Pâte de haschisch mêlée de miel de la terre, diagnostiqua Onfroy. Le secret de la témérité des Ismaéliens. »

En langue d'oc et en arabe, interdiction fut immédiatement proclamée de consommer sous quelque forme que ce soit la substance maléfique, un cadeau empoisonné, une manière habile de tuer en douceur tous les habitants du casal, un vrai cheval de Troie.

La foule écoutait avec des airs sournois, se demandant de quelle race était un cheval de Troie.

*

Le lendemain, le démon habitait cinq nouvelles victimes, dont une femme. Ils furent condamnés au fouet sur la place du casal. L'un d'eux, le plus squelettique, mourut sous les coups, les quatre autres disparurent la nuit suivante.

Aux ides de septembre, plus de la moitié de la population avait au moins une fois consommé l'étrange thé. Depuis deux jours, Foulques et Renaud avaient renoncé à sévir. Sous des prétextes de moins en moins recherchés, les hommes partaient dans la montagne toute proche. Ils revenaient l'œil brillant, serrant dans leur vêtement la résine qui donnait le rêve et annulait le temps.

On tint conseil. À la surprise de Foulques, Renaud suggéra de faire parler ensemble au cours d'une même cérémonie, qu'il décrivit solennelle et effrayante, le mufti du cheikh, le rabbin, et le prêtre de Botron, s'il acceptait de revenir. Éric parla de la fureur d'Odin qui n'avait pas besoin de thé pour pénétrer l'âme du guerrier, et proposa d'aller seul débusquer et détruire les empoisonneurs. Onfroy exposa ce qu'il savait du chanvre et du pavot.

Il fut en définitive décidé de vendre comme esclaves ceux qui s'adonneraient désormais à cette passion. Le cheikh ne s'y opposerait pas, si le produit lui en revenait, et d'ailleurs il ne pourrait s'agir que de quelques paysans. Quant aux chrétiens, on se rangea à l'opinion de Foulques : ils avaient oublié Dieu, menaçaient la survie de la communauté. Ils n'étaient plus chrétiens.

Après avoir consulté la dizaine d'hommes sur qui ils pensaient pouvoir encore compter, les deux coseigneurs du casal d'Iliansborg convoquèrent dans le chantier de l'église, au milieu des madriers et des échafaudages, tout ce que le village comptait d'âmes chrétiennes.

« Vous tous qui êtes ici, vous êtes encore et toujours la milice du Christ Roi, commença Foulques. Sur vos têtes, pèlerins de la première heure ou travailleurs de la onzième, que vous soyez d'Occident ou d'Orient, repose la dignité de tous les Provençaux. À l'heure où notre misère est complète, il nous reste l'honneur de servir en chrétiens et en héros. Vous étiez des héros, des hommes libres prêts à faire croître sur cette terre brûlée le blé et la foi. Mais l'herbe maudite que des monstres vous offrent fait de vous des esclaves avant de vous tuer. Le projet de ces démons est de nous anéantir. Ce que ni la faim ni la soif ni la solitude ne sont parvenus à détruire est menacé aujourd'hui par votre propre faiblesse. Comprenez-le ! Si cependant le statut d'esclave attire certains d'entre vous, le conseil a décidé de leur donner satisfaction. À partir d'aujourd'hui, quiconque consommera ce poison sera condamné par un tribunal à être vendu comme esclave. Ce conseil jugera en toute équité et, outre les quatre chevaliers présents, comprendra cinq membres. Que se désignent à l'instant ceux qui souhaitent en faire partie. »

Deux douzaines de volontaires s'avancèrent. Il fallut tirer au sort.

Le lendemain, un compagnon maçon et un jeune paysan furent condamnés et livrés dans l'heure aux Bédouins du cheikh Ibn Khaled. On ne les revit pas.

À partir de ce jour, le tribunal n'eut plus l'occasion de siéger.

*

Le quatrième jour des calendes d'octobre, vingt-sixième de septembre, la sérénité ayant été rétablie en même temps que l'approvisionnement, la menace des Ismaéliens semblant écartée, Onfroy s'éteignit d'un flux au ventre qui l'emporta en quelques heures.

Dans moins de trois mois, l'hiver reviendrait. Il était temps de trouver des troupes. Temps de mettre les femmes et les enfants à l'abri. Temps de penser au combat et de récupérer Botron.

Le jeudi, troisième jour des calendes, une fois Onfroy inhumé et la garde du casal confiée à Éric, après un dernier regard au sol ocre affolé de poussière, à la tête d'une escorte de quatre hommes, encadrant leurs familles grimpées sur un chariot, les seigneurs de Botron s'engagèrent sur le chemin de Jérusalem.

XXII

CASSÉE EN DEUX sous le poids, la vieille s'accrochait au chemin comme une mule aux pattes épuisées. Elle agrippait son trésor de bois, doigts sciés par le hart, grignotant toise à toise la pente du mont des Oliviers. Parfois, elle faisait halte, relevait d'un coup de reins le fardeau de hallebardes pointées vers le ciel bas, puis repartait sans attendre que la fatigue s'abatte. On la sentait pressée d'en finir, pour remonter, faire un autre fagot, le charger, le redescendre, encore et encore, jusqu'au dernier fagot, le jour où ses vieilles jambes refuseraient de repartir.

La pluie roulait en rafales sur les antiques pavés du sentier. Comme indécise, la vieille venait de s'arrêter devant la porte du monastère. Foulques l'observait avec l'intérêt qu'il mettait autrefois à détailler les enluminures. Il pensait à la fourmi du mont Thabor, aussi noire, aussi sèche et chétive qu'elle. Elle n'avait pas dû le voir.

Il appuya sa tête aux nœuds de l'olivier qui le protégeait de l'averse. L'écorce en était rugueuse et douce, amère comme la dernière journée que le Christ avait passée sous ces branches. Tout autour de lui, des larmes de pluie glissaient au sol.

L'aïeule avait récupéré un peu de souffle. Elle dépassa l'angle du mur.

Foulques pleurait en regardant cheminer la vieille bête noire. Comme elle le mont des Oliviers, la petite troupe d'Iliansborg avait descendu le long de la côte, écrasée par le fardeau de la défaite. Ils avaient atteint Gibel, où Anne avait voulu s'arrêter un instant pour respirer l'air de l'antique Byblos, avaient dépassé Beyrouth, Sidon, et Tyr. Parvenus à Acre, épuisés, à bout de réserves, abandonnés par l'escorte qui avait décidé de rebrousser chemin pour rejoindre le comte de Toulouse devant Tripoli, ils s'étaient résolus à établir leur camp sur la plage. Et ils avaient attendu pour les suivre que les troupes royales victorieuses regagnent en triomphe Jérusalem.

Aujourd'hui, seul dans ce jardin de Gethsémani, Foulques ne pouvait pas prier. Aucune épaule secourable n'avait ici accueilli autrefois la détresse du Christ. Et si le Christ paraissait en ces jours au lieu d'avoir paru mille ans plus tôt, aucune épaule ne se trouverait non plus.

Le petit monastère accroupi près du tombeau de la Vierge gardait le souvenir de ce qui aurait pu être et qui ne serait jamais. Ses moines chantaient vers le ciel vide des prières dénuées d'amour et de chaleur.

Et c'était sans doute pour leur offrir celle de son fagot, que la pauvre créature informe venait de pousser, tortue sans mémoire, la porte de l'office.

Les hommes d'armes avec lesquels ils avaient fait route depuis Acre leur avaient conseillé, puisqu'ils ne souhaitaient pas demander asile à l'Asnerie, établissement tenu par les hospitaliers, de proposer leurs services au monastère de Gethsémani. Les moines avaient entrepris de reconstruire le sanctuaire du tombeau de la Vierge et l'église de l'Agonie ; peut-être apprécieraient-ils le secours de leurs bras.

La pluie tambourinait sur les échafaudages abandonnés. Pour l'heure, personne ne voulait travailler aux chantiers. Depuis trois jours, Renaud battait en vain les environs pour essayer de recruter.

Sur le mont des Oliviers se devinaient d'innombrables tombes suppliant l'attention de Dieu. Très loin derrière les voiles de pluie, accrochée à la montagne comme un sémaphore de la foi, Béthanie dormait depuis onze siècles que Lazare s'était éveillé.

Sur cette terre dont Christ avait foulé chaque grain, les heures de Dieu ne faisaient plus que ponctuer la routine des jours.

*

Dans un grincement, le portail s'ouvrit violemment et Michel, surpris par les bourrasques, hurla à l'aveuglette : « Foulques, où que t'es ? » avant de le chercher du regard.

« T'es fou, de rester comme ça ! Cette saleté de pluie, ça trempe ! fit-il en se blottissant contre la cotte de laine qui empestait le fraîchin. Ouah ! tu sens le chien mouillé. »

Comme Foulques ne disait rien, le garçon releva la tête pour le regarder sous le nez.

« Tu pleures ?

– Non, c'est de l'eau qui est tombée de l'arbre.

– Tu vois, je te l'avais dit. L'eau, ça mouille... Renaud vient de revenir. »

Foulques lui frictionna les cheveux pour le réchauffer.

« L'abbé a dit qu'il ne pouvait pas nous garder. Ça fait trop de monde à nourrir, et puis il supporte pas les femmes, il l'a dit. Et les tout-petits non plus, il les supporte pas, ça il l'a pas dit, mais ça se voit. Il dit qu'en attendant de trouver quelque chose à louer, on doit aller dans une auberge, ou à Sainte-Marie-je-sais-pas-quoi, chez un bonhomme qui s'appelle Gérard.

– Sainte-Marie-Latine », compléta Foulques machinalement.

*

Quand Renaud y pénétra, la cellule était absolument silencieuse. Foulques faisait la sieste, recroquevillé sur la couche, les genoux tendant le lin de sa robe rouge, la bouche entrouverte, comme sidéré par des nouvelles qu'il ne connaissait pourtant pas encore.

La tête en équerre contre son épaule, Michel dormait lui aussi, l'air béat. Peut-être rêvait-il aux leçons qu'Onfroy ne lui donnerait jamais plus, ou bien ne souriait-il que du bonheur d'avoir enfin été autorisé à partager la pièce des hommes, abandonnant femmes et enfants à la pièce voisine.

« Étienne est ici, avec toute sa petite famille », clama-t-il.

Foulques se dressa d'un bond.

« Quoi ? Que dis-tu ?

– Le bon Étienne est ici. Je viens de le voir.

– L'évêque Étienne ? C'est impossible, c'est un cauchemar. Il nous poursuit partout ! Qu'est-ce qu'il fait là ?

– Apparemment la même chose que nous, c'est-à-dire rien… J'ai aussi vu sa femme et toute une marmaille. Il loge où il peut. Comme nous, je te dis. »

Foulques laissa errer un regard mal réveillé sur les murs, les maigres ballots entassés dans un coin, la Bible d'Henri posée sur le tout, et parut seulement se souvenir qu'il était dans une cellule des hospitaliers.

« Il fait froid, ici, dit-il en recouvrant Michel d'une cape qui traînait.

– Le plus curieux, c'est ce qu'il m'a dit, avec cette espèce d'affreux sourire qu'il a toujours : "Tiens, voilà notre jeune et insolent chevalier !" »

Foulques alla jusqu'à la lucarne qui ouvrait sur l'écurie. De l'autre côté du mur, leurs chevaux à la longe dodelinaient avec résignation. La nuit précédente, ils avaient piaffé et henni doucement, comme pour s'assurer qu'on ne les abandonnait pas. Il avait fallu se lever pour leur parler.

« Et alors, qu'as-tu répondu ?

– Rien. Au moment où il sortait, Gérard arrivait, et il lui a dit : "Ton hospice abrite des gens bien peu recommandables !" Alors Gérard l'a pris par le bras et l'a entraîné plus loin.

– Bon, j'y vais.

– Attends, je t'accompagne. »

De l'autre côté de la cour dallée percée d'un puits couvert de planches, sous des arcatures brisées, s'ouvrait la porte du supérieur.

Gérard semblait occupé à lire des colonnes de chiffres. Bien qu'on fût au cœur de l'après-midi, il accueillit les visiteurs d'un « *buona sera* » alerte, en les observant d'un regard aigu, plus intrigué que défiant.

C'était un homme déjà fort avancé en âge, affectant souvent de souffrir le martyre, mais trottant au besoin avec verdeur. Installé à Jérusalem des décennies avant la conquête, il avait la réputation de conserver sur toute chose un œil philosophe. À le voir si actif depuis plus d'un demi-siècle, beaucoup croyaient que le temps n'avait pas de prise sur lui.

Sans leur laisser un instant de répit, Gérard évoqua les grands événements de l'heure, et particulièrement la capture par les Turcs du comte d'Édesse, Baudouin du Bourg. C'était là quelque chose d'inquiétant à bien des titres... D'abord, parce que le roi Baudouin, son cousin, pouvait tenter de le libérer, et ce serait alors au prix de combien de vies ? Ensuite parce que Tancrède s'était instauré régent d'Édesse, et que son appétit pouvait ne pas s'arrêter là. Or tout devait être fait pour préserver l'équilibre des forces entre barons... Il y avait aussi le récent départ de Daimbert, qui était inquiétant. On devait également se préoccuper des pluies d'automne, un problème sérieux, celui-là, car enfin, la saison s'annonçait mal, et, si cela continuait les communications allaient devenir impossibles. Il fallait espérer que la sécheresse reviendrait bientôt, ce qui, sous ces cieux, n'aurait rien d'inconcevable. Et encore ne disait-il rien du pire, de ce manque d'hommes chronique qui mettait en péril la conquête, et la possession même de la Ville sainte...

« Et à ce titre, je me réjouis de votre venue. Avez-vous trouvé un endroit pour vous loger ? »

Foulques hésita, se demandant s'il était possible que le flot fût déjà tari.

« Je vais aller trouver mon changeur dès demain. C'est lui qui gère mes affaires. Je verrai ce qu'il me conseillera », dit-il, brusquement incapable d'évoquer le sujet qui l'amenait.

Le menton posé sur ses poings décharnés, Gérard promenait son regard sur ses hôtes. Deux touffes de cheveux jaunes dégoulinaient en mèches raides jusqu'au rebord de la robe de bure.

« La dernière fois que nous nous sommes vus, au printemps, c'était dans des circonstances pénibles », fit-il soudain, l'œil fixé sur Renaud.

Sourcils froncés, le chevalier se figea comme un chien à l'arrêt, symptôme chez lui d'une grande défiance.

« Avant son départ pour Rome, poursuivit le supérieur, j'ai eu un long entretien avec le cardinal de Paris. Tous les malentendus ont été levés. L'excès de zèle des uns, la maladresse des autres, votre vindicte, somme toute compréhensible...

– Mon fils a été massacré, ma femme a été enlevée, séquestrée, violentée peut-être ! s'indigna Renaud.

– C'est un fait. Un effroyable concours de circonstances, une interprétation malheureuse de ton engagement à nous rejoindre... Mais tout ceci est terminé. Avec l'aide du Seigneur, tu seras à nouveau père, et Conon de Montaigu a payé sa dette... Quant à toi, il ne faut pas disperser tes efforts. Vois donc cela avec notre frère Arnaud de Comps, qui œuvre pour notre bien à tous et qui a bien besoin d'aide, le pauvre.

– Que veux-tu dire ? »

Gérard geignit en changeant de position sur sa cathèdre, pourtant garnie de plus de coussins qu'un siège d'archevêque. Il parut soudain vieilli de trois lustres.

« Le Seigneur me fait la grâce de m'envoyer la souffrance et le souffle me manque ; c'est pourquoi je ne puis guère parler longuement... Notre frère Arnaud a besoin de troupes. Vous avez besoin d'aide.

– On a tué mon fils pour cela, pour me forcer à m'engager ; les chevaliers de Saint-Jean nous ont fait beaucoup de mal, insista Renaud, le visage fermé.

– Je sais... Et au nom du Christ et de ceux qui ont cru bien faire, je te demande le pardon. Mais tout cela est fini. Le pauvre Lucas de Thiers avait sans doute déjà la raison malmenée, lorsqu'il a commis l'acte insensé de s'attaquer à ton enfant, même s'il a cru qu'il s'agissait d'un bâtard de servante. Ce sont des choses inconvenantes, j'en conviens avec toi. Mais, à présent, ce qui importe, c'est d'unir vos forces, car Arnaud a toujours été votre allié, et, au reste, vous n'avez à Jérusalem que des amis.

– Non ! intervint Foulques. Tu abrites ici même mon ennemi le plus constant, l'ancien évêque Étienne, nicolaïte et simoniaque. »

Il achevait à peine sa phrase qu'il la regrettait déjà.

« De quoi accuses-tu ce malheureux garçon ? Le bon Étienne est au contraire un homme persécuté, trahi par tous, abandonné par ton seigneur, le comte Raimond, dont l'épouse frise bien souvent l'hérésie... Il a recueilli une pauvre fille et, même si cette union est canoniquement répréhensible, eh bien... »

Gérard, qui, visiblement délivré de toute douleur, gesticulait comme un jongleur, mit un terme brusque à sa plaidoirie, rassembla son corps disloqué, et revêtit un masque de douleur, en reprenant d'une voix plus grave :

« Nous souffrons tous comme Notre-Seigneur Jésus qui, à deux pas d'ici, est tombé pour la troisième fois. Pardonnez, mes enfants, à ceux qui vous ont offensés. N'oubliez pas, mais pardonnez. Luc nous y invite : aimer ses ennemis, faire du bien, prêter sans rien attendre en retour. »

*

Abraham avait sans effort déniché pour eux la demeure idéale. Il faudrait acquitter un loyer un peu élevé, sans doute, mais nul baron ne serait à Jérusalem plus à son aise qu'eux. Le propriétaire, un de ses bons amis, syriaque converti au judaïsme, était parti avec toute sa maisonnée le mois précédent se fixer en Espagne où il avait des affaires.

Contiguë à la halle des Syriens, c'était une grande bâtisse, séparée de la rue par un haut mur. Une cour intérieure, trois corps de bâtiments, un pour les maîtres, un pour les serviteurs et le dernier pour les chevaux. Les pièces étaient vides de meubles, les écuries n'avaient pas de fourrage, les greniers n'abritaient que de la poussière, mais les murs étaient solides.

Assis à même les dalles de la plus grande salle à l'autre extrémité de laquelle jouaient les enfants, Renaud et les deux femmes levèrent en même temps le regard sur Foulques qui revenait de chez Abraham.

« C'est de pire en pire ! s'exclama celui-ci tandis que les murs renvoyaient "ire… ire…". On ne parlera plus de parts dans les navires vénitiens !

– Ces Juifs t'ont volé ? dit comme une évidence Morphia en se levant pesamment, le ventre en avant.

– Qu'est-ce que tu fais, assise par terre ? Personne n'a encore pu te fabriquer un siège ? On ne peut pas en acheter ? hurla Foulques.

– Du calme ! coupa Renaud, comme s'il s'adressait à un cheval. Le menuisier s'en occupe, ce sera fini demain, paraît-il. »

Anne alla chercher dans le corridor une brassée de guenilles qu'elle entassa près de la fenêtre pour y installer Morphia.

Foulques précisa qu'à son avis, Nathanaël n'était pas davantage en cause qu'Abraham. Les deux naves vénitiennes dans lesquelles il avait investi une part de capital avaient été attaquées par les pirates sarrasins. L'affaire demeurait cependant obscure et Abraham manquait pour l'instant d'informations précises.

« Il existe des registres, dans les ports civilisés. Si les bateaux en question y abordent un jour, il sera facile de le vérifier, assura Morphia.

– Oui, voilà une bonne idée, railla Foulques, nous allons faire le tour de la Méditerranée, inspecter tous les ports civilisés, comme tu dis, pour retrouver la trace de nos bateaux !

– Pourquoi Abraham te mentirait-il ? demanda Anne en serrant de froid ses bras contre sa poitrine. Les pirates sont très puissants. À Alexandrie…

– Tu fais trop confiance aux Juifs, tonna Renaud dans un grondement qui fit hurler Frederick. Confie-leur tes affaires si tu veux, mais ne leur donne pas toujours raison. Ce n'est pas étonnant si les Arabes se méfient de nous, et si les Ismaéliens ont fini par nous chasser du casal ! »

*

Quand la porte de fer claqua sur ses talons, Foulques se rendit compte qu'il était dans la rue. Le soir tombait. Il ne pleuvait plus. Dans l'air redevenu tiède flottaient des relents sucrés.

La lumière était pure comme un cristal lavé dans une source. Il se retourna vers le couchant. Enfin vainqueur des nuages lourds qui avaient assombri toutes les heures du jour, le soleil blessé luttait pour ne pas sombrer sous l'horizon. Parmi des ombres rouges, jaillissaient des éclats d'or en fusion qui, de la cité transfigurée, faisaient un paradis d'orfèvre.

Au milieu du carrefour, entre la rue Saint-Jean et le marché aux poissons, une carriole de vendeur ambulant bloquait la circulation. Comme ahurie de bruit, plantée tel un olivier sur ses pattes arc-boutées, la mule refusait aussi bien d'avancer que de reculer. Affolé par les quolibets et les injures qui l'accablaient dans toutes les langues, son propriétaire l'invectivait, tirait et poussait à hue et à dia, mais rien ne venait.

Dans un effort ultime, les rayons de l'astre rouge prirent en enfilade la rue des Rameaux. La mule et la charrette, le marchand et la foule qui grouillait disparurent dans un éblouissement. La rue fut comme une allée de gloire, une immensité de vermeil qui conduisait vers Dieu.

Les bras tendus vers l'occident, Foulques n'entendait plus que le tambour qui battait à ses tempes. Puis, d'un coup, la lumière tourna, et tout redevint gris.

*

Le septième jour des ides, dix-huitième dimanche après la Pentecôte, toute la tribu assista à l'office dans la rotonde du Saint-Sépulcre, que les travaux allaient prochainement, les chrétiens l'assuraient, transformer en une grande basilique.

L'Évangile lu, le patriarche Ébremar venait de se retourner vers l'assistance lorsque le petit Thibaud se mit à crier, entraînant le babil de Frederick. De l'autre côté de l'allée, Foulques crispa les mâchoires.

Alors, très dignement, Anna agrippa son frère comme un sac et fit signe à Morphia qu'elle allait le transporter dehors.

« Vas-y, Michel », ordonna Foulques.

D'un geste indulgent, le patriarche fit comprendre que, pour poursuivre, il attendrait le retour au calme, tandis que ravi d'avoir un prétexte pour échapper à la fin de l'office, Michel emmenait les deux enfants.

« Quels beaux mots que ceux-ci, quel enseignement sublime : *Lève-toi et marche...* », reprit Ébremar.

« Se lever et marcher, pensait Renaud, il faut se lever et marcher. Insupportable de laisser les choses aller n'importe comment ! Gérard prétend qu'on peut faire confiance aux hospitaliers, mais quand je les vois, là, devant moi, je sais que je ne pardonnerai pas... »

À trois rangs devant eux, deux douzaines de chevaliers de Saint-Jean semblaient absorbés par la liturgie. Renaud suivait la ligne des crânes, allant de l'un à l'autre, cherchant à mettre des noms. Une tendresse le saisissait quand il arrivait à celui d'Arnaud de Comps, tout comme un frisson de haine au passage des quatre anciens comparses, debout côte à côte.

L'encens voilait l'autel d'une brume bleue. Des chants familiers succédaient à des gestes mille fois répétés. Tout était pourtant ici comme étranger, insaisissable.

Au moment de s'agenouiller pour la consécration, il murmura dans l'oreille de Foulques :

« Après la messe, je parlerai à Arnaud.

– Bien. J'irai avec toi.

– Non, non, laisse-moi faire seul.

– Alors je t'attendrai dans la chapelle d'en bas. »

*

À l'issue de l'office, Renaud happa discrètement au passage Arnaud de Comps.

Foulques dit aux femmes de rentrer sans les attendre, puis, à contre-courant, il se dirigea vers la crypte de Sainte-Hélène.

À mi-hauteur de l'escalier de pierre, il s'arrêta pour contempler les innombrables croix gravées dans la paroi. La première fois qu'il était descendu ici, plus de cinq ans auparavant, il avait observé avec distance les pèlerins confondant foi et orgueil à la pointe de leurs couteaux. Chacun voulait pour l'éternité marquer sa présence d'un signe anonyme, mais que Dieu reconnaîtrait sans doute, et il se souvenait parfaitement qu'à l'époque, ce rite, à deux pas de l'omphalos, lui avait paru une arrogance de païen.

Quand ils auraient repris la ville et chassé les conquérants – car, vu la tournure des choses, tôt ou tard ils reprendraient tout, Foulques en était certain à cet instant –, les musulmans démoliraient peut-être ce qu'auraient bâti les chrétiens, mais ils ne toucheraient pas ce qu'ils avaient préservé jusque-là. La crypte de Sainte-Hélène ne serait pas détruite, ce mur de témoignages demeurerait pour les siècles des siècles.

Foulques tira son poignard, et attaqua la pierre. Longtemps, il s'appliqua à graver une croix aux branches rendues très inégales par une bosselure de la paroi.

« Ah bon ! toi aussi ? »

Il se retourna vivement, dos au mur pour tenter de dissimuler son œuvre.

Du haut des marches, Renaud le considérait avec une lueur amusée.

« Fais voir.

– Je… Je passais le temps en t'attendant.

– Tiens, c'est curieux, les autres font des croix, toi tu graves ton initiale, fit Renaud après avoir jeté un coup d'œil au dessin.

– Mais non ! Ça ressemble à un F parce que le mur n'est pas droit. Mais c'est une croix, je t'assure… Alors, cet Arnaud ? »

Renaud saisit son compagnon par le bras et l'entraîna jusqu'à la crypte absolument déserte à cette heure.

Des lampes à huile s'asphyxiaient dans l'air saturé d'humidité et de suif fondu.

« Je crois que Gérard a dit vrai : Arnaud a repris la direction des troupes, mais l'affaire des Montaigu a ébranlé la communauté.

– Il les a pourtant tous gardés.

– D'après lui, Goscel et son père sont devenus des agneaux, et le gros idiot n'a toujours pas compris ce qui s'est passé. Quant à ce Lucas de Thiers qui a tué Foulquinet, il est enfermé nuit et jour dans l'hospice, où il attend que l'archange Gabriel lui apporte son pain quotidien… Reste l'autre, le chauve, qui rêve toujours que leur futur ordre va rayer de la surface de la terre tout ce qui n'est pas chrétien, et même tout ce qui n'est pas directement soumis aux ordres du pape. Mais il est isolé.

– Et alors ?

– Eh bien quoi ? J'ai proposé de les aider si besoin est.

– Tu as juré quelque chose ?

– Non, bien sûr. Arnaud m'a remercié. Il pense que tout soutien est le bienvenu.

– Et… et pour Foulquinet ? »

Un pli amer tordit la bouche de Renaud. Il aspira une bouffée d'air vicié et releva vers la voûte un visage fermé.

« Il m'a dit qu'il priait chaque jour pour le repos de son âme.

– C'est bien d'avoir pu pardonner. Moi je n'ai pas cette force, pour le Néoriôn.

– Je ne peux pas, et je l'ai dit à Arnaud. J'arriverai peut-être à oublier, mais je ne pourrai jamais pardonner. »

*

Quelques jours plus tard, Foulques reçut d'Abraham une invite pressante à se rendre de nouveau chez lui pour affaires.

Le thé fumait dans des gobelets de verre.

« Ce que j'ai à dire concerne ta fortune. Puis-je m'exprimer sans réserve en présence de ton compagnon ? dit le changeur en désignant Renaud du regard.

— Bien sûr, tu le sais, nous partageons depuis toujours les joies, les peines et les secrets.

— L'amitié est la seule fortune qui vaille, soupira Abraham, et celui à qui cette grâce est offerte se moque des tristes richesses de la terre.

— Tu as de mauvaises nouvelles ? » devina Foulques, agacé par ce préambule philosophique.

Abraham, tout de noir vêtu, peigna de la main ses cheveux rares, feuilleta des documents et fixa Foulques dans les yeux.

« J'ai eu confirmation de l'affaire concernant les bateaux vénitiens. Il semble qu'ils aient été coulés, et non pas pris. L'argent que, sur nos conseils, tu avais mis dans cette entreprise est donc perdu à jamais. Nous ne sommes pas contents de nous. »

Foulques tentait de calculer le nombre d'hommes que ces parts, une fois revendues, lui auraient permis de solder. La reconquête de Botron lui parut soudain s'éloigner.

Apparemment gêné, Abraham reprit :

« Un navire arrivé hier à Jaffa m'apprend qu'on a pu acquérir en ton nom le fief de Durfort, à une grosse lieue de Termes. Tes deux domaines sont pour l'heure administrés par le même avoué, dépendant de l'abbaye de Lagrasse... Il y a bien ces dix mille besants destinés à la construction d'une église et, un peu... légèrement, déposés auprès du pape... Ne pourrais-tu y toucher ?

— Bien sûr que non ! Ils sont perdus, ceux-là aussi ? »

Abraham se tassa sur son siège, en portant le verre à ses lèvres.

« Non, ils ne sont assurément pas perdus... Il te reste de l'argent en billets à ordre ?

— Un peu moins de trois mille besants.

— Seulement ? »

Renaud écoutait, éberlué. Ainsi, Foulques connaissait l'état de son avoir ? Il savait combien avait été dépensé, par qui et pourquoi...

« En Sicile, poursuivit Abraham, nous avions acquis pour toi un domaine vers Messine. C'était une contrée très sûre...

— Et malgré cela quelqu'un s'en est emparé ? » coupa Renaud.

Abraham le considéra de bas en haut avec le sourire pâle de ceux qui ont l'habitude de l'humiliation.

« Non, mais nous suggérons une très intéressante transaction, dit-il après un silence en avalant d'un coup son verre de thé.

– Une troupe contre mon domaine ? demanda Foulques.

– Non, messire Foulques, non. L'avenir n'est pas pour les chrétiens de ce côté-ci de la mer, crois-m'en… Les comtes de Sicile se renforcent dans les ports de l'île. À Mazzara, qui est sur la côte de l'ouest, ils tentent un gros pari en achevant l'édification d'une forteresse en pleine terre musulmane. Or nous aurions la possibilité de vendre le domaine de Messine pour en acheter un autre, tout près de Mazzara.

– Quel est l'avantage ?

– Considérable, si tout va comme nous pensons. Le domaine de Mazzara est de très bonne terre et solidement construit. Et le prix en est plus que raisonnable.

– Alors c'est qu'il y a un traquenard, assura sèchement Renaud, sans même tenter de dissimuler sa méfiance.

– Un piège, non, mais un risque, oui, certes. L'actuel comte de Sicile, Simon, est un enfant. Adélaïde, sa mère, exerce la régence. Tout le monde, ou presque, pense que les Normands ne se maintiendront pas, parce que personne ne fait confiance au gouvernement d'une femme.

– Et s'ils ne se maintiennent pas, ça fera comme les parts de bateau, grommela Renaud.

– Absolument. En pire, parce que nous n'aurons aucun espoir de récupérer quelque chose. »

Foulques s'efforçait inutilement de lire à l'envers les signes hébraïques qui dansaient sur le bureau.

« Quelles sont les chances ? s'enquit-il.

– Contrairement à beaucoup, et particulièrement à ceux qui se débarrassent à vil prix de leurs biens, nous accordons à une femme qui pense et qui veut plus de crédit qu'à un homme qui ne pense ni ne veut… Jusqu'à ce jour, la poussée des Normands a été continue. Parviendront-ils à asseoir leur emprise ? Là est toute la question. Celui qui vend ne le croit pas. Celui qui achètera l'aura cru. Et, s'il a eu raison d'y croire, un besant investi en vaudra alors vingt. Adélaïde est, à notre sens, vaillante et intelligente. Les intérêts de son fils Simon lui tiennent à cœur. Rien n'est joué. Le temps pressant, la question que je te pose est la suivante : miserais-tu une partie de ce qui te reste sur la valeur d'une femme ?

– Et qui administrerait le domaine ? demanda Foulques.

– L'intendant du vendeur.

– J'ai bien compris. Tu auras ma réponse dans cinq jours, pour les ides.

– Ce sera sabbat, murmura Abraham sans se retourner.

– Eh bien ! je viendrai le lendemain, dix-septième jour des calendes de novembre, même si c'est un dimanche ! »

Abraham se retourna, le visage figé.

« Nous disons bien dimanche, lendemain des ides d'octobre ?

– Précisément, ironisa Foulques, le lendemain des ides, dix-neu-vième dimanche après la Pentecôte, dix-septième jour des calendes de novembre et fête de Saint-Juste. »

*

Ils trouvèrent à leur retour un messager du palais. Le roi Baudouin accordait audience privée au sire de Botron, Foulques, baron du vaillant Raimond de Saint-Gilles, comte de Toulouse.

« Je n'ai pas demandé à rencontrer le sire roi, s'étonna Foulques.

– C'est pourquoi, certainement, il t'accorde audience », dit l'émis-saire imperturbable.

*

Par des couloirs qu'il ne connaissait pas, n'ayant jamais vu que la salle officielle des audiences, Foulques fut conduit jusqu'à une petite pièce sans fenêtre, dotée d'une large cheminée allumée malgré la cha-leur.

Trois lampes à huile ajoutaient leurs lueurs à celle du foyer. Le sol était recouvert de peaux d'ours. Étendu sur une couche haute garnie de coussins, vêtu de ses seules braies, le roi Baudouin reposait, la main pendant négligemment jusqu'aux cheveux d'un garçon assis au pied, une vielle entre les mains. Malgré l'arrivée du visiteur, le musicien con-tinua à égrener des notes d'une singulière légèreté.

« Pénètre, mon ami, dit Baudouin en se redressant… Laisse-nous, mon Paolo, je te ferai chercher plus tard. »

Foulques ne savait que faire de sa cape pesant dans cette étuve comme une chape. Il finit par l'ôter, chercha sans en trouver un endroit pour la poser, la laissa glisser à terre.

« Tu as perdu ta terre par trahison de ton seigneur, et tu ne peux la récupérer, n'est-ce pas, jeune chevalier ?

– C'est exact », reconnut Foulques en se mettant sur ses gardes.

Baudouin lui fit signe d'approcher.

« Je suis disposé à te venir en aide.

– Qu'attends-tu en retour ? »

Baudouin inclina la tête sur l'épaule avec un étrange sourire.

« Ce qui se doit en pareil cas : l'hommage.

– Qu'est-ce que tu veux dire par là ? »

Le roi se leva pour lui donner une bourrade à l'épaule.

« Têtus, ces Toulousains ! Disons, que tu me serves comme ton sei-gneur.

– J'ai déjà un seigneur, c'est le comte Raimond.

– L'occasion m'a été donnée à plusieurs reprises de mesurer ton dévouement à sa personne. Mais, ne lui as-tu point dit que tu reprenais ton serment de fidélité ? N'a-t-il point confisqué ton fief ? Et tout cela devant témoins, dont le comte de Cerdagne ?

– C'était dans un mouvement de colère… Mais comment sais-tu cela ? s'étonna Foulques.

– Le devoir d'un roi est de tout savoir. »

Malgré l'insupportable touffeur, Foulques étendit, pour en faire quelque chose, ses mains vers le feu.

« Raimond de Saint-Gilles est mon cousin avant d'être mon seigneur. Je ne le trahirai pas. »

Les bûches chantonnaient dans le silence. Un lointain refrain de vielle berçait les murs.

« Tu as besoin d'un bras qui te soutienne, et ce bras-là est puissant », dit Baudouin en l'approchant à moins d'un pouce des lèvres de Foulques.

Le garçon se dégagea vivement, saisit sa cape au vol, et, se retournant sur le seuil, dit sèchement :

« Sire roi, je te remercie de tes offres, mais je ne te prêterai d'hommage d'aucune sorte. »

*

Le jour même, on retrouva Anne perdue dans une rêverie étrange. Blottie au fond de la demeure, elle chantonnait des choses vagues. Quand Renaud tenta de la relever dans ses bras, elle le repoussa d'un geste las qui parut lui demander un gros effort. Puis elle se remit à psalmodier des paroles confuses, ponctuées de soupirs profonds et de petits cris. Morphia s'assit à ses côtés et l'attira contre elle. Elle se laissa faire, entraînant sa compagne dans son balancement.

D'un regard, Morphia fit signe qu'il fallait chercher de l'aide.

« Mais qu'y a-t-il ? Qu'y a-t-il ? » demanda Renaud, la gorge nouée d'angoisse.

Foulques éloigna les enfants qui observaient la scène avec des yeux passionnés. Michel se pencha sur la jeune femme, examina le regard vide et les joues pâles, puis, se relevant brusquement :

« On peut parler, elle entend rien. D'après moi, elle est au bout. Elle s'est trop fatiguée. Elle a eu trop de chagrins, elle va crever comme une vieille bourrique. »

Sans réfléchir, Renaud le fit taire d'une gifle qui le laissa pantelant.

« Je vais essayer de trouver un médecin », décida-t-il sans regarder personne.

Il revint au bout d'un long moment, accompagné d'un gros homme qui s'accroupit sans manière auprès de la malade, tira les paupières, força les lèvres pour observer la bouche, et se releva en affirmant d'un air docte :

« Ce n'est certes pas la peste, ni le choléra, ni aucune autre fièvre maligne ou humeur maléfique. Mais il s'agit là d'une maladie qui n'atteint guère que les hommes, d'ordinaire.

– Mais enfin, s'écria Morphia, que dis-tu là ? Nous l'avons laissée avec les enfants pendant à peine une heure ! Elle était parfaitement en bonne santé, et la voilà mourante !

– La jeune personne que je vois n'a guère envie de quitter ce monde, assura le médecin en souriant, mais, sans doute de puiser à d'autres édens la force de le voir autrement. »

Il se pencha à nouveau, et après une rapide vérification, précisa :

« Le suc du pavot, ce miel de la terre, n'est pour rien dans son état, ce qui arrange bien les choses. La jeune personne aura cédé à la tentation du haschisch. »

*

Revenue à elle, Anne avait avoué s'être procuré dans la ville, au prix d'un vieux bliaud, quelques tablettes de chanvre. D'après elle, il fallait que quelqu'un essaie de mesurer la puissance de la drogue, pour pouvoir mieux en contourner les effets chez l'adversaire ismaélien. Elle pensait être la seule à pouvoir prendre ce risque, sa mort, le cas échéant, étant de toutes celle qui entraînerait le moins de conséquences.

Le lendemain matin, accablé, Foulques pria fermement Michel de garder les enfants dans la pièce du haut, le temps qu'il faudrait et, avec grand sérieux, annonça qu'il réunissait le conseil. Anne avait retrouvé son état naturel, Renaud arborait la tête des mauvais jours, Morphia picorait des olives noires dans une jatte de terre.

« La grande ville ne nous donne que du malheur, commença Foulques. Je crois qu'il nous faut quitter au plus vite ces lieux où le mal rôde. Nous ne trouverons ici personne qui veuille nous aider à reprendre Botron. Nous sommes en train de tout perdre, tâchons de tout gagner.

– Je croirais entendre mon père, dit Morphia. Tant que rien n'est absolument terminé, rien n'est vraiment perdu. Je ne peux t'apporter pour ma part que ma dot, l'appui de ma tante, et ma fidélité, si tu l'acceptes. »

Foulques l'observa en silence. Elle le regardait en souriant. Il ne discerna ni moquerie ni méchanceté.

« Je sais à quoi tu penses, poursuivit-elle en saisissant une grosse olive. Tu te dis que, jusqu'à présent, je t'ai menti, que je t'ai trompé, que j'ai fait beaucoup de mal, et que tu ne peux plus me faire confiance, n'est-ce pas ? »

Très mal à l'aise, Foulques désigna du regard Renaud et Anne, qui faisaient mine de ne pas entendre.

« La présence de nos amis ne me gêne pas, continua Morphia avec un geste désinvolte de la main. Permets-moi, devant eux, parce qu'ils y ont droit, d'expliquer deux ou trois choses… Je suis comme je suis, parce que je suis grecque et que je suis jeune. Ce que je peux, à tes yeux, avoir fait de mal n'est pas le mal, ici. Un Grec dont la femme n'a jamais séduit un autre homme pense qu'il a épousé un laideron. Pour un Grec, vivre sans intrigues et sans passions est un destin pire que la mort.

– Vos intrigues, comme tu dis, je les ai payées cher, non ?

– Non, Foulques. Tante Vassi a cru bien faire en s'amusant à faire semblant de comploter avec des hommes qu'elle croyait incapables de mener à bien quoi que ce soit. Pour notre malheur, ils sont néanmoins parvenus à te faire arrêter. Vassi a vainement tenté beaucoup de démarches pour te faire libérer avant qu'il ne soit trop tard. Tu le sais bien, toi, Renaud. »

Brusquement pris à témoin, ce dernier releva la tête.

« Ce que je sais, c'est que j'ai manqué être tué dans la citerne. Et autre chose, encore…

– Veux-tu parler de notre petit jeu, un soir à Tripoli ?

– Tais-toi, je ne veux pas parler de ça », dit violemment Renaud qui avait rougi.

Foulques et Anne échangèrent un regard.

« Mais si, Renaud, il faut parler de cela aussi, reprit Morphia. Il faut en parler parce que c'est là un bon exemple de l'incompréhension des Latins qui nous fera perdre l'ensemble de ce que nous avons conquis. En t'offrant un breuvage un peu… trouble, je voulais m'amuser. Oui, m'amuser à te faire croire que nous avions ensuite passé une nuit épique. Mais je ne t'ai pas touché, mon pauvre ami. Quel intérêt a pour une femme un homme plongé dans l'inconscience ? Je t'ai étendu, dévêtu, puis je t'ai regardé dormir. Et je me suis endormie à mon tour.

– Tu ne m'as pas parlé de cela, Renaud… murmura Foulques.

– Non, je ne l'ai pas fait. C'est vrai. Je ne voulais pas noircir encore ton épouse.

– Morphia, dis-tu vrai en tout cela ? dit Foulques.

– Oui, je dis vrai. Et il est vrai aussi que j'ai été jalouse d'Anne et que son arrivée m'a agacée, ce qui est indigne d'une femme grecque. Vrai encore que j'ai mis du temps à croire que l'on pouvait aimer sans chercher à détruire, et vrai enfin que j'ai appris cela en vous regardant être. »

Foulques saisit sa main et la porta à ses lèvres.

« Pourquoi nous dis-tu cela à présent que tout est perdu ?

– Rien n'est perdu, Foulques. Nous sommes au fond d'un lac d'eau glacée. Il faut frapper le sol du talon pour remonter à la surface.

– Mais où trouver une issue ? Nous sommes seuls.

— Nous sommes encore plus seuls qu'à Saint-Palais, reprit Renaud en écho.

— Nous ne sommes pas seuls, assura Morphia en redressant fièrement la tête. Vous êtes les barons du comte de Toulouse, et nous sommes les dames des barons de Toulouse. Que faisons-nous encore ici, alors que Raimond a besoin de vos bras devant Tripoli ?

— Mais tu sais bien… grogna Renaud.

— Quoi ? Que le comte de Toulouse a eu une colère ? Une de plus… et alors ? Lorsqu'il vous verra revenir, il vous ouvrira grands ses bras, et il n'y aura même pas besoin d'explications. »

Anne suggéra que l'on pourrait peut-être, plus tard, quand tout serait terminé, s'installer en Sicile.

Foulques ayant dit que l'on pouvait décidément se fier à une femme qui pense, il fut décidé d'échanger le domaine pour celui de Mazzara.

*

Quand Michel redescendit, attiré par un vacarme insolite, il eut la stupeur de trouver l'assemblée riant à grands éclats.

« Eh ben ! qu'est-ce qu'il y a ? s'exclama-t-il, figé au bas de l'escalier.

— Rien, pourquoi ? répondit Foulques au milieu de hoquets. C'est Anne qui nous raconte toutes les belles choses qu'elle a vues hier soir…

— Des chameaux bleus qui chantent en rouge, s'esclaffa Renaud.

— Raimond habillé en jongleur, qui dit la messe à des éléphants ! pouffa Morphia.

— Et toi aussi, je t'ai vu, mon petit Michel, s'amusa Anne. Tu étais tout vieux, avec une grande barbe verte qui avait une grosse voix, et tu as bercé pendant des mois un chacal rose.

— Et les anges qui plument des oies…

— Et le mur qui avance, qui recule, qui sent la violette…

— Ma parole, vous êtes tous devenus fous ! dit Michel avec un haussement d'épaules. Et les petits, eux, je peux plus les tenir, ils ont faim.

— Allez, va, prépare ton balluchon, répondit Foulques en riant. Demain, nous partons pour Tripoli. Dans huit jours, la ville est à nous. »

XXIII

« RAIMOND ! RAIMOND ! garde-toi à droite ! »
Le comte de Toulouse fit se cabrer sa monture et abattit en hurlant son épée sur le casque rond du musulman qui s'était dangereusement approché. La masse de l'homme parut hésiter, comme à la recherche d'un équilibre définitivement perdu, puis bascula vers la poussière.

Raimond se réjouit à l'idée d'ajouter à la garde de son épée une troisième coche pour aujourd'hui. Et encore, n'était-ce pas fini ! Avec un peu de chance, il barrerait bientôt la douzième douzaine. C'était mieux qu'en Espagne…

Et c'était mieux que Godefroi lui-même ! La pensée que certains le croyaient affaibli le fit ricaner de plaisir. Une fois écrasées, réduites en pâtée pétrie de poussière, ces chairs maudites qui glissaient comme des porcs assommés jusque sous les pas des chevaux deviendraient le levain de la terre. En s'écoulant de ces corps bruns, la sève criminelle fécondait le sol meurtri, violé par les hordes mécréantes. Et, dans la paix du Christ enfin restaurée, la terre rouge de sang ferait jaillir au printemps les verts rameaux de la résurrection.

Comme s'il avait senti que le cours de la bataille venait de se modifier, l'émir Fakhr-al-Mulk fit sonner la retraite.

« Regarde ! Ce chien déguerpit ! s'exclama Renaud en crachant sur le sol pour le purifier.

– Là-bas, c'est l'étendard de Foulques ! Ça brûle ! cria Ménélas.

– Ah ! nom de Dieu ! Fais sonner les trompettes. Tout le monde derrière moi. Et ma bannière, bon Dieu, ma bannière. Bien haut ! »

Dans le faubourg qui germait à l'est de Tripoli, entre les remparts et Château-Pèlerin, un feu venait en effet de se déclarer. Foulques s'y était porté dès les premières fumées et avait eu le temps d'apercevoir une bande d'incendiaires. Avec intelligence, comme s'il eût compris de quoi il s'agissait, Stéphanitès s'était furieusement jeté sur les torches lâchées par les brigands. Mais il était déjà trop tard.

« De l'eau ! hurlait Foulques. Tout le monde aux baquets ! »

Avec quelques hommes à pied, il poursuivit à travers les rochers la bande fugitive qui lâchait encore çà et là ses bâtons de feu.

Comme chaque fois, les portes de la cité se refermèrent au nez des retardataires. C'était devenu une routine, une manière de lot de consolation pour les chrétiens. Foulques savait que les hommes de l'émir allaient se déchirer les poings sur les lourdes portes de bois, qu'ils hurleraient inutilement leur colère et leur désespoir. Puis ils feraient face, résignés à vendre chèrement leur peau, tandis que, du haut des remparts, les archers musulmans tiendraient longtemps à distance les archers provençaux. Dans la confusion habituelle, l'ennemi lancerait des cordes, tandis que l'on avancerait en rampant, mal protégé par une charrette poussée devant soi. Lorsqu'on serait à portée de flèche, deux ou trois va-nu-pieds, peut-être, seraient parvenus à se hisser. On proposerait aux autres de se rendre. Ils refuseraient avec des insultes que l'on ne comprendrait pas.

« Allez, approchez la charrette, ordonna Foulques, au moment où la troupe de Raimond le rejoignait.

— Ces chacals sont tous rentrés dans leur tanière ? demanda le comte.

— Vois toi-même, dit Foulques en désignant le petit groupe acculé aux portes hermétiques.

— Oui, toujours la même douzaine... Petit à petit, on en viendra à bout ! Qu'il continue à nous en envoyer tous les jours, ce maudit Facramoul !

— J'ai fait avancer la charrette, annonça Foulques avec un haussement d'épaules.

— Alors tout le monde retourne au feu ! Des seaux, de l'eau... Et comme les autres fois, pour étouffer les flammes. »

Pour donner l'exemple, il décapita d'un coup d'épée un guerrier de Fakhr-al-Mulk qui gémissait à terre, arracha la cotte et la chemise rouge, prit le temps de crever d'un coup de talon la poitrine palpitante, et se précipita sur une porte enflammée qu'il entreprit de tapoter. Le feu suffoquait avec des crachotements et des jets de fumée âcre, faisait mine d'abandonner la place, puis repartait de plus belle un peu plus loin, comme une cavale qui sent la bride flotter sur son cou.

Les hommes s'enfonçaient avec détermination dans des brasiers qui avaient été des huttes, jetaient à bas des échafaudages ronflants. Ils en retiraient des coffres fumants, des lambeaux d'étoffe, quelquefois un enfant qui miaulait de terreur. L'eau se vaporisait dans des chuintements de dragon et l'on commençait à désespérer de venir cette fois encore à bout de la bête furieuse, lorsqu'un abat de pluie glacée vint apporter son providentiel secours.

On croyait l'affaire terminée pour la journée, lorsqu'on entendit tout à coup un cri inhabituel. Une commotion glaça les reins des assistants. D'un même mouvement, ils se retournèrent vers la voix qui continuait de proférer des hurlements mêlés de jurons. Entre dix mille autres, ils l'auraient reconnue, c'était celle du comte de Toulouse.

Il jaillissait en ce moment d'un fleuve de fumée jaune, gesticulant dans des postures obscènes. On vit que sa barbe s'était consumée, comme la moitié de ses cheveux. La cotte de mailles avait disparu, et des points de braise festonnaient son vêtement. En un instant, il arracha ses guenilles et, entièrement nu, se roula dans la boue.

Foulques et Renaud se précipitèrent.

Raimond s'était redressé, bras levés vers le ciel pour y recueillir l'averse bienfaisante.

« Ça va ?… Ça ira… ? »

Le comte fit un effort visible pour se ressaisir. Sur le flanc droit, une langue de feu avait gravé un sillon de chair contorsionnée.

« Ça va… ça va bien… J'ai eu un peu chaud », fit-il dans une grimace.

Les hommes se pressaient maintenant sous la pluie froide, essayant d'apercevoir le chef comme pour se convaincre qu'il était toujours vivant. En découvrant les traits cramoisis, la barbe incinérée, certains poussaient des exclamations, d'autres se signaient, affolés de découvrir que l'invincible Saint-Gilles avait manqué périr.

Soudain, un piéton s'avança en se dandinant.

« Moi, je souffle le feu, proposa-t-il.

– Alors souffle, dit Renaud. »

L'inconnu s'agenouilla dans une flaque puis passa sa langue à trois reprises sur la blessure, sa tête de tortue branlant de droite et de gauche comme pour invoquer l'aide d'un dieu. Le silence s'était fait. Raimond semblait plus calme. Le regard dans celui du miséreux, il attendait à l'évidence un miracle qui apaiserait l'ignoble morsure.

L'homme se redressa vers les nuages, parut y puiser la force d'un combat que l'on devinait plein de mystères et de violence. Puis, la bouche en corolle, il souffla à sept reprises, prenant le temps entre chaque inspiration d'adresser au patient un coup d'œil d'encouragement. Un instant, il fut beau.

« Je sens le feu, murmura-t-il, il me mange les lèvres. »

Comme entourant la bouche, on aperçut distinctement un anneau de pourpre qui disparut après quelques instants.

« C'est fini, dit-il en se relevant. Demain, tu ne t'en souviendras même plus.

– J'ai déjà oublié, dit Raimond. Comment te nommes-tu ?

– Olivier. Je suis venu de Montpellier au printemps.

– Pour te remercier, je te donne à ces deux-là, dit-il en montrant Foulques et Renaud. Tu ne seras pas de trop pour les aider, et c'est toujours utile d'avoir à ses côtés ceux qui ont un don. »

*

La sortie des assiégés, la quatrième en moins d'une quinzaine, s'était comme les autres soldée par un échec. Quelques masures brûlées, une ou deux montures tuées, beaucoup de tumulte et de branle-bas pour rien. L'émir de Tripoli avait en revanche encore perdu une vingtaine d'hommes. Le comte de Toulouse se demandait si son conseil s'inquiétait autant que lui d'un plan de guerre adverse aussi peu compréhensible.

« Voici encore une initiative singulière, s'exclama-t-il, le soir même, pendant le repas où s'alignait le groupe de ses barons. Depuis plus d'une année, l'émir et moi vivons en bonne intelligence : je l'assiège, il est assiégé. Nous attendons le dénouement chacun d'un côté des murailles. Pourquoi, je vous le demande, ce brutal changement d'attitude ? Facramoul a-t-il reçu par mer des espérances nouvelles ? Redoute-t-il l'approche de l'hiver ? Il n'est en tout cas ni sage ni courtois de sa part de venir ainsi troubler la paix.

– La paix, si l'on peut dire, s'esclaffa Guillaume de Cerdagne. Si l'on m'assiège, moi, je ne me considère pas en état de paix !

– Les choses ici sont différentes, Tripoli doit me revenir, il le sait, même s'il fait des difficultés, trancha Raimond. Et sa mauvaise volonté commence à me lasser. Voyez l'affaire d'aujourd'hui : si Dieu l'avait voulu, j'aurais tout aussi bien pu ne pas ressortir vivant de ce brasier.

– Il est vrai que nous avons eu vraiment peur cette fois, assura Foulques en désignant du doigt la barbe et la chevelure à moitié dévorées par les flammes.

– Cela nous prouve que, avec ou sans lance, un comte de Toulouse se consume moins vite qu'un Pierre Barthélémi.

– Cela nous prouve surtout que Dieu était plus avec toi qu'avec lui. D'abord, qui est-ce, ce Barthélémi ? intervint Aymar de Marseille.

– Un pauvre garçon qui n'a pas su tenir son rôle jusqu'au bout... Peu importe. Ce qui compte à présent, c'est la solidité de nos positions. Or nos positions sont insuffisantes. Il nous faut nous renforcer.

– Qu'entends-tu par là ? demanda Foulques en tournant le visage vers son cousin, par-dessus les têtes de Guillaume de Cerdagne et d'Aymar de Marseille.

– D'une manière ou d'une autre, nous tenons Botron au sud. Il me faut maintenant quelque chose au nord qui sera mon verrou.

– Eh bien ! mais tu possèdes déjà Maraclée, s'étonna Renaud en se penchant devant Foulques pour rencontrer le regard du comte.

– Oui, c'est un fait. Mais Maraclée est sur la côte. J'ai cru longtemps, et à tort, que la montagne suffirait à nous protéger. C'est tout exactement le contraire, un nid de vipères qu'il nous faut nettoyer et contrôler dans les plus brefs délais. Prenez ces Ismaéliens, par exemple, qui vous ont attaqués à Iliansborg. Que seraient-ils sans leurs nids d'aigles ? On parle d'un Vieux de la Montagne…

– Leur chef, ou plutôt leur maître, précisa Elvire. Voici des guerriers fort étranges. Il me semblerait à propos d'en inviter un ou deux à venir nous exposer précisément leur doctrine. On dit tellement de sottises ! »

Muet de stupeur, Raimond recula son siège pour considérer tout à son aise son épouse. Le buste droit, le port raide, Elvire soutint son regard.

« Ça, a-lors ! s'exclama-t-il après un instant en imitant le ton de la comtesse.

– Mais oui, précisa Anne du bout de la table, puisqu'on est obligés de rester là, qu'au moins on apprenne quelque chose.

– Ouvrir nos murs aux espions de tout poil, voilà ce que vous voulez ? s'indigna Raimond.

– Mais aucunement, dit Morphia, c'est cela l'Orient, on se bat, on se côtoie, on se trahit.

– Tu le dis, triompha Raimond, on se trahit… Eh bien, non ! Invitez des artistes, comme vous le faites, mais ne vous mêlez pas de politique, ni surtout de sectes religieuses ! En voilà une nouveauté !

– Quelle nouveauté ? » articula Elvire à mi-voix.

Le comte de Toulouse grogna quelque chose dans ce qui lui restait de barbe et chercha du regard un appui à gauche puis à droite. Mais les barons portaient ailleurs leur attention. Il lui fallut faire face seul.

« S'intéresser à ces choses… ce n'est pas… disons que c'est plutôt…

– Malséant ? proposa Elvire avec une inquiétante douceur.

– Oui, mon aimée, c'est cela… c'est malséant. Il ne sied point aux dames de se préoccuper des bassesses humaines… Il y a tant de belles choses : le chant, la broderie… que sais-je encore ?

– Et puis les Ismaéliens utilisent des racines aux étranges effets, coupa Foulques.

– Ce ne sont pas des racines, rectifia Anne, ce sont…

– C'est cela même, des racines, et même peut-être pire, coupa Raimond avec un soulagement presque palpable. On est effrayés rien qu'à y songer ! Faut-il être misérable pour chercher dans des plantes les mystères du paradis !… Dès que nous aurons pris Tripoli, la paix, je veux dire la vraie paix, reviendra. Alors, vous ferez bien ce que vous voulez toutes les trois avec vos charlatans. »

Elvire se remit à picorer dans les plats avec une moue amusée et son-geuse. Combien de temps allait encore durer ce siège ? Cela faisait treize mois que les troupes du comte de Toulouse demeuraient dans le Château-Pèlerin, sans cesse agrandi d'accrétions nouvelles se poussant l'une l'autre comme des bourgeonnements minéraux. Depuis plusieurs semaines, la comtesse tenait une véritable cour. Chanteurs, musiciens, jongleurs, cracheurs de feu, acrobates et montreurs d'ours, mais aussi des hommes de savoir ou de philosophie défilaient à Mont-Pèlerin. Cette terre mâchée par tant d'appétits divers conservait intactes les saveurs du nestorianisme, du soufisme, du néo-platonisme. Elvire s'en délectait depuis des mois et s'était réjouie, dès leur retour, d'inviter Morphia et Anne au festin.

« Pour ma part, enchaîna Guillaume de Cerdagne, je crois que l'action doit se porter sur tous les fronts. À toi, Raimond, la conquête et la consolidation des territoires, à toi Elvire celle des esprits.

– C'est cela même, compléta Aymar de Marseille, mettons en place autre chose que l'éphémère. »

Raimond se tordit le cou pour lui lancer un regard venimeux.

« Qu'insinues-tu par là ?

– À proprement parler, rien… Si tu n'as pas encore pris Tripoli, c'est parce que tu te donnes le temps, et non par impuissance. Il est bon que chacun pense ainsi…

– Mon autorité s'exerce sans ambiguïté sur tout le comté, même si ma capitale est encore aux mains de l'infidèle… Nous verrons cela plus tard. Pour l'heure, il me faut maintenir la paix dans tout ce que je tiens. Or les Ismaéliens prennent dans les montagnes de Maraclée une influence qui ne me convient pas. C'est pourquoi, dès demain, nous partons conquérir Raphanée, aux portes de leur repaire.

– Ne pourrait-on, auparavant, reprendre Botron ? suggéra Foulques.

– J'ai besoin de vos bras ailleurs qu'à Botron. Ce hameau, d'ailleurs, est entre nos mains, peu importe les mains de qui. L'important est que ce soient des mains toulousaines. »

*

Raphanée se donna sans combat et une garnison solide prit posses-sion du lieu. Trois jours après, septième des ides de novembre, le comte de Toulouse regagna triomphalement Mont-Pèlerin à la tête d'une troupe dont pas un homme ne manquait.

Lion pétrifié guettant une proie de pierre, la forteresse se dressait face à l'isthme de Tripoli, balayée par des tourbillons de vent qui sculptaient les oliviers et les ceps de vigne. Le château toulousain, ancré dans la terre d'Orient comme un navire échoué, abritait désormais plus de fêtes et de musique que la cité de Fahkr-al-Mulk.

La grande salle aux murs hâtivement blanchis résonnait comme à chaque fin d'après-midi des échos insolites de la vie retrouvée.

Dans le grand jour d'une fenêtre, Elvire brodait avec ses femmes. Sur de grands lés de toile, elle dessinait la légende de Raimond. L'atelier bourdonnant de rires et de chants traçait en fils de couleurs les exploits du guerrier, comme, croyait-on, la reine Mathilde avait fait naguère pour tisser la gloire du noble Guillaume, son époux. On voyait d'abord Toulouse, son palais et son église, puisque, comme Salomon et le grand empereur Charles, Raimond possédait une église et un palais ; puis venaient le passage des Alpes, montrant un Raimond plus fier qu'Hannibal ; l'errance dans le brouillard du pays slave ; Constantinople de sang et d'or ; le lac de Nicée tout peuplé de navires, avec, sur le devant, le camp des Toulousains ; la torride Dorylée où, vêtu en saint Michel, Raimond pourfendait des monstres hideux... Elles en étaient à Antioche. Elvire avait esquissé la muraille aux quatre cents tours, la Mahomerie, la formidable citadelle, qui prenait sur la toile plus du quart de l'espace. Et cachant la moitié du décor, Raimond, dressé sur son cheval, semblant défier le monde entier. La partie achevée, suspendue à des chevalets, dépassait déjà quatre toises.

Morphia donnait le sein à l'enfant qui venait de naître. Elle avait voulu le prénommer Henri, en souvenir de celui qui avait forgé son alliance avec Foulques. « Ce petit poulain né entre Antioche, ma ville, et Jérusalem, ta conquête, sera, si tu le veux, gage de notre union enfin trouvée », lui avait-elle dit. Assise près de la comtesse, elle songeait à ce moment aux heures sombres de la guerre, aux peuples innombrables qui allaient et venaient dans le fracas des armes, au sang qui abreuvait la terre insatiable.

Comme souvent, Anne lisait ce soir-là un des ouvrages échoués, au hasard des conquêtes et des pillages, dans des coffres où elle découvrait inlassablement ce qu'elle appelait des merveilles ; des textes arabes, persans, sanscrits traduits en grec par des érudits, des épaves qu'on aurait dites échappées au grand incendie de la bibliothèque d'Alexandrie, des splendeurs inconnues léguées à l'Orient par la Grèce et Rome. En puisant dans les cadeaux intéressés des caravanes de marchands et des puissances locales, elle avait entrepris de décorer les grandes salles de la citadelle. Avec tous ces cuirs, ces étoffes resplendissantes, ces tapis aux motifs croisés, ces soies précieuses, ces coffres incrustés, ces aiguières d'argent damasquiné, ces baudelaires et ces yatagans luisants, ces tentures de lourde cotonnade, elle avait fait du rude chantier de Mont-Pèlerin un palais plus oriental que la plus riche des tentes du chef bédouin le plus puissant.

Guillaume de Cerdagne lisait beaucoup, lui aussi, quand le loisir lui en était laissé, mais devait se contenter des textes latins. Dès son arrivée,

Raimond l'avait affublé du titre de neveu, lui qui n'était qu'un de ses cousins. « Je n'ai ici aucune famille, avait prétendu le comte, et j'ai grand plaisir à retrouver mon neveu. » Pour un Catalan, il se montrait taciturne, ce qui étonnait Elvire, écoutait beaucoup, mais parlait peu, et toujours pour relever un point important oublié par les autres. Il avait transporté en Orient un accent où roulaient tous les torrents de Cerdagne. Il fallait régulièrement le prier de répéter, ce qu'il faisait avec bonhomie et à l'identique. En raison de sa mauvaise vue, il devait borner ses lectures aux manuscrits les mieux encrés, et on le voyait régulièrement se déplacer pour suivre la lumière. Alors qu'il charroyait d'une voix caverneuse un poème de Catulle, Anne murmurait en grec une tirade d'Eschyle. Elle s'amusa de cette cacophonie et lui adressa un sourire. Il leva la tête vers elle, rosit dans un gracieux geste d'excuse, et reprit sa lecture en s'efforçant d'éteindre le grondement de sa voix.

Renaud observait Aymar de Marseille qui méditait son prochain coup, en exprimant à mi-voix tous les méandres de sa réflexion. Le Méridional était un excellent compagnon d'échecs, même s'il avait fallu batailler longtemps pour lui faire admettre la différence des pièces. La transformation de la tour en dromadaire, en particulier, l'avait laissé sans voix, phénomène extraordinaire chez un personnage dont la bouche ne fermait pas. Il ne laissait jamais son interlocuteur terminer sa phrase, et tout sujet abordé, n'eût-il aucun rapport avec sa cité, devait nécessairement se conclure par des considérations extasiées sur le port phocéen. Une telle mauvaise foi exaspérait le comte, qui tenait pour Toulouse. Dans le feu d'une algarade, il en était venu à reprocher au Marseillais l'insignifiance de ses origines. On avait appris à cette occasion qu'Aymar n'était dit « de Marseille » que parce qu'il était en effet originaire de cette ville, mais qu'il devait uniquement son élévation à l'amitié suspecte de la comtesse Gerberge. Non sans fierté, Aymar avait admis que ses propres parents, poussés par la misère, avaient l'un fui l'Espagne et l'autre l'Italie pour unir leurs hardes sur les quais du grand port, ce qui, d'après lui, ne diminuait en rien son mérite de pèlerin et de chevalier. « Chevalier d'aventure, comme lui… », avait jugé Raimond en désignant Renaud.

D'emblée, ce dernier avait éprouvé de l'attirance pour la faconde du Marseillais. Comme lui, Aymar était un miraculé de l'existence que les caprices du sort ou les impénétrables voies de Dieu avaient bien voulu distinguer du troupeau. Il passait beaucoup de temps en sa compagnie, d'autant que Foulques, rattrapé par ses penchants, comme à chaque fois que la paix revenait, avait de nouveau sombré dans l'étude. La découverte dans la malle d'Anne d'un très gros manuscrit de saint Augustin l'avait immergé dans les *Confessions*. Il était là, en face d'eux, absent à lui-même, tournant les feuillets devant la cheminée. Renaud avait une furieuse envie de se lever pour le secouer.

Arrêté sur un passage, Foulques était emporté dans un tourbillon de souvenirs : *Quels cris, ô mon Dieu, j'ai poussés vers toi en lisant les Psaumes de David, ces cantiques de foi et voix de la piété où n'entre aucune enflure d'esprit ! J'étais un novice dans la vérité de ton amour, un catéchumène en vacances à la campagne...* Il revoyait cette page du psaume de David dont il achevait la copie, quand Adhémar l'avait lancé sur le chemin de la vie : *Mon âme a soif de toi.* Il avait alors soif, soif du nectar de Dieu, et n'avait trouvé depuis que le fiel des hommes pour l'épancher. Le roi David était près de lui lors du grand départ de Vaux. Il l'était encore pendant le combat contre Gunnar. Et il se manifestait à nouveau à la veille de l'assaut contre Tripoli. Comment espérer comprendre le sens de ce mystère, sinon en épuisant son corps pour libérer les forces de son esprit ?

« Attends-moi, cria-t-il à Guillaume de Cerdagne qui se levait à l'autre bout de la salle, veux-tu lutter avec moi ?

– Ça tombe mal, soupira le comte de Toulouse après leur avoir laissé le temps de sortir, j'aurais eu besoin de votre conseil à tous au sujet de l'acte de donation que je m'apprête à sceller et qui doit partir bientôt pour Jérusalem. »

Il se massa la poitrine, s'éclaircit la voix et commença à lire, couvrant le murmure d'Anne qui reposa son manuscrit comme si elle sortait d'un rêve :

À tous qui ces présentes lettres verront et orront, salut. Moi, Raimond, comte de Toulouse, duc de Narbonne, marquis de Provence, marquis de Gothie, comte de Tripoli...

« Comte de Tripoli ? Et depuis quand es-tu comte de Tripoli ? » coupa Renaud.

Les femmes levèrent les yeux vers Raimond qui parut un instant décontenancé.

« Je ne le suis pas tout à fait encore, c'est vrai. Mais le temps que ce diplôme parvienne à son destinataire, je le serai sûrement devenu. Dieu m'a promis la ville, c'est un fait qui ne souffre aucune contradiction.

– Aucune, en effet, assura Aymar. D'ailleurs, elle peut nous tomber dans les mains dès demain, il suffit que tu le veuilles. Tu possèdes le comté, même s'il te manque cette misérable langue de terre couverte de mosquées. C'est sans importance.

– Oui, ce n'est qu'un détail, après tout, ce pédoncule à mosquées, dit Raimond d'une voix presque timide.

– Et que donnes-tu à qui, en ta qualité de comte de Tripoli ? plaisanta Renaud.

– Eh bien ! je donne... voilà, c'est écrit là : *...l'église Saint-Jean de Tripoli et toutes ses appartenances et dépendances, aux chevaliers glorieux de l'ordre de Saint-Jean de Jérusalem...*

– Ils ne sont pas encore constitués en ordre, mon ami, spécifia doucement Elvire.

– Il existe donc une église Saint-Jean dans Tripoli ? demanda Aymar.

– Bien sûr que oui, puisque les maronites ont placé leur cimetière sous le patronage du disciple aimé... Et puis en voilà assez maintenant ! Les chevaliers de Saint-Jean formeront un Ordre, comme moi je serai comte de Tripoli. Vous ne pensez tout de même pas que c'est offenser Dieu que d'anticiper de quelques jours Ses volontés, si ? »

*

Le dimanche suivant, jour des ides, Elvire, servie par un hasard providentiel, parvint à réaliser un rêve caressé depuis qu'elle était en Orient. L'Arabe Rachid As-Safel, élevé à Bagdad dans la foi sunnite, mais converti au christianisme nestorien depuis plus de vingt ans, et le persan Abû Nisri, initié au soufisme par l'illustre Ansârî considéré comme le dernier grand maître, se trouvèrent au même moment les hôtes du comte de Toulouse. Le premier remontant de Jérusalem et le second de La Mecque, ils faisaient l'un et l'autre route vers Constantinople. Elvire les accueillit chaleureusement à la table comtale, comme tous les voyageurs quels qu'ils fussent, mais avec un entrain inhabituel.

« À l'office de ce matin, lança-t-elle dans un latin parfaitement pur, on nous a lu l'Évangile de Matthieu où Jésus guérit les pertes de sang d'une femme et ressuscite la fille du chef de la synagogue.

– Voilà qui n'était guère difficile, décréta l'Irakien, nous sommes tous un seul et même corps, comme il est écrit dans la première lettre aux Corinthiens.

– Comment peux-tu dire cela, s'étonna Foulques, toi qui crois que le corps du Christ n'est pas de même nature que son âme ? Dans l'épître que tu cites, il est dit clairement : *"Vous êtes le corps du Christ et ses membres, chacun pour sa part."* »

Elvire ne cherchait pas à dissimuler le plaisir qu'elle se promettait de ces échanges.

Avec un fin sourire, le nestorien Rachid As-Safel écoutait se déverser l'argumentation passionnée du garçon qui lui faisait face : pouvait-il se dire encore chrétien celui qui, chevauchant une subtilité suscitée par le démon, en arrivait à dénier à Marie le titre de mère de Dieu ? Celui qui osait prétendre que les chrétiens, à force d'étroitesse d'esprit se noyaient comme des poissons ivres ?

Rachid répondit avec une grande aménité à ce torrent de fougue et conclut en citant saint Ambroise : « *Un seul fils de Dieu parle par les deux essences, parce qu'en Lui sont les deux natures ; c'est toujours Lui qui parle, mais Il ne parle pas toujours de la même manière. »*

Calé dans la cathèdre où il avait coutume de se tenir, Raimond souffrait encore de ses brûlures. Il avait d'abord suivi bouche bée les premières passes d'armes entre son jeune cousin, sidéré de le découvrir aussi instruit des choses de la religion, et ce Rachid qui lui paraissait somme toute fait de bonne pâte et nullement hérétique. Puis il s'était laissé glisser dans le sommeil.

Après un silence empli de méditation, le soufi Abû Nisri cita un maître dont personne ne comprit le nom :

« Lorsque Dieu eut créé l'entendement, Il lui demanda : "Qui suis-je ?" L'entendement resta muet. Dieu appliqua alors sur sa vue le collyre de la lumière de Son unicité. L'entendement, alors, ouvrit les yeux, et dit : "Tu es Dieu, et il n'est pas d'autre dieu que Toi."

— Entends-tu par là que Dieu a refusé aux chrétiens que nous sommes le moyen de Le contempler ? dit Morphia.

— En aucune manière. Je dis que tel est le sens du passage qu'évoquait à l'instant la comtesse de Toulouse, notre hôtesse. Le Christ, pour vous image visible de Dieu et pour nous simple prophète, a guéri la femme qui perdait son sang et redonné vie à la jeune fille morte, parce qu'elles avaient toutes deux compris qui était Dieu.

— Les choses peuvent se voir bien autrement, soutint Foulques. Pour saint Jérôme, la femme qui perd son sang figure la gentilité, et la jeune fille la nation juive.

— C'est ainsi, en effet, que la tradition explique cet épisode, concéda Elvire, mais vous donnez chacun une interprétation réservée à la secte à laquelle elle s'adresse. Or vous prétendez, les uns comme les autres, à l'universalisme. »

Renaud, que cet assaut doctrinal avait jusqu'à présent fermement ennuyé, trouva un point d'intérêt aux paroles d'Elvire. Puisque tous les chrétiens formaient une famille, pourquoi tous les croyants n'en formeraient-ils pas une autre, plus large, plus riche de savoirs qui permettraient de se comprendre et de s'aimer, au lieu de se déchirer ?

« Être croyant, c'est ne plus être seul, c'est avoir une immense famille », dit-il.

Dans un silence médusé, tous se tournèrent vers lui.

« Oui, c'est ce que je crois, insista-t-il. Et si être croyant importait davantage que d'être chrétien, ou musulman, ou juif ? »

Une pointe de jubilation colora le visage de la comtesse.

« Tous, nous **nous** réclamons d'un Livre, dit-elle. Ce Livre, au commencement, **nous** est commun, parce que Dieu l'a inspiré aux hommes. Mais **les** hommes préfèrent entendre parler d'eux-mêmes plutôt que d'entendre parler de Dieu, et ils prêtent à Dieu les pensées qui les agitent, mais qui laissent Dieu indifférent.

– Ou qui Le rendent triste, laissa tomber Renaud.

– Junayd disait : *"Dieu te fait mourir à toi-même et ressusciter en Lui."* Tes paroles sont sages, comtesse Elvire. Tu as approché un des mystères du soufisme qui permet de transcender chacune de nos pauvres vies », approuva Abû Nisri.

Manifestement flattée de ce compliment, Elvire remercia d'une délicate inclinaison de la tête, mais ne répondit rien.

Foulques fouillait sa mémoire, à la recherche d'une parole bien sentie d'un quelconque Père de l'Église, qui fût assez forte pour ébranler le Persan.

« Dans l'union, deux natures ne sont pas réputées constituer une seule et même nature ; ces natures unies volontairement ne sont pas dites unies en nature, mais en *prosopôn*, asséna doctement Rachid.

– Je ne comprends pas *prosopôn*, dit Renaud.

– En grec, ça veut dire le visage », traduisit Anne.

Rachid acquiesçait gravement, les traits impassibles.

« Pour autant, Rachid, cela veut dire aussi le masque de théâtre, s'exclama Morphia. Sous cette acception, tes propos seraient hérétiques, voire risibles.

– Personne ne fait autre chose que jouer sans fin une pièce de théâtre, affirma Renaud. Le bon Dieu Lui-même a mis un masque d'homme sur le visage de Son fils, pour que les hommes Le reconnaissent. Ainsi fait le chasseur de loups qui se couvre d'une peau de loup pour approcher les loups. »

Raimond renifla, fit de sa bouche un bruit mouillé, promena sur l'assemblée un regard circulaire qu'il s'efforça de rendre perspicace :

« Des loups ?… Où ça, des loups ? » clama-t-il avant de sombrer à nouveau dans le sommeil.

« Vos paroles sont de lumière et de cendre, dit soudain Foulques. Oui, notre Dieu à tous est un et c'est bien sûr le même, sinon où serait le sens de tout cela ? Cette lumière qui nous habite, cette grâce qui vibre dans chacun de nos cœurs, c'est elle qui éclaire pour nous le chemin à parcourir, qui nous donne la lucidité et la beauté, qui nous brûle, aussi, lorsque, malgré tout, nous demeurons dans la laideur, ou pire, dans la sottise. Au lieu de mettre en exergue les différences, mieux vaudrait chercher ce qui rassemble et unit, ce que toutes les croyances ont en commun.

– Mais ce qu'il y a de commun, c'est l'homme ! s'exclama Renaud. L'homme, mesure de toute chose, comme tu me l'as appris, Elvire. »

La comtesse de Toulouse allait répondre quelque chose, mais Abû Nisri la devança.

« Mesure, oui, mais non de toute chose… Mesure de sa misère et de son aveuglement, oui. Mais l'homme est avant tout enfant d'Allah. La misère de l'homme n'est qu'un effet visible de la volonté divine, la grâce d'Allah est, elle, la cause invisible de toute chose. »

Alors que Rachid As-Safel se disposait à apporter la contradiction, Raimond se dressa d'un bond, et, avec un grand coup de poing sur la table, s'écria :

« Comment, des loups ? S'il y a des loups dans les parages, il faut y aller tout de suite ! »

*

Le souvenir de ces ides de novembre demeura dans toutes les mémoires. Ceux qui avaient fait le grand pèlerinage se souvenaient de la fête légendaire donnée par le vieil Henri à la Mahomerie, un lustre plus tôt. Les Provençaux retrouvaient le raffinement de Toulouse, les Turcopoles celui d'Antioche ou de Constantinople, les autres, ce qu'ils avaient entendu dire du luxe et de la culture de tous ces endroits merveilleux qu'ils ne connaissaient pas. La certitude s'installa chez les troupes que Raphanée n'avait constitué qu'un prélude, et que le comte Raimond allait incessamment s'emparer de Tripoli. Sans qu'aucun événement déterminant ne se fût produit, aussi mystérieusement qu'elle s'était étiolée au cours des mois, la confiance revint.

Le départ des deux sages, l'Irakien Rachid As-Safel et le Persan Abû Nisri, avait fait grande impression. Devant tous, ils avaient tenu à féliciter la comtesse pour l'agrément de sa conversation et la richesse de sa culture. Pendant deux jours, on avait eu sous les yeux ce que chacun pensait absolument inconcevable : des hommes d'intelligence supérieure, que tout séparait et qui auraient dû se haïr, avaient partagé la même table et les mêmes idées. Et cela, sous la houlette du comte de Toulouse, leur chef.

On plaignait les seigneurs de Cerdagne et de Marseille, partis à Gibel inspecter l'état des défenses, de ne pas avoir participé à ces instants solennels qui transforment l'existence. Le soir, autour des brasiers, on s'émerveillait de l'éclat de la cour d'Elvire et de ses dames. On croyait savoir que l'émir de Tripoli, informé par ses espions, était tombé en pâmoison de rage et de jalousie. On pensait que la ville allait ouvrir ses portes, honorée d'avoir sous ses murs le prince le plus glorieux que la terre eût porté depuis Alexandre.

Bientôt, chacun voulut avoir sa part d'exploit. Celui-ci avait mis à l'étrier le pied du Persan ; celui-là avait autrefois offert à boire au seigneur de Botron ; un troisième, qui était de garde, avait entendu quelques répliques ; pour un peu, il aurait dit son mot, s'il n'avait été si intimidé. Un autre affirmait que les puissances assemblées avaient réglé le sort du monde et partagé la Terre sainte, et d'ailleurs tout l'Orient. La plupart estimaient que les deux saints ne prenaient le chemin de Constantinople que pour rendre compte au basileus des décisions prises ces jours-là.

Pendant une grande semaine, les domestiques furent accueillis en princes, tant leurs témoignages étaient inappréciables. Ils ne se faisaient pas prier pour raconter les merveilles auxquelles ils avaient assisté, et, d'abord gonflés d'orgueil puis bientôt de démesure, ils finirent par admettre avoir, ce soir-là, servi les hôtes de l'Olympe.

Les Provençaux ne s'étonnaient pas de tout cela. À Toulouse, se souvenaient-ils, le comte était vénéré tel un dieu, qu'il était sans nul doute puisqu'il gagnait tous les combats, remportait tous les tournois, faisait honneur à toutes les dames, peuplait ses fêtes de cracheurs de feu, de montreurs d'ours et de jongleurs qui ne pouvaient se comparer à ce que l'on voyait ailleurs.

En quelques jours, les nouveaux arrivés, les Turcopoles, les lambeaux de bandes éparses, les pèlerins ralliés à la troupe avaient acquis une dimension nouvelle qui les faisait trembler de gloire et d'émotion.

*

Le soir du premier jour de l'avent, Foulques rejoignit Renaud au moment où celui-ci finissait d'organiser le guet. La lumière venait de disparaître derrière les nuages qui roulaient à l'horizon. Le froid dardait déjà ses crocs par les meurtrières. Le camp s'assoupissait entre tentes et échafaudages.

« Toutes ces rumeurs me réjouissent, dit Foulques. Plus personne ne parle de l'âge de Raimond.

— C'est vrai, malgré ses brûlures, il est comme revigoré, depuis la prise de Raphanée. Quel chef, quand même ! »

De l'intérieur des murailles leur parvint le chant d'un muezzin porté par la brise jusque dans la brèche de la Kadisha. Au même moment, d'une chapelle en construction perdue au milieu des chantiers, tout proche, s'échappa l'angélus.

« Écoute comme c'est beau, dit Foulques, l'oreille au vent. Tous les chants de Dieu se mêlent, comme nos voix avec celles de Rachid et d'Abû.

— Je pense à Saintes, à la fontaine Sainte-Eustelle, à Urbain…

— Saintes ?

— La première fois qu'on a entendu l'angélus, c'était ce jour-là, quand le pape a demandé que toutes les églises de la chrétienté sonnent les heures de la reconquête du Saint-Sépulcre. Au matin, le premier angélus s'est envolé des cloches de notre cathédrale. Depuis, il résonne sur toute la surface de la terre. L'angélus est né en Saintonge, comme nous…

– C'est vrai, j'avais oublié, reconnut Foulques.

– Toi et moi, nous nous sommes envolés en même temps que l'angélus, murmura Renaud, le regard perdu au loin.

– Pourquoi parles-tu de cela ?

– Que reste-t-il de nous ? Où est Foulques ? Où est Renaud ?

– Nous sommes là, Renaud, côte à côte, comme toujours…

– Nous nous sommes transformés en guerriers dans le combat, en seigneurs devant nos troupes, en instruments du bon Dieu, dociles et anonymes, répétant ce que d'autres ont dit et pensé avant nous. Que sont devenus les enfants que nous étions ? Où sont les hommes ?

– Sous les masques, murmura Foulques, sous le *prosopôn*… »

*

Seul dans la salle de garde, Foulques examinait un haubert musulman de conception nouvelle pris sur un archer tombé du rempart et péniblement ramené sous un large bouclier de planches mouillées. Il admirait la souplesse des mailles d'acier et la solidité des soudures, lorsque Morphia poussa vivement la porte et se précipita vers lui.

« De grandes nouvelles ! s'exclama-t-elle, en brandissant un papier. Le messager du courrier impérial pour Jérusalem vient de me remettre une lettre de tante Vassi. »

Foulques eut un haut-le-corps.

« Le courrier impérial ?

– Oui, tu ne l'as pas vu arriver ? Il fait halte ici pour la journée.

– De bonnes nouvelles, au moins ?

– Pas bonnes ! Extraordinaires ! »

Surpris par l'exaltation du ton, Foulques considéra un instant son épouse. Son accouchement semblait l'avoir rajeunie. Il eut soudain le sentiment de se trouver en face de la toute jeune fille qu'il avait épousée.

« Oui, extraordinaires, répéta Morphia. D'abord, elle nous envoie en billets à ordre pour plus de mille besants, et aussi l'équivalent en or des cent marcs de ma dot qui n'avaient jamais été payés.

– Tant mieux, voilà qui te sera utile.

– Qui *nous* sera utile, Foulques… Elle *nous* envoie… à nous deux, tu comprends ? À nous deux… Je lui avais écrit de Jérusalem les ennuis d'argent dans lesquels nous étions. À peine un mois, pour sa réponse ! Quelle merveille…

– Ce sont de très bonnes nouvelles, en effet. Voilà qui va nous aider à reprendre Botron. »

– Oui, jubila Morphia, mais attends… Ce n'est pas là le plus beau. Je t'ai dit que c'était extraordinaire !

– Eh bien, quoi ? s'impatienta Foulques.

– Vassi déteste ne pas comprendre ce qui se passe. Elle a payé des hommes de loi, pour qu'ils fassent une enquête discrète sur ce qui était arrivé, quand tu étais au… au Néoriôn. »

Foulques se redressa de toute sa taille et lui fit face.

« Et… ?

– Eh bien ! je vais te lire ce qu'elle dit, comme ça tu en sauras autant que moi. »

Avec une moue coquette, Morphia déplia la longue missive, et fit mine de chercher dans le texte.

« Ah ! voilà… D'abord, elle parle des affaires d'argent. Elle dit aussi que tout est réglé pour sa succession, et que j'aurai tout, sauf sa demeure d'Antioche, qu'elle te donne, à toi, en remplacement de celle que tu as perdue pour racheter Anne… Et puis… voilà : … *Ces crapules qui se nomment enquêteurs se vendent au plus offrant, mais ils sont aussi patients et habiles que des chiens limiers. Il leur a fallu des semaines, et moi, pendant ce temps, je payais. Tu ne me croirais pas si je te disais les dépenses qu'il m'a fallu accepter de solder, y compris un bateau pour aller faire je ne sais quoi à l'île des Princes… Bref, dans cette affaire, nous nous sommes embarquées un peu à la légère, ma fille. Tu sais que j'avais pensé d'abord uniquement à te débarrasser de ton barbare de mari, puisque la loi des vainqueurs t'avait mise dans ses pattes. Je n'avais pas bien compris qu'il ne te déplaisait pas autant que je le croyais. Il faut dire que tu t'es mal expliquée, ma pauvre chérie…*

J'en ai profité pour faire quelques petites affaires, que je ne peux pas t'écrire pour les raisons que tu comprends, avec les princes de l'Église que tu sais. Je les prenais pour des imbéciles, mais je me trompais, au moins pour cet Étienne.

Et voilà ce qu'ont trouvé mes chiens limiers : alors qu'il était convenu entre nous de mettre ton Foulques pendant quelque temps dans une cellule de monastère où il t'aurait laissée en paix, cet Étienne, que le diable le dévore, a porté contre lui des accusations d'hérésie et de complot contre la vie de l'empereur. Ce pauvre garçon aurait prétendûment demandé à rencontrer la princesse pour pouvoir approcher le basileus et le trucider comme un rat ! Ces accusations ridicules ont été retenues, ce qui montre que l'évêque a trouvé des appuis que je ne comprends pas et, surtout, qu'il a agi sur des motifs que je ne peux m'expliquer. Bref, au lieu d'une cellule tranquille qui nous donnait le temps de voir, ton Foulques a été emprisonné dans l'endroit que tu sais, et que, par prudence, je ne nomme pas. Ensuite, nous avons été trahies dans l'affaire de la citerne. Puis, il a été libéré. Et c'est là qu'ils ont mis du temps à trouver comment. Ce que ça m'a coûté, c'est à proprement parler inconcevable, mais enfin, ça me fait plaisir de savoir.

Ce qu'ils ont découvert, le voici : c'est la fille du basileus elle-même qui l'a fait délivrer ! Mais le plus fort est encore à venir : tu penses bien que les déités qui nous gouvernent ont à penser à autre chose qu'à un pauvre chrétien enfermé dans les geôles, et que, sans une autre intervention, ton pauvre Foulques y serait demeuré jusqu'à ce que mort s'ensuive. Or, ma petite chérie, il y a eu, d'après les chiens limiers, une autre intervention, celle de ton Gunnar.

Mais, à voir toutes ces misères qui accablent ton Foulques, et toi par conséquent, je me pose encore une autre question : quelle main peut être assez féroce pour le tenir comme un lapin, d'un bout à l'autre de l'empire ? »

XXIV

Noël 1104-janvier 1105. – Botron.

FOULQUES POSA LE PIED sur la poitrine de l'homme et retira lentement son épée. Un soubresaut fit tressaillir le cadavre qui vomit du sang par la bouche.

Jacques le Pileux s'était bien battu. À présent, il était mort.

Comprenant que son chef avait passé, la garnison cessa le combat. Les uns après les autres, les hommes vinrent jeter leurs armes aux pieds des nouveaux seigneurs. D'un seul coup, la mêlée furieuse se transforma en une cérémonie presque tranquille. Sporadiquement, des exclamations jaillissaient, reprises en chœur par d'autres voix : « Noël ! Noël… ! »

Le détachement prêté par le comte de Toulouse avait d'abord gémi du sort de ces frères qu'ils allaient affronter, un peu pleuré sur la misère du temps, beaucoup prié pour l'âme de ces chrétiens, écouté avant le départ Raimond de Saint-Gilles parler de félonie, puis attaqué sans états d'âme ces autres Provençaux qui tenaient Botron. On avait sommé Jacques de se rendre à la raison. On lui avait transmis un ultime message du comte qui s'affirmait disposé à tout oublier s'il rendait la cité à ses maîtres légitimes. Du haut des remparts, l'usurpateur avait clamé qu'il tenait sa ville de la volonté du comte de Toulouse, qu'elle était sienne désormais, et qu'il ne craignait personne.

Maintenant, comme libérés d'une oppression, les hommes des deux camps fraternisaient.

Foulques ôta son heaume et, dans un éclat blond, le jour naissant rencontra ses mèches. Par-dessus la muraille, il laissa aller son regard jusqu'au cirque de collines veillant la mer. Derrière les oliveraies et les champs mis en labour, le désert galopait en vagues caillouteuses jusqu'à la vallée de la Kadisha, à la rencontre inlassable de l'Orient, tendu vers le soleil levant de toutes ses langues de rocailles décharnées, de toutes ses épines arides comme la couronne du Christ.

Renaud tendait à Olivier, son nouvel écuyer, ses gants de fer placés dans son casque. Des sillons rouges balafraient le front et le nez. Sans doute un coup asséné sur le nasal.

À six créneaux l'un de l'autre, Renaud et Foulques se tenaient là où la victoire était venue les saisir. Ils prirent le temps d'échanger un regard et un sourire.

« Le soleil se lève sur Botron, dit soudain l'écuyer. Le soleil de Noël chasse l'ombre de la nuit. »

L'air songeur, Renaud considéra de face Olivier, ainsi qu'il l'avait fait bien des fois depuis que Raimond le leur avait donné. Où se cachait le don précieux qui soufflait le feu ? Était-ce dans ce regard, dans l'étroite commissure de ces lèvres, derrière cette double rangée de dents curieusement blanches ? Était-ce sous ce front bas barré de sourcils hirsutes ? Quelque part dans cette large poitrine couverte d'un mauvais carré de cuir éraflé de partout ? Où se cachait le bon Dieu ?

« Que veux-tu dire par là ? »

L'écuyer passa la fourche de ses doigts dans sa chevelure en bataille.

« Je ne connais pas les bons mots… Jacques était comme l'ombre de la nuit. Toi et messire Foulques, vous êtes comme l'éclat du jour. Mais il y a aussi notre comte qui…

– Qui… ?

– Je te dirai plus tard, maintenant c'est l'heure de la victoire. »

Après un regard étonné à l'écuyer, Renaud tendit ses bras à Foulques et le saisit rudement par les épaules. Un voile assombrissait le regard gris.

« Réjouis-toi ! s'exclama Renaud. Tu as été le premier à poser le pied sur les murs. Jacques méritait son sort, tu le sais bien.

– J'ai tué un félon et c'est justice. Mais ce soir c'est Noël. Cette guerre n'est pas juste.

– Tu penses à Thibaud, ton père ? »

Foulques baissa la tête et la redressa aussitôt, yeux luisants. Il donna à son tour ses gants à Olivier qui s'esquiva par un escalier de pierre où traînaient une lance et des boucliers.

Renaud posa son front contre celui de son ami.

« Cesse de tourner ces pauvres choses dans ta tête, Foulques. Thibaud n'est pas mort pour avoir offensé le bon Dieu en combattant un dimanche. Il est mort parce que les troupes de Pons et de la Laurencière étaient plus fortes que les siennes. Toi, aujourd'hui, tu es vainqueur, et pourtant, nous sommes à la veille de Noël. Tu es vainqueur parce que tes troupes étaient meilleures que celles de Jacques.

– Mon père est mort. Je ne pourrai jamais lui offrir mes victoires.

– Offre-les au bon Dieu, puisqu'Il a soutenu ton combat, et aussi à Thibaud, qui te voit de là-haut », murmura Renaud.

*

Tous les combattants avaient quitté les remparts. Les enfants criaient, les chiens jappaient, les vaincus gueulaient leur joie encore plus haut que les vainqueurs. Le petit peuple de Botron se pressait pour acclamer ses anciens seigneurs. Les hommes qui avaient autrefois constitué la troupe d'Éric étaient au premier rang, vibrants de zèle.

On ouvrit les portes et, avec une caravane d'ânes portant des ballots, les deux femmes et les enfants pénétrèrent dans la cité. Elles allaient à pied, tant les chevaux étaient devenus rares. Elles se précipitèrent jusqu'à l'entrée de la citadelle où Éric les arrêta d'un mot :

« J'entre moi d'abord. »

Il dégaina son épée, poussa du pied la porte qui grinça, et s'avança avec une prudence qui les fit rire.

La citadelle était déserte.

Elles empruntèrent l'escalier qui menait aux pièces à vivre. Des bûches achevaient de se consumer dans l'âtre. Sur la table dressée, un ragoût avait refroidi dans un plat de terre. Au milieu, figés par la graisse, flottaient des morceaux de pain lâchés dans la précipitation de l'attaque.

Enfants et servantes parurent à leur tour sur le seuil de la salle. Morphia fit un geste en direction du festin.

« Irène, ordonna-t-elle en grec, ranime le feu et mets cela à chauffer pour les enfants. S'il y a autre chose à l'office, nous mangerons nous aussi. »

Dans les pièces du fond, naguère réservées au gynécée, l'usurpateur avait entassé tout ce qui avait dû lui paraître inutile. Papiers et fripes enchevêtrés, livres écartelés jonchaient les dalles. Seul un très grand lit défait puait une haleine de vie.

Elles s'accroupirent en silence au-dessus du chaos. Anne reconnut un de ses livres, sali de taches brunes. Morphia écartait des monceaux d'étoffes maculées, des tas de papyrus, de parchemins, de cuirs travaillés, le fouillis des rapines de Jacques le Pileux. Combien de coups de main avait-il dû lancer sur les caravanes qui passaient à portée, pour amasser un tel butin ?

Un instant, leurs doigts se rencontrèrent. Elles se regardèrent, et accotées l'une à l'autre, se mirent à pleurer.

*

Moins d'une quinzaine plus tard, jour de l'Épiphanie, un émissaire fit savoir que les chevaliers de Saint-Jean félicitaient les deux seigneurs de Botron de leur reconquête, et qu'une délégation de trois des leurs, en route pour Antioche, demandait l'hospitalité.

Dans la grande salle de la citadelle apprêtée pour la réception, Foulques était en train de se demander s'ils connaîtraient l'un des visiteurs, lorsque Renaud entra, suivi d'un personnage à l'air affairé. C'était un notaire arrivé de Toulouse. Séduit par l'absence de concurrence et indifférent aux querelles seigneuriales, il s'était installé à Botron au cours de l'été.

Il entreprit aussitôt de rédiger la charte par laquelle, selon la coutume établie depuis peu en Orient, Foulques et Renaud, en présence de leurs écuyers, donnaient aux hospitaliers l'oliveraie située à l'intérieur des murailles de la ville, ainsi que la masure qui la bordait, dans la partie nord de la cité, tenant du nord et de l'est aux remparts, du levant à Ramon Tunraner, et du couchant à Revsa Al-Lakim.

Alors que l'homme de droit relisait le document, un garde vint annoncer l'arrivée des chevaliers de Saint-Jean.

Comme on était à la neuvième heure, Foulques commanda d'apporter seulement du pain et du vin.

Quand, suivi de deux chevaliers en robe noire, Goscel de Montaigu pénétra dans la salle, Renaud eut un mouvement de recul qui ne passa pas inaperçu.

« Je viens vers vous en ami, déclara l'hospitalier en lui adressant un sourire éclatant. L'Ordre vous porte son salut. Gérard, Arnaud de Comps, mon propre père et l'ensemble de nos frères vous souhaitent toutes les prospérités possibles.

– Nous ne nous attendions pas à te voir, toi, dit Foulques, avec un regard appuyé en direction de Renaud qui affichait une pâleur inquiétante.

– Je le sais… mais le temps a passé et, si nos affaires nous ont quelquefois séparés, nous n'en avons pas moins toujours poursuivi le même but, à savoir la gloire de Dieu.

– La gloire de Dieu n'appelle pas le meurtre, répliqua Renaud.

– Nous avons été abusés, les uns et les autres. Conon, mon père, tenait de source sûre que le sire de Termes ne reviendrait pas de Constantinople, où il serait condamné pour hérésie, et que, éloigné de lui, tu n'avais d'autre ambition que de nous rejoindre. On nous a convaincus que seuls des sortilèges te retenaient dans ces murs, et c'est pourquoi, au début du printemps, nous sommes venus t'y chercher, conformément à la volonté du comte de Toulouse.

– De quoi parles-tu ? » dit Foulques, abasourdi.

Goscel se retourna lentement vers lui, le regard brillant de lumière.

« Ton ami Renaud nous a été présenté comme le Toulousain le plus désireux de nous rejoindre. Nous avons appris qu'après avoir été excommunié, tu glissais toi-même à l'hérésie, voire à la conversion à l'islam. On nous a assuré que des femmes de peu de vertu, des sortes de sorcières, vous attiraient dans les mauvais chemins…

– Qui ? Qui prétendait tout cela ? » siffla Renaud.

Goscel balaya l'air de la main, comme pour écarter le silence. Il trempa dans son vin un morceau de pain, l'écrasa avec un plaisir manifeste contre son palais, et la bouche encore pleine, s'étonna :

« Mais je te l'ai dit. Un proche compagnon de votre prince Raimond de Saint-Gilles, l'évêque Étienne, en personne. »

Un silence de plomb s'abattit sur l'assistance. Depuis un moment, pressé d'en finir, le notaire tapotait le parchemin du bout des doigts. Il trouva le courage d'intervenir :

« Messire, le moment est venu de conclure cette généreuse donation… J'ai besoin de vos paraphes.

– Oui, chevaliers, dit Foulques comme émergeant d'un rêve, le seigneur Renaud et moi avons décidé, en gage d'oubli de tous les malheurs qui sont advenus, de faire une donation de terre à l'hospice de Gérard. »

Les hospitaliers devaient s'être habitués aux libéralités de tous ordres, car aucun des trois ne manifesta de surprise.

Ceux qui le savaient signèrent. En apposant son sceau, Foulques rencontra le regard de Renaud fixé sur la cire molle. Les trois visiteurs s'approchèrent à leur tour.

*

Le temps avait repris son cours. Les coseigneurs avaient entrepris d'organiser le gouvernement de la cité. Les travaux du casal se poursuivaient. La tour de guet dominait la modeste église dont l'enceinte était achevée. La tribu du cheikh Ibn Khaled était depuis longtemps repartie vers le sud, pour toute la saison d'hiver.

Le jour des ides de janvier, vers la dixième heure, Renaud pénétra vivement dans la petite pièce où Foulques avait coutume de se tenir pour travailler.

« Répète à Renaud la belle fable d'Ésope que tu viens de me dire », murmura le garçon à l'oreille d'Anna qu'il tenait sur ses genoux.

La fillette enfouit son nez dans le cou de son père et, rose de confusion, murmura :

« Non, je veux pas.

– Ne fais pas la bête ! Allez… D'abord, Renaud ne comprend pas le grec, tu vas voir comment il va être surpris. »

Anna se retourna vers lui, ses sourcils noirs froncés, et, le museau dans les cheveux de Foulques, mêlant grec, latin et roman, elle débita :

« *L'aigle vola du haut d'un rocher dessus le dos d'un agneau, ce que le corbeau voyant de loin, il en voulut faire autant, et s'alla jeter sur la toison du mouton, où il s'enveloppa si bien qu'il ne put s'en retirer, tellement qu'il fut pris, et donné aux enfants pour s'en amuser.*

– C'est drôle, dit Renaud.

– Et le mieux, triompha Foulques, c'est qu'elle comprend bien. Redis-la tout en roman ! »

Renaud fit un effort manifeste pour conserver un air affable et écouta une seconde fois les malheurs du corbeau.

« C'est très bien, conclut-il quand l'enfant eut terminé. Mais maintenant, il faudrait que tu ailles retrouver ta mère, j'ai des choses à dire à Foulques. »

Anna prit un air pincé, recouvra l'air sérieux qu'elle ne quittait presque jamais, glissa des genoux de son père et s'en fut sans se retourner.

« Je crois que tu l'as vexée, dit Foulques en la regardant s'éloigner.

– Bah ! ce n'est pas bien grave. »

Renaud fit mine de s'intéresser aux papiers qui recouvraient la table, tira une feuille et lut : *Aujourd'hui, jour de Noël de l'an MCIV de l'Incarnation et MMMMMCIV de la création du monde, je rajoute quelques lignes à ma chronique. Après avoir été chassés de la ville de Botron, dont nous étions coseigneurs, nous venons de la reprendre les armes à la main…*

Il reposa la feuille avec un air préoccupé.

« Olivier vient de me raconter quelque chose qui ne me plaît pas, dit-il enfin. Je crois qu'il faudrait en parler à Raimond.

– À Raimond ? Alors il faut que ce soit grave en effet, s'étonna Foulques.

– Tu te souviens lorsqu'il a soufflé sur les brûlures ? Eh bien ! au moment où le feu s'évaporait pour se coller à ses lèvres, Olivier pensait à des choses qui lui venaient dans la tête… Il avait l'impression que la vie allait s'envoler elle aussi.

– La vie de Raimond ?

– Oui, la vie de notre comte… Il m'a dit qu'il ne connaîtrait pas le prochain carême-prenant. Olivier rêve de cela toutes les nuits. Il le voit disparaître dans un brasier.

– Encore un illuminé ! Te souviens-tu de tous ceux qui avaient des visions, pour la sainte Lance ?

– Olivier n'est pas un illuminé, Foulques. Il souffle le feu. Peut-être le bon Dieu lui envoie-t-Il un avis. »

Foulques se leva. La fenêtre était très haut placée, ce qui imposait l'appoint constant d'une chandelle.

« Pourquoi n'en a-t-il pas parlé plus tôt ? demanda-t-il à voix presque basse.

– Il croyait que ça passerait, que c'était un effet de son imagination. Mais maintenant, il croit que c'est un avertissement. Il dit qu'il y a deux ans, le jour de Pâques, il a su de la même manière que son père ne passerait pas le Noël suivant.

– Et ? »

Renaud se pencha à nouveau vers les manuscrits et en manipula quelques feuillets.

« Le père se portait très bien. Olivier ne lui avait rien dit, pour ne pas lui faire peur. Et puis, le soir de Noël, il est tombé comme une bûche, juste avant minuit. Il était mort. »

*

Près de la cheminée où ronflait le feu, Morphia jouait d'une harpe abandonnée par les précédents occupants. Parfois elle accompagnait sa mélodie d'un chant rocailleux comme les côtes d'Anatolie où la mer se balance contre les rochers. Foulques ne comprenait pas les paroles.

Assise à ses côtés, Anne reprenait en contre-chant. Elles s'embrouillaient, reprenaient avec des éclats de rire. Pour une fois, Anna semblait s'amuser en tentant de mêler au concert son mince filet de voix.

Dans un coin de la grande pièce, Renaud jouait aux dés avec Michel. Celui-ci jetait les cubes d'ivoire avec la lassitude qu'il mettait depuis quelque temps à tout ce qu'il faisait. Toute vivacité, tout enjouement avaient chez lui disparu. En une saison, il était devenu sombre, buté. Le front bas, l'œil terne, il restait silencieux des journées entières. Foulques ne tolérait pas cette attitude et, sans aucun résultat, lui en faisait souvent reproche. Renaud prétendait qu'il n'y avait rien là que de très naturel ; Michel devenait grand, son sang le travaillait.

« Je ne peux comprendre pourquoi Étienne s'acharne ainsi contre nous », dit Foulques tout à coup.

La même question revenait presque chaque jour. Comme d'habitude, le silence seul y répondit.

Morphia abandonna son instrument et traversa la pièce pour s'asseoir à côté de lui.

« La haine de cet homme est inexpiable, dit-elle en lui prenant la main. Elle te poursuit depuis des années et empoisonne ton cœur.

– Mon frère Guillaume me haïssait, lui aussi. Tout comme Pierre-Raimond d'Hautpoul. Pourquoi Dieu sème-t-Il la haine dans les âmes ?

– Dieu ne sème pas la haine, mais Il oublie parfois de semer l'amour. Je ne connais pas ton frère Guillaume, mais je me doute qu'il devait être jaloux de tout ce que tu es. Pierre-Raimond, lui, avait à la place du cœur une outre de fiel. Mais, pour Étienne, c'est autre chose.

– Que veux-tu dire ?

– Je l'ai bien observé, chez Vassi. Il ne s'animait que pour évoquer son siège d'évêque. De toi, il parlait sans passion, comme s'il s'agissait d'une affaire à traiter. Vassi elle-même ne comprenait pas bien ce qui le faisait agir. »

Michel ayant brusquement abandonné la partie pour quitter sèchement la pièce, Renaud avait pris la place de Morphia, près de la cheminée.

« Tu rêves ? » demanda-t-il à Anne en caressant ses cheveux.

La jeune femme renversa la tête pour éprouver la pression de sa main, puis se libéra d'un coup en riant.

« Michel boude encore ?

— Il a perdu trois fois de suite, ça le vexe. Il devient vraiment désagréable et je crois que Foulques a raison, il mériterait une bonne correction. »

Anne leva vers lui un regard étonné.

« N'as-tu pas été comme lui, à son âge ? Quand la sève monte, on se coupe du monde, on ne comprend plus rien.

— Je ne sais pas. À son âge, je ne songeais pas à autre chose qu'à gagner mon bout de pain de la journée. »

Anne noya son regard dans les flammes. Les langues de feu ocre et rousses unissaient dans les reflets de leur danse les cheveux de Renaud et le visage de Foulques, penché vers Morphia. Elle fit jouer ses doigts au bout de ses mains, comme si elle égrenait des notes, jaillies d'une harpe invisible.

« Je t'aime », murmura-t-elle, les yeux dans ceux de Renaud.

*

Foulques eut juste le temps de rabattre une couverture sur eux. La porte venait de s'ouvrir violemment et la voix perçante de Michel clamait d'un ton dégoûté :

« Voilà ce que tu fais pendant que je te cherche partout !

— On n'entre pas comme ça ! dit Foulques sur un ton d'excuse qui l'exaspéra. Que veux-tu ?

— Eh bien ! allez-y, continuez, j'attends que c'est fini, vous occupez pas de moi », assura le garçon qui se mit à siffloter en regardant le plafond.

Foulques se retira lentement de Morphia qui pouffait, et s'étendit sur le dos à ses côtés en prenant grand soin de ne pas laisser échapper la courtepointe.

« Oui, et alors ? Qu'est-ce qu'il y a encore ?

— C'est Renaud. Il a trouvé un papier. Il veut te le faire voir.

— Un papier ! ? »

En maugréant, Foulques écarta la main de Morphia qui chatouillait son nombril et posa sur son front un baiser.

« Retourne-toi, ordonna-t-il à Michel, que je me lève.

— Boh ! J'en ai vu d'autres ! Si tu crois que ça me pressionne ! »

*

Renaud était assis à la table devant la cheminée, face à une assiette de bouillon froid. La tête entre les mains, il examinait devant une bougie un bout de papyrus.

« Ah ! voilà encore quelque chose d'intéressant ! s'exclama-t-il en voyant entrer Foulques. Regarde ce que l'on vient de saisir sur un soi-disant marchand en provenance de Jérusalem. Je n'y comprends rien. »

Foulques saisit le parchemin froissé. Une suite de lettres incompréhensible le couvrait tout entier. À grand-peine, il déchiffra : *RAIMS IEAM QEUTRE DE POTQRTIBQE QEMATD KE BEAT VEBAKIEQ RE UAIS BEATJOTP DALIR JTE UAIQUE ?*

« D'où cela sort-il ? Pourquoi ce marchand a-t-il été fouillé ?

– Éric a trouvé son comportement suspect. L'homme voyageait seul avec un serviteur. La garde a annoncé leur approche et dit que les bêtes semblaient épuisées. Plusieurs mules refusaient d'avancer. On a ouvert les portes pour aller les aider. Mais l'homme s'est mis à crier comme un diable, ou plutôt paraît-il, comme un animal. Le serviteur a expliqué qu'ils ne voulaient surtout pas faire halte à Botron, qu'ils entendaient continuer leur route coûte que coûte vers Tripoli.

– Avec des bêtes épuisées ?

– Oui, justement. C'est ce qui a intrigué Éric. »

*

Les deux garçons passèrent toute la matinée à s'arracher les yeux sur le parchemin. Ils tentèrent sans résultat de lire à l'envers. Renaud, qui ne connaissait pas l'ordre de l'alphabet, suggéra de faire la liste des lettres et de chercher la précédente ou la suivante. Ils essayèrent de nouveau en en ajoutant puis en en retranchant deux. Ils combinèrent différentes hypothèses. En vain.

Comme midi sonnait, Foulques saisit en silence la cruche d'eau qui se trouvait sur la table et la fit éclater sur le sol. Renaud contemplait les ruisseaux qui glissaient sur les dalles en méandres tranquilles.

« On n'arrivera à rien ! Il faut retrouver cet espion et l'interroger. On en a fait parler de plus coriaces, je suppose ! »

*

Fort peu de voyageurs passant par Botron, on n'eut aucun mal à rattraper le marchand et son serviteur à moins d'une lieue de là. Les bêtes n'avaient pas eu le temps de se refaire, et, malgré les objurgations du serviteur, le convoi n'avançait pas.

Olivier accompagna les deux hommes jusqu'à la pièce seigneuriale. Le plus jeune se précipita aux pieds de Foulques et débita à toute allure :

« Mon maître est muet, messire, et moi je ne sais rien. »

À ce moment, Irène poussa timidement la porte d'accès des cuisines pour savoir si elle devait servir le repas. Vivement congédiée avec ordre de ne plus reparaître, elle battit en retraite sans demander son reste.

« Muet ? Voilà qui est commode, pour un marchand ! ironisa Renaud. Et pourquoi êtes-vous si pressés de gagner Tripoli ?

– C'est pour porter la marchandise, poursuivit le serviteur. Des soies précieuses, des laines fines… Peut-être veux-tu les voir… S'il y a des dames ici, elles ne trouveront mieux nulle part. Et mon maître ferait un prix, un bon prix… »

Le plus âgé des deux hommes tremblait au point qu'on entendait ses dents claquer.

« Tu ferais mieux de parler, toi, au lieu de trembler comme une femme, lui jeta Foulques. Par exemple, nous parler de ce papyrus trouvé sur toi. Un papyrus bien singulier, non ? Un message codé destiné à l'émir de Tripoli, c'est bien cela ? Qui l'envoie ? Et que contient-il ? Tu sais ce qui arrive aux espions ? Tu le sais ? »

Le marchand se jeta à ses genoux en poussant des cris inarticulés.

« Tu t'es approché jusqu'ici pour étudier l'état de nos défenses, n'est-ce pas ? Pour rendre compte à tes maîtres musulmans ? »

Comme l'homme se contentait d'ahaner des sons informes, Foulques ôta la ceinture de cuir qui serrait son bliaud et la tendit à Olivier.

« Fouette-les tous deux.

– Pitié, messire, pitié ! Mon maître est muet, il ne peut pas te répondre », hurla à nouveau le serviteur.

Olivier les considéra l'un après l'autre et déclara posément :

« Je sens qu'il dit vrai, messire Foulques. Tu n'obtiendras rien.

– Et si tu ne t'exécutes pas, c'est moi qui le ferai, et ce sera ton tour ensuite. »

Renaud arracha la ceinture des mains de l'écuyer et jeta à terre le marchand et son serviteur. Le plus âgé grognait en roulant des yeux effrayés. Ses mains tourbillonnaient dans l'air.

Le cuir s'abattit sur son dos avec une violence qui le fit se cabrer. Au moment où le deuxième coup allait tomber, il agita frénétiquement le bras droit, mimant le mouvement de l'écriture.

« Tu veux écrire ? demanda Renaud. Tu es muet, mais tu sais écrire, c'est bien ça ? »

L'autre hocha furieusement la tête de haut en bas en saisissant avec ferveur le parchemin et la plume qu'Olivier lui tendait. Tremblant, il traça quelques mots en latin :

Je porte à Mont-Pèlerin, pour le serviteur Ménélas. L'évêque Étienne m'a donné. Je ne sais pas autre chose.

Une rougeur violente avait congestionné les traits de Foulques. Il laissa errer son regard sur les deux hommes qui le contemplaient d'un air suppliant.

« Ouvre la bouche », ordonna-t-il au marchand.

L'homme présenta un gouffre rose d'où la langue avait disparu.

« Pardonne-moi », dit Foulques d'une voix rauque en saisissant sa bourse posée sur la table et en la lui tendant.

*

« Étienne, encore et toujours... », s'exclama-t-il quand les trois hommes furent sortis.

Il reprit le papyrus.

« Étienne... Étienne...

– Si ce message vient d'Étienne et s'il est adressé au serviteur de Raimond, c'est sans doute une histoire des chevaliers de Saint-Jean, dit Renaud. Ils disaient que Ménélas était dans leur camp...

– Oui, et alors ?

– C'est curieux, non ? Je n'arrive pas à leur faire confiance. Ils ont le soutien de l'épouse de Raimond ; maintenant c'est l'ancien évêque de Raimond qui envoie des courriers codés au serviteur de Raimond... Tout ça me paraît très louche. »

Foulques ne répondait pas. Sa plume crissait sur le parchemin. Renaud s'approcha. Des colonnes de lettres latines et grecques s'empilaient.

« Tu as une autre idée ? »

De la main, Foulques lui demanda un instant de silence, puis il s'exclama tout à coup :

« C'est ça ! C'est le système de César ! Ça ne veut encore rien dire, mais je suis sûr que c'est ça !

– Le système de César ?

– Pour que les Gaulois ne comprennent pas les messages qu'ils pourraient intercepter, César écrivait en latin, mais avec l'alphabet grec. Étienne a dû transcrire une première fois en lettres grecques puis donner l'équivalent de ces lettres dans l'alphabet latin...

– Je ne comprends rien à ce que tu dis, s'irrita Renaud.

– Tu vas voir, ce n'est pas si compliqué. Mais je ne connais pas l'ordre des lettres grecques. Je vais demander à Morphia. »

*

Le texte mystérieux ne résista pas longtemps et Foulques brandit sous le regard éberlué de Renaud un paragraphe en grec, tout aussi incompréhensible, semblait-il.

« Regarde, lis toi-même ! C'est absolument limpide, et ce bon Étienne est plus infâme qu'un monceau d'ordures : *Σαιντ Ιεαμ ρεφυσε δε πουρσυιβρε Ρεναυδ. Λε βεαυ χεβαλιερ σε φαιτ βεαυκουπ δαμισ. Κυε φαιρε ?* »

Renaud se pencha sur le manuscrit et éclata de rire.

« Limpide, il n'y a pas d'autre mot !

— Ah ! oui… oui, attends, s'excusa Foulques en transcrivant rapidement dans l'alphabet latin. Voilà : *Saint-Iean refuse de poursuibre Renaud. Le beau chebalier se fait beaucoup d'amis. Kue faire ?*

— Chebalier ?

— Chevalier. Le β, c'est comme notre V. »

On courut rechercher le marchand. Mais, abandonnant ses cinq mules de bât et toute sa marchandise, celui-ci s'était enfui avec son serviteur sur les deux montures encore capables de faire de la route. Le soir tombait et les fugitifs avaient presque une heure d'avance. Il fallut renoncer à tenter de les rattraper.

« Tant pis, se consola Foulques avec un geste fataliste. Qu'il aille retrouver son Ménélas, il n'avait sans doute plus rien à nous apprendre.

— Il y a des choses que je ne comprends pas, murmura pensivement Renaud.

— Il y a beaucoup de choses que nous ne comprenons pas, dit Foulques après un silence. Étienne prend le risque d'écrire à Ménélas et demande des consignes. Elvire soutient en secret les chevaliers de Saint-Jean. Depuis des années, des mains obscures cherchent à nous nuire et même à nous supprimer. Nous avons affronté mille périls, on a tout fait pour nous séparer, on a tué ton fils, on a donné du poison à Anne après avoir tenté de la vendre comme esclave, Morphia et sa tante ont manigancé des complots obscurs, on m'a torturé au Néoriôn, les Ismaéliens ont essayé de nous détruire…

— C'est vrai que ça fait beaucoup, s'exclama Renaud en riant, mais sur cette terre maudite, personne n'est épargné.

— Cette terre n'est pas maudite. C'est la Terre sainte… Quelque chose ou quelqu'un nous veut beaucoup de mal. Et je pense qu'à travers moi, c'est le comte de Toulouse que l'on cherche à atteindre, c'est autour de lui que les filets se resserrent. Et ce que tu m'as dit des rêves d'Olivier ne m'inspire rien qui vaille… Raimond est en danger. »

XXV

Février-mars 1105. – Tripoli-Botron.

ILS MARCHAIENT VITE. Les voûtes renvoyaient le claquement des bottes. Le vent torturait les torches.

Les gardes protégeaient leur visage de la morsure des bourrasques, tentant de préserver derrière leur nasal un peu de tiédeur. Les pointes glacées de la bise perçaient comme des poignards les yeux rougis qui scrutaient l'entrée du défilé de la Kadisha.

Les deux garçons gravirent en courant l'escalier de pierre qui les projeta sur le chemin de ronde. Au pied de la citadelle, déboulant de ses gorges noires, le fleuve roulait des eaux sombres qui venaient mugir le long des chaumières germées au pied de la muraille. L'obscurité serait bientôt totale.

Ils allongèrent le pas.

« Va, dit Renaud, je t'attendrai dans la salle des gardes. »

Foulques pénétra dans la grande pièce voûtée où Raimond avait coutume de se tenir. À son entrée, Elvire quitta la place avec un indéchiffrable sourire. D'un coup de talon, le comte redressa une bûche dans un jaillissement d'étincelles.

« Ah ! te voilà. Je ne t'attendais plus », dit-il d'un ton bref.

Foulques étendit les mains vers le foyer.

« Demain, nous prendrons Tripoli, poursuivit Raimond sans attendre de réponse. Mon armée est à pied d'œuvre. De toutes parts, mes vassaux sont accourus. Tu es le dernier, avec Renaud, mon filleul, qui, sans doute, t'accompagne. Les destriers sont prêts au combat. La victoire ne fait pas de doute.

— Tu crois cela depuis longtemps… Mais, du haut des remparts de cette cité que tu désires tant, l'émir te nargue toujours avec la même insolence. Comment feras-tu demain ? »

Raimond leva son œil où brillait une lumière intense.

« Je ne sais pas. »

La gorge nouée, Foulques s'assit près de son cousin.

« Le jour où mon frère Guillaume nous a chassés de Châtenet, Renaud et moi, nous sommes allés nous réfugier à la maison de Thaims, chez le frère Pierre. Le soir, il faisait tempête, je lui ai dit que Dieu m'avait abandonné et il m'a répondu : "Je ne sais pas..." Si ceux qui devraient savoir ne savent pas, qui sait alors ?

– Nul ne sait même s'il y a quelque chose à savoir, soupira Raimond avec un soudain abattement. Ce que je sais, c'est que je suis inquiet. Je sais que mon armée est prête, que nos forces sont considérables, que mes amis pisans ont fait en sorte qu'aucune aide ne vienne secourir par mer les Tripolitains. Je sais que Fakhr-al-Mulk ne pourra résister à la puissance de notre élan. Tout cela je le sais. Et pourtant je suis inquiet. »

En entendant pour la première fois le comte nommer par son nom l'émir de Tripoli, Foulques ressentit une angoisse inexplicable.

« Est-ce une sorte de pressentiment ? demanda-t-il.

– Appelle-le ainsi si tu veux... Un pressentiment... J'ai réglé cet après-midi même un certain nombre de détails au cas où ce combat devrait être le dernier. »

Le comte de Toulouse paraissait mal à l'aise. Contrairement à son habitude, il évitait le regard de son vis-à-vis.

« Je ne me sens pas mal, pourtant. Certains croient que je souffre encore de ces brûlures de l'automne dernier, et je les laisse dire, parce que cela me sert plutôt. En vérité, je n'ai jamais été aussi bien portant. Mais, à mon âge, beaucoup ont déjà gagné l'autre rive. Je dois me pré-occuper du sort de ceux qui vont me survivre, d'autant que c'est assez compliqué... Mais cela ne te concerne pas.

– Même si tu n'avais pas convoqué l'ost, nous serions venus de Botron, Renaud et moi, parce que nous avons à te dire des choses importantes, se décida Foulques.

– Des choses importantes ?

– Cela va te paraître risible, sans doute, mais, demain, c'est carême-prenant...

– Certainement, oui, demain c'est carême-prenant. Et alors ?

– Renonce au combat, s'il te plaît. Demeure ici, en sécurité. »

Sous le regard ironique de son cousin, Foulques entreprit de raconter les visions de l'écuyer souffleur de feu. Raimond l'écoutait avec une moue amusée.

« Ah ! les visionnaires... les visionnaires, s'exclama-t-il quand Foulques eut terminé, comme c'est pratique, les visionnaires ! On leur fait dire ce qu'on veut.

– Il n'y a pas que cela, insista Foulques. Nous avons également découvert qu'un complot te menace. »

Cette fois, le comte se leva à demi de sa cathèdre, l'œil perçant, la lèvre frémissante.

« Un complot ? Explique-moi cela, mon petit ami.

– En tout cas, des comportements équivoques. Je ne veux accuser personne, mais des individus, et parmi tes proches, se livrent à des manœuvres vraiment louches.

– Des proches, voyez-vous cela ! se moqua Raimond en faisant mine de jeter des regards pleins de suspicion tout autour de lui. Mais, en fait de proche, pour le moment, je ne vois guère que toi… Est-ce de toi que tu veux parler ?

– Je ne suis pas d'humeur à supporter tes sarcasmes, dit Foulques avec hauteur. Ne m'oblige pas à te donner des noms, et songe plutôt à te garder.

– Mais si, mais si, je veux des noms, et tout de suite, encore ! A-t-on idée d'accuser ainsi, sournoisement, mes irréprochables "proches" !

– Alors, puisque tu le veux, sache qu'Étienne, ton ancien évêque, correspond par messages secrets avec ton premier domestique, Ménélas. Sache encore que la comtesse Elvire, ton épouse, a depuis longtemps pris langue avec les chevaliers de Saint-Jean. Sache que… »

Raimond éclata d'un rire tonitruant.

« Allez, ne te fais pas de souci pour cela, parvint-il à articuler au milieu de hoquets. Je n'ai rien à redouter de ces proches-là !

– Pourtant… »

Raimond le coupa d'un geste impérieux, et, soudain redevenu sérieux :

« Mes "proches" ne me menacent pas, ils me protègent. »

Dans la tête de Foulques, les idées tournaient à toute vitesse, fugaces comme des corneilles de clocher.

« Ils te protègent de quoi ?

– De toi. »

*

Foulques avait sur ces mots été froidement congédié. « Laisse-moi, à présent, j'ai à me préparer pour le combat de demain », avait prétendu le comte.

Mais, le lendemain matin, Raimond annonça aux troupes que l'assaut était reporté d'une semaine : Dieu le Père serait mécontent que l'on attaquât le jour de carême-prenant, Il le lui avait Lui-même signifié par un songe. Pour la forme, il tint cependant à organiser une parade de diversion du côté des remparts est de Tripoli. Comme d'habitude, injures et menaces fusèrent de part et d'autre, on lança quelques traits et l'on fit beaucoup de simagrées qui n'intimidaient plus personne depuis longtemps.

Quand le soir tomba, un grand soulagement envahit le cœur des quelques initiés au secret d'Olivier. Carême-prenant était passé. Une à une, les heures de la journée s'étaient égrenées. Le comte de Toulouse vivait.

On attendit la cloche de minuit, en souvenir du père de l'écuyer qui était tombé juste avant l'heure fatidique. Les ultimes coups ayant retenti, Raimond, qui avait passé la dernière heure les mains crispées sur les bras de sa cathèdre, s'exclama :

« Eh bien ! nous y voilà, nous sommes le lendemain de carême-prenant, et le vieux singe est toujours là ! Votre écuyer visionnaire est aussi bien inspiré que ce pauvre Barthélémi ! »

En même temps que Foulques et Renaud, Aymar de Marseille et même Elvire laissèrent éclater une joie qui disait la mesure de leur appréhension.

*

La semaine s'écoula en préparatifs. Raimond de Saint-Gilles paraissait occupé de mille détails sans importance, et il y avait fort longtemps qu'on ne l'avait vu aussi actif.

La veille de ce qui était annoncé comme l'assaut décisif, il fit savoir à son entourage que, pour des raisons de lui connues, il entendait annuler le testament daté du mardi précédent, pour en faire rédiger un nouveau. Guillaume de Cerdagne et Foulques furent requis comme témoins.

Le notaire arriva sans se presser, pensant qu'il s'agissait de quelque codicille et satisfait de ne pas avoir, pour une fois, à se précipiter au chevet d'un mourant pour recueillir des volontés dernières à peine audibles.

« Me voici donc, moi, Raimond de Saint-Gilles, comte de Tripoli, au terme de la longue attente qui me rendra enfin maître de la perle de mon comté. Ce que j'ai à dire, Dieu le Père l'a déjà entendu en confession, mais les paroles passent et les écrits restent ; on ne sait jamais, même avec Lui… J'ai voulu que les témoins de l'acte fixant mes dernières volontés fussent mes seuls parents mâles présents en Terre sainte, mes neveux Guillaume, comte de Cerdagne et Foulques, sire de Termes, déclara-t-il en fixant tour à tour d'un regard ambigu les deux témoins et le notaire. »

Celui-ci fit entendre un toussotement discret :

« Certes, il est bien doux de pouvoir tenir près de soi ceux qui vous sont chers. Cependant, s'agissant d'un document de l'importance de celui-ci, il convient qu'il ne puisse être attaqué en aucune de ses dispositions, ni de quelque façon que ce soit. Or je ne puis écrire que les deux seigneurs ici présents sont les neveux du puissant comte de Toulouse, attendu qu'ils sont ses cousins.

— Soit, soit... admit Raimond avec bonhomie, ils sont mes cousins, comme je suis comte de Toulouse.

— C'est cela même, messire. Ils sont tes cousins... Chevaliers, précisa-t-il en se tournant vers Foulques et Guillaume, je pense ne pas avoir à vous rappeler que les témoins ne peuvent intervenir pendant la dictée du testament, car il leur est interdit de tenter d'influer sur les volontés du déclarant... »

Les témoins acquiescèrent de la tête.

« Est-ce un codicille qu'il te plaît d'adjoindre ? demanda l'homme de loi en retirant d'une sacoche l'acte précédent.

— Non. Des éléments nouveaux m'ayant été communiqués, je désire le refaire tout entier, quoique les dispositions concernant ma succession n'aient pas à être modifiées. Et d'abord, afin que saint Pierre ne puisse me faire grief d'avoir dissimulé quelque chose d'une vie que j'ose dire sans reproche, j'entends apporter à tous, là-haut et ici-bas, quelques éclaircissements sur ce qui pourrait exciter les ressentiments, une fois que je ne serai plus là pour répondre. Note donc, sans commentaires et sans omission que, afin d'assurer dans l'au-delà la rémission de mes péchés et la sauvegarde de mon âme, je m'engage, sitôt Tripoli entre mes mains, à y construire une église plus belle et plus grande que toutes celles qui pourraient déjà s'y trouver. En échange, j'espère le pardon de quelques maladresses qui pourraient passer pour des péchés aux yeux de qui serait mal informé. D'abord, je conviens que, à tort, j'ai parfois laissé entendre avoir seul convaincu mon ami, Sa Sainteté le pape Urbain, de prêcher le voyage outre-mer. C'est Urbain lui-même qui m'a décidé à partir, mais j'ai tout fait ensuite pour encourager et soutenir son initiative. Dieu le Père m'en sera comptable.

— Certainement, crut devoir préciser le notaire qui écrivait rapidement, un bout de langue rose coincé entre ses incisives.

— Ensuite, je veux qu'il soit su que je n'ai fait preuve d'aucune malveillance envers l'avoué du Saint-Sépulcre avec qui j'avais un accord depuis le début du siège d'Antioche : à lui Jérusalem et les terres fatimides, à moi le nord et les contrées sunnites. Tout cela, bien entendu, pour assurer la gloire de Dieu le Père. Je demande à Notre-Seigneur Jésus de ne pas l'oublier.

— Souhaites-tu que j'inscrive cette dernière remarque, demanda le notaire, la plume levée dans une violente expression de surprise.

— Non, je disais ça entre nous. Entre Lui et moi, je veux dire... Écris également que si la suite des temps montre que j'ai encouragé ceux qui affirmaient parler en Son nom, je ne l'ai fait que dans l'espoir de précipiter Son triomphe. C'est pourquoi, la malveillance ne trouvera point à s'exercer sur ce chapitre. La sainte Lance n'était peut-être pas la sainte Lance, mais elle a du moins permis aux armées du Christ de prendre la cité d'Antioche. Dieu le Père me pardonnera de m'être parfois substitué à Lui, Il sait pourquoi je l'ai fait. »

Arrivé en bout de page, le notaire leva la tête vers le comte puis considéra les témoins qui demeuraient imperturbables, ainsi qu'ils s'y étaient engagés.

« Ces dispositions ne sont guère de coutume, messire comte. Je ne sais si... »

Raimond balaya d'un geste agacé ces atermoiements et poursuivit :

« J'ajoute enfin qu'il a pu m'arriver de nuire à mon prochain, et notamment, dans la dernière partie de mon existence, au sire de Termes ici présent, mon neveu, je dis bien, que j'ai requis comme témoin afin qu'il m'en donne quittance. Dieu le Père m'est témoin que, même si certains pourront trouver blâmable ma conduite, je n'ai jamais songé à autre chose qu'à protéger les miens. »

*

Le secret lui interdisant de rien révéler à Renaud, Foulques rumina toute la nuit les obscures dispositions testamentaires du comte de Toulouse. Le notaire avait recopié les mesures concernant la succession, qui donnaient à un enfant de deux ans l'impossible charge de renforcer le comté de Tripoli et de conquérir ce qui pourrait encore se trouver aux mains de l'infidèle au moment du décès.

À côté de celui de Guillaume de Cerdagne, Foulques avait apposé son sceau. Mains croisées sur sa bedaine, le comte paraissait satisfait de son ouvrage. Ils avaient en sortant reçu sa bénédiction.

Le jour n'était pas encore levé que, n'y tenant plus, il décida d'aller quémander des explications.

Raimond était déjà prêt. Il ouvrit grands ses bras pour y recevoir le salut de Foulques.

« Tu n'as pas dormi, toi non plus ? s'étonna-t-il. Il est vrai qu'il y a de quoi être un peu exalté ! La journée promet d'être longue, et la nuit encore davantage. La veille des calendes de mars sera inscrite pour les siècles des siècles dans la glorieuse chronique des triomphes toulousains.

– Raimond, mon cousin, dit Foulques, je ne peux aller au combat l'âme encombrée d'incertitudes. Tu as dit hier soir des choses que je ne comprends pas. Voudrais-tu s'il te plaît me les expliquer ? »

Le visage du comte s'était brusquement rembruni.

« Ce n'est guère le moment, grogna-t-il. D'ailleurs, je ne parlais pas aux hommes, mais à Dieu à qui je souhaitais fournir quelques précisions.

– Tu as laissé entendre que tu n'étais pour rien dans la décision du pèlerinage…

– Oui, mais il fallait que je dise le contraire. »

Foulques attendit en vain un développement.

« Tu as dit aussi qu'il existait un accord entre Godefroi et toi. Personne ne s'en est jamais aperçu. Nous avons toujours cru que vous vous haïssiez. »

Le comte faisait mine de ne pas entendre et éprouvait du doigt le tranchant de ses armes.

« C'est ainsi. Les vraies alliances ne se déclarent jamais à la face du monde.

– Il y a aussi ce que tu as suggéré à propos de… à propos de tes proches…

– Il est temps que je me montre aux troupes, décida Raimond en désignant du doigt les premières lueurs de l'aube qui jaunissaient l'embrasure d'une fenêtre.

– Pourquoi as-tu dit que tu m'avais nui ? insista Foulques.

– Pour que le Seigneur comprenne et pardonne… Maintenant, descendons. Le jour de gloire est arrivé.

– Tu en as trop dit ou pas assez, Raimond. Conçois-tu que je puisse aller au combat avec dans l'esprit de pareils tourments ?

– Il nous reste tout le temps. Plus tard, quand je me sentirai au bout de la route, je te ferai venir, puisque, bafouant les engagements que j'ai pris pour toi dans mon testament, tu refuses de me tenir quitte. Ta curiosité sera comblée. »

Foulques se tut un instant, tandis que le comte se dirigeait vers la porte d'un pas décidé.

« Comte de Toulouse, mon cousin, dit-il brusquement, est-ce à cause de toi que j'ai failli mourir au Néoriôn ? »

Comme statufié, Raimond s'immobilisa, la main sur le chambranle, puis se retourna lentement, les traits tendus.

« Non… Cela, non, ce n'est pas moi… Pas moi directement.

– Parle-moi, Raimond. Explique-moi avant l'attaque. »

Avec un profond soupir, le comte revint sur ses pas et reprit place dans sa cathèdre.

« Les troupes sont prêtes à l'assaut. Si je ne parais pas, elles risquent de s'impatienter et de perdre courage. Et ce que je pourrais te dire n'est pas si important que tu le crois. Je m'en suis déjà expliqué avec Dieu.

– Mais pas avec moi, Raimond. Et dans un moment, je vais combattre pour toi, pour accomplir ton rêve et prendre Tripoli. »

Le comte dévisagea Foulques longuement, comme s'il cherchait dans le regard gris qui ne se détournait pas du sien une réponse à des questions sans solution.

« Il est peut-être temps, en effet, concéda-t-il d'un ton las. Alors laisse-moi parler. Ne me réponds rien. Après tout, j'irai moi-même au combat le cœur plus léger… D'abord, il est vrai que mon ami Urbain avait compris avant tout le monde que le royaume des Francs possédait beaucoup trop d'hommes pour trop peu de terres, et qu'il fallait les envoyer ailleurs. Il pensait également à toutes les richesses italiennes de l'Orient et escomptait faire rendre gorge aux marchands. C'était bien mal les connaître…

– Oui, en effet. Ils ont su parfaitement détourner nos forces à leur service.

– Cependant, là où Urbain ne s'est pas trompé, c'est en ne laissant pas l'initiative du pèlerinage à l'empereur des Germains qui ne songe qu'à prendre une revanche sur Canossa. »

Foulques fit craquer ses doigts un à un.

« On ne peut donc commander aux hommes que par le mensonge ?

– Diriger les hommes, c'est leur mentir, bien entendu, mais leur mentir pour leur bien, parce que l'on sait et comprend ce que les autres ne savent ni ne comprennent… Allais-je clamer que nous avions convenu d'un marché, Godefroi et moi ? Allions-nous nous montrer à la multitude comme larrons en foire ? Qui l'aurait compris ? Et qui a su que j'avais pleuré une mort qui ruinait tous nos projets ? »

Raimond fit une courte pause, le temps de vérifier que Foulques était bien attentif.

« Allais-je révéler à coups de trompe qu'Étienne de Blois et moi avions envisagé de prendre Constantinople ? Il a fallu renoncer, à cause de cette maudite promesse de restituer aux Grecs les villes que nous enlèverions. Comment leur rendre leur capitale après la leur avoir ravie ? Hein ? »

Foulques demeurait impassible malgré l'affolement de son cœur. Raimond plaisantait-il encore ? Se moquait-il de lui ?

« Et pour ce qui t'intéresse plus directement, allais-je te rapporter ce que je savais de nos disparus, après l'attaque de Rodosto ? Allais-je affaiblir un de mes meilleurs barons, en lui racontant toutes les horreurs qu'Alexis m'avait apprises sur le sort réservé aux esclaves chrétiennes ? »

Foulques avait blêmi. Un instant, il dut s'accoter à un coffre.

« Celui que Dieu a investi du pouvoir, Il lui a aussi donné la force de savoir se taire. Et se taire n'est pas mentir, poursuivit posément le comte. Ainsi en va-t-il pour cette lamentable histoire de Pierre Barthélémi : je n'ai pas menti en soutenant sa cause, puisqu'il avait certainement vu un ange, ou un archange, la première fois. Mais la machine une fois lancée, pouvais-je avouer aux troupes que le Ciel ne le visitait plus ? Il a fallu Le remplacer… Il se peut que j'aie un peu exagéré en lui faisant apparaître mon pauvre Adhémar… Voilà, es-tu satisfait ? »

Le jour était maintenant bien levé. Avec une sorte d'impatience, Raimond alla éteindre une à une les sept lumières du grand chandelier qui éclairait la pièce.

« Et ce que tu as évoqué à propos de tes proches ? lança Foulques.

— Rien à dire. Dans le cours d'une vie, on fait sans s'en apercevoir du mal à ses proches, c'est inévitable. Il vaut mieux le reconnaître à l'avance, ça évite les reproches.

— Tu as suggéré des choses précises. À quoi pensais-tu ? »

Le comte parut hésiter sur la décision à prendre. Il contempla en silence le garçon qui lui faisait face, puis comme happé par une fatalité, il se lança :

« J'ai laissé à Toulouse un fils que je ne crois pas un bon… Mais Bertrand est, avec Alphonse-Jourdain, mon héritier. Bientôt, le vieux lion mourra. Son heure est arrivée parce qu'il est trop vieux, et ses lionceaux sont trop faibles… Toi, tu es du sang de Toulouse, tu en as la vaillance, la loyauté, l'ambition, et je crois que ton aïeul, ce vieux fou d'Henri, t'a mis en tête des idées dangereuses. Tout de suite, j'ai su que tu n'oserais rien tant que je serais là. Mais après mon trépas ? Vois Guillaume d'Aquitaine, qui a osé s'en prendre à Bertrand dès que j'ai eu le dos tourné… J'ai bien vu comment tu étais parvenu à t'attirer les bonnes grâces de mes principaux barons, et j'ai bien compris quel but tu poursuivais. Je ne t'en veux pas, remarque-le bien, j'aurais sans doute fait de même à ta place. J'aurais été fier de t'avoir pour fils.

— Qu'as-tu fait ? dit Foulques, la voix blanche.

— Ce que tu aurais fait à ma place, j'ai protégé mes héritiers en limant patiemment les griffes d'un grand fauve. J'ai dû lutter contre mes penchants qui me portaient à l'affection. Mais le devoir passe avant tout sentiment. En te voyant si loyal, si rusé, si constant, j'ai eu des doutes, souvent, d'autant qu'Elvire a toujours pris ton parti, sans que je comprenne bien pourquoi… Malheureusement, tu n'as pas ajouté foi à la belle fable que je t'ai racontée à propos de tes droits au trône de Jérusalem. Si tu l'avais fait, j'aurais été débarrassé de toi, et, malgré mon accord avec Godefroi, je me serais peut-être mis en position d'arracher sa succession à Baudouin… Toujours, par la suite, il m'a fallu surveiller tes ambitions. Isoard, et je lui en ai voulu sur le moment, a refusé d'entendre mes raisons. Le bon Étienne, au contraire, m'a, lui, toujours servi avec fidélité, quoique parfois avec trop de zèle, ce qui t'a conduit au Néoriôn. Mais je ne voulais pas ta mort, non je ne la voulais pas… J'ai seulement fait en sorte que ton ami Renaud ne soit plus à tes côtés en le proposant aux chevaliers de Saint-Jean… Ils ont aussi mal réussi que les hommes du Vieux de la Montagne chargés de vous intimider.

Il y a aussi ce Jacques le Pileux, un brave homme que j'ai dû bousculer un peu pour le convaincre de te prendre Botron.

— J'aurais servi tes fils comme toi-même, murmura Foulques.

— C'est ce que je pense aujourd'hui, mais comment aurais-je pu le croire possible, hier ? »

*

Des murailles de Tripoli jaillissaient des pierres, des flèches, le feu grégeois subtilisé aux Grecs, des outres de peau gonflées de poix bouillante qui éclataient au milieu des assaillants. Çà et là des chevaliers transformés en torches tombaient au milieu de hurlements aussitôt éteints par les sabots des chevaux.

« Messire Foulques, vite ! Le comte Raimond est blessé. »

Son couteau rougi d'une main et sa masse d'armes de l'autre, Olivier gesticulait dans la mêlée aux pieds de Stéphanitès.

*

Raimond était à terre. Des mains affolées tentaient d'étouffer les courtes flammes qui l'environnaient. Renaud hurlait en vain qu'on apportât de l'eau.

Partout, le combat cessait. Un grand silence meurtri de gémissements s'affala comme un catafalque. Absolument immobile, comme concentré sur son souffle de vie, Raimond ne disait rien.

Ménélas parut et, avec cette étrange componction qu'éprouvent les plus frustes dans les moments sublimes, la foule s'écarta pour le laisser passer. Calmement, presque avec tendresse, le serviteur ôta le heaume. Alors tous comprirent que ce n'était pas le feu qui avait abattu l'invincible Saint-Gilles. Du cou, jaillissait par intervalles un mince filet de sang qui allait tacher la poussière.

On criait partout la retraite. Les troupes de Fakhr-al-Mulk réfugiées dans la ville risquaient à tout moment de ressortir pour la curée. Foulques ordonna de transporter le comte hors d'atteinte. Il fallait se replier sans attendre et tenter de rejoindre la forteresse, où l'on serait en sécurité. Puis prier Dieu.

Sous les ordres de Guillaume de Cerdagne et d'Aymar de Marseille, les hommes de la garde personnelle du comte entreprirent de confectionner avec des lances croisées une civière de fortune.

Au moment où l'on voulut le soulever, Raimond ouvrit son œil, et, longuement, paisiblement, comme si le temps, désormais, ne comptait plus, il considéra un à un tous les visages qui l'entouraient. Son regard s'arrêta sur Guillaume de Cerdagne, qui fit un signe de croix, puis sur Aymar de Marseille, qui ne bronchait pas, puis sur Foulques, à genoux à ses côtés.

« Mon fils… », dit Raimond d'une voix claire qui ralluma un instant d'espoir.

Le comte de Toulouse gardait rivé sur Foulques un œil qui ne cillait pas.

Foulques trouva la force de lui adresser un sourire de réconfort.

Mais, depuis un moment déjà, Raimond de Saint-Gilles avait revêtu son habit de lumière.

*

Le lendemain, jour des calendes de mars, vêtu d'un long bliaud blanc, Foulques se rendit dans la chapelle de Mont-Pèlerin. Toute la nuit il avait prié au chevet de Raimond, se demandant si Dieu venait de punir le comte pour avoir désobéi aux ordres de Son Église en se battant en carême, comme autrefois Il avait puni son père qui avait guerroyé un dimanche.

Ce matin-là, la brise vibrait de teintes printanières. La vallée de la Kadisha, ouverte comme des lèvres, soufflait un air attiédi qui venait lécher le château Sanjill.

Les traits tirés par cette nuit sans sommeil, les yeux brûlés de sel et de fatigue, Foulques songea qu'il était à nouveau orphelin et une ivresse douloureuse lui ceignit la poitrine.

Il s'agenouilla vers l'abside, vers Jérusalem que Raimond ne verrait plus jamais que d'en haut. Un rai de soleil l'atteignit à la tempe gauche et lui fit baisser les paupières.

« Mon Dieu, murmura-t-il en étendant les paumes vers le ciel, le comte Raimond s'est battu pour Toi au long de toutes ces années. Ouvre-lui les portes de Ton royaume, à lui qui rêvait tant de voir s'ouvrir devant lui celles de Tripoli. »

Il ne sentait plus sa fatigue, ni la faim, ni la soif, ni la froideur des dalles.

Il ramena en coupe ses mains vers son visage. Alors, il vit le sang couler vers les poignets. Les plaies du Néoriôn venaient de se rouvrir.

La tête vide, il considéra un instant les ruisselets écarlates qui dégoulinaient sur la robe immaculée, puis un voile sombre étouffa sa conscience, et il s'évanouit.

*

Le dimanche qui suivit les obsèques, le chapelain Raimond d'Aguilers, accouru de Jérusalem, retrouva pour le comte les accents qui l'avaient transfiguré jadis sur le mont des Oliviers.

« … De même que le Christ a, par Sa mort et par Sa résurrection, uni en les réconciliant le monde d'En haut et le monde d'en bas, de même, Raimond, tu unis par ton œuvre les deux bornes de la chrétienté », conclut-il.

Toute vêtue de blanc, sans aucun bijou, cheveux noirs défaits sur ses épaules, Elvire ne semblait pas entendre l'homélie.

*

À l'issue de la messe, elle réunit dans la grande salle de la citadelle les quatre barons présents.

« Voici trois jours que le comte, mon époux, a été porté en terre devant cette ville dont il s'était promis la conquête, commença-t-elle d'une voix ferme qui surprit l'auditoire. Le destin ne lui a pas laissé le temps de venir à bout de son projet, et il nous appartient en conséquence de poursuivre son œuvre dans le respect de sa mémoire. Notre fils Alphonse n'étant pas en état d'assurer le commandement sur cette terre d'Orient, je souhaite que son aîné, Bertrand, depuis trois jours comte de Toulouse, vienne prendre ici la succession de son père pour parachever son ouvrage, et que le cadet, notre fils, recueille le comté de Toulouse.

— Tu veux dire… ? intervint Guillaume de Cerdagne.

— Rien d'autre que ce que je dis. Le comté de Tripoli a besoin dès maintenant d'un guerrier pour parfaire notre victoire. Cette ville devant laquelle le père a trouvé la mort doit être enlevée au plus tôt par son fils. C'est pourquoi, suivant en cela les volontés de feu mon époux, je t'institue, Guillaume, comte de Cerdagne, gardien du comté de Tripoli. Tu assureras le commandement de la forteresse de Mont-Pèlerin. Toi, Aymar, tu prendras dès demain possession de Gibel d'où tu tiendras fermement la partie méridionale du comté. Vous ferez l'un et l'autre allégeance à Bertrand dès qu'il aura rejoint l'Orient.

— Je ferai comme tu le souhaites, déclara solennellement Aymar de Marseille.

— Quant à vous, Foulques et Renaud, je désire que vous protégiez le retour d'Alphonse-Jourdain à Toulouse, et accessoirement le mien. Le comte de Toulouse, mon fils, saura vous dédommager de la perte de Botron.

— C'est une grande preuve d'estime, dit Renaud en inclinant la tête. Le comte Raimond aurait-il approuvé que ta sécurité et celle de ton enfant soient remises à la seule vaillance de nos bras ?

— Le comte, mon époux, avait en vous une confiance qui n'a jamais été déçue et ne s'est jamais démentie. D'où il est, il approuve mes choix », assura la comtesse avec un regard de fer.

Dans le silence qui suivit, elle saisit les lés de broderie qui racontaient les exploits du chemin de Jérusalem et, sans leur accorder un regard, les jeta dans les flammes.

*

À la pointe de cinq navires, ronds comme la *Stella Maris*, la *Gloria Mundi* se mit en travers, avant de saisir à pleine voile le vent arrière. Du triste quai de Botron, encore très assourdies, leur parvinrent les ultimes clameurs d'adieu. Appuyés au plat bord, Foulques et Morphia regardaient s'éloigner l'amphithéâtre de montagnes. Bientôt, les collines perdirent toute altitude. Il n'y eut plus qu'un vague moutonnement plongeant dans la mer en une frange d'écume immaculée où la pierre et l'eau se confondaient.

De l'autre côté du pont, Anne chantonnait une mélopée. Depuis deux jours, elle savait que la vie avait de nouveau germé au creux de ses reins. Le regard perdu au loin, Renaud caressait ses cheveux que les ris tièdes des ides de mars soulevaient en mèches.

Lorsque, poussée par une bonne brise de sud-est, la flottille dériva vers le nord jusqu'à apercevoir, très loin sur la ligne de côte, les remparts de Tripoli, Elvire demanda au capitaine de hisser au mât les couleurs de Toulouse. Alors, au bout de ses bras tendus, elle présenta le petit Alphonse à la cité accroupie sur son isthme et lança d'une voix ferme : « Le comte de Toulouse passe. »

Soudain, le vent changea de cap et vint fraîchement à l'est. Foulques rejoignit Renaud qui rêvait, la tête entre les mains.

« Te souviens-tu de Saint-Eutrope ? dit-il doucement.

– Quand le pape est venu ?

– Quand le pape est venu.

– Nous avons juré de prendre la croix.

– Et de n'être qu'un en deux.

– Et nous avons pris Jérusalem.

– Et nous sommes devenus grands. »

Ils se saisirent aux épaules en une longue accolade muette.

La proue tournée au ponant, la *Gloria Mundi* s'élança vaillamment vers l'autre côté du monde.

FIN

Rétaud, Royan,
dimanche 21 mai 2000.

Liste des personnages
dans *Les Chemins de Jérusalem* et *Les Poulains du royaume*

(*En italique* : personnage de fiction. En caractères maigres : personnage réel. **En caractères gras :** personnage réel avec éléments de biographie.)

Abou Nisri, maître soufi.

Abraham, banquier de Jérusalem.

Adélaïde de Montferrat, régente de Sicile.

Adèle de Blois, épouse d'Étienne, comte de Blois.

Adhémar, abbé du monastère clunisien de Vaux.

Adhémar de Monteil († 1098), évêque du Puy ; légat du pape Urbain II chargé d'accompagner la première croisade ; mort de la peste à Antioche.

Aimeri, sire de Riché.

Al Qushairî, maître soufi.

Albert, comte de Blanbrate.

Alexandre, secrétaire du comte de Blois.

Alexis Iᵉʳ Comnène (1048-1118), empereur de Constantinople ; parvient au pouvoir par un coup d'État soutenu par l'aristocratie foncière ; redresse énergiquement l'Empire byzantin.

Alphonse VI, roi de Castille.

Alphonse-Jourdain (1103-1148), né en Orient, comte de Toulouse à la place de son frère Bertrand, qui sera comte de Tripoli ; dépouillé de son comté de 1114 à 1119 par Guillaume d'Aquitaine ; mort empoisonné à Saint-Jean-d'Acre.

André de Vaudémont, chevalier.

Andréas, précepteur au service d'Henri de Toulouse.

Angoulême (comte d') [Guillaume Taillefer II]

Anjou (comte d') [Foulques Nerra]

Anna, fille de Foulques et de Morphia.

Anne d'Altejas, sœur d'Émerie d'Altejas.

Anne de Kiev, reine de France.

Anne Comnène (1033-ap. 1148), fille d'Alexis Iᵉʳ ; écartée du trône par son frère Jean à la mort de son père, elle tente de le faire assassiner, échoue et se retrouve enfermée avec sa mère pour le reste de ses jours dans un monastère où elle écrit l'*Alexiade,* histoire de l'empire de 1069 à 1118 et véritable panégyrique de son père.

Ansârî, maître soufi.

Anselme de Buis, archevêque de Milan.

Antinéa, fille de Tortose.

Apt (évêque d').

Arda, épouse du roi Baudouin Ier de Jérusalem.

Armorica, prostituée.

Arnaud de Comps, Dauphinois, un des premiers à quitter l'armée pour se faire hospitalier.

Arnoul Malecorne (alias de Chocques), élu patriarche de Jérusalem au lendemain de la prise de la ville par les croisés ; destitué peu après ; inventeur d'un morceau de la croix à Jérusalem (5 août 1099).

Ascalon (émir d').

Avale-carotte, manant de Châtenet.

Aymar de Marseille, arrivé en Terre sainte avec une des croisades de secours ; se trouve aux côtés de Raimond de Saint-Gilles lors du siège de Tripoli.

Aymar de Toulouse, fils de Raimond de Saint-Gilles.

Barrachois (ermite de).

Baudouin Ier (1058-1118), frère cadet de Godefroi de Bouillon, comte d'Édesse en 1098, roi de Jérusalem en 1100 ; il est le véritable fondateur du royaume de Jérusalem.

Baudouin du Bourg, comte d'Édesse après Baudouin, cousin de Godefroi de Bouillon et de Baudouin Ier.

Béatrix de Sabran, épouse de Guilhem de Sabran.

Bec-de-lièvre, manant de Châtenet.

Benjamin, serviteur de Foulques.

Benoît, sire de Gilles.

Béranger de Toulouse, oncle de Foulques.

Bernard Aton IV, vicomte de Carcassonne.

Bernard Raimond, vicomte de Béziers.

Bertrand, précepteur au service d'Henri de Toulouse.

Bertrand (1065-1111), comte de Toulouse au départ pour la croisade de son père Raimond de Saint-Gilles ; s'empare de Tripoli en 1109 et fonde la dynastie des comtes de Tripoli.

Bodin (Constantin), roi serbe ; fils de Michel, auquel il succède en 1077 (vers 1072, il avait eu le titre de roi de Bulgarie) ; arrache la Bosnie au royaume de Dalmatie pour agrandir ses États ; restitue Durazzo à l'empereur Alexis après la mort de Robert Guiscard. Mort vers 1103.

Bohémond de Tarente (1057-1111), fils aîné du Normand Robert Guiscard ; s'empare d'Antioche en 1098 ; retenu prisonnier par l'émir de Sivas de 1100 à 1103 ; épouse Constance, fille du roi de France Philippe Ier ; lutte contre Alexis Ier après 1103. Mort en 1111.

Borderelle (La), prostituée.

Boutoumidès, général byzantin.

Branle-bedoche, manant de Châtenet.
Bras-de-fer, manant de Châtenet.

Chay (sire du).
Claudicarde (La), prostituée.
Comminges (comte de) [Roger II].
Conon de Montaigu, Auvergnat, beau-frère de Godefroi de Bouillon ; un des premiers hospitaliers.
Conrad, connétable de l'empereur du Saint Empire romain germanique.
Constance, première épouse de Raimond de Saint-Gilles [identité discutée].
Cul-de-bujour, manant de Châtenet.

Daimbert (v. 1050-1107), archevêque de Pise, patriarche de Jérusalem (1099) ; tente de cumuler pouvoir temporel et pouvoir spirituel, mais doit se soumettre au roi Baudouin Ier ; déposé en 1102.
David, banquier de Constantinople.
Doigt-d'or, manant de Châtenet.
Douce de Barcelone, aïeule de Foulques.
Dukak, roi (= malik).

Ebles, prieur de Saint-Nicolas.
Ebles Ier, sire de Châtelaillon.
Ébremar, patriarche de Jérusalem.
Elvire (v. 1081-v. 1135), bâtarde du roi de Castille Alphonse VI et de Chimène Nunez ; elle est la troisième épouse de Raimond de Saint-Gilles, beaucoup plus jeune que lui et richement dotée, elle l'accompagne en Terre sainte.
Émerie d'Altejas, prétend mettre sur pied un pèlerinage de femmes qu'interdit l'évêque de Toulouse.
Éphialtès, élève de Foulques.
Éric, Islandais, écuyer puis chevalier.
Étienne, évêque de Laodicée.
Étienne (v. 1045-1102), comte de Blois, épouse Adèle, fille de Guillaume le Conquérant et de Mahaut de Flandres ; père d'Étienne de Blois (1096-1154), roi d'Angleterre ; fuit avant d'atteindre Jérusalem, rentre en France et doit retourner en Orient après les semonces de son épouse.
Étienne, comte de Bourgogne.
Étienne Valentin, prêtre de Provence.

Fakhr-al-Mulk, émir de Tripoli de la famille des Banou Ammar, devenue indépendante après avoir rompu ses liens avec l'Égypte.
Fils-de-rien, manant de Châtenet.
Firuz, fabricant de cuirasses, Arménien d'Antioche passé à l'islam pour des raisons discutées ; sa femme ayant été surprise par leur fils en compagnie d'un des principaux capitaines turcs de la garnison, il décide de se venger en ouvrant la ville aux chrétiens.

Foucaud Airaud, prévôt du duc d'Aquitaine.
Foulques, chevalier.
Foulquinet, fils de Renaud.
Frédérick, fils bâtard de Morphia et de Gunnar.

Gaetano Mercatore, marchand vénitien.
Ganelon, domestique de Raimond de Saint-Gilles.
Garnier de Grès, chevalier.
Garsinde de Forcalquier, épouse d'Isoard de Gap.
Gaston IV Centule († 1130), vicomte de Béarn, largement possessionné des
    deux côtés des Pyrénées (il est aussi seigneur de Saragosse, où il est
    inhumé) ; qualifié de *ricohombre* [grand seigneur] d'Aragon ; tué dans un
    combat contre les Maures.
Gautier sans Avoir, meneur d'une bande inorganisée de pèlerins.
Gautier, sire de Beaulieu.
Geoffroy, sire de Mortagne.
Geoffroy, sire de la Motte.
Geoffroy, sire de Pons.
Geoffroy, sire de Tonnay-Charente.
Gérard, oblat du monastère de Vaux.
Gérard, sire d'Avesnes.
Gérard (alias Géraud) († v. 1120, fort âgé), supérieur du monastère de
    Sainte-Marie-Latine ; son origine n'est pas connue avec précision (il est
    peut-être amalfitain, peut-être français) ; très aimé, il sera vénéré comme
    bienheureux sitôt son décès.
Gerberge, comtesse de Provence.
Germain, sire du Petit-Pinier.
Gertrude, prostituée.
Giaccomo Gardinella, capitaine de navire pisan.
Gifard, sire de Didonne.
Gilbert, vicomte de Gévaudan.
Gilbert, sire des Grands-Champs.
Gironde (La), prostituée.
Godefroi de Bouillon (v. 1060-1100), hérite de son oncle le duché de Basse-
    Lorraine ; élu en juillet 1099 avoué du Saint-Sépulcre, mort lors du siège
    d'Haïfa ; inhumé au Saint-Sépulcre.
Godefroi, sire du Poyer.
Goscel de Montaigu, hospitalier, fils de Conon.
Gouffier, sire **de Lastours**, baron limousin de Raimond de Saint-Gilles ;
    apprivoise un lion qu'il tient en laisse, suscitant la perplexité de ses compa-
    gnons de croisade.
Grand-Jean, manant de Châtenet.
Grégoire VII, pape.
Grégoire, secrétaire du catholicos arménien d'Édesse.
Gui, manant de Châtenet.
Gui, sire des Touzineaux.

Guibert, comte de Parme.

Guilhem, écuyer de Foulques et de Renaud.

Guilhem V, sire **de Montpellier** (1074-1121), fils de Bernard Guillem et d'Ermengarde, épouse (vers 1080) Ermessende, probablement fille du comte de Melgueil contre lequel il était en guerre peu auparavant.

Guilhem Iᵉʳ, sire **de Sabran** (v. 1040-1099/1105), le nom vient du château de Sabran, actuellement dans la commune de Bagnols-sur-Cèze ; participe à la prise d'Antioche et à celle de Jérusalem.

Guillaume, frère de Foulques.

Guillaume, moine du monastère de Vaux.

Guillaume Iᵉʳ le Conquérant, roi d'Angleterre.

Guillaume IX le Troubadour (1071-1126), comte **d'Aquitaine** (ou Guillaume VII, comte de Poitiers), épouse d'abord Ermengarde, fille de Foulques le Réchin, comte d'Anjou, puis Philippa (alias Mathilde), fille de Guillaume IV, comte de Toulouse ; est aussi poète (on le surnomme aussi Guillaume l'Enjoué). Aïeul d'Aliénor d'Aquitaine.

Guillaume de Cerdagne, surnommé « Jourdain » ; exécuteur testamentaire du comte de Toulouse.

Guillaume, comte de Nevers.

Guillaume, comte de Toulouse.

Guillaume, comte de Valentinois.

Gunnar, Varègue de la garde impériale.

Guy, comte de Ponthieu.

Habib, médecin arabe de Toulouse.

Hannibal, précepteur.

Hélène, sœur de Foulques.

Hélène de Bourgogne, épouse de Bertrand de Toulouse.

Hélie, guide.

Hélie, *princeps* **de Didonne**, témoin à la fondation de l'abbaye de Vaux-sur-Mer en 1075 ; on ignore s'il est parti pour la croisade ; sa mère se nommait Jérusalem...

Hélie, sire de Mornac.

Henri, grand-père de Foulques.

Henri, fils de Foulques.

Henri IV, empereur des Germains.

Henri, sire de La Hache.

Hermann, comte.

Homs (émir de).

Hugues, abbé de Cluny.

Hugues, sire de la Forêt.

Hugues, comte de Lusignan.

Hugues de Montebello, chevalier.

Hugues le Grand, comte **de Vermandois** (1057-1101), troisième fils de Henri Iᵉʳ, roi de France ; devenu comte de Vermandois par son mariage (1080) avec Adélaïde, héritière du comté ; le roi de France (Philippe Iᵉʳ) étant excommunié au moment de la première croisade, Hugues représente le gouvernement capétien.

Ibn, précepteur.
Ibn Al-Wallou, maître soufi.
Ibn Khaled, cheikh de Syrie.
Ibrahim, marchand d'épices de Jérusalem.
Irène, servante de Morphia.
Irène Doukas, épouse d'Alexis Comnène.
Ioannis, élève de Foulques.
Isaac, cousin du serviteur Benjamin.
Isabelle, servante d'Elvire.
Isarn, évêque de Toulouse ; interdit une croisade envisagée par des femmes, sous la direction d'Émerie d'Altejas.
Isoard de Gap, fait par Raimond de Saint-Gilles comte de Die, dont la race s'était éteinte ; il se distingue lors de la première croisade par sa bravoure, sa sagesse, ses conseils ; fils d'un certain Hugues, vicomte représentant le comte à Gap qui, excommunié par le pape en 1090 à la suite d'un grand crime, disparut.

Jacob, orfèvre de Toulouse.
Jacqueline, mère de Renaud.
Jacques, sire de Maud.
Jacques le Pileux, prévôt de Raimond de Saint-Gilles.
Jauffré, capitaine toulousain.
Jaunelle (La), prostituée.
Jaunette (La), prostituée.
Jean Comnène, fils d'Alexis Ier duc de Durazzo.
Jean, prêtre de Châtenet.
Jean, patriarche d'Antioche.
Jonathan, élève de Foulques.
Joseph, notaire de Toulouse.
Joseph, serviteur de Raimond de Saint-Gilles.
Joseph Ibn Harris, prêtre d'Iliansborg.
Josselin, sire de Varzay.
Josué, serviteur d'Abraham.

Kamelotis, ingénieur de Constantinople.
Kerboga (alias Karbôgâ, Kurbuqa...), homme de confiance du sultan seldjou-kide de Perse Barkiyarouk, émir de Mossoul depuis qu'il s'est emparé de la ville (1096) au nom du sultan et au détriment de la maison arabe des Okailides.
Kilij Arslann, maître de Nicée.

Luc, sire de la Laurencière.
Lucas, comte de Thiers.
Luigi Mercatore, marchand vénitien.

Maïa, cuisinière de Vassilika.
Marc, sire de la Laurencière.
Marie de Castillon, épouse de Pierre de Castillon.
Martin, moine.
Mathilde de Flandres, épouse de Guillaume le Conquérant.
Matthieu, sire de la Laurencière.
Maurice, régisseur de Rétaud.
Maurice de Porto, légat du pape Pascal II.
Ménélas, domestique de Raimond de Saint-Gilles.
Michel, enfant adopté par Foulques.
Michel Cérulaire, patriarche de Constantinople.
Moïse, banquier de Laodicée.
Monsef, maçon d'Iliansborg.
Morel, secrétaire de l'évêque Daimbert.
Morphia Théophilitzès, épouse de Foulques.
Myrepsos, mathématicien de Constantinople.

Nathanaël Godenkian, banquier de Constantinople.
Nicéphore Théophilitzès, consul des philosophes d'Antioche, beau-père de Foulques.
Noiraude (La), prostituée.

Olivier, pèlerin et guérisseur.
Onfroy, interprète et chevalier.

Palisse (La), prostituée.
Panagiotis Kamelotis, jeune homme de Constantinople.
Paolo, musicien de Baudouin Ier.
Paris (cardinal de), légat du pape Pascal II.
Pascal II, pape ; successeur d'Urbain II.
Patritzos, médecin de Constantinople.
Patte-folle, manant de Châtenet.
Paul, moine du monastère de Vaux.
Paulin, prêtre de Saint-Sernin de Toulouse.
Pergamo da Volta, commandant d'une flotte génoise.
Petit-Pierre, manant de Saint-Palais.
Philippa de Châtenet, mère de Foulques.
Philippa, duchesse d'Aquitaine.
Philippe Ier, roi de France.
Phrangopoulos, ambassadeur byzantin.
Pierre, moine de Thaims.

Pierre Barthélémi, obscur pèlerin provençal ; suite à des visions, il « découvre » la sainte Lance dans l'église d'Antioche ; mort le 20 avril 1099 après l'ordalie du bûcher.

Pierre, vicomte **de Castillon**, baron provençal.

Pierre, prêtre **de Narbonne**, nommé évêque d'Albara après la prise de la ville par Raimond de Saint-Gilles, le 25 septembre 1098.

Pierre Désidérius, prêtre provençal.

Pierre l'Ermite (v. 1050-1115), originaire des environs d'Amiens, prédicateur et chef d'une croisade populaire ; nommé chancelier du Saint-Sépulcre en juillet 1099 ; revient en Europe où il fonde le monastère de Neufmoutier.

Pierre-Raimond d'Hautpoul, premier membre connu de la famille ; il figure dans l'entourage immédiat de Raimond de Saint-Gilles et d'Adhémar de Monteil lors de la première croisade (c'est à eux trois, par exemple, que Pierre Barthélémi révèle l'existence de la sainte Lance) ; il meurt de la peste en même temps qu'Adhémar de Monteil et est inhumé devant la porte de l'église Saint-Pierre d'Antioche.

Pons de Balazun, chroniqueur de la croisade.

Rachid As-Safel, philosophe nestorien.

Raimond IV de Saint-Gilles, comte de Rouergue et de Gévaudan par cession de son frère Guillaume, comte de Narbonne et de Nîmes (il s'intitule duc de Narbonne et marquis de Provence, ce qu'il était pour la Provence, du chef de son aïeule Emma de Provence) comte de Toulouse (1041-1105) : véritable fondateur territorial et administratif du comté de Toulouse ; son action crée dans le midi de la France un véritable État, bien plus avancé que le royaume capétien ; participe en 1087 aux opérations de *Reconquista* en Espagne, où il perd un œil ; excommunié (1076 et 1078), ami du pape Urbain II ; marié à trois reprises (v. 1070 avec sa cousine, fille du comte de Provence, en 1080 avec Mathilde, fille du comte de Sicile, en 1094 avec Elvire, fille naturelle du roi de Castille) ; un des principaux chefs de la croisade.

Raimond, vicomte **de Turenne**, fils de Boson Ier († 1091 à Jérusalem), époux de Mathilde du Perche.

Raimond, comte du Forez.

Rainald, chapelain d'Henri de Toulouse.

Rambaud II (av. 1065-1121), covicomte de Nice, comte d'Orange, podestat de Nice en 1108 ; son aïeule, épouse de Foulques-Bertrand de Provence, est cousine germaine de Raimond de Saint-Gilles.

Ramla (évêque de).

Ramnoul, sire de Talmont.

Ramnulphe (alias Ramnoul), évêque de Saintes (av. 1085-ap. 1105), il développe sa cour judiciaire en l'absence d'autorité réelle du comte de Poitiers, et du comte d'Angoulême en Saintonge.

Ramon Tunraner, manant de Botron.

Raoul de Mouzon, chevalier.

Raymond d'Aguilers, chapelain de Raimond de Saint-Gilles, il écrit, aidé par Pons de Balazun, une *Historia Francorum qui ceperunt Jerusalem* pour le compte de l'évêque de Viviers.

Raymond du Puy, hospitalier.

Renaud, chevalier.

Renaud II, sire **de Pons**, sans doute fils d'un autre Renaud (I) de Pons, dont le père était agent du comte d'Anjou.

René, dit Roue-de-Charrette, forgeron de Châtenet.

Renoul, tailleur d'habits de Royan.

Revsa Al-Lakim, manant de Botron.

Ridwan, émir d'Alep.

Robert, chevalier.

Robert, comte d'Auvergne.

Robert II, comte **de Flandre(s)** (ap. 1063-1111), fils de Robert le Frison et de Gertrude de Saxe, revenu de Terre sainte en 1100 ; mort d'une chute de cheval sur un pont d'Arras.

Robert II Courteheuse, duc **de Normandie** (v. 1054-1134), fils de Guillaume le Conquérant et de Mathilde de Flandre ; son surnom lui vient de ses bottes (houzeaux) fort courtes ; au retour de la croisade, il lutte contre son frère Henri Ier, roi d'Angleterre, qui le retient prisonnier (de 1106 à sa mort, au château de Cardiff) et lui crève les yeux.

Robert Guiscard, comte de Pouille.

Robert de Gémozac, prévôt du duc d'Aquitaine.

Robert, sire des Cosses.

Rodrigue (Rodrigo Diaz de Bivar, le Cid Campeador).

Sanche, roi d'Aragon.

Savari, sire de la Martinière.

Sénioret, prévôt de Saintes.

Sigelgaita, prostituée.

Siméon, patriarche orthodoxe d'Antioche.

Simon, comte de Sicile.

Sophia Kamelotis, femme de Constantinople.

Tancrède († 1112), petit-fils de Robert Guiscard ; régent d'Antioche pour le compte de son oncle Bohémond, puis du comté d'Édesse pour le compte de Baudouin du Bourg ; Le Tasse en a fait le modèle du chevalier dans *La Jérusalem délivrée.*

Tatikios, stratège d'Alexis Comnène ; vainqueur des Petchénègues en Thrace en 1086 ; représentant de l'empereur auprès des croisés, il est écarté par Bohémond qui entend rester maître d'Antioche.

Thézac (alleutier de).

Théodore Sgouros, oncle de Morphia.

Théophylacte Tarchaneiôtès, grammairien d'Antioche.

Thibaud, père de Foulques.

Thibaud, fils de Foulques.

Timothée, élève de Foulques.
Timothée, manant d'Iliansborg.
Tite, manant d'Iliansborg.
Tribert, manant de Châtenet.
Tue-mouche, manant de Châtenet.

Urbain II (v. 1042-1099), de son vrai nom Odon de Lagery, pape en 1088 (mais il ne peut s'installer à Rome, tenue par l'antipape Clément III, qu'en 1093). Élève de saint Bruno à Reims, il entre ensuite à Cluny ; fait cardinal d'Ostie par Grégoire VII (dont il continue la politique réformatrice, une fois devenu pape) ; légat en France et en Allemagne ; au synode de Bari (1098), il tente sans succès un rapprochement des églises romaine et grecque. Il meurt sans connaître le succès de la croisade qu'il avait prêchée.

Vassilika Théophilitzès, grand-tante de Morphia.

Welf, duc de Bavière.

Yaghi Siyan, émir d'Antioche.
Youssef, médecin juif.
Yusuf Ibn Tachfin, empereur berbère.
Yvette, dame de Châtelaillon.

Zaccharias, préfet de Constantinople.
Zoé Porphyrogénète, impératrice de Constantinople.
Zoé Théophilitzès, mère de Morphia.

Table des matières

Cet ouvrage
a été transcodé
et achevé d'imprimer
sur Roto-Page
en janvier 2001
par l'Imprimerie Floch
53100 – Mayenne.

Dépôt légal : janvier 2001.
N° d'imprimeur : 49497.
N° d'éditeur : 11445.
Imprimé en France.